KT-170-311

GRANDMA'S BEST RECIPES

Grandma's Best Recipes

A New Collection from Grandma's Kitchen

This edition published in 2011
LOVE FOOD is an imprint of Parragon Books Ltd

Parragon
Queen Street House
4 Queen Street
Bath BA1 1HE, UK

Copyright © Parragon Books Ltd 2011

LOVE FOOD and the accompanying heart device is a trade mark
of Parragon Books Ltd in Australia, the UK, USA, India and the EU.

www.parragon.com

All rights reserved. No part of this publication may be reproduced, stored in a retrieval system, or transmitted, in any form or by any means, electronic, mechanical, photocopying, recording, or otherwise, without the prior permission of the copyright holder.

ISBN: 978-1-4454-3804-7

Printed in China

Introduction and Grandma's tips written by Linda Doeser
New recipes written by Beverly LeBlanc
Edited by Fiona Biggs
Additional photography and styling by Mike Cooper
Additional home economy by Lincoln Jefferson
Internal design by Sarah Knight

Notes for the Reader
This book uses both metric and imperial measurements. Follow the same units of measurement throughout; do not mix metric and imperial. All spoon measurements are level: teaspoons are assumed to be 5 ml, and tablespoons are assumed to be 15 ml. Unless otherwise stated, milk is assumed to be full fat, eggs and individual vegetables are medium, and pepper is freshly ground black pepper.
The times given are an approximate guide only. Preparation times differ according to the techniques used by different people and the cooking times may also vary from those given. Optional ingredients, variations or serving suggestions have not been included in the calculations.
Recipes using raw or very lightly cooked eggs should be avoided by infants, the elderly, pregnant women, convalescents and anyone suffering from an illness. Pregnant and breastfeeding women are advised to avoid eating peanuts and peanut products. Sufferers from nut allergies should be aware that some of the ready-made ingredients used in the recipes in this book may contain nuts. Always check the packaging before use.
Vegetarians should be aware that some of the ready-made ingredients used in the recipes in this book may contain animal products. Always check the packaging before use.

Picture acknowledgements
The publisher would like to thank the following for permission to reproduce copyright material:
Front cover image: Apple pie on a table in kitchen © Martin Poole/Getty Images
Page 5: stack of cups and saucers © Alexandra Grablewski/Getty images
Vintage labels © AKaiser/Shutterstock
Close-up notepaper on cork board © Picsfive/Shutterstock
A coffee cup stain © Tyler Olson/Shutterstock
Masking tape © Samantha Grandy/Shutterstock
Vintage prints supplied courtesy of Istock Images

Contents

INTRODUCTION

When we are young children we love our grandmas unquestioningly, delighting in their undivided attention, their patient willingness to show us how to make cupcakes, the songs and rhymes they know and the stories of when they were little girls. Sadly, as we grow into adulthood and we become increasingly busy and preoccupied with our careers and children of our own, we can sometimes become a little bit dismissive of the older generation. But grandmas have a wealth of knowledge and experience to draw on – from preparing a celebration dinner so that everything is ready at the same time to tempting the appetite of a sick child with home-made soup, and from stocking the larder with a fabulous array of jams, jellies and preserves to providing nutritious and tasty family suppers all year round.

In fact, grandma is any family's greatest resource. Not only has she acquired knowledge and experience in numerous aspects of life, from raising a family to clearing a blocked drain, she is also the repository of family wisdom, having learned much from her own grandmother and mother. Moreover, people are living longer these days so many families are blessed not just with an active and vigorous grandma, but a pretty lively great-grandma too. Of course, not everything these matriarchs have learned over the years is appropriate to twenty-first-century life. Cleaning carpets by sprinkling them with damp tea leaves and later sweeping with a stiff broom is hardly fitting in the twenty-first century when tea comes in bags and everyone

has a vacuum cleaner. However, much remains pertinent, whether it's how to manage a balanced family diet or a balanced family budget.

Today's grandmas are not little grey-haired old ladies, knitting in a fireside rocking chair. In their younger days, modern grandmas have witnessed great changes in the world and have been quick to take advantage of the best, most useful and most practical of them – whether buying non-iron fabrics or going late night shopping, making good use of the freezer or speeding up cooking in a microwave oven. Many of them had jobs outside the home and found ways to balance work and family life and most have had to cope with a few rough patches along the way.

Make the most of your matriarch

No one ever really learns from someone else's mistakes, but everyone can benefit from the things someone else got right. Not every grandma was a rocket scientist, but they have all acquired a vast amount of information and experience that has direct relevance to family life. When your little angel who always shared her toys and slept through the night suddenly turns into the ankle biter from hell who won't eat her greens and never takes turns on the swing, trust grandma when she says that nothing in childhood lasts and this too will change.

These days there are hundreds of thousands of books and probably millions of websites to turn to when you need the answer to a problem that is bothering you or you simply don't know how to do something. But how do you know that they are right? When grandma comes up with an answer, you know that she's been there and done that. Why does grandma make the best gravy in the world? Probably because she got it wrong a few times in the past but too long ago to bother about now.

(She scrapes up the sediment off the base of the roasting tin with a wooden spoon as the liquid cooks, add a splash of wine to give it the richest flavour and keep stirring.) Why is grandma's pastry so crisp and melt-in-the-mouth? (She rinses her hands under cold water and handles the dough as little as possible so that the fat – butter, always butter – doesn't melt.) Why are grandma's woollens so soft? (She reads and follows the washing instructions, even when it says hand wash!)

Most grandmas don't realize just how much they do know. They know practical things, such as how to whiz together a quick, tasty and nourishing snack in the blender with some fresh or frozen berries, a spoonful of honey and a carton of natural yogurt, useful facts, such as the ideal, safe temperature for a refrigerator is 4°C/40°F, clever tricks, such as adding two or three clean tennis balls to the tumble dryer when drying pillows or duvets to prevent the filling becoming lumpy, and time-saving tips, such as using kitchen scissors to chop herbs, anchovy fillets, ham, bacon, spring onions, sun-dried tomatoes and stoned olives.

From Grandma with love

Probably the very best thing about grandma is that she will do things for mum and dad and her grandchildren that she would never have the time, patience or inclination to do for anyone else in the world. Mum is often stressed and pushed for time, racing home after work, picking up the kids on the way and assembling the family meal before bath time and bedtime and then folding and ironing the washing. But grandma knows that a pre-schooler can spend a totally fascinated – and astonishingly quiet – half hour shucking fresh peas and, of course, will happily eat the fruits of his or her labour at supper. Grandma will always find time to do it – as well as making sandwiches stamped into moons and stars with biscuit cutters.

Grandma loves to share a weekend lunch or, better still, a celebration meal with the family and show off the culinary skills she has acquired during a lifetime of cooking – whether the menu is simple comfort food or classic family dinners. And any family in its right mind will relish these occasions too. The meal may not match up to the flamboyant and extravagant dishes of television's master chefs, but will invariably have been prepared with loving care and with a special eye on who likes what – only a grandma can do that. Grandma knows that people always appreciate food made with love, so take a leaf out of her book – whenever you're baking or making jams or preserves, make an extra batch or fill an extra jar, then package it up with style by cutting out and sticking on one of the labels on pages 217–221. The labels can also be used as gift tags to add a personal and pretty touch, turning your home-made creations into a gift anyone would be happy to receive.

Grandmas passionately – maybe over-enthusiastically sometimes – want to pass on all the things they have learned in their long lives, whether first-hand or at their own grandmother's knee: a pinch of cayenne adds a delicious kick to a cheese sauce, cutting crosses in the stalks of Brussels sprouts is a pointless waste of time, halving vegetables and then slicing them flat side down prevents the knife slipping, cleaning the refrigerator with a solution of bicarbonate of soda avoids residual soapy smells, and it's okay to play some music and dance in the garden with the children late on a sunny Friday evening because they don't have to get up for school in the morning.

No – grandma doesn't know everything, although she knows a lot. What she hopes is that her daughters and daughters-in-law will value her wisdom and the wisdom of all the grandmas who have gone before and add to it as they reach that marvellous stage of life when they become grandmas themselves.

TRIED & TESTED FAVOURITES

Chicken Noodle Soup

SERVES 4–6
INGREDIENTS

- 2 skinless chicken breasts
- 1.2 litres/2 pints water or chicken stock
- 3 carrots, peeled and sliced into 5-mm/¼-inch slices
- 85 g/3 oz egg noodles
- salt and pepper
- fresh tarragon leaves, to garnish

1 Place the chicken breasts in a large saucepan over a medium heat, add the water and bring to a simmer. Cook for 25–30 minutes. Skim any foam from the surface if necessary. Remove the chicken from the stock and keep warm.

2 Continue to simmer the stock, add the carrots and noodles and cook for 4–5 minutes.

3 Thinly slice or shred the chicken breasts and place in warmed serving dishes.

4 Ladle into warmed soup bowls and serve garnished with the tarragon.

GRANDMA'S TIP
Clean hands are the fastest tools for shredding cooked chicken, flaking cooked fish, crumbling cheese and tearing delicate salad leaves and herbs.

Potato Pancakes

MAKES 12 PANCAKES
INGREDIENTS

- 4 large potatoes, peeled and coarsely grated
- 1 large onion, grated
- 2 eggs, lightly beaten
- 55 g/2 oz fine matzo meal
- 1 tsp salt
- pepper
- sunflower oil, for frying

TO SERVE
- soured cream
- thinly sliced smoked salmon
- snipped chives

1 Preheat the oven to 110°C/225°F/Gas Mark ¼ and line a heatproof plate with kitchen paper. Working in small batches, put the potatoes on a tea towel, fold over the tea towel and squeeze to extract as much water as possible.

2 Put the potatoes in a large bowl, add the onion, eggs, matzo meal and the salt. Add the pepper to taste and mix together.

3 Heat a large, heavy-based frying pan over a medium–high heat. Add a thin layer of oil and heat until hot.

4 Drop 2 tablespoons of the mixture into the pan and flatten slightly. Add as many more pancakes as will fit without overcrowding the pan. Fry for 2 minutes, or until crisp and golden underneath. Flip or turn with a palette knife and continue frying for a further 1–2 minutes, until crisp and golden.

5 Repeat this process using the remaining batter. Meanwhile, transfer the cooked pancakes to the prepared plate and keep warm in the preheated oven. Add extra oil to the pan between batches, if necessary.

6 Serve the pancakes hot, topped with soured cream and smoked salmon and sprinkled with chives.

Old-fashioned Chicken Stew

SERVES 6

INGREDIENTS

- 2 tbsp vegetable oil
- 1 x 1.8–2.25-kg/4–5-lb chicken, cut into quarters, backbone reserved
- 700 ml/ 1¼ pints chicken stock
- 700 ml/ 1¼ pints water
- 4 garlic cloves, peeled
- 1 bay leaf
- 4 fresh thyme sprigs
- 70 g/2½ oz butter
- 2 carrots, cut into 1-cm/½-inch lengths
- 2 celery sticks, cut into 1-cm/½-inch lengths
- 1 large onion, chopped
- 5 tbsp plain flour
- 1½ tsp salt
- pepper
- dash of Tabasco sauce

DUMPLINGS

- 200 g/7 oz plain flour
- 1 tsp salt
- 2 tsp baking powder
- ¼ tsp bicarbonate of soda
- 40 g/1½ oz butter, chilled
- 2 tbsp thinly sliced spring onions
- 60 ml/ 4 tbsp buttermilk
- 175 ml/6 fl oz milk

1 Put the oil into a large, heavy-based flameproof casserole, add the chicken pieces and cook over a high heat, turning frequently, for 10 minutes, until browned all over. Pour in the stock and water, add the garlic, bay leaf and thyme and bring to the boil.

2 Reduce the heat, cover and simmer for 30 minutes. Remove the casserole from the heat, then transfer the chicken to a bowl and leave to cool. Strain the cooking liquid into another bowl and skim off any fat that rises to the surface.

3 Put the butter, carrots, celery and onion into the casserole and cook over a medium heat, stirring frequently, for 5 minutes. Stir in the flour and cook, stirring constantly, for 2 minutes. Gradually whisk in the reserved cooking liquid, a ladleful at a time. Add the salt and some pepper and stir in the Tabasco sauce. Reduce the heat to low, cover and simmer for 30 minutes, until the vegetables are tender.

4 Skin the chicken pieces and remove the meat from the bones, tearing it into chunks. Stir the chunks into the cooked vegetables, cover the casserole and reduce the heat to the lowest possible setting.

5 To make the dumplings, sift the flour, salt, baking powder and bicarbonate of soda together into a bowl. Add the butter and cut in with a pastry blender or rub in with your fingertips until the mixture resembles coarse breadcrumbs. Add the spring onions, buttermilk and milk and stir with a fork into a thick dough.

6 Increase the heat under the casserole to medium and stir well. Shape the dumpling dough into large balls and add to the casserole. Cover and simmer for 15 minutes, until the dumplings are firm and cooked in the middle. Remove from the heat and serve immediately.

Steak & Kidney Pudding

SERVES 4

INGREDIENTS

- butter, for greasing
- 450 g/1 lb braising steak, trimmed and cut into 2.5-cm/1-inch pieces
- 2 lambs' kidneys, cored and cut into 2.5-cm/1-inch pieces
- 55 g/2 oz plain flour
- 1 onion, finely chopped
- 115 g/4 oz large field mushrooms, sliced (optional)
- 1 tbsp chopped fresh parsley
- 300 ml/10 fl oz (approx) beef stock, or a mixture of beer and water
- salt and pepper

SUET PASTRY

- 350 g/12 oz self-raising flour
- 175 g/6 oz suet
- 225 ml/8 fl oz cold water

1. Grease a 1.2-litre/2-pint pudding basin.

2. Put the prepared meat into a large polythene bag with the flour and salt and pepper and shake well until all the meat is well coated. Add the onion, mushrooms, if using, and the parsley and shake again.

3. For the suet pastry, mix the flour, suet and some salt and pepper together. Add enough cold water to make a soft dough.

4. Reserve a quarter of the dough and roll out the remainder to form a circle big enough to line the prepared pudding basin. Line the basin, making sure that there is a good 1 cm/½ inch hanging over the edge.

5. Place the meat mixture in the basin and pour in enough of the stock to cover the meat.

6. Roll out the reserved pastry to make a lid. Fold in the edges of the pastry, dampen them and place the lid on top. Seal firmly in place.

7. Cover with a piece of greaseproof paper, cover that with a piece of foil, pleated to allow for expansion during cooking, and seal well. Place in a steamer or large saucepan half-filled with boiling water. Simmer the pudding for 4–5 hours, topping up the water from time to time.

8. Remove the basin from the steamer and take off the coverings. Wrap a clean cloth around the basin and serve at the table.

GRANDMA'S TIP

Sharpen knives regularly, as blunt ones slip more easily and may cut you. Store in a knife block or on a magnetic rack out of the reach of children.

Shepherd's Pie

SERVES 6

INGREDIENTS

- 1 tbsp olive oil
- 2 onions, finely chopped
- 2 garlic cloves, finely chopped
- 675 g/1 lb 8 oz good-quality minced lamb
- 2 carrots, finely chopped
- 1 tbsp plain flour
- 225 ml/8 fl oz beef stock or chicken stock
- 125 ml/4 fl oz red wine
- Worcestershire sauce (optional)
- 1 quantity Perfect Mash (see page 118)
- salt and pepper

1 Preheat the oven to 180°C/350°F/Gas Mark 4.

2 Heat the oil in a large, flameproof casserole, add the onions and fry until softened, then add the garlic and stir well.

3 Increase the heat and add the meat. Cook quickly, stirring constantly, until the meat is browned all over. Add the carrots and season well with salt and pepper.

4 Stir in the flour and add the stock and wine. Stir well and heat until simmering and thickened.

5 Cover the casserole and cook in the preheated oven for about 1 hour. The lamb mixture should be quite thick but not dry. Season with salt and pepper to taste and add a little Worcestershire sauce, if using.

6 Spoon the lamb mixture into an ovenproof serving dish and spread or pipe the mash on top.

7 Increase the oven temperature to 200°C/400°F/Gas Mark 6, place the pie at the top of the oven and cook for 15–20 minutes until golden brown. Finish off under a medium grill until the topping is crisp and brown.

Toad in the Hole

SERVES 4
INGREDIENTS

- 115 g/4 oz plain flour
- pinch of salt
- 1 egg, beaten
- 300 ml/10 fl oz milk
- 450 g/1 lb good-quality pork sausages
- 1 tbsp vegetable oil, plus extra for greasing

1 Preheat the oven to 220°C/425°F/Gas Mark 7.

2 To make the batter, sift the flour and salt together into a mixing bowl. Make a well in the centre and add the egg and half the milk. Carefully stir the liquid into the flour until the mixture is smooth. Gradually beat in the remaining milk. Leave to stand for 30 minutes.

3 Grease a 20 x 25-cm/8 x 10-inch ovenproof dish or roasting tin.

4 Prick the sausages and place them in the dish. Sprinkle over the oil and cook the sausages in the oven for 10 minutes, until they are beginning to colour and the fat has started to run and is sizzling.

5 Remove from the oven and quickly pour the batter over the sausages. Return to the oven and cook for 35–45 minutes, until the batter is well risen and golden brown. Serve immediately.

Ham & Potato Pie

SERVES 4–6
INGREDIENTS

- 225 g/8 oz waxy potatoes, cubed
- 2 tbsp butter
- 8 shallots, halved
- 225 g/8 oz smoked ham, cubed
- 2½ tbsp plain flour
- 300 ml/10 fl oz milk
- 2 tbsp wholegrain mustard
- 50 g/1¾ oz pineapple, cubed
- salt and pepper

PASTRY
- 225 g/8 oz plain flour, plus extra for dusting
- ½ tsp mustard powder
- pinch of salt
- pinch of cayenne pepper
- 150 g/5½ oz butter
- 125 g/4½ oz mature Cheddar cheese, grated
- 2 egg yolks
- 4–6 tsp iced water
- 1 egg, lightly beaten

1 Bring a saucepan of lightly salted water to the boil, add the potatoes, bring back to the boil and cook for 10 minutes. Drain the potatoes and set aside.

2 Meanwhile, melt the butter in a separate saucepan over a low heat. Add the shallots and cook, stirring frequently, for 3–4 minutes until beginning to brown.

3 Add the ham and cook, stirring, for 2–3 minutes. Stir in the flour and cook, stirring, for 1 minute. Gradually stir in the milk. Add the mustard and pineapple and bring to the boil, stirring. Season to taste with salt and pepper, then add the potatoes.

4 To make the pastry, sift the flour, mustard powder, salt and cayenne pepper together into a bowl. Add the butter and cut it into the flour, then rub in with your fingertips until the mixture resembles coarse breadcrumbs.

5 Stir in the cheese. Add the egg yolks and water and mix to a smooth dough, adding more water if necessary. Shape into a ball, cover and chill for 30 minutes.

6 Preheat the oven to 190°C/375°F/Gas Mark 5. Cut the pastry dough in half, roll out one half on a lightly floured work surface and use to line a large pie dish. Spoon the filling into the pie dish. Brush the edges with water. Roll out the remaining pastry and press it on top of the pie, sealing the edges.

7 Decorate with the trimmings. Brush with the beaten egg and bake in the preheated oven for 40–45 minutes, until golden brown. Serve immediately.

GRANDMA'S TIP
Shallots and baby onions are easier to peel if you first soak them in hot water for 5 minutes and then drain.

Fisherman's Pie

SERVES 6

INGREDIENTS

- 900 g/2 lb white fish fillets, such as plaice, skinned
- 150 ml/5 fl oz dry white wine
- 1 tbsp chopped fresh parsley, tarragon or dill
- 175 g/6 oz small mushrooms, sliced
- 70 g/2½ oz butter, plus extra for greasing
- 175 g/6 oz cooked peeled prawns
- 40 g/1½ oz plain flour
- 125 ml/4 fl oz double cream
- 1 quantity Perfect Mash (see page 118)
- salt and pepper

1 Preheat the oven to 180°C/350°F/Gas Mark 4. Grease a 1.7-litre/3-pint baking dish with butter.

2 Fold the fish fillets in half and place in the dish. Season well with salt and pepper, pour over the wine and scatter over the herbs.

3 Cover with foil and bake for 15 minutes until the fish starts to flake. Strain off the liquid and reserve for the sauce. Increase the oven temperature to 220°C/425°F/Gas Mark 7.

4 Sauté the mushrooms in a frying pan with 15 g/½ oz of the butter and spoon over the fish. Scatter over the prawns.

5 Heat the remaining butter in a saucepan and stir in the flour. Cook for a few minutes without browning, remove from the heat, then add the reserved cooking liquid gradually, stirring well between each addition.

6 Return to the heat and gently bring to the boil, still stirring to ensure a smooth sauce. Add the cream and season to taste with salt and pepper. Pour over the fish in the dish and smooth over the surface.

7 Pile or pipe the mash onto the fish and sauce and bake for 10–15 minutes until golden brown.

GRANDMA'S TIP

Grate dried-up hard and semi-hard cheeses no longer fit for the table and freeze to use later in sauces or as a topping.

Vegetable Cobbler

SERVES 4

INGREDIENTS

- 1 tbsp olive oil
- 1 garlic clove, crushed
- 8 small onions, halved
- 2 celery sticks, sliced
- 225 g/8 oz swede, chopped
- 2 carrots, sliced
- ½ small head of cauliflower, broken into florets
- 225 g/8 oz button mushrooms, sliced
- 400 g/14 oz canned chopped tomatoes
- 55 g/2 oz red lentils, rinsed
- 2 tbsp cornflour
- 3–4 tbsp water
- 300 ml/10 fl oz vegetable stock
- 2 tsp Tabasco sauce
- 2 tsp chopped fresh oregano
- fresh oregano sprigs, to garnish

TOPPING

- 225 g/8 oz self-raising flour, plus extra for dusting
- pinch of salt
- 4 tbsp butter
- 115 g/4 oz grated mature Cheddar cheese
- 2 tsp chopped fresh oregano
- 1 egg, lightly beaten
- 150 ml/5 fl oz milk

1 Preheat the oven to 180°C/350°F/Gas Mark 4. Heat the oil in a large frying pan, add the garlic and onions and cook over a low heat for 5 minutes. Add the celery, swede, carrots and cauliflower and cook for 2–3 minutes.

2 Add the mushrooms, tomatoes and lentils. Place the cornflour and water in a bowl and mix to make a smooth paste. Stir into the frying pan with the stock, Tabasco sauce and oregano. Transfer to an ovenproof dish, cover and bake in the preheated oven for 20 minutes.

3 To make the topping, sift the flour and salt together into a bowl. Add the butter and rub it in, then stir in most of the cheese and oregano. Beat the egg with the milk in a small bowl and add enough to the dry ingredients to make a soft dough. Knead, then roll out on a lightly floured work surface to 1 cm/½ inch thick. Cut into 5-cm/2-inch rounds.

4 Remove the dish from the oven and increase the temperature to 200°C/400°F/Gas Mark 6. Arrange the dough rounds around the edge of the dish, brush with the remaining egg and milk mixture and sprinkle with the reserved cheese. Return to the oven and cook for a further 10–12 minutes. Garnish with oregano sprigs and serve.

Jam Roly-poly

SERVES 6
INGREDIENTS

- 225 g/8 oz self-raising flour
- pinch of salt
- 115 g/4 oz suet
- grated rind of 1 lemon
- 1 tbsp sugar
- 125 ml/4 fl oz mixed milk and water
- 4–6 tbsp Classic Strawberry Jam (see page 38)
- 2 tbsp milk
- Home-made Vanilla Custard (see page 144), to serve

1 Sift the flour into a mixing bowl and add the salt and suet. Mix together well. Stir in the lemon rind and the sugar.

2 Make a well in the centre and add the milk and water mixture to give a light, elastic dough. Knead lightly until smooth. Wrap the dough in clingfilm and leave to rest for 30 minutes.

3 Roll the dough into a rectangle measuring 20 x 25-cm/8 x 10-inches.

4 Spread the jam over the dough, leaving a 1-cm/½-inch border. Brush the border with the milk and roll up the dough carefully, like a Swiss roll, from one short end. Seal the ends.

5 Wrap the roly-poly loosely in greaseproof paper and then overwrap with foil, sealing the ends well.

6 Place the roly-poly in a steamer over a saucepan of rapidly boiling water and steam for 1½–2 hours, making sure you top up the water from time to time.

7 When cooked, remove from the steamer, unwrap, cut into slices and serve on warmed plates with custard.

Spotted Dick

SERVES 6

INGREDIENTS

- 225 g/8 oz self-raising flour, plus extra for dusting
- 115 g/4 oz suet
- 55 g/2 oz caster sugar
- 140 g/5 oz currants or raisins
- grated rind of 1 lemon
- 150–175 ml/5–6 fl oz milk
- 2 tsp melted butter, for greasing
- Home-made Vanilla Custard (see page 144), to serve

1 Mix together the flour, suet, sugar, currants and lemon rind in a mixing bowl.

2 Pour in the milk and stir together to give a fairly soft dough.

3 Turn out onto a floured surface and roll into a cylinder. Wrap in greaseproof paper that has been well-greased with the melted butter and seal the ends, allowing room for the pudding to rise. Overwrap with foil and place in a steamer over a saucepan of boiling water.

4 Steam for about 1–1½ hours, checking the water level in the saucepan from time to time.

5 Remove the pudding from the steamer and unwrap. Place on a warmed plate and cut into thick slices. Serve with lots of custard.

GRANDMA'S TIP

Don't go to the supermarket with an empty stomach as you will be more likely to make impulse buys that eat into the family budget.

Sherry Trifle

SERVES 8
INGREDIENTS

FRUIT LAYER

- 100 g/3½ oz trifle sponges
- 150 g/5½ oz Classic Strawberry Jam (see page 38)
- 250 ml/9 fl oz sherry
- 150 g/5½ oz fresh strawberries, hulled and sliced
- 400 g/14 oz canned mixed fruit, drained
- 1 large banana, sliced

CUSTARD LAYER

- 6 egg yolks
- 50 g/1¾ oz caster sugar
- 500 ml/18 fl oz milk
- 1 tsp vanilla extract

TOPPING

- 300 ml/10 fl oz double cream
- 1–2 tbsp caster sugar
- chocolate flakes or curls, to decorate

1 Spread the trifle sponges with jam, cut them into bite-sized cubes and arrange in the bottom of a large glass serving bowl. Pour over the sherry and leave for 30 minutes.

2 Combine the strawberries, canned fruit and banana and arrange over the sponges. Cover with clingfilm and chill in the refrigerator for 30 minutes.

3 To make the custard layer, put the egg yolks and sugar into a bowl and whisk together. Pour the milk into a saucepan and heat gently over a low heat. Remove from the heat and gradually stir into the egg mixture, then return the mixture to the pan and stir constantly over a low heat until thickened. Do not boil.

4 Remove from the heat, pour into a bowl and stir in the vanilla extract. Leave to cool for 1 hour. Spread the custard over the trifle sponge and fruit mixture, cover with clingfilm and chill in the refrigerator for 2 hours.

5 To make the topping, whip the cream in a bowl and stir in sugar to taste. Spread over the trifle, then scatter over the chocolate flakes. Cover with clingfilm and chill in the refrigerator for at least 2 hours before serving.

GRANDMA'S TIP
Instead of trifle sponges, you could use macaroon biscuits, sponge fingers or even sliced Swiss roll.

Apple Pie

SERVES 6
INGREDIENTS

PASTRY
- 350 g/12 oz plain flour
- pinch of salt
- 85 g/3 oz butter or margarine, cut into small pieces
- 85 g/3 oz lard or white vegetable fat, cut into small pieces
- about 6 tbsp cold water
- beaten egg or milk, for glazing

FILLING
- 750 g–1 kg/1 lb 10 oz–2 lb 4 oz cooking apples, peeled, cored and sliced
- 125 g/4½ oz soft light brown sugar or caster sugar, plus extra for sprinkling
- ½–1 tsp ground cinnamon, mixed spice or ground ginger
- 1–2 tbsp water (optional)

1 To make the pastry, sift the flour and salt into a mixing bowl. Add the butter and lard and rub in with your fingertips until the mixture resembles fine breadcrumbs. Add the water and gather the mixture together into a dough. Wrap the dough and chill in the refrigerator for 30 minutes.

2 Preheat the oven to 220°C/425°F/Gas Mark 7. Roll out almost two thirds of the pastry thinly and use to line a deep 23-cm/9-inch pie plate or pie tin.

3 To make the filling, mix the apples with the sugar and spice and pack into the pastry case. Add the water if needed, particularly if the apples are not very juicy.

4 Roll out the remaining pastry to form a lid. Dampen the edges of the pie rim with water and position the lid, pressing the edges firmly together. Trim and crimp the edges.

5 Using the trimmings, cut out leaves or other shapes to decorate the top of the pie. Dampen and attach. Glaze the top of the pie with the beaten egg and make one or two slits in the top.

6 Place the pie on a baking tray and bake in the preheated oven for 20 minutes, then reduce the oven temperature to 180°C/350°F/Gas Mark 4 and bake for a further 30 minutes, or until the pastry is a light golden brown. Serve hot or cold, sprinkled with sugar.

GRANDMA'S TIP
Prevent apples discoloring by placing the peeled slices in a bowl of water with the juice of 1 lemon added.

Mini Yorkshire Puddings

MAKES 6

INGREDIENTS

- 30 g/1 oz beef dripping or 2 tbsp sunflower oil
- 140 g/5 oz plain flour
- ½ tsp salt
- 2 eggs
- 225 ml/8 fl oz milk

1 Grease six metal pudding moulds with the dripping, then divide the remaining dripping between the moulds. Preheat the oven to 220°C/425°F/Gas Mark 7, placing the moulds in the oven so the dripping can melt while the oven heats.

2 Sift the flour and salt together into a large mixing bowl and make a well in the centre. Break the eggs into the well, add the milk and beat, gradually drawing in the flour from the side to make a smooth batter. Remove the moulds from the oven and spoon in the batter until they are about half full.

3 Bake in the preheated oven for 30–35 minutes, without opening the door, until the puddings are well risen, puffed and golden brown. Serve immediately, as they will collapse if left to stand.

GRANDMA'S TIP

Provide each child with a money box to start a savings habit. Let them keep whatever they find on regular coin hunts down the back of the sofa and under furniture.

Traditional Scones

MAKES 10-12 SCONES
INGREDIENTS

- 450 g/1 lb plain flour, plus extra for dusting
- ½ tsp salt
- 2 tsp baking powder
- 55 g/2 oz butter
- 2 tbsp caster sugar
- 250 ml/9 fl oz milk
- 3 tbsp milk, for glazing
- Classic Strawberry Jam (see page 38) and clotted cream, to serve

1 Preheat the oven to 220°C/425°F/Gas Mark 7. Lightly flour a baking tray.

2 Sift the flour, salt and baking powder into a bowl. Rub in the butter until the mixture resembles breadcrumbs. Stir in the sugar.

3 Make a well in the centre and pour in the milk. Stir in using a round-bladed knife and make a soft dough.

4 Turn the mixture onto a floured work surface and lightly flatten the dough until it is an even thickness, about 1 cm/½ inch. Don't be too heavy-handed – scones need a light touch.

5 Use a 6-cm/2½-inch pastry cutter to cut out the scones, then place them on the prepared baking tray.

6 Glaze with a little milk and bake in the preheated oven for 10–12 minutes, until golden and well risen.

7 Leave to cool on a wire rack and serve freshly baked with strawberry jam and clotted cream.

GRANDMA'S TIP
To make fruit scones, add 55 g/2 oz mixed fruit with the sugar. To make wholemeal scones, use wholemeal flour and omit the sugar.

Classic Strawberry Jam

MAKES ABOUT
450 G/1 LB
INGREDIENTS

- 1.5 kg/3 lb 5 oz ripe, unblemished whole strawberries, hulled and rinsed
- 2 freshly squeezed lemons, juice strained
- 1.5 kg/3 lb 5 oz preserving sugar
- 1 tsp butter

1 Place the strawberries in a preserving pan with the lemon juice, then simmer over a gentle heat for 15–20 minutes, stirring occasionally, until the fruit has collapsed and is very soft.

2 Add the sugar and heat, stirring occasionally, until the sugar has completely dissolved. Add the butter, then bring to the boil and boil rapidly for 10–20 minutes, or until the jam has reached its setting point.

3 Leave to cool for 8–10 minutes, then skim and pot into warmed sterilized jars and immediately cover the tops with waxed discs. When completely cold, cover with cellophane or lids, label and store in a cool place.

GRANDMA'S TIP
Other flavours can be added if liked. Add 2 lightly bruised lemongrass stalks and 4 lightly bruised green cardamom pods. Discard the spices before potting.

Orange & Squash Marmalade

MAKES ABOUT 2.25 KG/5 LB

INGREDIENTS

- 900 g/2 lb acorn squash or butternut squash (peeled and deseeded weight), cut into small chunks
- 6 blood oranges, scrubbed
- 150 ml/5 fl oz freshly squeezed lemon juice
- small piece fresh ginger, peeled and grated
- 2 serrano chillies, deseeded and finely sliced
- 1.2 litres/2 pints water
- 1.25 kg/2 lb 12 oz preserving sugar

1 Place the squash in a large saucepan with a tight-fitting lid. Thinly slice two of the oranges without peeling, reserving the pips, and add to the saucepan.

2 Peel the remaining oranges, chop the flesh and add to the pan together with the lemon juice, grated ginger and sliced chillies. Tie up the orange pips in a piece of muslin and add to the pan with the water.

3 Bring to the boil, then reduce the heat, cover and simmer gently for 1 hour, or until the squash and oranges are very soft. If preferred, transfer the mixture to a preserving pan.

4 Add the sugar and heat gently, stirring, until the sugar has completely dissolved. Bring to the boil and boil rapidly for 15 minutes, or until the setting point is reached.

5 Skim, if necessary, then leave to cool for 10 minutes. Pot into warmed sterilized jars and immediately cover the tops with waxed discs. When completely cold, cover with cellophane or lids, label and store in a cool place.

GRANDMA'S TIP

This marmalade is ideal for serving with meat and cheese dishes. The marmalade can also be served warm. Heat gently before serving.

Traditional Lemon Curd

MAKES ABOUT
675 G/1 LB 8 OZ
INGREDIENTS

- 4 lemons (preferably unwaxed and organic), scrubbed and dried
- 4 eggs, beaten
- 115 g/4 oz unsalted butter, diced
- 450 g/1 lb sugar

1 Finely grate the rind from the lemons and squeeze out all the juice. Place the rind and juice in a heatproof bowl, stir in the eggs, then add the butter and sugar.

2 Place the bowl over a saucepan of gently simmering water, ensuring that the base of the bowl does not touch the water. Cook, stirring constantly, until the sugar has completely dissolved, then continue to cook, stirring frequently, until the mixture thickens and coats the back of the spoon.

3 Spoon into warmed sterilized jars and immediately cover the tops with waxed discs. When completely cold, cover with lids, label and store in a cool, dark place. Use within 3 months and, once opened, store in the refrigerator.

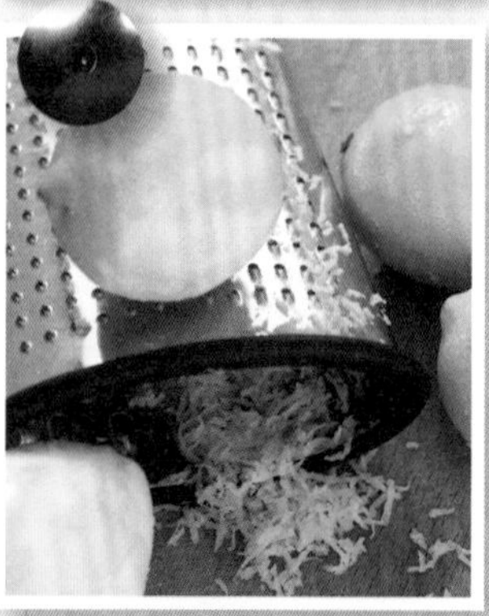

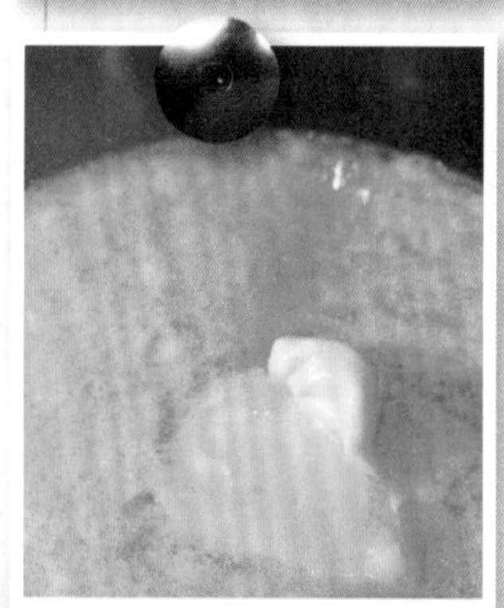

GRANDMA'S TIP
Other fruits can be used in this recipe. Try orange or lime or even a mixture of all three. Add the flesh and seeds of a ripe passion fruit to the mixture when adding the sugar.

OLD-FASHIONED COMFORT FOOD

Tomato Soup

SERVES 4
INGREDIENTS

- 55 g/2 oz butter
- 1 onion, finely chopped
- 700 g/1 lb 9 oz tomatoes, finely chopped
- 600 ml/1 pint hot chicken stock or vegetable stock
- pinch of sugar
- 2 tbsp shredded fresh basil leaves, plus extra sprigs to garnish
- 1 tbsp chopped fresh parsley
- salt and pepper
- croûtons, to serve (optional)

1 Melt half the butter in a large, heavy-based saucepan. Add the onion and cook over a low heat, stirring occasionally, for 5 minutes, or until softened. Add the tomatoes, season to taste with salt and pepper and cook for 5 minutes.

2 Pour in the hot stock, bring back to the boil, then reduce the heat and cook for 10 minutes.

3 Push the soup through a sieve with the back of a wooden spoon to remove the tomato skins and seeds. Return to the saucepan and stir in the sugar, remaining butter, basil and parsley. Heat through briefly, but do not allow to boil.

4 Ladle into warmed soup bowls. Serve immediately, garnished with sprigs of basil and accompanied by croûtons, if using.

Split Pea & Ham Soup

SERVES 6–8

INGREDIENTS

- 500 g/1 lb 2 oz split green peas
- 1 tbsp olive oil
- 1 large onion, finely chopped
- 1 large carrot, finely chopped
- 1 celery stick, finely chopped
- 1 litre/1¾ pints chicken stock or vegetable stock
- 1 litre/1¾ pints water
- 225 g/8 oz lean smoked ham, finely diced
- ¼ tsp dried thyme
- ¼ tsp dried marjoram
- 1 bay leaf
- salt and pepper

1 Rinse the peas under cold running water. Put them in a saucepan and cover generously with water. Bring to the boil and boil for 3 minutes, skimming off the scum from the surface. Drain the peas.

2 Heat the oil in a large saucepan over a medium heat. Add the onion and cook for 3–4 minutes, stirring occasionally, until just softened. Add the carrot and celery and continue cooking for 2 minutes.

3 Add the peas, pour over the stock and water and stir to combine.

4 Bring just to the boil and stir the ham into the soup. Add the thyme, marjoram and bay leaf. Reduce the heat, cover and cook gently for 1–1½ hours, until the ingredients are very soft. Remove the bay leaf.

5 Taste and adjust the seasoning. Ladle into warmed soup bowls and serve.

Hearty Beef Stew

SERVES 4

INGREDIENTS

- 1.3 kg/3 lb boneless braising steak, cut into 5-cm/2-inch pieces
- 2 tbsp vegetable oil
- 2 onions, cut into 2.5-cm/1-inch pieces
- 3 tbsp plain flour
- 3 garlic cloves, finely chopped
- 1 litre/1¾ pints beef stock
- 3 carrots, cut into 2.5-cm/1-inch lengths
- 2 celery sticks, cut into 2.5-cm/1-inch lengths
- 1 tbsp tomato ketchup
- 1 bay leaf
- ¼ tsp dried thyme
- ¼ tsp dried rosemary
- 900 g/2 lb Maris Piper potatoes, cut into large chunks
- salt and pepper

1 Season the steak very generously with salt and pepper. Heat the oil in a large flameproof casserole over a high heat. When the oil begins to smoke slightly, add the steak, in batches, if necessary, and cook, stirring frequently, for 5–8 minutes, until well browned. Using a slotted spoon, transfer to a bowl.

2 Reduce the heat to medium, add the onions to the casserole and cook, stirring occasionally, for 5 minutes, until translucent. Stir in the flour and cook, stirring constantly, for 2 minutes. Add the garlic and cook for 1 minute. Whisk in 225 ml/8 fl oz of the stock and cook, scraping up all the sediment from the base of the casserole, then stir in the remaining stock and add the carrots, celery, tomato ketchup, bay leaf, thyme, rosemary and 1 teaspoon of salt. Return the steak to the casserole.

3 Bring back to a gentle simmer, cover and cook over a low heat for 1 hour. Add the potatoes, re-cover the casserole and simmer for a further 30 minutes. Remove the lid, increase the heat to medium and cook, stirring occasionally, for a further 30 minutes, or until the meat and vegetables are tender.

4 If the stew becomes too thick, add a little more stock or water and adjust the seasoning, if necessary. Leave to stand for 15 minutes before serving.

GRANDMA'S TIP

Braising steak is a term used for several cuts of beef that are suited to long, slow cooking. Look for a marbling of fat through the meat, which will break down during cooking and add flavour.

Bangers & Mash with Onion Gravy

SERVES 4

INGREDIENTS

- 1 tbsp olive oil
- 8 good-quality sausages

ONION GRAVY

- 3 onions, halved and thinly sliced
- 70 g/2½ oz butter
- 125 ml/4 fl oz Marsala or port
- 125 ml/4 fl oz vegetable stock
- salt and pepper

MASH

- 900 g/2 lb floury potatoes, such as King Edward, Maris Piper or Desirée, peeled and cut into chunks
- 55 g/2 oz butter
- 3 tbsp hot milk
- 2 tbsp chopped fresh parsley

1 Place a frying pan over a low heat with the oil and add the sausages. (Alternatively, you may wish to grill the sausages.) Cover the pan and cook for 25–30 minutes, turning the sausages from time to time, until browned all over.

2 Meanwhile, prepare the onion gravy by placing the onions in a frying pan with the butter and frying over a low heat until soft, stirring constantly. Continue to cook for around 30 minutes, or until the onions are brown and have started to caramelize.

3 Pour in the Marsala and stock and continue to bubble away until the onion gravy is really thick. Season to taste with salt and pepper.

4 To make the mash, bring a large saucepan of lightly salted water to the boil, add the potatoes, bring back to the boil and cook for 15–20 minutes. Drain well and mash with a potato masher until smooth. Season to taste with salt and pepper, add the butter, milk and parsley and stir well.

5 Serve the sausages immediately with the mash, and the onion gravy spooned over the top.

GRANDMA'S TIP

When cooking lots of sausages, thread them on to skewers before putting them under the grill or on the barbecue to make them easy to turn.

Steak Sandwiches

SERVES 4

INGREDIENTS

- 8 slices thick white or brown bread
- butter, for spreading
- 2 handfuls mixed salad leaves
- 3 tbsp olive oil
- 2 onions, thinly sliced
- 675 g/1 lb 8 oz rump or sirloin steak, about 2.5 cm/1 inch thick
- 1 tbsp Worcestershire sauce
- 2 tbsp wholegrain mustard
- 2 tbsp water
- salt and pepper

1 Spread each slice of bread with some butter and add a few salad leaves to the bottom slices.

2 Heat 2 tablespoons of the oil in a large, heavy-based frying pan over a medium heat. Add the onions and cook, stirring occasionally, for 10–15 minutes until softened and golden brown. Using a slotted spoon, transfer to a plate and set aside.

3 Increase the heat to high and add the remaining oil to the pan. Add the steak, season to taste with pepper and cook quickly on both sides to seal. Reduce the heat to medium and cook, turning once, for 2½–3 minutes each side for rare or 3½–5 minutes each side for medium. Transfer the steak to a plate.

4 Add the Worcestershire sauce, mustard and water to the pan and stir to deglaze by scraping any sediment from the base of the pan. Return the onions to the pan, season to taste with salt and pepper and mix well.

5 Thinly slice the steak across the grain, divide between the 4 bottom slices of bread and cover with the onions. Cover with the top slices of bread and press down gently. Serve immediately.

Ham & Cheese Sandwich

MAKES 1 SANDWICH
INGREDIENTS

- 2 slices country-style bread, such as white Italian bread, thinly sliced
- 20 g/¾ oz butter, at room temperature
- 55 g/2 oz Gruyère cheese, grated
- 1 slice cooked ham, trimmed to fit the bread, if necessary

1 Thinly spread each slice of bread on one side with butter, then put one slice on the work surface, buttered side down. Sprinkle half the cheese over, taking it to the edge of the bread, then add the ham and top with the remaining cheese. Add the other slice of bread, buttered side up, and press down.

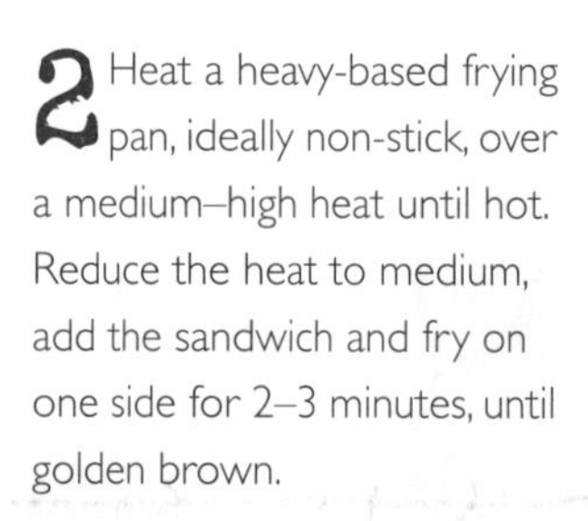

2 Heat a heavy-based frying pan, ideally non-stick, over a medium–high heat until hot. Reduce the heat to medium, add the sandwich and fry on one side for 2–3 minutes, until golden brown.

3 Flip the sandwich over and fry on the other side for 2–3 minutes, until all the cheese is melted and the bread is golden brown. Cut the sandwich in half diagonally and serve immediately.

Tuna Melts

MAKES 4 MELTS
INGREDIENTS

- 4 slices sourdough bread
- 400 g/14 oz canned tuna, drained and flaked
- 4 tbsp mayonnaise, or to taste
- 1 tbsp Dijon mustard or wholegrain mustard, plus extra, to taste
- 4 spring onions, trimmed and chopped
- 2 tbsp dill pickle or sweet pickle, to taste
- 1 hard-boiled egg, shelled and finely chopped
- 1 small carrot, peeled and grated
- 1 tbsp capers in brine, rinsed and coarsely chopped
- 2 tbsp chopped parsley or chives
- handful of lettuce leaves
- 8 thin slices red Cheddar cheese
- salt and pepper

1 Preheat the grill to high and position the grill rack about 10 cm/4 inches from the heat source. Line a baking sheet with foil and set aside. Place the bread on the grill rack and toast for 2 minutes on each side, or until crisp and lightly browned.

2 Meanwhile, put the tuna in a bowl with the mayonnaise and mustard and beat together to break up the tuna. Add the spring onions, pickle, egg, carrot, capers, and salt and pepper to taste and beat together, adding extra mayonnaise or mustard to taste. Stir in the parsley.

3 Put the toast on the foil-lined baking sheet and top each slice with a lettuce leaf. Divide the tuna salad between the slices of toast and spread out. Top each sandwich with cheese slices, cut to fit.

4 Place under the grill and grill for 2 minutes, or until the cheese is melted and very lightly browned. Cut each tuna melt into four slices, transfer to a plate and serve immediately.

Pasta with Pesto

SERVES 4
INGREDIENTS

- 450 g/1 lb dried tagliatelle
- fresh basil leaves, to garnish

PESTO
- 2 garlic cloves
- 25 g/1 oz pine kernels
- 115 g/4 oz fresh basil leaves
- 55 g/2 oz freshly grated Parmesan cheese
- 125 ml/4 fl oz olive oil
- salt

1 To make the pesto, put the garlic, pine kernels, a large pinch of salt and the basil into a mortar and pound to a paste with a pestle. Transfer to a bowl and gradually work in the cheese with a wooden spoon, then add the olive oil to make a thick, creamy sauce. Taste and adjust the seasoning, if necessary.

2 Alternatively, put the garlic, pine kernels and a large pinch of salt into a blender or food processor and process briefly. Add the basil and process to a paste. With the motor still running, gradually add the olive oil. Scrape into a bowl and beat in the cheese. Season to taste with salt.

3 Bring a large saucepan of lightly salted water to the boil. Add the pasta, bring back to the boil and cook for 8–10 minutes, or until tender but still firm to the bite.

4 Drain well, return to the saucepan and toss with half the pesto, then divide between warmed serving plates and top with the remaining pesto. Garnish with the basil leaves and serve.

GRANDMA'S TIP
Try replacing the traditional tomato sauce on your home-made pizza with pesto, top with mozzarella and bake.

Macaroni Cheese

SERVES 4

INGREDIENTS

- 250 g/9 oz dried macaroni pasta
- 55 g/2 oz butter, plus extra for cooking the pasta
- 600 ml/1 pint milk
- ½ tsp grated nutmeg
- 55 g/2 oz plain flour
- 200 g/7 oz mature Cheddar cheese, grated
- 55 g/2 oz Parmesan cheese, grated
- 200 g/7 oz baby spinach
- salt and pepper

1 Cook the macaroni according to the instructions on the packet. Remove from the heat, drain, add a small knob of butter to keep it soft, return to the saucepan and cover to keep warm.

2 Put the milk and nutmeg into a saucepan over a low heat and heat until warm, but don't boil. Put the butter into a heavy-based saucepan over a low heat, melt the butter, add the flour and stir to make a roux. Cook gently for 2 minutes. Add the milk a little at a time, whisking it into the roux, then cook for about 10–15 minutes to make a loose, custard-style sauce.

3 Add three quarters of the Cheddar cheese and Parmesan cheese and stir through until they have melted in, then add the spinach, season with salt and pepper and remove from the heat.

4 Preheat the grill to high. Put the macaroni into a shallow heatproof dish, then pour the sauce over. Scatter the remaining cheese over the top and place the dish under the preheated grill. Grill until the cheese begins to brown, then serve.

GRANDMA'S TIP

You can add texture to this by sprinkling some wholemeal breadcrumbs over the cheese before placing under the grill.

Tuna & Pasta Casserole

SERVES 4–6

INGREDIENTS

- 200 g/7 oz dried ribbon egg pasta, such as tagliatelle
- 25 g/1 oz butter
- 55 g/2 oz fine fresh breadcrumbs
- 400 ml/14 fl oz canned condensed cream of mushroom soup
- 125 ml/4 fl oz milk
- 2 celery sticks, chopped
- 1 red pepper, deseeded and chopped
- 1 green pepper, deseeded and chopped
- 140 g/5 oz mature Cheddar cheese, coarsely grated
- 2 tbsp chopped fresh parsley
- 200 g/7 oz canned tuna in oil, drained and flaked
- salt and pepper

1 Preheat the oven to 200°C/400°F/Gas Mark 6. Bring a large saucepan of lightly salted water to the boil. Add the pasta, bring back to the boil and cook for 2 minutes less than specified on the packet instructions.

2 Meanwhile, melt the butter in a separate small saucepan. Stir in the breadcrumbs, then remove from the heat and set aside.

3 Drain the pasta well and set aside. Pour the soup into the pasta pan, set over a medium heat, then stir in the milk, celery, red pepper, green pepper, half the cheese and all the parsley.

4 Add the tuna and gently stir in so that the flakes don't break up. Season to taste with salt and pepper. Heat just until small bubbles appear around the edge of the mixture – do not boil.

5 Stir the pasta into the pan and use two forks to mix all the ingredients together. Spoon the mixture into an ovenproof dish that is also suitable for serving and spread it out.

6 Stir the remaining cheese into the buttered breadcrumbs, then sprinkle over the top of the pasta mixture. Bake in the preheated oven for 20–25 minutes, until the topping is golden. Remove from the oven, then leave to stand for 5 minutes before serving straight from the dish.

Cauliflower Cheese

SERVES 4

INGREDIENTS

- 1 cauliflower, trimmed and cut into florets (675 g/ 1 lb 8 oz prepared weight)
- 40 g/1½ oz butter
- 40 g/1½ oz plain flour
- 450 ml/16 fl oz milk
- 115 g/4 oz Cheddar cheese, finely grated
- whole nutmeg, for grating
- 1 tbsp grated Parmesan cheese
- salt and pepper

1 Bring a saucepan of lightly salted water to the boil, add the cauliflower, bring back to the boil and cook for 4–5 minutes. It should still be firm. Drain, place in a warmed 1.4-litre/2½-pint gratin dish and keep warm.

2 Melt the butter in the rinsed-out pan over a medium heat and stir in the flour. Cook for 1 minute, stirring constantly.

3 Remove the pan from the heat and gradually stir in the milk until you have a smooth consistency.

4 Return the pan to a low heat and continue to stir while the sauce comes to the boil and thickens. Reduce the heat and simmer gently, stirring constantly, for about 3 minutes, until the sauce is creamy and smooth.

5 Remove from the heat and stir in the Cheddar cheese and a good grating of the nutmeg. Taste and season well with salt and pepper. Meanwhile, preheat the grill to high.

6 Pour the hot sauce over the cauliflower, top with the Parmesan cheese and place under the preheated grill to brown. Serve immediately.

GRANDMA'S TIP

Using a mixture of cauliflower and broccoli will give a more colourful dish. You can make it even more substantial by adding some fried sliced onions and fried bacon pieces before pouring over the sauce.

Creamy Salmon Baked Potatoes

SERVES 4

INGREDIENTS

- 4 baking potatoes, about 275 g/9¾ oz each, scrubbed
- 250 g/9 oz skinless salmon fillet
- 200 g/7 oz soft cheese
- 2–3 tbsp skimmed milk
- 2 tbsp chopped/snipped fresh herbs, such as dill or chives
- 60 g/2¼ oz mature Cheddar cheese, grated
- salt and pepper

1 Preheat the oven to 200°C/400°F/Gas Mark 6. Prick the skins of the potatoes and place on the top shelf of the preheated oven. Bake for 50–60 minutes until the skins are crisp and the centres are soft when pierced with a sharp knife or skewer.

2 Meanwhile, bring a saucepan of water to the boil, then reduce the heat until the water is simmering gently. Add the salmon fillet to the pan and cook for 4–5 minutes (if in one piece), or until just cooked but still moist. Alternatively, cut into 2–3 evenly sized pieces and cook in a microwave oven on Medium for 2 minutes, then turn the pieces around so that the cooked parts are in the centre of the oven, and cook for a further 1 minute, or until just cooked but still moist. Using a fork, flake the flesh into a bowl.

3 In a separate bowl, blend the soft cheese with just enough of the milk to loosen, then stir in the herbs and a little salt and pepper.

4 When the potatoes are cooked, preheat the grill to high. Cut the potatoes in half lengthways. Carefully scoop the potato flesh out of the skins, reserving the skins. Add to the soft cheese mixture and mash together. Lightly stir in the salmon flakes.

5 Spoon the filling into the potato skins and top with the Cheddar cheese. Cook under the preheated grill for 1–2 minutes, until the cheese is bubbling and turning golden. Serve immediately.

GRANDMA'S TIP

Ensure the potatoes are baked through so that they're soft inside and the skins are firm and crispy, which makes them very delicious. You can even rub salt into the skins with oil to enhance the flavour.

Chicken Pot Pie

SERVES 6
INGREDIENTS

- 1 tbsp olive oil
- 225 g/8 oz button mushrooms, sliced
- 1 onion, finely chopped
- 350 g/12 oz carrots, sliced
- 115 g/4 oz celery, sliced
- 1 litre/1¾ pints chicken stock
- 85 g/3 oz butter
- 55 g/2 oz plain flour, plus extra for dusting
- 900 g/2 lb skinless, boneless chicken breasts, cut into 2.5-cm/1-inch cubes
- 115 g/4 oz frozen peas
- 1 tsp chopped fresh thyme or a pinch of dried thyme
- 675 g/1 lb 8 oz shortcrust pastry, thawed, if frozen
- 1 egg, lightly beaten
- salt and pepper

1 Heat the olive oil in a large saucepan over a medium heat. Add the mushrooms and onion and cook, stirring frequently, for about 8 minutes, until golden. Add the carrots, celery and half the stock and bring to the boil. Reduce the heat to low and simmer for 12–15 minutes, until the vegetables are almost tender.

2 Melt the butter in another large saucepan over a medium heat. Whisk in the flour and cook, stirring constantly, for 4 minutes, until the flour is light tan in colour. Gradually whisk in the remaining chicken stock. Reduce the heat to medium–low and simmer, stirring, until thickened.

3 Stir in the vegetable mixture, add the chicken, peas and thyme and season with salt and pepper. Bring back to a simmer and cook, stirring constantly, for 5 minutes. Taste and adjust the seasoning, if necessary, and remove from the heat.

4 Preheat the oven to 200°C/400°F/Gas Mark 6.

5 Divide the filling between six large ramekins, filling them to within 1 cm/½ inch of the top. Roll out the pastry on a lightly floured work surface and cut out six rounds 2.5 cm/1 inch larger than the diameter of the ramekins.

6 Put the rounds on top of the filling, then fold over 1 cm/½ inch all the way around to make a rim. If you like, pinch with your fingertips to form a crimped edge. Cut a small cross in the centre of each crust.

7 Put the ramekins on a baking sheet and brush the tops with the beaten egg. Bake in the preheated oven for 35–40 minutes, until the pies are golden brown and bubbling. Remove from the oven and leave to cool for 15 minutes before serving.

GRANDMA'S TIP
To quickly thaw pastry, separate the sheets and cover each one in clingfilm – leave the sheets to thaw at room temperature for 30 minutes.

Home-made Burgers

SERVES 6

INGREDIENTS

- 1 kg/2 lb 4 oz fresh beef mince
- 1 small onion, grated
- 1 tbsp chopped fresh parsley
- 2 tsp Worcestershire sauce
- 2 tbsp sunflower oil
- salt and pepper

TO SERVE

- 6 burger buns, split and toasted
- lettuce leaves
- tomato slices
- gherkins, sliced
- tomato ketchup

1 Put the beef, onion and parsley into a bowl, add the Worcestershire sauce, season to taste with salt and pepper and mix well with your hands until thoroughly combined.

2 Divide the mixture into six equal portions and shape into balls, then gently flatten into patties. If you have time, chill in the refrigerator for 30 minutes to firm up.

3 Heat the oil in a large frying pan. Add the burgers, in batches, and cook over a medium heat for 5–8 minutes on each side, turning them carefully with a fish slice. Remove from the pan and keep warm while you cook the remaining burgers.

4 Serve in toasted buns with lettuce leaves, tomato slices, gherkins and tomato ketchup.

GRANDMA'S TIP
Make a large batch and freeze, individually wrapped or stored in a plastic container with baking paper between the burgers to keep them separate.

Pizza Margherita

SERVES 6
INGREDIENTS

PIZZA DOUGH

- 15 g/½ oz easy-blend dried yeast
- 1 tsp sugar
- 250 ml/9 fl oz lukewarm water
- 350 g/12 oz strong white flour, plus extra for dusting
- 1 tsp salt
- 1 tbsp olive oil, plus extra for oiling

TOPPING

- 400 g/14 oz canned chopped tomatoes
- 2 garlic cloves, crushed
- 2 tsp dried basil
- 1 tbsp olive oil
- 2 tbsp tomato purée
- 100 g/3½ oz mozzarella cheese, chopped
- 2 tbsp freshly grated Parmesan cheese
- salt and pepper
- fresh basil leaves, to garnish

PRACTICE
MAKES PERFECT

1 Place the yeast and sugar in a measuring jug and mix with 50 ml/2 fl oz of the water. Leave the yeast mixture in a warm place for 15 minutes or until frothy.

2 Mix the flour with the salt and make a well in the centre. Add the oil, the yeast mixture and the remaining water. Using a wooden spoon, mix to form a smooth dough.

3 Turn out the dough onto a floured work surface and knead for 4–5 minutes or until smooth.

4 Return the dough to the bowl, cover with a sheet of oiled clingfilm and leave to rise for 30 minutes, or until doubled in size.

5 Knead the dough for 2 minutes. Stretch the dough with your hands, then place it on an oiled baking tray or pizza stone, pushing out the edges until even. The dough should be no more than 6 mm/¼ inch thick because it will rise during cooking.

6 Preheat the oven to 200°C/400°F/Gas Mark 6. To make the topping, place the tomatoes, garlic, basil, oil, and salt and pepper to taste in a large frying pan over a medium heat and leave to simmer for 20 minutes or until the sauce has thickened. Stir in the tomato purée and leave to cool slightly.

7 Spread the topping evenly over the pizza base. Top with the mozzarella cheese and Parmesan cheese and bake in the preheated oven for 20–25 minutes. Serve hot, garnished with basil leaves.

Crab Cakes with Tartare Sauce

MAKES 6 CAKES

INGREDIENTS

- 1 large egg, beaten
- 2 tbsp mayonnaise
- ½ tsp Dijon mustard
- ¼ tsp Worcestershire sauce
- ½ tsp celery salt
- ¼ tsp salt
- pinch of cayenne pepper (optional)
- 40 g/1½ oz cream crackers, finely crushed
- 450 g/1 lb fresh crabmeat
- 85–140 g/3–5 oz fresh breadcrumbs
- 25 g/1 oz unsalted butter
- 1 tbsp vegetable oil
- salad leaves and lemon wedges, to serve

TARTARE SAUCE

- 225 ml/8 fl oz mayonnaise
- 4 tbsp sweet pickle relish
- 1 tbsp very finely chopped onion
- 1 tbsp chopped capers
- 1 tbsp chopped parsley
- 1½ tbsp freshly squeezed lemon juice
- dash of Worcestershire sauce
- few drops of Tabasco (optional)
- salt and pepper

1 To make the crab cakes, whisk together the egg, mayonnaise, mustard, Worcestershire sauce, celery salt, salt and cayenne pepper, if using, in a large bowl until combined. Stir in the cracker crumbs with a spatula, then leave to stand for 5 minutes.

2 Pick over the crabmeat to remove any pieces of shell or cartilage, then gently fold into the mixture, trying to avoid breaking it up too much. Cover the bowl with clingfilm and chill in the refrigerator for at least 1 hour.

3 Meanwhile, make the tartare sauce. Mix together all the ingredients in a bowl and season to taste with salt and pepper. Cover and chill in the refrigerator for at least 1 hour before serving.

4 Sprinkle the breadcrumbs over a large plate until lightly covered. Shape the crab mixture into 6 even-sized cakes, about 2.5 cm/1 inch thick, placing them on the plate as they are formed. Dust the tops of each crab cake lightly with more breadcrumbs.

5 Melt the butter with the oil in a large frying pan over a medium–high heat. Carefully transfer each crab cake from the plate to the pan using a metal spatula.

6 Cook the crab cakes for 4 minutes on each side, until golden brown. Remove from the pan and drain on kitchen paper. Serve immediately with the tartare sauce, salad leaves and lemon wedges.

Spaghetti alla Carbonara

SERVES 4
INGREDIENTS

- 450 g/1 lb dried spaghetti
- 1 tbsp olive oil
- 225 g/8 oz rindless pancetta or streaky bacon, chopped
- 4 eggs
- 5 tbsp single cream
- 2 tbsp freshly grated Parmesan cheese
- salt and pepper

1 Bring a large, heavy-based saucepan of lightly salted water to the boil, add the pasta, bring back to the boil and cook for 8–10 minutes, or until tender but still firm to the bite.

2 Meanwhile, heat the oil in a heavy-based frying pan. Add the pancetta and cook over a medium heat, stirring frequently, for 8–10 minutes.

3 Beat the eggs with the cream in a small bowl and season to taste with salt and pepper. Drain the pasta and return it to the saucepan. Tip in the contents of the frying pan, then add the egg mixture and half the cheese. Stir well, then transfer the spaghetti to a warmed serving dish. Serve immediately, sprinkled with the remaining cheese.

GRANDMA'S TIP
Sprinkling salt over spilt red wine prevents the stain spreading, but do not do this on a carpet as you'll never remove the residue. Blot with kitchen paper instead.

FAMOUS FAMILY DINNERS

Whole Roast Rib of Beef

SERVES 8

INGREDIENTS

- olive oil, for rubbing
- 3-kg/6 lb 8-oz joint of well-hung rib of beef on the bone
- ½ tbsp plain flour
- 200 ml/7 fl oz strong chicken stock
- 200 ml/7 fl oz red wine

YORKSHIRE PUDDING

- 250 g/9 oz plain flour, sifted
- 6 eggs
- ½ tsp salt
- 600 ml/1 pint milk
- 2 tbsp vegetable oil or lard

ROAST POTATOES

- 2 kg/4 lb 8 oz roasting potatoes, peeled
- 6 tbsp sunflower oil, goose fat or duck fat
- salt and pepper

TO SERVE

- glazed carrots
- steamed broccoli
- horseradish sauce
- mustard

1 For the Yorkshire pudding, mix the flour, eggs and salt together in a bowl, then gradually add the milk as you stir with a whisk. When smooth set aside but don't chill.

2 For the roast potatoes, bring a large saucepan of lightly salted water to the boil, add the potatoes, bring back to the boil and cook for 10 minutes. Drain the potatoes and toss them in oil and salt and pepper. Put them in a roasting tin in a single layer.

3 Preheat the oven to 220°C/425°F/Gas Mark 7. Put a 40 x 25-cm/16 x 10-inch roasting tin in the bottom of the oven to warm for the Yorkshire puddings.

4 Rub a generous amount of olive oil and salt and pepper into the beef, then place in a roasting tin. Transfer to the preheated oven and roast for 30 minutes.

5 Reduce the temperature to 160°C/325°F/Gas Mark 3. Transfer the potatoes to the oven and roast with the beef for 60 minutes. Remove the beef from the oven and increase the oven temperature to 220°C/425°F/Gas Mark 7. Cover the beef with foil and leave to rest for at least 30 minutes.

6 Remove the roasting tin from the bottom of the oven and add the vegetable oil. Put it back in the oven for 5 minutes, then remove it and add the Yorkshire pudding batter. Put it back in the hot oven for about 20 minutes.

7 Meanwhile, make the gravy. Remove the beef from the tin and stir the flour into the leftover juices, add the stock and wine, then simmer over a medium heat until reduced by about half.

8 Remove the Yorkshire pudding and the potatoes from the oven. Cut the rib bones off the meat and carve the beef. Serve with the potatoes, Yorkshire pudding, carrots, broccoli, horseradish sauce and mustard.

Roast Chicken

SERVES 6

INGREDIENTS

- 2.25 kg/5 lb free-range chicken
- 55 g/2 oz butter
- 2 tbsp chopped fresh lemon thyme
- 1 lemon, quartered
- 125 ml/4 fl oz white wine
- salt and pepper

1 Preheat the oven to 220°C/425°F/Gas Mark 7.

2 Make sure the chicken is clean, wiping it inside and out with kitchen paper, then place in a roasting tin.

3 In a bowl, soften the butter with a fork, mix in the thyme and season well with salt and pepper.

4 Butter the chicken all over with the herb butter, inside and out, and place the lemon pieces inside the body cavity. Pour the wine over the chicken.

5 Roast in the centre of the preheated oven for 20 minutes. Reduce the temperature to 190°C/375°F/Gas Mark 5 and continue to roast for a further 1¼ hours, basting frequently. Cover with foil if the skin begins to brown too much. If the liquid in the tin dries out, add a little more wine or water.

6 Test that the chicken is cooked by piercing the thickest part of the leg with a sharp knife or skewer and making sure the juices run clear. Remove from the oven.

7 Place the chicken on a warmed serving plate, cover with foil and leave to rest for 10 minutes before carving.

8 Place the roasting tin on the hob and bubble the pan juices gently over a low heat, until they have reduced and are thick and glossy. Season to taste with salt and pepper.

9 Serve the chicken with the pan juices.

GRANDMA'S TIP

To give more depth and a touch of sweetness to the finished dish, add a generous splash of Marsala to the pan juices when reducing them.

Leg of Lamb Pot Roast

SERVES 4

INGREDIENTS

- 1 leg of lamb, weighing 1.6 kg/3 lb 8 oz
- 3–4 fresh rosemary sprigs
- 115 g/4 oz streaky bacon rashers
- 4 tbsp olive oil
- 2–3 garlic cloves, crushed
- 2 onions, sliced
- 2 carrots, sliced
- 2 celery sticks, sliced
- 300 ml/10 fl oz dry white wine
- 1 tbsp tomato purée
- 300 ml/10 fl oz lamb stock or chicken stock
- 3 tomatoes, peeled, quartered and deseeded
- 1 tbsp chopped fresh parsley
- 1 tbsp chopped fresh oregano or marjoram
- salt and pepper
- fresh rosemary sprigs, to garnish

1 Wipe the lamb all over with kitchen paper, trim off any excess fat and season to taste with salt and pepper, rubbing in well. Lay the sprigs of rosemary over the lamb, cover evenly with the bacon and tie in place securely with some kitchen string.

2 Heat the oil in a frying pan over a medium heat, add the lamb and fry for 10 minutes, turning several times. Remove from the pan.

3 Preheat the oven to 160°C/325°F/Gas Mark 3. Transfer the oil from the pan to a large, flameproof casserole, add the garlic and onions and cook for 3–4 minutes, until the onions are beginning to soften. Add the carrots and celery and cook for a further few minutes.

4 Lay the lamb on top of the vegetables and press down to partly submerge. Pour the wine over the lamb, add the tomato purée and simmer for 3–4 minutes. Add the stock, tomatoes and herbs and season to taste with salt and pepper. Bring back to the boil and cook for a further 3–4 minutes.

5 Lightly cover the casserole and cook in the preheated oven for 2–2½ hours until very tender.

6 Remove the lamb from the casserole and, if you like, remove the bacon and herbs together with the string. Keep the lamb warm. Strain the juices, skimming off any excess fat, and serve in a jug. The vegetables may be served around the joint or put in a warmed dish. Garnish with sprigs of rosemary.

IDEAL WINTER WARMER

Roast Gammon

SERVES 6

INGREDIENTS

- 1.3 kg/3 lb boneless gammon, pre-soaked if necessary
- 2 tbsp Dijon mustard
- 85 g/3 oz demerara sugar
- ½ tsp ground cinnamon
- ½ tsp ground ginger
- 18 whole cloves
- ready-made Cumberland sauce, to serve

1 Place the gammon in a large saucepan, cover with cold water and slowly bring to the boil over a gentle heat. Cover the pan and simmer very gently for 1 hour.

2 Preheat the oven to 200°C/400°F/Gas Mark 6.

3 Remove the gammon from the pan and drain. Remove the rind from the gammon and discard. Score the fat into a diamond-shaped pattern with a sharp knife.

4 Spread the mustard over the fat. Mix the sugar and the ground spices together on a plate and roll the gammon in the mixture, pressing down well to coat evenly.

5 Stud the diamond shapes with cloves and place the joint in a roasting tin. Roast in the preheated oven for 20 minutes, until the glaze is a rich golden colour.

6 To serve hot, leave to stand for 20 minutes before carving. If the gammon is to be served cold, it can be cooked a day ahead. Serve with Cumberland sauce.

FEEL-BETTER FOOD

GRANDMA'S TIP

Stock an emergency shelf, out of the reach of children, with candles, matches, torches, first-aid kit and a list of emergency telephone numbers.

Steak & Chips

SERVES 4

INGREDIENTS

- 4 sirloin steaks, about 225 g/8 oz each
- 4 tsp Tabasco sauce
- salt and pepper

CHIPS

- 450 g/1 lb potatoes, peeled
- 2 tbsp sunflower oil

- WATERCRESS BUTTER
- 1 bunch of watercress
- 85 g/3 oz unsalted butter, softened

1 To make the chips, preheat the oven to 200°C/400°F/Gas Mark 6. Cut the potatoes into thick, even-sized chips. Rinse them under cold running water and then dry well on a clean tea towel. Place in a bowl, add the oil and toss together until coated.

2 Spread the chips on a baking sheet and cook in the preheated oven for 40–45 minutes, turning once, until golden.

3 To make the watercress butter, finely chop enough watercress to fill 4 tablespoons. Place the butter in a small bowl and beat in the chopped watercress with a fork until fully incorporated. Cover with clingfilm and leave to chill in the refrigerator until required.

4 Preheat a griddle pan to high. Sprinkle each steak with 1 teaspoon of the Tabasco sauce, rubbing it in well. Season to taste with salt and pepper.

5 Cook the steaks in the preheated pan for 2½ minutes each side for rare, 4 minutes each side for medium and 6 minutes each side for well done. Transfer to serving plates and serve immediately, topped with the watercress butter and accompanied by the chips.

GRANDMA'S TIP

To test for doneness, press the steak gently with the tip of your finger. Rare should be soft and supple, well done firm, and medium in between.

Pork Chops with Apple Sauce

SERVES 4

INGREDIENTS

- 4 pork rib chops on the bone, each about 3 cm/1¼ inches thick, at room temperature
- 1½ tbsp sunflower oil or rapeseed oil
- salt and pepper

APPLE SAUCE

- 450 g/1 lb cooking apples, such as Bramley, peeled, cored and diced
- 4 tbsp caster sugar, plus extra, if needed
- finely grated zest of ½ lemon
- ½ tbsp lemon juice, plus extra, if needed
- 4 tbsp water
- ¼ tsp ground cinnamon
- knob of butter

1 Preheat the oven to 200°C/400°F/Gas Mark 6.

2 To make the apple sauce, put the apples, sugar, lemon zest, lemon juice and water into a heavy-based saucepan over a high heat and bring to the boil, stirring to dissolve the sugar. Reduce the heat to low, cover and simmer for 15–20 minutes, until the apples are tender and fall apart when you mash them against the side of the pan. Stir in the cinnamon and butter and beat the apples until they are as smooth or chunky as you like. Stir in extra sugar or lemon juice, to taste. Remove the pan from the heat, cover and keep the apple sauce warm.

3 Meanwhile, pat the chops dry and season to taste with salt and pepper. Heat the oil in a large ovenproof frying pan over a medium–high heat. Add the chops and fry for 3 minutes on each side to brown.

4 Transfer the pan to the oven and roast the chops for 7–9 minutes until cooked through and the juices run clear when you cut the chops. Remove the pan from the oven, cover with foil and leave to stand for 3 minutes. Gently reheat the apple sauce, if necessary.

5 Transfer the chops to warmed plates and spoon over the pan juices. Serve immediately, accompanied by the apple sauce.

Barbecue-glazed Drumsticks

SERVES 6
INGREDIENTS

- 12 chicken drumsticks, about 1.6 kg/3 lb 8 oz
- 225 ml/8 fl oz barbecue sauce
- 1 tbsp soft light brown sugar
- 1 tbsp cider vinegar
- 1 tsp salt
- ½ tsp pepper
- ½ tsp Tabasco sauce
- vegetable oil, for brushing

1 Using a sharp knife, make 2 slashes, about 2.5 cm/1 inch apart, into the thickest part of the drumsticks, cutting to the bone. Put the drumsticks into a large, sealable polythene freezer bag.

2 Mix together 4 tablespoons of the barbecue sauce, the sugar, vinegar, salt, pepper and Tabasco sauce in a small bowl. Pour the mixture into the bag, press out most of the air and seal tightly. Shake the bag gently to distribute the sauce evenly and leave to marinate in the refrigerator for at least 4 hours.

3 Preheat the oven to 200°C/400°F/Gas Mark 6. Line a baking sheet with foil and brush lightly with oil.

4 Using tongs, transfer the drumsticks to the prepared baking sheet, spacing them evenly apart. Discard the marinade. Brush both sides of the drumsticks with some of the remaining barbecue sauce.

5 Bake for 15 minutes, then remove from the oven and brush generously with more barbecue sauce. Return to the oven and repeat this process three more times for a total cooking time of 1 hour. When done, the chicken will be cooked through with a thick, beautiful glaze.

Fried Chicken Wings

SERVES 4

INGREDIENTS

- 12 chicken wings
- 1 egg
- 60 ml/ 4 tbsp milk
- 4 heaped tbsp plain flour
- 1 tsp paprika
- 225 g/8 oz breadcrumbs
- 55 g/2 oz butter
- salt and pepper

1 Preheat the oven to 220°C/425°F/Gas Mark 7. Separate the chicken wings into three pieces each. Discard the bony tip. Beat the egg with the milk in a shallow dish. Combine the flour, paprika, and salt and pepper to taste in a separate shallow dish. Place the breadcrumbs in another shallow dish.

2 Dip the chicken pieces into the egg to coat well, then drain and roll in the seasoned flour. Remove, shaking off any excess, then roll the chicken in the breadcrumbs, gently pressing them onto the surface and shaking off any excess.

3 Put the butter in a shallow roasting tin large enough to hold all the chicken pieces in a single layer. Place the tin in the preheated oven and melt the butter. Remove from the oven and arrange the chicken, skin-side down, in the tin. Return to the oven and bake for 10 minutes. Turn and bake for a further 10 minutes, or until the chicken is tender and the juices run clear when a skewer is inserted into the thickest part of the meat.

4 Remove the chicken from the tin. Serve hot or at room temperature.

GRANDMA'S TIP
It's a good idea to let coated or breaded chicken rest for about 5 minutes before cooking. This helps set the coating and bind it to the chicken.

Classic Lasagne

SERVES 6

INGREDIENTS

- 2 tbsp olive oil
- 55 g/2 oz pancetta or rindless streaky bacon, chopped
- 1 onion, chopped
- 1 garlic clove, finely chopped
- 225 g/8 oz fresh beef mince
- 2 celery sticks, chopped
- 2 carrots, chopped
- pinch of sugar
- ½ tsp dried oregano
- 400 g/14 oz canned chopped tomatoes
- 225 g/8 oz dried no-precook lasagne sheets
- 115 g/4 oz freshly grated Parmesan cheese, plus extra for sprinkling
- salt and pepper

CHEESE SAUCE

- 300 ml/10 fl oz milk
- 1 bay leaf
- 6 black peppercorns
- slice of onion
- blade of mace
- 2 tbsp butter
- 3 tbsp plain flour
- 2 tsp Dijon mustard
- 70 g/2½ oz Cheddar cheese, grated
- 70 g/2½ oz Gruyère cheese, grated

1 Preheat the oven to 190°C/375°F/Gas Mark 5. Heat the oil in a large, heavy-based saucepan. Add the pancetta and cook over a medium heat, stirring occasionally, for 3 minutes, or until the fat begins to run. Add the onion and garlic and cook, stirring occasionally, for 5 minutes, or until softened.

2 Add the beef and cook, breaking it up with a wooden spoon, until browned all over. Stir in the celery and carrots and cook for 5 minutes. Season to taste with salt and pepper. Add the sugar, oregano and tomatoes. Bring to the boil, reduce the heat to low and simmer for 30 minutes.

3 Meanwhile, make the cheese sauce. Pour the milk into a saucepan and add the bay leaf, peppercorns, onion and mace. Heat gently to just below the boiling point, then remove from the heat, cover and leave to infuse for 10 minutes.

4 Strain the milk into a jug. Melt the butter in a clean saucepan. Sprinkle in the flour and cook over a low heat, stirring constantly, for 1 minute. Remove from the heat and gradually stir in the warm milk. Return to the heat and bring to the boil, stirring. Cook, stirring, until thickened and smooth. Stir in the mustard, Cheddar cheese and Gruyère cheese, then season to taste with salt and pepper.

5 In a large, rectangular ovenproof dish, make alternate layers of meat sauce, lasagne sheets and Parmesan cheese. Pour the cheese sauce over the layers, covering them completely, and sprinkle with Parmesan cheese. Bake in the preheated oven for 30 minutes, or until the top is golden brown and bubbling. Serve immediately.

GRANDMA'S TIP

This dish is quite complicated. To cheat a little, you can buy a ready-made cheese sauce to cut down on the preparation time.

Corned Beef Hash

SERVES 6

INGREDIENTS

- 25 g/1 oz butter
- 1 tbsp vegetable oil
- 675 g/1 lb 8 oz corned beef, cut into small cubes
- 1 onion, diced
- 675 g/1 lb 8 oz potatoes, cut into small cubes
- ¼ tsp paprika
- ¼ tsp garlic powder
- 4 tbsp diced green pepper or jalapeño chillies
- 1 tbsp snipped chives, plus extra to garnish
- salt and pepper
- 6 poached eggs, to serve

1 Put the butter, oil, corned beef and onions into a large, cold, non-stick or heavy-based frying pan. Place the pan over a medium–low heat and cook, stirring occasionally, for 10 minutes.

2 Meanwhile, bring a large saucepan of lightly salted water to the boil, add the potatoes, bring back to the boil and cook for 5–7 minutes, until partially cooked but still very firm. Drain well and add to the frying pan, together with the remaining ingredients.

3 Mix together well and press down lightly with a spatula to flatten. Increase the heat to medium. Every 10 minutes, turn the mixture with a spatula to bring the crusty base up to the top. Do this several times until the mixture is well-browned, the potatoes are crisp-edged and the cubes of meat are caramelized.

4 Taste and adjust the seasoning, if necessary. Transfer to warmed plates and top each with a poached egg. Garnish with chives and serve immediately.

GRANDMA'S TIP
Quick to make and delicious to eat, this is perfect served with grilled tomatoes, peas or baked beans. If you don't like corned beef, try using leftover cooked turkey or canned tuna.

Meatloaf

SERVES 6–8
INGREDIENTS

- 100 g/3½ oz carrots, diced
- 55 g/2 oz celery, diced
- 1 onion, diced
- 1 red pepper, deseeded and chopped
- 4 large white mushrooms, sliced
- 25 g/1 oz butter
- 1 tbsp olive oil, plus extra for brushing
- 3 garlic cloves, peeled
- 1 tsp dried thyme
- 2 tsp finely chopped rosemary
- 1 tsp Worcestershire sauce
- 4 tbsp tomato ketchup
- ½ tsp cayenne pepper
- 1.1 kg/2 lb 8 oz beef mince, chilled
- 2 tsp salt
- 1 tsp pepper
- 2 eggs, beaten
- 55 g/2 oz fresh breadcrumbs
- garden peas and Perfect Mash (see page 118), to serve

GLAZE

- 2 tbsp brown sugar
- 2 tbsp tomato ketchup
- 1 tbsp Dijon mustard
- salt

1 Put the vegetables into a food processor and pulse until very finely chopped, scraping down the bowl several times with a spatula.

2 Melt the butter with the oil and garlic in a large frying pan. Add the vegetable mixture and cook over a medium heat, stirring frequently, for about 10 minutes, until most of the moisture has evaporated and the mixture is lightly caramelized.

3 Remove the pan from the heat and stir in the thyme, rosemary, Worcestershire sauce, tomato ketchup and cayenne pepper. Leave to cool to room temperature.

4 Preheat the oven to 160°C/325°F/Gas Mark 3. Lightly brush a shallow roasting tin with olive oil.

5 Put the beef into a large bowl and gently break it up with your fingertips. Add the cooled vegetable mixture, salt, pepper and eggs and mix gently with your fingers for just 30 seconds. Add the breadcrumbs and continue to mix until combined. The less you work the meat, the better the texture of the meatloaf.

6 Put the meatloaf mixture in the centre of the prepared roasting tin, dampen your hands with cold water and shape it into a loaf about 15 cm/6 inches wide by 10 cm/4 inches high. Dampen your hands again and smooth the surface. Bake in the centre of the preheated oven for 30 minutes.

7 Meanwhile, make the glaze. Whisk together the brown sugar, ketchup, Dijon mustard and a pinch of salt in a small bowl.

8 Remove the meatloaf from the oven and spread the glaze evenly over the top with a spoon and spread some down the sides as well. Return to the oven and bake for a further 35–45 minutes, or until the internal temperature reaches 70°C/155°F on a meat thermometer. Remove and leave to rest for at least 15 minutes before slicing thickly to serve.

Spaghetti & Meatballs

SERVES 4

INGREDIENTS

- 2 tbsp olive oil, plus extra for brushing
- 1 onion, finely diced
- 4 garlic cloves, finely chopped
- pinch of salt
- ½ tsp dried Italian herbs
- ½ day-old ciabatta loaf, crusts removed
- 4 tbsp milk
- 900 g/2 lb beef mince, well chilled
- 2 large eggs, lightly beaten
- 5 tbsp chopped fresh flat-leaf parsley
- 55 g/2 oz Parmesan cheese, grated, plus extra to serve
- 2 tsp salt
- 1 tsp pepper
- 1.5 litres/ 2¾ pints marinara or other ready-made pasta sauce
- 225 ml/8 fl oz water
- 450 g/1 lb thick dried spaghetti
- salt and pepper

1 Heat the olive oil in a saucepan. Add the onion, garlic and a pinch of salt, cover and cook over a medium–low heat for 6–7 minutes, until softened and golden. Remove the pan from the heat, stir in the dried herbs and leave to cool to room temperature.

2 Tear the bread into small chunks and put into a food processor, in batches depending on the size of the machine. Pulse to make fine breadcrumbs – you'll need 140 g/5 oz in total. Put the crumbs into a bowl, toss with the milk and leave to soak for 10 minutes.

3 Preheat the oven to 220°C/425°F/Gas Mark 7. Brush a baking sheet with oil.

4 Put the beef, eggs, parsley, cheese, breadcrumbs, cooled onion mixture, 2 teaspoons of salt and 1 teaspoon of pepper into a bowl. Mix well with your hands until thoroughly combined.

5 Dampen your hands and roll pieces of the mixture into balls about the size of a golf ball. Put them on the prepared tray and bake in the preheated oven for 20 minutes. Meanwhile, pour the pasta sauce into a saucepan, stir in the water and bring to a simmering point. When the meatballs are done, transfer them into the hot sauce, reduce the heat to very low, cover and simmer gently for 45 minutes.

6 Bring a large saucepan of lightly salted water to the boil, add the spaghetti, curling it around the pan as it softens. Bring back to the boil and cook for 10–12 minutes, until tender but still firm to the bite.

7 Drain the spaghetti in a colander and tip into a large serving dish. Ladle some of the sauce from the meatballs over it and toss to coat. Top with the meatballs and the remaining sauce, sprinkle with cheese and serve immediately.

GRANDMA'S TIP

For the best flavour, store tomatoes in a basket in a cool place where air can circulate, rather than in the refrigerator.

Fish & Chips with Mushy Peas

SERVES 4

INGREDIENTS

- vegetable oil, for deep-frying
- 6 large floury potatoes, such as King Edward, Maris Piper or Desirée, cut into chips
- 4 thick cod fillets, about 175 g/6 oz each

BATTER

- 225 g/8 oz self-raising flour, plus extra for dusting
- ½ tsp salt
- 300 ml/10 fl oz cold lager

MUSHY PEAS

- 350 g/12 oz frozen peas
- 30 g/1 oz butter
- 2 tbsp single cream
- salt and pepper

1 To make the batter, sift the flour into a bowl with the salt and whisk in most of the lager. Check the consistency and add the remaining lager; it should be thick, like double cream. Chill in the refrigerator for half an hour.

2 To make the mushy peas, bring a large saucepan of lightly salted water to the boil, add the peas, bring back to the boil and cook for 3 minutes. Drain and mash to a thick purée, then add the butter and cream and season to taste with salt and pepper. Set aside and keep warm while cooking the fish.

3 Heat the oil to 120°C/250°F in a thermostatically controlled deep fat fryer or in a large saucepan using a thermometer. Preheat the oven to 150°C/300°F/Gas Mark 2.

4 Add the chips to the oil and fry for about 8–10 minutes, until softened but not coloured. Remove from the oil, drain on kitchen paper and place in a dish in the preheated oven. Increase the temperature of the oil to 180°C/350°F.

5 Season the fish to taste with salt and pepper and dust lightly with a little flour. Dip one fillet in the batter and coat thickly.

6 Carefully place the fillet in the hot oil and repeat with the other fillets (you may need to do this in batches). Cook for 8–10 minutes, turning halfway through. Remove the fish from the oil, drain and keep warm.

7 Reheat the oil to 180°C/350°F and recook the chips for a further 2–3 minutes until golden brown. Drain and season to taste with salt and pepper. Serve immediately, with the mushy peas.

GRANDMA'S TIP

Avoid overcrowding food in a deep fat fryer or saucepan, as it will make the temperature of the oil drop. This increases the oil absorption, resulting in a soggy batter.

Poached Salmon

SERVES 6
INGREDIENTS

- 1 whole salmon (head on), about 2.7 kg/6 lb to 3.6 kg/8 lb prepared weight
- 3 tbsp salt
- 3 bay leaves
- 10 black peppercorns
- 1 onion, peeled and sliced
- 1 lemon, sliced
- lemon wedges, to serve

1 Wipe the salmon thoroughly inside and out with kitchen paper, then use the back of a cook's knife to remove any scales that might still be on the skin. Remove the fins with a pair of scissors and trim the tail. Some people prefer to cut off the head but it is traditionally served with it on.

2 Place the salmon on the two-handled rack that comes with a fish kettle, then place it in the kettle. Fill the kettle with enough cold water to cover the salmon adequately. Sprinkle over the salt, bay leaves and peppercorns and scatter in the onion and lemon slices.

3 Place the kettle over a low heat, over two burners, and bring just to the boil very slowly.

4 Cover and simmer very gently. To serve cold, simmer for 2 minutes only, remove from the heat and leave to cool in the liquor for about 2 hours with the lid on. To serve hot, simmer for 6–8 minutes and leave to stand in the hot water for 15 minutes before removing. Serve with lemon wedges for squeezing over.

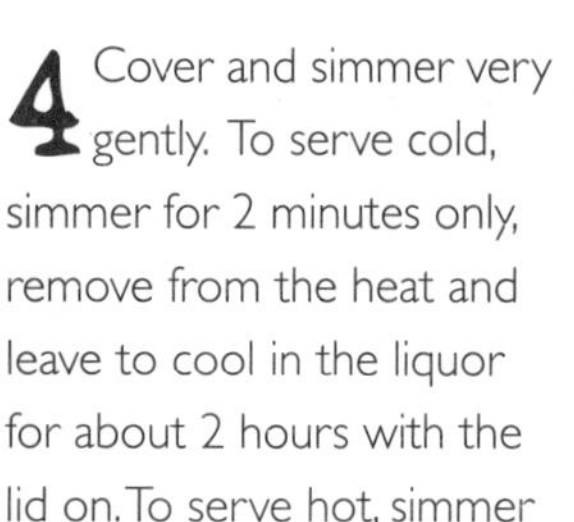

Asparagus & Tomato Tart

SERVES 4

INGREDIENTS

- butter, for greasing
- 375 g/13 oz ready-made shortcrust pastry, thawed, if frozen
- 1 bunch thin asparagus spears
- 250 g/9 oz spinach leaves
- 3 large eggs, beaten
- 150 ml/5 fl oz double cream
- 1 garlic clove, crushed
- 10 small cherry tomatoes, halved
- handful fresh basil, chopped
- 25 g/1 oz grated Parmesan cheese
- salt and pepper

1 Preheat the oven to 190°C/375°F/Gas Mark 5. Grease a 25–30-cm/10–12-inch tart tin with butter, then roll out the pastry and use to line the tin.

2 Cut off any excess pastry, prick the base with a fork, cover with a piece of greaseproof paper and fill with baking beans, then blind-bake the base in the preheated oven for 20–30 minutes until lightly browned. Remove from the oven and leave to cool slightly. Reduce the oven temperature to 180°C/350°F/Gas Mark 4.

3 Meanwhile, bend the asparagus spears until they snap, and discard the woody bases. Bring a large saucepan of lightly salted water to the boil, add the asparagus and blanch for 1 minute, then remove and drain. Add the spinach to the boiling water, then remove immediately and drain very well.

4 Mix the eggs, cream and garlic together and season to taste with salt and pepper. Lay the blanched spinach at the bottom of the pastry base, add the asparagus and tomatoes, cut side up, in any arrangement you like, scatter over the basil, then pour the egg mixture on top.

5 Transfer to the oven and bake for about 35 minutes, or until the filling has set nicely. Sprinkle the cheese on top and leave to cool to room temperature before serving.

GRANDMA'S TIP

This is a great dish to make for summer picnics and garden parties. The ingredients are interchangeable with other crisp spring and summer vegetables.

Roast Butternut Squash

SERVES 4
INGREDIENTS

- 1 butternut squash, about 450 g/1 lb
- 1 onion, chopped
- 2–3 garlic cloves, crushed
- 4 small tomatoes, chopped
- 85 g/3 oz chestnut mushrooms, chopped
- 85 g/3 oz canned butter beans, drained, rinsed and roughly chopped
- 1 courgette, about 115 g/4 oz, trimmed and grated
- 1 tbsp chopped fresh oregano, plus extra to garnish
- 2 tbsp tomato purée
- 300 ml/10 fl oz water
- 4 spring onions, trimmed and chopped
- 1 tbsp Worcestershire sauce, or to taste
- pepper

1 Preheat the oven to 190°C/375°F/Gas Mark 5. Prick the squash all over with a metal skewer then roast for 40 minutes, or until tender. Remove from the oven and leave to rest until cool enough to handle.

2 Cut the squash in half, scoop out and discard the seeds, then scoop out some of the flesh, making hollows in both halves. Chop the scooped-out flesh and put in a bowl. Place the two squash halves side by side in a large roasting tin.

3 Add the onion, garlic, tomatoes and mushrooms to the squash flesh in the bowl. Add the butter beans, courgette, oregano, and pepper to taste and mix well. Spoon the filling into the two halves of the squash, packing it down as firmly as possible.

4 Mix the tomato purée with the water, spring onions and Worcestershire sauce in a small bowl and pour around the squash.

5 Cover loosely with a large sheet of foil and bake for 30 minutes, or until piping hot. Serve in warmed bowls, garnished with some chopped oregano.

GRANDMA'S TIP
Butternut squash is a very versatile winter fruit. It can be roasted or cooked and puréed to make a soup, or used in casseroles, breads and even muffins.

FAIL-SAFE
SIDES &
SUNDRIES

Roast Potatoes

SERVES 6

INGREDIENTS

- 1.3 kg/3 lb large floury potatoes, such as King Edwards, Maris Piper or Desirée, peeled and cut into even-sized chunks
- 3 tbsp dripping, goose fat, duck fat or olive oil
- salt

1 Preheat the oven to 220°C/425°F/Gas Mark 7.

2 Bring a large saucepan of lightly salted water to the boil, add the potatoes, bring back to the boil and cook for 5–7 minutes. The potatoes should still be firm. Remove from the heat.

3 Meanwhile, add the dripping to a roasting tin and place the tin in the preheated oven.

4 Drain the potatoes well and return them to the saucepan. Cover with the lid and firmly shake the pan so that the surface of the potatoes is roughened to help give a much crisper texture.

5 Remove the roasting tin from the oven and carefully tip the potatoes into the hot oil. Baste them to ensure they are all coated with the oil.

6 Roast at the top of the oven for 45–50 minutes until they are browned all over and thoroughly crisp. Turn the potatoes and baste again only once during the process or the crunchy edges will be destroyed.

7 Carefully transfer the potatoes from the roasting tin into a warmed serving dish. Sprinkle with a little salt and serve immediately.

Sweet & Sour Red Cabbage

SERVES 6–8

INGREDIENTS

- 1 red cabbage, about 750 g/1 lb 10 oz
- 2 tbsp olive oil
- 2 onions, finely sliced
- 1 garlic clove, chopped
- 2 small cooking apples, peeled, cored and sliced
- 2 tbsp muscovado sugar
- ½ tsp ground cinnamon
- 1 tsp crushed juniper berries
- whole nutmeg, for grating
- 2 tbsp red wine vinegar
- grated rind and juice of 1 orange
- 2 tbsp redcurrant jelly
- salt and pepper

1 Cut the cabbage into quarters, remove the centre stalk and finely shred the leaves.

2 Heat the oil in a large saucepan over a medium heat and add the cabbage, onions, garlic and apples. Stir in the sugar, cinnamon and juniper berries and grate a quarter of the nutmeg into the pan.

3 Pour over the vinegar and orange juice and add the orange rind.

4 Stir well and season to taste with salt and pepper. The pan will be quite full but the volume of the cabbage will reduce during cooking.

5 Cook over a medium heat, stirring occasionally, until the cabbage is just tender but still has 'bite'. This will take 10–15 minutes, depending on how finely the cabbage is sliced.

6 Stir in the redcurrant jelly, then taste and adjust the seasoning, adding salt and pepper if necessary. Serve immediately.

GRANDMA'S TIP

This is the perfect winter dish and is the classic accompaniment to roast pork. It also goes well with ham at Christmas, or sausages, any day of the week.

Perfect Mash

SERVES 4
INGREDIENTS

- 900 g/2 lb floury potatoes, such as King Edwards, Maris Piper or Desirée, peeled and cut into even-sized chunks
- 55 g/2 oz butter
- 3 tbsp hot milk
- salt and pepper

1 Bring a large saucepan of lightly salted water to the boil, add the potatoes, bring back to the boil and cook for 20–25 minutes until they are tender. Test with the point of a knife, but do make sure you test right to the middle to avoid lumps.

2 Remove the pan from the heat and drain the potatoes. Return the potatoes to the hot pan and mash with a potato masher until smooth.

3 Add the butter and continue to mash until it is all mixed in, then add the milk (it is better hot because the potatoes absorb it more quickly to produce a creamier mash).

4 Taste the mash and season with salt and pepper as necessary. Serve immediately.

Asparagus with Lemon Butter Sauce

SERVES 4

INGREDIENTS

- 800 g/1 lb 12 oz asparagus spears, trimmed
- 1 tbsp olive oil
- salt and pepper

LEMON BUTTER SAUCE

- juice of ½ lemon
- 2 tbsp water
- 100 g/3½ oz butter, cut into cubes

1 Preheat the oven to 200°C/400°F/Gas Mark 6.

2 Lay the asparagus spears in a single layer on a large baking sheet. Drizzle over the oil, season to taste with salt and pepper and roast in the preheated oven for 10 minutes, or until just tender.

3 Meanwhile, make the lemon butter sauce. Pour the lemon juice into a saucepan and add the water. Heat for a minute or so, then slowly add the butter, cube by cube, stirring constantly until it has all been incorporated. Season to taste with pepper and serve warm with the asparagus.

GRANDMA'S TIP
Fresh asparagus will last for 3–4 days in a refrigerator. Do not wash asparagus before storing. Wash it just before using.

Bubble & Squeak

SERVES 2–3

INGREDIENTS

- 450 g/1 lb green cabbage
- 4 tbsp olive oil
- 1 onion, thinly sliced

MASHED POTATO

- 450 g/1 lb floury potatoes, such as King Edwards, Maris Piper or Desirée, peeled and cut into chunks
- 55 g/2 oz butter
- 3 tbsp hot milk
- salt and pepper

1 To make the mashed potato, bring a large saucepan of lightly salted water to the boil, add the potatoes, bring back to the boil and cook for 15–20 minutes, until tender. Drain well and mash with a potato masher until smooth. Season to taste with salt and pepper, add the butter and milk and stir well.

2 Cut the cabbage into quarters, remove the centre stalk and finely shred the leaves.

3 Add half the oil to a large frying pan, then add the onion and fry until softened. Add the cabbage to the pan and stir-fry for 2–3 minutes, until softened. Season to taste with salt and pepper, add the mashed potato and mix together well.

4 Press the mixture firmly into the pan and cook over a high heat for 4–5 minutes until the base is crispy. Place a plate over the pan and invert the pan so that the potato cake falls onto the plate. Add the remaining oil to the pan and heat, then slip the cake back into the pan with the uncooked side down.

5 Cook for a further 5 minutes until the base is crispy too. Turn out onto a hot plate and cut into wedges for serving. Serve immediately.

GRANDMA'S TIP

This is a great way to use up leftovers, especially after a big festive dinner. Chopped Brussels sprouts can be substituted for the cabbage.

Hush Puppies

MAKES 30-35 HUSH PUPPIES

INGREDIENTS

- 280 g/10 oz polenta
- 70 g/2½ oz plain flour, sifted
- 1 small onion, finely chopped
- 1 tbsp caster sugar
- 2 tsp baking powder
- ½ tsp salt
- 175 ml/6 fl oz milk
- 1 egg, beaten
- corn oil, for deep-frying

1 Stir the polenta, flour, onion, sugar, baking powder and salt together in a bowl and make a well in the centre.

2 Beat the milk and egg together in a jug, then pour into the dry ingredients and stir until a thick batter forms.

3 Heat at least 5 cm/2 inches of oil in a deep frying pan or saucepan over a high heat, until the temperature reaches 180°C/350°F, or until a cube of bread browns in 30 seconds.

4 Drop in as many teaspoonfuls of the batter as will fit without overcrowding the frying pan and cook, stirring constantly, until the hush puppies puff up and turn golden.

5 Remove from the oil with a slotted spoon and drain on kitchen paper. Reheat the oil, if necessary, and cook the remaining batter. Serve hot.

GRANDMA'S TIP

Variations of the hush puppies can be made by adding cheese or vegetables to the batter before frying.

Brussels Sprouts with Chestnuts

SERVES 4

INGREDIENTS

- 350 g/12 oz Brussels sprouts, trimmed
- 40 g/1½ oz butter
- 100 g/3½ oz canned whole chestnuts
- pinch of grated nutmeg
- salt and pepper
- 50 g/1¾ oz flaked almonds, to garnish

1 Bring a large saucepan of lightly salted water to the boil. Add the sprouts, bring back to the boil and cook for 5 minutes. Drain thoroughly.

2 Melt the butter in a large saucepan over a medium heat. Add the sprouts and cook, stirring, for 3 minutes, then add the chestnuts and nutmeg to the pan.

3 Season to taste with salt and pepper and stir well. Cook for a further 2 minutes, stirring, then remove from the heat.

4 Transfer to a warmed serving dish, scatter over the almonds and serve.

GRANDMA'S TIP

If you can buy Brussels sprouts still attached to their long central stalk, so much the better – they'll keep fresh for longer that way.

Dauphinoise Potatoes

SERVES 8

INGREDIENTS

- 15 g/½ oz butter, plus extra for greasing
- 1 tbsp plain flour
- 225 ml/8 fl oz double cream
- 450 ml/16 fl oz milk
- 1 tsp salt
- pinch of freshly grated nutmeg
- pinch of freshly ground white pepper
- 4 fresh thyme sprigs
- 2 garlic cloves, finely chopped
- 2 kg/4 lb 8 oz baking potatoes, thinly sliced
- 115 g/4 oz Gruyère cheese or white Cheddar cheese, grated
- salt and pepper

1 Preheat the oven to 190°C/375°F/Gas Mark 5. Grease a 38 x 25-cm/15 x 10-inch ovenproof dish.

2 Melt the butter in a saucepan over a medium heat. Stir in the flour and cook, stirring constantly, for 2 minutes. Gradually whisk in the cream and milk and bring to simmering point. Add the salt, the nutmeg, white pepper, thyme and garlic, reduce the heat to low and simmer for 5 minutes. Remove and reserve the thyme sprigs.

3 Make a layer of half the potatoes in the prepared dish and season generously with salt and pepper. Top with half the sauce and cover with half the cheese. Repeat the layers with the remaining potatoes, sauce and cheese.

4 Bake in the preheated oven for about 1 hour, or until the top is browned and the potatoes are tender. Remove from the oven and leave to rest for 15 minutes before serving.

GRANDMA'S TIP

These creamy, garlicky potatoes make the perfect side dish for any Sunday roast.

Roast Vegetables

SERVES 4–6

INGREDIENTS

- 3 parsnips, cut into 5-cm/2-inch chunks
- 4 baby turnips, cut into quarters
- 3 carrots, cut into 5-cm/2-inch chunks
- 450 g/1 lb butternut squash, peeled and cut into 5-cm/2-inch chunks
- 450 g/1 lb sweet potatoes, peeled and cut into 5-cm/2-inch chunks
- 2 garlic cloves, finely chopped
- 2 tbsp chopped fresh rosemary
- 2 tbsp chopped fresh thyme
- 2 tsp chopped fresh sage
- 3 tbsp olive oil
- salt and pepper
- 2 tbsp chopped fresh mixed herbs, such as parsley, thyme and mint, to garnish

1 Preheat the oven to 220°C/425°F/Gas Mark 7.

2 Arrange all the vegetables in a single layer in a large roasting tin. Scatter over the garlic and the herbs. Pour over the oil and season well with salt and pepper.

3 Toss all the ingredients together until they are well mixed and coated with the oil (you can leave them to marinate at this stage to allow the flavours to be absorbed).

4 Roast the vegetables at the top of the oven for 50–60 minutes until they are cooked and nicely browned. Turn the vegetables over halfway through the cooking time.

5 Serve with a good handful of fresh herbs scattered on top and a final sprinkling of salt and pepper to taste.

Courgette Fritters

MAKES 20-30 FRITTERS

INGREDIENTS

- 100 g/3½ oz self–raising flour
- 2 eggs, beaten
- 50 ml/2 fl oz milk
- 300 g/10½ oz courgettes
- 2 tbsp fresh thyme, plus extra to garnish
- 1 tbsp oil
- salt and pepper

1 Sift the flour into a large bowl and make a well in the centre. Add the eggs to the well and, using a wooden spoon, gradually draw in the flour.

2 Slowly add the milk to the mixture, stirring constantly to form a thick batter.

3 Meanwhile, grate the courgettes over a sheet of kitchen paper placed in a bowl to absorb some of the juices.

4 Add the courgettes, thyme and salt and pepper, to taste, to the batter and mix thoroughly, for about a minute.

5 Heat the oil in a large, heavy-based frying pan. Taking a tablespoon of the batter for a medium-sized fritter or half a tablespoon of batter for a smaller-sized fritter, spoon the mixture into the hot oil and cook, in batches, for 3–4 minutes on each side.

6 Remove the fritters with a slotted spoon and drain thoroughly on absorbent kitchen paper. Keep each batch warm in the oven while making the rest. Transfer to serving plates and garnish with the thyme.

Coleslaw

SERVES 10–12

INGREDIENTS

- 150 ml/5 fl oz mayonnaise
- 150 ml/5 fl oz natural yogurt
- dash of Tabasco sauce
- 1 head of white cabbage
- 4 carrots
- 1 green pepper
- salt and pepper

1 Mix the mayonnaise, yogurt, Tabasco sauce, and salt and pepper to taste together in a small bowl. Chill in the refrigerator until required.

2 Cut the cabbage in half and then into quarters. Remove and discard the tough centre stalk. Finely shred the cabbage leaves. Wash the leaves under cold running water and dry thoroughly on kitchen paper. Roughly grate the carrots or shred in a food processor or on a mandoline.

3 Mix the vegetables together in a large serving bowl and toss to mix. Pour over the dressing and toss until the vegetables are well coated. Cover and chill in the refrigerator until required.

GRANDMA'S TIP

You can add in plenty of other ingredients to add taste, colour and texture, such as smoked almonds, capers, apples, toasted pecan nuts, sunflower seeds and pumpkin seeds.

Red Wine Sauce

MAKES ABOUT
225 ML/8 FL OZ
INGREDIENTS

- 150 ml/5 fl oz Gravy (see page 137)
- 4 tbsp red wine, such as a Burgundy
- 1 tbsp redcurrant jelly

1 Blend the gravy with the wine and pour into a small, heavy-based saucepan. Add the redcurrant jelly and warm over a gentle heat, stirring, until blended.

2 Bring to the boil, then reduce the heat and simmer for 2 minutes. Serve hot.

GRANDMA'S TIP
For a richer sauce, ideal as an accompaniment to game dishes, replace half the red wine with Marsala, sherry or port.

Gravy

MAKES ABOUT
1.2 LITRES/2 PINTS
INGREDIENTS

- 900 g/2 lb meat bones, raw or cooked
- 1 large onion, chopped
- 1 large carrot, chopped
- 2 celery sticks, chopped
- 1 bouquet garni
- 1.7 litres/3 pints water

1 Preheat the oven to 200°C/400°F/Gas Mark 6. Put the bones in a roasting tin and roast in the preheated oven for 20 minutes, or until browned. Remove from the oven and leave to cool.

2 Chop the bones into small pieces and put in a large saucepan with all the remaining ingredients. Bring to the boil, then reduce the heat, cover and simmer for 2 hours.

3 Strain and leave until cold, then remove all traces of fat. Store, covered, in the refrigerator for up to 4 days. Boil vigorously for 5 minutes before using. The gravy can be frozen in ice-cube trays for up to 1 month.

Mint & Spinach Chutney

SERVES 4–6
INGREDIENTS

- 55 g/2 oz tender fresh spinach leaves
- 3 tbsp fresh mint leaves
- 2 tbsp chopped fresh coriander leaves
- 1 small red onion, coarsely chopped
- 1 small garlic clove, chopped
- 1 fresh green chilli, chopped (deseeded, if liked)
- 2½ tsp sugar
- 1 tbsp tamarind juice or juice of ½ lemon

1 Place all the ingredients in a food processor and process until smooth, adding only as much water as is necessary to enable the blades to move.

2 Transfer to a serving bowl, cover and leave to chill in the refrigerator for at least 30 minutes before serving. Serve with samosas or lamb kebabs.

GRANDMA'S TIP
For an even cooler chutney to serve with very spicy dishes, omit the spinach, double the quantity of coriander and be sure to deseed the chilli.

Bread Sauce

SERVES 6–9

INGREDIENTS

- 1 onion
- 12 cloves
- 1 bay leaf
- 6 black peppercorns
- 600 ml/1 pint milk
- 115 g/4 oz fresh white breadcrumbs
- 2 tbsp butter
- whole nutmeg, for grating
- 2 tbsp double cream (optional)
- salt and pepper

1 Make small holes in the onion using the point of a sharp knife or a skewer, then stick a clove in each hole.

2 Put the onion, bay leaf and peppercorns in a saucepan and pour in the milk. Bring to the boil over a medium heat, then remove from the heat, cover and leave to infuse for 1 hour.

3 To make the sauce, discard the onion and bay leaf and strain the milk to remove the peppercorns. Return the milk to the cleaned pan and add the breadcrumbs.

4 Cook over a very low heat for 4–5 minutes, until the breadcrumbs have swollen and the sauce is thick.

5 Beat in the butter and season well with salt and pepper and a good grating of nutmeg. Stir in the cream just before serving, if using.

Corn Relish

MAKES ABOUT
600 G/1 LB 5 OZ
INGREDIENTS

- 5 corn cobs, about 900 g/2 lb, husked
- 1 red pepper, deseeded and finely diced
- 2 celery sticks, very finely chopped
- 1 red onion, finely chopped
- 125 g/4½ oz sugar
- 1 tbsp salt
- 2 tbsp mustard powder
- ½ tsp celery seeds
- small pinch of turmeric (optional)
- 225 ml/8 fl oz cider vinegar
- 125 ml/4 fl oz water

1 Bring a large saucepan of lightly salted water to the boil and fill a bowl with iced water. Add the corn to the boiling water, return the water to the boil and boil for 2 minutes, or until the kernels are tender-crisp. Using tongs, immediately plunge the cobs into the cold water to halt cooking. Remove from the water and cut the kernels from the cobs, then set aside.

2 Add the red pepper, celery and onion to the corn cooking water, bring back to the boil and boil for 2 minutes, or until tender-crisp. Drain well and return to the pan with the corn kernels.

3 Put the sugar, salt, mustard, celery seeds and turmeric, if using, into a bowl and mix together, then stir in the vinegar and water. Add to the pan, bring the liquid to the boil, then reduce the heat and simmer for 15 minutes, stirring occasionally.

4 Ladle the relish into hot, sterilized preserving jars, filling them to within 1 cm/½ inch of the top of each jar. Wipe the rims and secure the lids. Leave the relish to cool completely, then refrigerate for up to 2 months.

PRACTICE
MAKES PERFECT

White Chocolate Fudge Sauce

SERVES 4

INGREDIENTS

- 150 ml/5 fl oz double cream
- 4 tbsp unsalted butter, cut into small pieces
- 3 tbsp caster sugar
- 175 g/6 oz white chocolate, broken into pieces
- 2 tbsp brandy

1 Pour the cream into the top of a double boiler or a heatproof bowl set over a saucepan of gently simmering water. Add the butter and sugar and stir until the mixture is smooth. Remove from the heat.

2 Stir in the chocolate, a few pieces at a time, waiting until each batch has melted before adding the next. Add the brandy and stir the sauce until smooth. Cool to room temperature before serving.

GRANDMA'S TIP
You can give this sauce a citrussy zing by replacing the brandy with the same quantity of an orange liqueur, such as Cointreau or Grand Marnier.

Chocolate Brandy Sauce

SERVES 4

INGREDIENTS

- 250 g/9 oz plain chocolate (must contain at least 50 per cent cocoa solids)
- 100 ml/3½ fl oz double cream
- 2 tbsp brandy

1 Break or chop the chocolate into small pieces and place in the top of a double boiler or in a heatproof bowl set over a saucepan of simmering water.

2 Pour in the cream and stir until melted and smooth. Stir in the brandy, pour into a jug and serve.

Home-made Vanilla Custard

SERVES 4–6

INGREDIENTS

- 300 ml/10 fl oz milk
- 2 eggs
- 2 tsp caster sugar
- 1 vanilla pod, split, or 1 tsp vanilla extract

1 Put 2 tablespoons of the milk, the eggs and sugar into a heatproof bowl that will fit over a saucepan of simmering water without the bottom of the bowl touching the water, then set aside.

2 Put the remaining milk into a small, heavy-based saucepan over a medium–high heat and heat just until small bubbles appear around the edge. Scrape half the vanilla seeds into the milk and add the pod. Remove the pan from the heat, cover and leave to infuse for 30 minutes.

3 Bring a kettle of water to the boil. Meanwhile, using an electric mixer, beat the milk, eggs and sugar until pale and thick. Slowly beat in the warm milk.

4 Pour a thin layer of boiling water into a saucepan, place over a low heat and fit the bowl containing the milk mixture snugly on top. Cook, stirring constantly, for 10–15 minutes, until the sauce becomes thick enough to hold the impression of your finger if you rub it along the back of the spoon. It is important that the bottom of the bowl never touches the water and that the sauce doesn't boil. If the sauce looks as if it is about to boil, remove the bowl from the pan and continue stirring.

5 Strain the hot custard into a separate bowl. If you have not used a vanilla pod and seeds stir in the vanilla extract. The custard can be used immediately, or left to cool completely, then covered and chilled for up to one day. The sauce will thicken on cooling.

GRANDMA'S TIP

Keep the used vanilla pod in a jar of caster sugar and use the flavoured sugar for making cakes, sprinkling over fruit or making dessert sauces.

GRANDMA'S BAKING DAY

Pineapple Upside-down Cake

SERVES 10

INGREDIENTS

- 4 eggs, beaten
- 200 g/7 oz golden caster sugar
- 1 tsp vanilla extract
- 200 g/7 oz plain flour
- 2 tsp baking powder
- 125 g/4½ oz unsalted butter, melted, plus extra for greasing

TOPPING

- 40 g/1½ oz unsalted butter
- 4 tbsp golden syrup
- 425 g/15 oz canned pineapple rings, drained
- 4–6 glacé cherries, halved

1 Preheat the oven to 160°C/325°F/Gas Mark 3. Grease a 23-cm/9-inch round deep tin with a solid base and line the base with baking paper.

2 To make the topping, place the butter and golden syrup in a heavy-based saucepan and heat gently until melted. Bring to the boil and boil for 2–3 minutes, stirring, until slightly thickened and toffee-like.

3 Pour the syrup into the base of the prepared tin. Arrange the pineapple rings and glacé cherries in one layer over the syrup.

4 Place the eggs, sugar and vanilla extract in a large heatproof bowl over a saucepan of gently simmering water and whisk with an electric mixer for about 10–15 minutes, until thick enough to leave a trail when the whisk is lifted. Sift in the flour and baking powder and fold in lightly and evenly with a metal spoon.

5 Fold the melted butter into the mixture with a metal spoon until evenly mixed. Spoon into the prepared tin and bake in the preheated oven for 1–1¼ hours, or until well risen, firm and golden brown.

6 Leave to cool in the tin for 10 minutes, then carefully turn out onto a serving plate. Serve warm or cold.

GRANDMA'S TIP

If your cake sinks in the middle, cut it out to make a ring cake, spread with whipped cream and fill the centre with fresh berries.

Victoria Sponge Cake

SERVES 8–10
INGREDIENTS

- 175 g/6 oz butter, at room temperature, plus extra for greasing
- 175 g/6 oz caster sugar
- 3 eggs, beaten
- 175 g/6 oz self-raising flour
- pinch of salt
- 3 tbsp raspberry jam
- 1 tbsp caster sugar or icing sugar, for dusting

1 Preheat the oven to 180°C/350°F/Gas Mark 4.

2 Grease two 20-cm/8-inch sponge tins and line with greaseproof paper or baking paper.

3 Cream the butter and sugar together in a mixing bowl using a wooden spoon or a hand-held mixer until the mixture is pale in colour and light and fluffy.

4 Add the eggs a little at a time, beating well after each addition.

5 Sift the flour and salt together and carefully add to the mixture, folding in with a metal spoon or a spatula. Divide the mixture between the tins and smooth over with the spatula.

6 Place them on the same shelf in the centre of the preheated oven and bake for 25–30 minutes until well risen, golden brown and beginning to shrink from the sides of the tins.

7 Remove from the oven and leave to stand for 1 minute.

8 Loosen the cakes from around the edges of the tins using a palette knife. Turn the cakes out onto a clean tea towel, remove the paper and invert them onto a wire rack (this prevents the wire rack marking the tops of the cakes).

9 When completely cool, sandwich together with the jam and sprinkle with the sugar. The cake is delicious when freshly baked, but any remaining cake can be stored in an airtight tin for up to 1 week.

Blueberry Crumb Cake

SERVES 12

INGREDIENTS

- 280 g/10 oz fresh blueberries
- 450 g/1 lb self-raising flour, plus extra for dusting
- 1¼ tsp salt
- ½ tsp mixed spice
- 280 g/10 oz butter, at room temperature, plus extra for greasing
- 350 g/12 oz caster sugar
- ½ tsp vanilla extract
- ½ tsp almond extract
- 2 large eggs
- 300–350 ml/10–12 fl oz soured cream

- CRUMB TOPPING
- 115 g/4 oz butter, diced
- 140 g/5 oz plain flour
- 2 tbsp soft light brown sugar
- 1 tbsp granulated sugar
- 85 g/3 oz almonds, chopped

1 To make the crumb topping, put the butter and flour into a large bowl and rub together until the mixture resembles coarse breadcrumbs. Stir in both types of sugar and the almonds, then leave to chill in the refrigerator until required.

2 Preheat the oven to 180°C/350°F/Gas Mark 4. Grease a 33 x 23-cm/13 x 9-inch rectangular cake tin and dust with flour. Dust the blueberries with 1 tablespoon of the measured flour and set aside. Sift the remaining flour into a bowl with the salt and mixed spice and set aside.

3 Place the butter in a large bowl and, using an electric mixer, beat until soft and creamy. Add the sugar, vanilla extract and almond extract and continue beating until the mixture is light and fluffy. Add the eggs, one at a time, beating well after each addition, then beat in 300 ml/10 fl oz of the soured cream. Beat in the flour until the mixture is soft and falls easily from a spoon. Add the remaining soured cream, 1 tablespoon at a time, if necessary.

4 Add the blueberries and any loose flour to the batter and quickly fold in. Pour the batter into the prepared tin and smooth the surface. Pinch the topping into large crumbs and scatter evenly over the batter.

5 Bake the cake in the preheated oven for 45–55 minutes until it comes away from the side of the tin and a cocktail stick inserted into the centre comes out clean. Transfer the tin to a wire rack and leave to cool completely. Cut the cake into 12 slices and serve straight from the tin.

GRANDMA'S TIP

When a recipe says 'dot with butter', shave off curls from a cold block with a vegetable peeler.

Angel Food Cake

SERVES 10

INGREDIENTS

- sunflower oil, for greasing
- 8 large egg whites
- 1 tsp cream of tartar
- 1 tsp almond extract
- 250 g/9 oz caster sugar
- 115 g/4 oz plain flour, plus extra for dusting

TO SERVE

- 250 g/9 oz summer berries
- 1 tbsp lemon juice
- 2 tbsp icing sugar

1 Preheat the oven to 160°C/325°F/Gas Mark 3. Brush the inside of a 1.7-litre/3-pint ring tin with oil and dust lightly with flour.

2 Whisk the egg whites in a clean, grease-free bowl until they hold soft peaks. Add the cream of tartar and whisk again until the whites are stiff but not dry.

3 Whisk in the almond extract, then add the sugar, a tablespoon at a time, whisking hard between each addition. Sift in the flour and fold in lightly and evenly, using a large metal spoon.

4 Spoon the mixture into the prepared cake tin and tap on the work surface to remove any large air bubbles. Bake in the preheated oven for 40–45 minutes, or until golden brown and firm to the touch.

5 Run the tip of a small knife around the edges of the cake to loosen it from the tin. Leave to cool in the tin for 10 minutes, then turn out onto a wire rack to finish cooling.

6 To serve, place the berries, lemon juice and icing sugar in a saucepan and heat gently until the sugar has dissolved. Serve with the cake.

GRANDMA'S TIP

The delicious Angel Food Cake takes its name from its light and airy white sponge.

Devil's Food Cake

SERVES 8–10

INGREDIENTS

- 140 g/5 oz plain chocolate
- 100 ml/3½ fl oz milk
- 2 tbsp cocoa powder
- 140 g/5 oz unsalted butter, plus extra for greasing
- 140 g/5 oz light muscovado sugar
- 3 eggs, separated
- 4 tbsp soured cream or crème fraîche
- 200 g/7 oz plain flour
- 1 tsp bicarbonate of soda

FROSTING

- 140 g/5 oz plain chocolate
- 40 g/1½ oz cocoa powder
- 4 tbsp soured cream or crème fraîche
- 1 tbsp golden syrup
- 40 g/1½ oz unsalted butter
- 4 tbsp water
- 200 g/7 oz icing sugar

1 Preheat the oven to 160°C/325°F/Gas Mark 3. Grease two 20-cm/8-inch sandwich tins and line the bases with non-stick baking paper.

2 Break up the chocolate and place in a heatproof bowl over a saucepan of simmering water, add the milk and cocoa powder, then heat gently, stirring, until melted and smooth. Remove from the heat.

3 In a large bowl beat the butter and muscovado sugar together until pale and fluffy. Beat in the egg yolks, then beat in the soured cream and the melted chocolate mixture.

4 Sift in the flour and bicarbonate of soda, then fold in evenly. In a separate bowl, whisk the egg whites until stiff enough to hold firm peaks. Fold into the mixture lightly and evenly.

5 Divide the mixture between the prepared cake tins, smooth level and bake in the preheated oven for 35–40 minutes, or until risen and firm to the touch. Cool in the tins for 10 minutes, then turn out onto a wire rack.

6 To make the frosting, put the chocolate, cocoa powder, soured cream, golden syrup, butter and water in a saucepan and heat gently, until melted. Remove from the heat and sift in the sugar, stirring until smooth. Cool, stirring occasionally, until the mixture begins to thicken and hold its shape.

7 Split the cakes in half horizontally with a sharp knife, to make four layers. Sandwich the cakes together with about a third of the frosting. Spread the remainder over the top and side of the cake, swirling with a palette knife.

GRANDMA'S TIP

Use a metal, ceramic or glass bowl when whisking egg whites. Plastic bowls scratch easily, so may not be grease-free, and will prevent the whites foaming.

Lemon Drizzle Cake

SERVES 8
INGREDIENTS

- butter, for greasing
- 200 g/7 oz plain flour
- 2 tsp baking powder
- 200 g/7 oz caster sugar
- 4 eggs
- 150 ml/5 fl oz soured cream
- grated rind of 1 large lemon
- 4 tbsp lemon juice
- 150 ml/5 fl oz sunflower oil

SYRUP
- 4 tbsp icing sugar
- 3 tbsp lemon juice

1 Preheat the oven to 180°C/350°F/Gas Mark 4. Lightly grease a 20-cm/8-inch loose-based round cake tin and line the base with baking paper.

2 Sift the flour and baking powder together into a mixing bowl and stir in the sugar.

3 In a separate bowl, whisk the eggs, soured cream, lemon rind, lemon juice and oil together.

4 Pour the egg mixture into the dry ingredients and mix well until evenly combined.

5 Pour the mixture into the prepared tin and bake in the preheated oven for 45–60 minutes, until risen and golden brown.

6 Meanwhile, to make the syrup, mix the icing sugar and lemon juice together in a small saucepan. Stir over a low heat until just beginning to bubble and turn syrupy.

7 As soon as the cake comes out of the oven, prick the surface with a fine skewer, then brush the syrup over the top. Leave the cake to cool completely in the tin before turning out and serving.

Apple Streusel Cake

SERVES 8
INGREDIENTS

- 450 g/1 lb cooking apples
- 175 g/6 oz self-raising flour
- 1 tsp ground cinnamon
- pinch of salt
- 115 g/4 oz butter, plus extra for greasing
- 115 g/4 oz caster sugar
- 2 eggs
- 1–2 tbsp milk
- icing sugar, for dusting

STREUSEL TOPPING
- 115 g/4 oz self-raising flour
- 85 g/3 oz butter
- 85 g/3 oz caster sugar

1 Preheat the oven to 180°C/350°F/Gas Mark 4, then grease a 23-cm/9-inch springform cake tin. To make the streusel topping, sift the flour into a bowl and rub in the butter until the mixture resembles coarse crumbs. Stir in the sugar and reserve.

2 To make the cake, peel, core and thinly slice the apples. Sift the flour into a bowl with the cinnamon and salt. Place the butter and sugar in a separate bowl and beat together until light and fluffy. Gradually beat in the eggs, adding a little of the flour mixture with the last addition of egg. Gently fold in half the remaining flour mixture, then fold in the rest with the milk.

3 Spoon the mixture into the prepared tin and smooth the top. Cover with the sliced apples and sprinkle the streusel topping evenly over the top.

4 Bake in the preheated oven for 1 hour, or until browned and firm to the touch. Leave to cool in the tin before opening the sides. Dust the cake with icing sugar before serving.

Millionaires' Shortbread

MAKES 12 SLICES
INGREDIENTS

- 115 g/4 oz butter, plus extra for greasing
- 175 g/6 oz plain flour
- 55 g/2 oz golden caster sugar
- 200 g/7 oz plain chocolate, broken into pieces

FILLING
- 175 g/6 oz butter
- 115 g/4 oz golden caster sugar
- 3 tbsp golden syrup
- 400 ml/14 fl oz canned condensed milk

1 Preheat the oven to 180°C/350°F/Gas Mark 4. Grease and line the base of a 23-cm/9-inch shallow, square cake tin.

2 Place the butter, flour and sugar in a food processor and process until the mixture begins to bind together. Press it into the prepared tin and smooth the top. Bake in the preheated oven for 20–25 minutes, or until golden.

3 Meanwhile, make the filling. Place the butter, sugar, golden syrup and condensed milk in a saucepan and heat gently over a low heat until the sugar is dissolved.

4 Bring to the boil and simmer for 6–8 minutes, stirring constantly, until the mixture becomes very thick. Pour over the shortbread base and leave to chill in the refrigerator until firm.

5 Place the chocolate in a heatproof bowl set over a saucepan of gently simmering water and stir until melted. Leave to cool slightly, then spread over the caramel. Chill in the refrigerator until set. Cut the shortbread into 12 pieces with a sharp knife and serve.

GRANDMA'S TIP
Millionaires' Shortbread, also known as Caramel Shortbread or Caramel Slices, is thought to be of Scottish origin.

Classic Oatmeal Cookies

MAKES 30 COOKIES
INGREDIENTS

- 175 g/6 oz butter, plus extra for greasing
- 275 g/9¾ oz demerara sugar
- 1 egg
- 4 tbsp water
- 1 tsp vanilla extract
- 375 g/13 oz rolled oats
- 140 g/5 oz plain flour
- 1 tsp salt
- ½ tsp bicarbonate of soda

1 Preheat the oven to 180°C/ 350°F/Gas Mark 4 and grease a large baking tray.

2 Cream the butter and sugar together in a large mixing bowl. Beat in the egg, water and vanilla extract until the mixture is smooth. In a separate bowl, mix the oats, flour, salt and bicarbonate of soda.

3 Gradually stir the oat mixture into the creamed mixture until thoroughly combined.

4 Place tablespoonfuls of the mixture onto the prepared baking tray, making sure they are well spaced. Transfer to the preheated oven and bake for 15 minutes, or until the biscuits are golden brown.

5 Using a palette knife, carefully transfer the cookies to wire racks to cool completely.

Mega Chip Cookies

MAKES 12 LARGE COOKIES
INGREDIENTS

- 225 g/8 oz butter, softened
- 140 g/5 oz caster sugar
- 1 egg yolk, lightly beaten
- 2 tsp vanilla extract
- 225 g/8 oz plain flour
- 55 g/2 oz cocoa powder
- pinch of salt
- 85 g/3 oz milk chocolate chips
- 85 g/3 oz white chocolate chips
- 115 g/4 oz plain chocolate, coarsely chopped

1 Preheat the oven to 190°C/375°F/Gas Mark 5. Line 2–3 baking sheets with baking parchment.

2 Put the butter and sugar into a bowl and mix well with a wooden spoon, then beat in the egg yolk and vanilla extract. Sift the flour, cocoa powder and salt together into the mixture, then add the milk chocolate chips and white chocolate chips and stir until thoroughly combined.

3 Make 12 balls of the mixture, place them on the prepared baking sheets, spaced well apart, and flatten slightly. Press the pieces of plain chocolate into the cookies.

4 Bake in the preheated oven for 12–15 minutes. Leave to cool on the baking sheets for 5–10 minutes, then, using a palette knife, carefully transfer the cookies to wire racks to cool completely.

Chocolate Brownies

MAKES 16 SQUARES

INGREDIENTS

- groundnut oil, for greasing
- 225 g/8 oz good-quality plain chocolate, at least 60% cocoa solids
- 175 g/6 oz butter
- 3 large eggs
- 100 g/3½ oz caster sugar
- 175 g/6 oz self-raising flour
- 100 g/3½ oz walnuts or blanched hazelnuts, chopped
- 50 g/1¾ oz milk chocolate chips

1 Preheat the oven to 180°C/350°F/Gas Mark 4. Lightly grease a 25-cm/10-inch square non-stick, shallow baking tin.

2 Break the chocolate into a heatproof bowl and place over a small saucepan of simmering water. It is important that the base of the bowl doesn't touch the water.

3 Add the butter to the chocolate, set the bowl over the saucepan and heat the water to a slow simmer. Leave the chocolate, undisturbed, to melt very slowly – this will take about 10 minutes. Remove the bowl from the pan and stir well to combine the chocolate and the butter.

4 Meanwhile, beat the eggs and sugar together in a bowl until pale cream in colour. Stir in the melted chocolate mixture, then add the flour, nuts and chocolate chips. Mix everything together well.

5 Tip the mixture into the prepared baking tin and bake in the preheated oven for 30 minutes, or until the top is set – if the centre is still slightly sticky, that will be all the better. Leave to cool in the tin, then lift out and cut into squares.

Butterfly Cupcakes

MAKES 12 CUPCAKES
INGREDIENTS

- 115 g/4 oz self-raising flour
- ½ tsp baking powder
- 115 g/4 oz butter, softened
- 115 g/4 oz caster sugar
- 2 eggs, beaten
- finely grated rind of ½ lemon
- 2–4 tbsp milk
- icing sugar, sifted, for dusting

FILLING

- 55 g/2 oz butter
- 115 g/4 oz icing sugar
- 1 tbsp lemon juice

1 Preheat the oven to 190°C/375°F/Gas Mark 5. Place 12 paper cases in a bun tin. Sift the flour and baking powder together into a bowl. Add the butter, sugar, eggs, lemon rind and enough milk to give a medium-soft consistency.

2 Beat the mixture thoroughly until smooth, then divide between the paper cases and bake in the preheated oven for 15–20 minutes, or until well risen and golden. Transfer to wire racks to cool.

3 To make the filling, place the butter in a bowl. Sift in the icing sugar and add the lemon juice. Beat well until smooth and creamy. When the cakes are completely cooled, use a sharp-pointed vegetable knife to cut a circle from the top of each cake, then cut each circle in half.

4 Spoon a little filling into the centre of each cake and press the two semi-circular pieces into it to resemble wings. Dust the cakes with icing sugar before serving.

GRANDMA'S TIP

Cupcakes are always a favourite with children. You can use multi-coloured or patterned paper cases to make these look even cuter.

Raisin Bran Muffins

MAKES 12 MUFFINS
INGREDIENTS

- 140 g/5 oz plain flour
- 1 tbsp baking powder
- 140 g/5 oz wheat bran
- 115 g/4 oz caster sugar
- 150 g/5½ oz raisins
- 2 eggs
- 250 ml/9 fl oz skimmed milk
- 90 ml/ 6 tbsp sunflower oil, plus extra for greasing
- 1 tsp vanilla extract

1 Preheat the oven to 200°C/400°F/Gas Mark 6. Grease a 12-cup muffin tin or line with 12 paper cases. Sift the flour and baking powder together into a large bowl. Stir in the bran, sugar and raisins.

2 Lightly beat the eggs in a large jug or bowl, then beat in the milk, oil and vanilla extract. Make a well in the centre of the dry ingredients and pour in the beaten liquid ingredients. Stir gently until just combined; do not over-mix.

3 Spoon the mixture into the prepared muffin tin. Bake in the preheated oven for about 20 minutes, until well risen, golden brown and firm to the touch.

4 Leave the muffins in the tin for 5 minutes then serve warm or transfer to a wire rack and leave to cool.

Cinnamon Swirls

MAKES 12 SWIRLS
INGREDIENTS

- 225 g/8 oz strong white flour
- ½ tsp salt
- 10 g/¼ oz easy-blend dried yeast
- 2 tbsp butter, cut into small pieces, plus extra for greasing
- 1 egg, lightly beaten
- 125 ml/4 fl oz lukewarm milk
- 2 tbsp maple syrup, for glazing

FILLING
- 4 tbsp butter, softened
- 2 tsp ground cinnamon
- 50 g/1¾ oz soft light brown sugar
- 50 g/1¾ oz currants

1 Grease a baking sheet with a little butter.

2 Sift the flour and salt into a mixing bowl. Stir in the yeast. Rub in the butter with your fingertips until the mixture resembles breadcrumbs. Add the egg and milk and mix to form a dough.

3 Form the dough into a ball, place in a greased bowl, cover and leave to stand in a warm place for about 40 minutes, or until doubled in size.

4 Lightly knock back the dough for 1 minute, then roll out to a rectangle measuring 30 x 23 cm/ 12 x 9 inches.

5 To make the filling, cream together the butter, cinnamon and sugar until light and fluffy. Spread the filling evenly over the dough rectangle, leaving a 2.5-cm/ 1-inch border all around. Sprinkle the currants evenly over the top.

6 Roll up the dough from one of the long edges, and press down to seal. Cut the roll into 12 slices. Place them, cut-side down, on the baking sheet, cover and leave to stand for 30 minutes.

7 Meanwhile, preheat the oven to 190°C/375°F/ Gas Mark 5. Bake the buns in the preheated oven for 20–30 minutes, or until well risen. Brush with the maple syrup and leave to cool slightly before serving.

Strawberry Shortcakes

SERVES 6

INGREDIENTS

- 225 g/8 oz self-raising flour, plus extra for dusting
- ½ tsp baking powder
- 100 g/3½ oz golden caster sugar
- 85 g/3 oz unsalted butter, plus extra for greasing
- 1 egg, beaten
- 2–3 tbsp milk, plus extra for brushing

FILLING

- 1 tsp vanilla extract
- 250 g/9 oz mascarpone cheese
- 3 tbsp icing sugar, plus extra for dusting
- 400 g/14 oz strawberries

1 Preheat the oven to 180°C/350°F/Gas Mark 4. Lightly grease a large baking tray.

2 Sift the flour, baking powder and sugar together into a bowl. Rub in the butter with your fingertips until the mixture resembles breadcrumbs. Beat the egg with 2 tablespoons of the milk and stir into the dry ingredients with a fork to form a soft, but not sticky, dough, adding more milk if necessary.

3 Turn out the dough onto a lightly floured surface and roll out to a thickness of about 2 cm/¾ inch. Stamp out rounds, using a 7-cm/2¾-inch biscuit cutter. Lightly press the trimmings together and stamp out more rounds.

4 Place the rounds on the prepared baking tray and brush the tops lightly with milk. Bake in the preheated oven for 12–15 minutes, until firm and golden brown. Place on a wire rack to cool.

5 To make the filling, stir the vanilla extract into the mascarpone cheese with 2 tablespoons of the sugar. Reserve a few whole strawberries for decoration, then hull and slice the rest. Sprinkle with the remaining sugar.

6 Split the shortcakes in half horizontally. Spoon half the mascarpone mixture onto the bases and top with the sliced strawberries. Spoon over the remaining mascarpone mixture and replace the shortcake tops. To serve, dust the shortcakes with icing sugar and top with the reserved whole strawberries.

Oat & Potato Bread

MAKES 1 LOAF
INGREDIENTS

- vegetable oil, for greasing
- 225 g/8 oz peeled floury potatoes
- 500 g/1 lb 2 oz strong white flour, plus extra for dusting
- 1½ tsp salt
- 40 g/1½ oz butter, diced
- 1½ tsp easy-blend dried yeast
- 1½ tbsp soft dark brown sugar
- 3 tbsp rolled oats
- 2 tbsp skimmed milk powder
- 210 ml/7½ fl oz lukewarm water

TOPPING
- 1 tbsp water
- 1 tbsp rolled oats

1 Grease a 900-g/2-lb loaf tin. Put the potatoes in a large saucepan, add water to cover and bring to the boil. Cook for 20–25 minutes, until tender. Drain, then mash until smooth. Leave to cool.

2 Sift the flour and salt together into a warmed bowl. Rub in the butter with your fingertips. Stir in the yeast, sugar, oats and milk powder. Mix in the mashed potato, then add the water and mix to a soft dough.

3 Turn out the dough onto a lightly floured work surface and knead for 5–10 minutes, or until smooth and elastic. Brush a bowl with oil and put the dough into it, cover with clingfilm and leave to rise in a warm place for 1 hour, or until doubled in size.

4 Turn out the dough again and knead lightly. Shape into a loaf and transfer to the prepared tin. Cover and leave to rise in a warm place for 30 minutes. Meanwhile, preheat the oven to 220°C/425°F/Gas Mark 7.

5 To make the topping, brush the surface of the loaf with the water and carefully sprinkle over the oats. Bake in the preheated oven for 25–30 minutes, or until it sounds hollow when tapped on the base. Transfer to a wire rack and leave to cool slightly. Serve warm.

GRANDMA'S TIP
Rather than make mashed potato from scratch, this recipe is a frugal way to make good use of your leftovers.

Sourdough Bread

MAKES 2 LOAVES
INGREDIENTS

- 450 g/1 lb wholemeal flour
- 4 tsp salt
- 350 ml/12 fl oz lukewarm water
- 2 tbsp black treacle
- 1 tbsp vegetable oil, plus extra for brushing
- plain flour, for dusting

STARTER
- 85 g/3 oz wholemeal flour
- 85 g/3 oz strong white flour
- 55 g/2 oz caster sugar
- 250 ml/9 fl oz milk

1 For the starter, put the wholemeal flour, strong white flour, sugar and milk into a non-metallic bowl and beat well with a fork. Cover with a damp tea towel and leave to stand at room temperature for 4–5 days, until the mixture is frothy and smells sour.

2 Sift the flour and half the salt together into a bowl and add the water, treacle, oil and starter. Mix well with a wooden spoon until a dough begins to form, then knead with your hands until it leaves the side of the bowl. Turn out on to a lightly floured surface and knead for 10 minutes, until smooth and elastic.

3 Brush a bowl with oil. Form the dough into a ball, put it into the bowl and put the bowl into a polythene bag or cover with a damp tea towel. Leave to rise in a warm place for 2 hours, until the dough has doubled in volume.

4 Dust two baking sheets with flour. Mix the remaining salt with 4 tablespoons of water in a bowl. Turn out the dough on to a lightly floured work surface and knock back with your fist, then knead for a further 10 minutes. Halve the dough, shape each piece into an oval and place the loaves on the prepared baking sheets. Brush with the saltwater glaze and leave to stand in a warm place, brushing frequently with the glaze, for 30 minutes.

5 Preheat the oven to 220°C/425°F/Gas Mark 7. Brush the loaves with the remaining glaze and bake for 30 minutes, until the crust is golden brown and the loaves sound hollow when tapped on their bases with your knuckles. If it is necessary to cook them for longer, reduce the oven temperature to 190°C/375°F/ Gas Mark 5. Transfer to wire racks to cool.

Cornbread

MAKES 1 SMALL LOAF
INGREDIENTS

- vegetable oil, for greasing
- 175 g/6 oz plain flour
- 1 tsp salt
- 4 tsp baking powder
- 1 tsp caster sugar
- 280 g/10 oz polenta
- 115 g/4 oz butter, softened
- 4 eggs
- 250 ml/9 fl oz milk
- 3 tbsp double cream

1 Preheat the oven to 200°C/400°F/Gas Mark 6. Brush a 20-cm/8-in square cake tin with oil.

2 Sift the flour, salt and baking powder together into a bowl. Add the sugar and polenta and stir to mix. Add the butter and cut into the dry ingredients with a knife, then rub it in with your fingertips until the mixture resembles fine breadcrumbs.

3 Lightly beat the eggs in a bowl with the milk and cream, then stir into the polenta mixture until thoroughly combined.

4 Spoon the mixture into the prepared tin and smooth the surface. Bake in the preheated oven for 30–35 minutes, until a wooden cocktail stick inserted into the centre of the loaf comes out clean. Remove the tin from the oven and leave to cool for 5–10 minutes, then cut into squares and serve warm.

PRACTICE
MAKES PERFECT

GRANDMA'S JUST
DESSERTS

Banana Cream Pie

SERVES 8–10

INGREDIENTS

- flour, for dusting
- 350 g/12 oz ready-made shortcrust pastry, thawed, if frozen
- 4 large egg yolks
- 85 g/3 oz caster sugar
- 4 tbsp cornflour
- pinch of salt
- 450 ml/16 fl oz milk
- 1 tsp vanilla extract
- 3 bananas
- ½ tbsp lemon juice
- 350 ml/12 fl oz double cream, whipped with 3 tbsp icing sugar, to decorate

1 Preheat the oven to 200°C/400°F/Gas Mark 6. Very lightly flour a rolling pin and use to roll out the pastry on a lightly floured work surface into a 30-cm/12-inch round. Line a 23-cm/9-inch pie plate with the pastry, then trim the excess pastry and prick the base all over with a fork. Line the pastry case with greaseproof paper and fill with baking beans.

2 Bake in the preheated oven for 15 minutes, or until the pastry is a light golden colour. Remove the paper and beans and prick the base again. Return to the oven and bake for a further 5–10 minutes, until golden and dry. Leave to cool completely on a wire rack.

3 Meanwhile, put the egg yolks, sugar, cornflour and salt into a bowl and beat until blended and pale in colour. Beat in the milk and vanilla extract.

4 Pour the mixture into a heavy-based saucepan over a medium–high heat and bring to the boil, stirring, until smooth and thick. Reduce the heat to low and simmer, stirring, for 2 minutes. Strain the mixture into a bowl and set aside to cool.

5 Slice the bananas, place in a bowl with the lemon juice and toss. Arrange them in the cooled pastry case, then top with the custard and chill in the refrigerator for at least 2 hours. Spread the cream over the top of the pie and serve immediately.

GRANDMA'S TIP

Old-fashioned metal pie plates, cake tins and tart tins conduct heat better than glass, earthenware or porcelain, producing even baking and reducing the cooking time.

Lemon Meringue Pie

SERVES 6–8

INGREDIENTS

PASTRY

- 150 g/5½ oz plain flour, plus extra for dusting
- 85 g/3 oz butter, cut into small pieces, plus extra for greasing
- 35 g/1¼ oz icing sugar, sifted
- finely grated rind of ½ lemon
- ½ egg yolk, beaten
- 1½ tbsp milk

FILLING

- 3 tbsp cornflour
- 300 ml/10 fl oz water
- juice and grated rind of 2 lemons
- 175 g/6 oz caster sugar
- 2 eggs, separated

1 To make the pastry, sift the flour into a bowl. Rub in the butter with your fingertips until the mixture resembles fine breadcrumbs. Mix in the remaining ingredients. Turn out onto a lightly floured work surface and knead briefly. Wrap in clingfilm and chill in the refrigerator for 30 minutes.

2 Preheat the oven to 180°C/350°F/Gas Mark 4. Grease a 20-cm/8-inch round tart tin. Roll out the pastry to a thickness of 5 mm/¼ inch, then use it to line the base and side of the tin. Prick all over with a fork, line with baking paper and fill with baking beans. Bake in the preheated oven for 15 minutes. Remove the pastry case from the oven and take out the paper and beans. Reduce the oven temperature to 150°C/300°F/ Gas Mark 2.

3 To make the filling, mix the cornflour with a little of the water to form a paste. Put the remaining water in a saucepan. Stir in the lemon juice, lemon rind and cornflour paste. Bring to the boil, stirring. Cook for 2 minutes. Leave to cool slightly. Stir in 5 tablespoons of the caster sugar and the egg yolks, then pour into the pastry case.

4 Whisk the egg whites in a clean, grease-free bowl until stiff. Gradually whisk in the remaining caster sugar and spread over the pie. Bake for a further 40 minutes. Remove from the oven, cool and serve.

Lime Pie

SERVES 8

INGREDIENTS

CRUMB CRUST

- 175 g/6 oz digestive or ginger biscuits
- 2 tbsp caster sugar
- ½ tsp ground cinnamon
- 70 g/2½ oz butter, melted, plus extra for greasing

FILLING

- 400 ml/14 fl oz canned condensed milk
- 125 ml/4 fl oz freshly squeezed lime juice
- finely grated rind of 3 limes
- 4 egg yolks
- whipped cream, to serve

1 Preheat the oven to 160°C/325°F/Gas Mark 3. Lightly grease a 23-cm/9-inch round tart tin, about 4 cm/ 1½ inches deep.

2 To make the crumb crust, put the biscuits, sugar and cinnamon in a food processor and process until fine crumbs form – do not overprocess to a powder. Add the melted butter and process again until moistened.

3 Tip the crumb mixture into the prepared tart tin and press over the base and up the side. Place the tart tin on a baking tray and bake in the preheated oven for 5 minutes.

4 Meanwhile, to make the filling, beat the condensed milk, lime juice, lime rind and egg yolks together in a bowl until well blended.

5 Remove the tart tin from the oven, pour the filling into the crumb crust and spread out to the edges. Return to the oven for a further 15 minutes, or until the filling is set around the edges but still wobbly in the centre.

6 Leave to cool completely on a wire rack, then cover and chill for at least 2 hours. Spread thickly with whipped cream and serve.

Rhubarb Crumble

SERVES 6

INGREDIENTS

- 900 g/2 lb rhubarb
- 115 g/4 oz caster sugar
- grated rind and juice of 1 orange
- Home-made Vanilla Custard (see page 144), to serve

CRUMBLE

- 225 g/8 oz plain flour or wholemeal flour
- 115 g/4 oz butter
- 115 g/4 oz soft light brown sugar
- 1 tsp ground ginger

1 Preheat the oven to 190°C/375°F/Gas Mark 5.

2 Cut the rhubarb into 2.5-cm/1-inch lengths and place in a 1.7-litre/3-pint ovenproof dish with the sugar and the orange rind and juice.

3 To make the crumble, place the flour in a mixing bowl and rub in the butter until the mixture resembles coarse breadcrumbs. Stir in the sugar and the ginger.

4 Spread the crumble evenly over the fruit and press down lightly using a fork.

5 Place on a baking tray and bake in the centre of the preheated oven for 25–30 minutes, until the crumble is golden brown. Serve warm with custard.

GRANDMA'S TIP

Use very young shoots of rhubarb as they are the sweetest. A handful of strawberries would be a good addition as they enhance the flavour and colour.

Bread & Butter Pudding

SERVES 4–6
INGREDIENTS

- 85 g/3 oz butter, softened
- 6 slices of thick white bread
- 55 g/2 oz mixed dried fruit, such as sultanas, currants and raisins
- 25 g/1 oz mixed peel
- 3 large eggs
- 300 ml/10 fl oz milk
- 150 ml/5 fl oz double cream
- 55 g/2 oz caster sugar
- whole nutmeg, for grating
- 1 tbsp demerara sugar
- pouring cream, to serve (optional)

1 Preheat the oven to 180°C/350°F/Gas Mark 4.

2 Use a little of the butter to grease a 20 x 25-cm/ 8 x 10-inch baking dish. Butter the slices of bread, cut into quarters and arrange half of the slices overlapping in the prepared baking dish.

3 Scatter half the fruit and mixed peel over the bread, cover with the remaining bread slices, then add the remaining fruit and mixed peel.

4 In a mixing jug, whisk the eggs well and mix in the milk, cream and sugar. Pour over the pudding and leave to stand for 15 minutes to allow the bread to soak up some of the egg mixture. Tuck in most of the fruit as you don't want it to burn in the oven.

5 Grate nutmeg to taste over the top of the pudding, then sprinkle over the demerara sugar.

6 Place the pudding on a baking tray and bake at the top of the preheated oven for 30–40 minutes, until just set and golden brown.

7 Remove from the oven and serve warm with a little cream, if using.

GRANDMA'S TIP
Try using brioche or a lightly fruited loaf instead of white bread. Any mixture of dried fruits can be used. Why not experiment with your favourites?

Baked Rice Pudding

SERVES 4–6

INGREDIENTS

- 1 tbsp melted unsalted butter
- 115 g/4 oz pudding rice
- 55 g/2 oz caster sugar
- 850 ml/1½ pints milk
- ½ tsp vanilla extract
- 40 g/1½ oz unsalted butter, chilled and cut into pieces
- whole nutmeg, for grating
- cream, jam, fresh fruit purée, stewed fruit, honey or ice cream, to serve (optional)

1 Preheat the oven to 150°C/300°F/Gas Mark 2. Grease a 1.2-litre/2-pint baking dish (a gratin dish is good) with the melted butter, place the rice in the dish and sprinkle with the sugar.

2 Heat the milk in a saucepan until almost boiling, then pour over the rice. Add the vanilla extract and stir well to dissolve the sugar.

3 Cut the butter into small pieces and scatter over the surface of the pudding.

4 Grate nutmeg to taste over the top. Place the dish on a baking tray and bake in the centre of the preheated oven for 1½–2 hours until the pudding is well browned on the top. Stir after the first 30 minutes of cooking to disperse the rice. Serve hot, topped with cream, if using.

GRANDMA'S TIP

When measuring honey or syrup, dip the measuring spoon in hot water and dry it first to prevent sticking.

New York Cheesecake

SERVES 10

INGREDIENTS

- 100 g/3½ oz butter, plus extra for greasing
- 150 g/5½ oz digestive biscuits, finely crushed
- 1 tbsp granulated sugar
- 900 g/2 lb cream cheese
- 250 g/9 oz caster sugar
- 2 tbsp plain flour
- 1 tsp vanilla extract
- finely grated zest of 1 orange
- finely grated zest of 1 lemon
- 3 eggs
- 2 egg yolks
- 300 ml/10 fl oz double cream

1 Preheat the oven to 180°C/350°F/Gas Mark 4. Place a small saucepan over a low flame, add the butter and heat until it melts. Remove from the heat, stir in the biscuits and granulated sugar and mix through.

2 Press the biscuit mixture tightly into the base of a 23-cm/9-inch springform cake tin. Place in the preheated oven and bake for 10 minutes. Remove from the oven and leave to cool on a wire rack.

3 Increase the oven temperature to 200°C/400°F/Gas Mark 6. Use an electric mixer to beat the cheese until creamy, then gradually add the caster sugar and flour and beat until smooth. Increase the speed and beat in the vanilla extract, orange zest and lemon zest, then beat in the eggs and egg yolks one at a time. Finally, beat in the cream. Scrape any excess from the sides and paddles of the beater into the mixture. It should be light and fluffy – beat on a faster setting if you need to.

4 Grease the side of the cake tin and pour in the filling. Smooth the top, transfer to the oven and bake for 15 minutes, then reduce the temperature to 110°C/225°F/ Gas Mark ¼ and bake for a further 30 minutes. Turn off the oven and leave the cheesecake in it for 2 hours to cool and set. Cover and chill in the refrigerator overnight.

5 Slide a knife around the edge of the cake then unfasten the tin, cut the cheesecake into slices and serve.

Sticky Toffee Pudding

SERVES 4
INGREDIENTS

PUDDING
- 75 g/2¾ oz sultanas
- 150 g/5½ oz stoned dates, chopped
- 1 tsp bicarbonate of soda
- 2 tbsp butter, plus extra for greasing
- 200 g/7 oz soft light brown sugar
- 2 eggs
- 200 g/7 oz self-raising flour, sifted

STICKY TOFFEE SAUCE
- 2 tbsp butter
- 175 ml/6 fl oz double cream
- 200 g/7 oz soft light brown sugar
- zested rind of 1 orange, to decorate
- freshly whipped cream, to serve (optional)

1 To make the pudding, put the sultanas, dates and bicarbonate of soda into a heatproof bowl. Cover with boiling water and leave to soak.

2 Preheat the oven to 180°C/350°F/Gas Mark 4. Grease a round cake tin, 20 cm/8 inches in diameter.

3 Put the butter in a separate bowl, add the sugar and mix well. Beat in the eggs then fold in the flour. Drain the soaked fruit, add to the bowl and mix. Spoon the mixture evenly into the prepared cake tin.

4 Transfer to the preheated oven and bake for 35–40 minutes. The pudding is cooked when a skewer inserted into the centre comes out clean.

5 About 5 minutes before the end of the cooking time, make the sauce. Melt the butter in a saucepan over a medium heat. Stir in the cream and sugar and bring to the boil, stirring constantly. Reduce the heat and simmer for 5 minutes.

6 Turn out the pudding onto a serving plate and pour over the sauce. Decorate with zested orange rind and serve with whipped cream, if using.

GRANDMA'S TIP
You can make this wicked pudding in individual pudding basins so that everyone has their own portion. Cook for 20–25 minutes and then turn out onto serving plates.

Chocolate Pudding

SERVES 4–6

INGREDIENTS

- 100 g/3½ oz sugar
- 4 tbsp cocoa powder
- 2 tbsp cornflour
- pinch of salt
- 350 ml/12 fl oz milk
- 1 egg, beaten
- 55 g/2 oz butter
- ½ tsp vanilla extract
- double cream, to serve

1 Put the sugar, cocoa powder, cornflour and salt into a heatproof bowl, stir and set aside.

2 Pour the milk into a saucepan and heat over a medium heat until just simmering. Do not bring to the boil.

3 Keeping the pan over a medium heat, spoon a little of the simmering milk into the sugar mixture and blend, then stir this mixture into the milk in the pan. Beat in the egg and half the butter and reduce the heat to low.

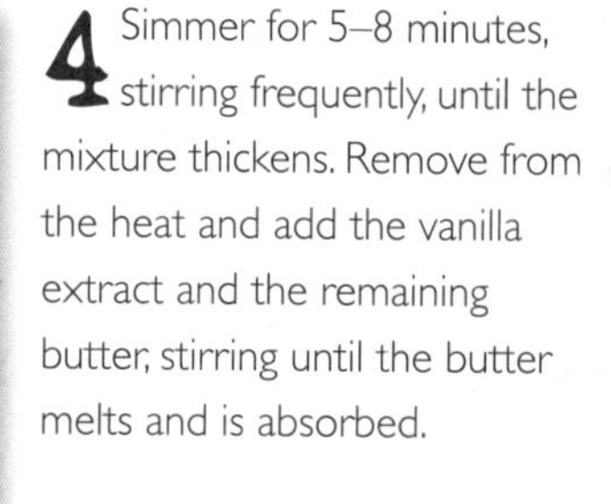

4 Simmer for 5–8 minutes, stirring frequently, until the mixture thickens. Remove from the heat and add the vanilla extract and the remaining butter, stirring until the butter melts and is absorbed.

5 The pudding can be served hot or chilled, with cream for pouring over. If chilling the pudding, spoon it into a serving bowl and leave to cool completely, then press clingfilm onto the surface to prevent a skin forming and chill in the refrigerator until required.

Chocolate Fudge

MAKES 32 PIECES
INGREDIENTS

- 2 tbsp cocoa powder
- 300 ml/10 fl oz milk
- 125 g/4½ oz plain chocolate, at least 85 per cent cocoa solids, finely chopped
- 800 g/1 lb 12 oz caster sugar
- 125 g/4½ oz butter, chopped, plus extra for greasing
- pinch of salt
- 1½ tsp vanilla extract
- 175 g/6 oz pecan nuts, walnuts or toasted hazelnuts, or a mixture of nuts, chopped

1 Put the cocoa powder into a small bowl, add 2 tablespoons of the milk and stir until blended. Pour the remaining milk into a large, heavy-based saucepan, then add the cocoa mixture and chocolate and simmer over a medium–high heat, stirring, until the chocolate melts. Add the sugar, butter and salt, reduce the heat to low and stir until the butter is melted, the sugar is dissolved and you can't feel any of the grains when you rub a spoon against the side of the pan.

2 Increase the heat and bring the milk to the boil. Cover the pan and boil for 2 minutes, then uncover and carefully clip a sugar thermometer to the side. Continue boiling, without stirring, until the temperature reaches 115°C/247°F, or until a small amount of the mixture forms a soft ball when dropped in cold water.

3 Meanwhile, line a 20-cm/8-inch square cake tin with foil, grease the foil, then set aside.

4 Remove the pan from the heat, stir in the vanilla extract and beat the fudge until it thickens. Stir in the nuts.

5 Pour the fudge mixture into the prepared tin and use a wet spatula to smooth the surface. Set aside and leave to stand for at least 2 hours to become firm. Lift the fudge out of the tin, then peel off the foil. Cut the fudge into eight 2.5-cm/1-inch strips, then cut each strip into four pieces. Store the fudge for up to one week in an airtight container.

Pecan Pie

SERVES 8

INGREDIENTS

PASTRY

- 200 g/7 oz plain flour, plus extra for dusting
- 115 g/4 oz unsalted butter
- 2 tbsp caster sugar
- a little cold water

FILLING

- 70 g/2½ oz unsalted butter
- 100 g/3½ oz light muscovado sugar
- 140 g/5 oz golden syrup
- 2 large eggs, beaten
- 1 tsp vanilla extract
- 115 g/4 oz pecan nuts

1 To make the pastry, place the flour in a bowl and rub in the butter with your fingertips until it resembles fine breadcrumbs. Stir in the sugar and add enough cold water to mix to a firm dough. Wrap in clingfilm and chill for 15 minutes, until firm enough to roll out.

2 Preheat the oven to 200°C/400°F/Gas Mark 6. Roll out the pastry on a lightly floured surface and use to line a 23-cm/9-inch loose-based round tart tin. Prick the base with a fork. Chill for 15 minutes.

3 Place the tart tin on a baking tray and line with a sheet of baking paper and baking beans. Bake blind in the preheated oven for 10 minutes. Remove the baking beans and paper and bake for a further 5 minutes. Reduce the oven temperature to 180°C/350°F/Gas Mark 4.

4 To make the filling, place the butter, sugar and golden syrup in a saucepan and heat gently until melted. Remove from the heat and quickly beat in the eggs and vanilla extract.

5 Roughly chop the nuts and stir into the mixture. Pour into the pastry case and bake for 35–40 minutes, until the filling is just set. Serve warm or cold.

GRANDMA'S TIP

Add 2 tablespoons of dark rum to the filling just before removing it from the heat. This will balance the sweetness and bring out the rich flavours.

Pumpkin Pie

SERVES 6

INGREDIENTS

- 1.8 kg/4 lb sweet pumpkin, halved and deseeded, stem and stringy bits removed
- 140 g/5 oz plain flour, plus extra for dusting
- ¼ tsp baking powder
- 1½ tsp ground cinnamon
- ¾ tsp ground nutmeg
- ¾ tsp ground cloves
- 1 tsp salt
- 50 g/1¾ oz caster sugar
- 55 g/2 oz cold unsalted butter, diced, plus extra for greasing
- 3 eggs
- 400 ml/14 fl oz canned condensed milk
- ½ tsp vanilla extract
- 1 tbsp demerara sugar

STREUSEL TOPPING

- 2 tbsp plain flour
- 4 tbsp demerara sugar
- 1 tsp ground cinnamon
- 2 tbsp cold unsalted butter, diced
- 75 g/2¾ oz pecan nuts, chopped
- 75 g/2¾ oz walnuts, chopped

1 Preheat the oven to 190°C/375°F/Gas Mark 5. Put the pumpkin halves, face down, in a shallow baking tin and cover with foil. Bake in the preheated oven for 1½ hours, then leave to cool. Scoop out the flesh and purée in a food processor. Drain off any excess liquid. Cover and chill.

2 Grease a 23-cm/9-inch round tart tin. Sift the flour and baking powder into a large bowl. Stir in ½ teaspoon of the cinnamon, ¼ teaspoon of the nutmeg, ¼ teaspoon of the cloves, ½ teaspoon of the salt and all the caster sugar.

3 Rub in the butter with your fingertips until the mixture resembles fine breadcrumbs, then make a well in the centre. Lightly beat 1 of the eggs and pour it into the well. Mix together with a wooden spoon, then shape the dough into a ball. Turn out the dough onto a lightly floured work surface, roll out and use to line the prepared tin. Trim the edges, then cover and chill for 30 minutes.

4 Preheat the oven to 220°C/425°F/Gas Mark 7. Put the pumpkin purée in a large bowl, then stir in the condensed milk and the remaining eggs. Add the remaining spices and salt, then stir in the vanilla extract and demerara sugar. Pour into the pastry case and bake in the preheated oven for 15 minutes.

5 Meanwhile, make the streusel topping. Mix the flour, sugar and cinnamon together in a bowl, rub in the butter, then stir in the nuts. Remove the pie from the oven and reduce the oven temperature to 180°C/350°F/Gas Mark 4. Sprinkle over the topping, then return to the oven and bake for a further 35 minutes.

Sweet Potato Pie

SERVES 8
INGREDIENTS

PASTRY
- 175 g/6 oz plain flour, plus extra for dusting
- ½ tsp salt
- ¼ tsp caster sugar
- 50 g/1¾ oz butter, diced
- 40 g/1½ oz white vegetable fat, diced
- 2½ tbsp cold water

FILLING
- 500 g/1 lb 2 oz orange-fleshed sweet potatoes, peeled
- 3 eggs, beaten
- 100 g/3½ oz soft light brown sugar
- 350 ml/12 fl oz canned condensed milk
- 40 g/1½ oz butter, melted
- 2 tsp vanilla extract
- 1 tsp ground cinnamon
- 1 tsp ground nutmeg
- ½ tsp salt

1 To make the pastry, sift the flour, salt and sugar together into a bowl. Add the butter and vegetable fat to the bowl and rub in with your fingertips until the mixture resembles fine breadcrumbs. Sprinkle over 2 tablespoons of the water and mix with a fork to make a soft dough. If the pastry is too dry, sprinkle in the extra ½ tablespoon of water. Wrap the dough in clingfilm and chill in the refrigerator for at least 1 hour.

2 Meanwhile, bring a large saucepan of water to the boil, add the sweet potatoes, bring back to the boil and cook for 15 minutes. Drain, then cool under cold running water. When cool, cut each potato into eight wedges. Place the potatoes in a bowl and beat in the eggs and brown sugar until very smooth. Beat in the remaining ingredients, then set aside until required.

3 Preheat the oven to 220°C/425°F/Gas Mark 7. Roll out the pastry on a lightly floured work surface into a thin 28-cm/11-inch round and use to line a 23-cm/9-inch round tart tin, about 4 cm/1½ inches deep. Trim off the excess pastry and press a floured fork around the edge.

4 Prick the base of the pastry case all over with the fork, line with baking paper and fill with baking beans. Bake in the preheated oven for 12 minutes, until light golden in colour. Remove from the oven and take out the paper and beans.

5 Pour the filling into the pastry case and return to the oven for a further 10 minutes. Reduce the oven temperature to 160°C/325°F/Gas Mark 3 and bake for a further 35 minutes, or until a knife inserted into the centre of the pie comes out clean. Leave to cool on a wire rack. Serve warm or at room temperature.

Baked Spicy Pudding

SERVES 4–6

INGREDIENTS

- 2 tbsp raisins or sultanas
- 5 tbsp polenta
- 350 ml/12 fl oz milk
- 4 tbsp blackstrap molasses
- 2 tbsp soft dark brown sugar
- ½ tbsp salt
- 30 g/1 oz butter, diced, plus extra for greasing
- 2 tsp ground ginger
- ¼ tsp cinnamon
- ¼ tsp ground nutmeg
- 2 eggs, beaten
- vanilla ice cream or maple syrup, to serve

1 Preheat the oven to 150°C/300°F/Gas Mark 2. Generously grease a 900-ml/1½-pint ovenproof serving dish and set aside. Put the raisins in a sieve with 1 tablespoon of the polenta and toss well together. Shake off the excess polenta and set aside.

2 Put the milk and molasses into a saucepan over a medium–high heat and stir until the molasses is dissolved. Add the sugar and salt and continue stirring until the sugar is dissolved. Sprinkle over the remaining polenta and bring to the boil, stirring constantly. Reduce the heat and simmer for 3–5 minutes, until the mixture is thickened.

3 Remove the pan from the heat, add the butter, ginger, cinnamon and nutmeg and stir until the butter is melted. Add the eggs and beat until they are incorporated, then stir in the raisins. Pour the mixture into the prepared dish.

4 Put the dish in a small roasting tin and pour in enough boiling water to come halfway up the side of the dish. Put the dish in the preheated oven and bake, uncovered, for 1¾–2 hours, until the pudding is set and a wooden skewer inserted in the centre comes out clean.

5 Serve immediately, straight from the dish, with a dollop of ice cream on top.

Apple Turnovers

MAKES 8 TURNOVERS
INGREDIENTS

- 250 g/9 oz ready-made puff pastry, thawed, if frozen
- milk, for glazing

FILLING
- 450 g/1 lb cooking apples, peeled, cored and chopped
- grated rind of 1 lemon (optional)
- pinch of ground cloves (optional)
- 3 tbsp sugar

ORANGE SUGAR
- 1 tbsp sugar, for sprinkling
- finely grated rind of 1 orange

ORANGE CREAM
- 250 ml/9 fl oz double cream
- grated rind of 1 orange and juice of ½ orange
- icing sugar, to taste

1 Prepare the filling before rolling out the pastry. Mix together the apples, lemon rind and ground cloves, if using, but do not add the sugar until the last minute because this will cause the juice to seep out of the apples. For the orange sugar, mix together the sugar and orange rind.

2 Preheat the oven to 220°C/425°F/ Gas Mark 7. Roll out the pastry on a floured work surface into a 60 x 30-cm/ 24 x 12-inch rectangle. Cut the pastry in half lengthways, then across into four to make eight 15-cm/6-inch squares. (You can do this in two batches, rolling half of the pastry out into a 30-cm/12-inch square and cutting it into quarters, if preferred.)

3 Mix the sugar into the apple filling. Brush each square lightly with milk and place a little of the apple filling in the centre. Fold over one corner diagonally to meet the opposite one, making a triangular turnover, and press the edges together very firmly. Place on a non-stick baking sheet. Repeat with the remaining squares.

4 Brush the turnovers with milk and sprinkle with a little of the orange sugar. Bake for 15–20 minutes, until puffed and well browned. Cool the turnovers on a wire rack.

5 For the orange cream, whip the cream, orange rind and orange juice together until thick. Add a little sugar to taste and whip again until the cream just holds soft peaks. Serve the turnovers warm, with dollops of orange cream.

GRANDMA'S TIP
For something extra warming, try adding some cinnamon, or replace the lemon rind with orange rind and a teaspoon of marmalade.

Apple Fritters

MAKES 12 FRITTERS

INGREDIENTS

- 300 g/10½ oz eating apples, such as Granny Smith, peeled, cored and diced
- 1 tsp lemon juice
- 2 eggs, separated
- 150 ml/5 fl oz milk
- 15 g/½ oz butter, melted
- 70 g/2½ oz plain white flour
- 70 g/2½ oz plain wholemeal flour
- 2 tbsp sugar
- ¼ tsp salt
- sunflower oil, for deep-frying and greasing

CINNAMON GLAZE

- 55 g/2 oz icing sugar
- ½ tsp ground cinnamon
- 1 tbsp milk, plus extra, if needed

1 To make the cinnamon glaze, sift the sugar and cinnamon into a small bowl and make a well in the centre. Slowly stir in the milk until smooth, then set aside.

2 Put the apples in a small bowl, add the lemon juice, toss and set aside. Beat the egg whites in a separate bowl until stiff peaks form, then set aside.

3 Heat enough oil for deep-frying in a deep-fat fryer or heavy-based saucepan until it reaches 180°C/350°F, or until a cube of bread browns in 30 seconds.

4 Meanwhile, put the egg yolks and milk into a large bowl and beat together, then stir in the butter. Sift in the white flour, wholemeal flour, sugar and salt, tipping in any bran left in the sieve, then stir the dry ingredients into the wet ingredients until just combined. Stir in the apples and their juices, then fold in the egg whites.

5 Lightly grease a spoon and use it to drop batter into the hot oil, without overcrowding the pan. Fry the fritters for 2–3 minutes, turning once, until golden brown on both sides. Transfer to kitchen paper to drain, then transfer to a wire rack. Repeat this process until all the batter is used.

6 Stir the glaze and add a little extra milk, if necessary, so that it flows freely from the tip of a spoon. Drizzle the glaze over the fritters and leave to stand for 3–5 minutes to firm up. Serve immediately.

GRANDMA'S TIP

If not serving the fritters right away, sift over some icing sugar, cinnamon and a pinch of nutmeg, then leave to cool. These are best eaten on the day they are made, however.

Banana Splits

SERVES 4
INGREDIENTS

- 4 bananas
- 6 tbsp chopped mixed nuts, to serve

VANILLA ICE CREAM
- 300 ml/10 fl oz milk
- 1 tsp vanilla extract
- 3 egg yolks
- 100 g/3½ oz caster sugar
- 300 ml/10 fl oz double cream, whipped

CHOCOLATE RUM SAUCE
- 125 g/4½ oz plain chocolate, broken into small pieces
- 2½ tbsp butter
- 6 tbsp water
- 1 tbsp rum

1 To make the vanilla ice cream, heat the milk and vanilla extract in a saucepan over a medium heat until almost boiling. Beat the egg yolks and sugar together in a bowl. Remove the milk from the heat and stir a little into the egg mixture. Transfer the mixture to the pan and stir over a low heat until thickened. Do not allow to boil. Remove from the heat.

2 Leave to cool for about 30 minutes, fold in the cream, cover with clingfilm and chill in the refrigerator for 1 hour. Transfer to an ice-cream maker and process for 15 minutes.

3 Alternatively, transfer into a freezerproof container and freeze for 1 hour, then place in a bowl and beat to break up the ice crystals. Return to the container and freeze for 30 minutes. Repeat twice more, freezing for 30 minutes and whisking each time.

4 To make the chocolate rum sauce, melt the chocolate and butter with the water in a saucepan, stirring constantly. Remove from the heat and stir in the rum. Peel the bananas, slice lengthways and arrange on four serving dishes. Top with ice cream and nuts and serve with the sauce.

GRANDMA'S TIP
For a quick and easy pudding, use shop-bought ice cream. If you're serving the banana splits to children, omit the rum from the chocolate sauce.

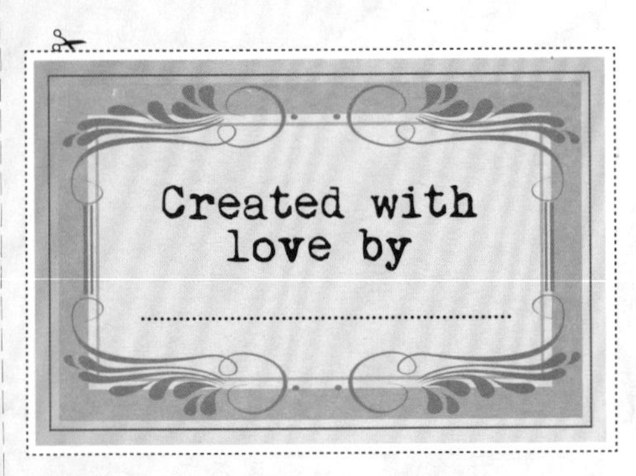
Created with love by

Baked with love by

TRY THESE TASTY
DATE MADE
INGREDIENTS

Baked with love by

Created with love by

TRY THESE TASTY
DATE MADE
INGREDIENTS

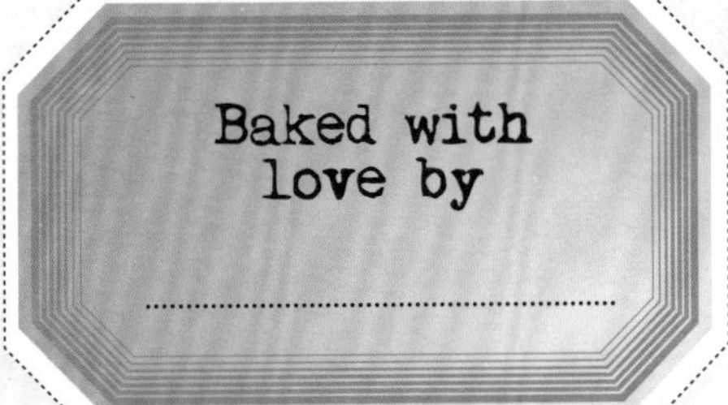
Baked with love by

Created with love by
Baked with love by

TRY THESE TASTY
DATE MADE
INGREDIENTS

Baked with love by

Created with love by

Created with love
by

Baked with
love by

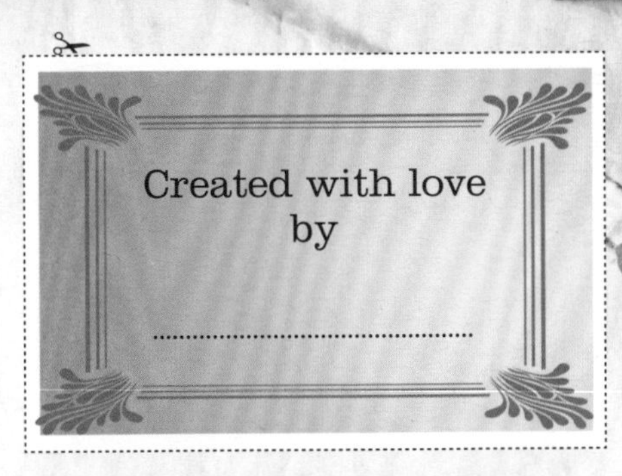
Created with love
by

Baked with love by

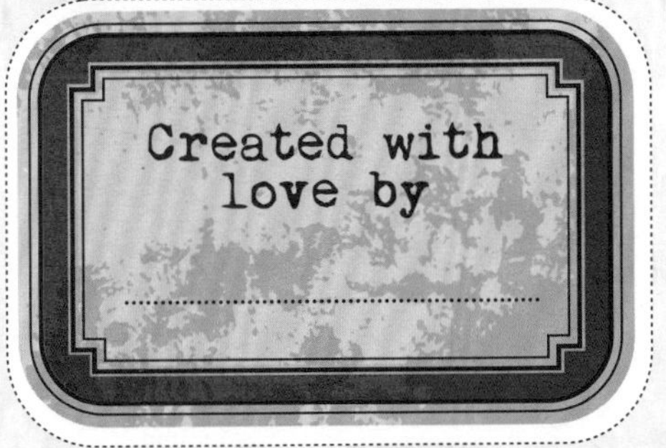
Created with
love by

Baked with
love by

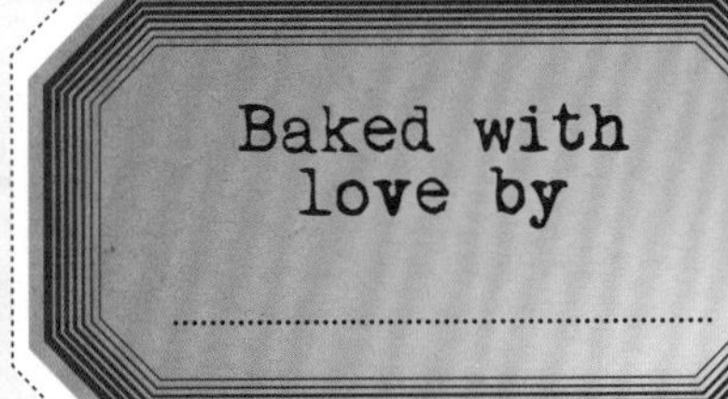
Baked with
love by

TRY THESE TASTY
DATE MADE
INGREDIENTS

Created with love by

TRY THESE TASTY
DATE MADE
INGREDIENTS

Baked with love
by

TRY THESE TASTY
DATE MADE
INGREDIENTS

fond memories xx

THE
PAUL HAMLYN
LIBRARY

DONATED BY
THE PAUL HAMLYN
FOUNDATION
TO THE
BRITISH MUSEUM

opened December 2000

WITHDRAWN

Das Interieur in der Malerei

Karl Schütz

Das Interieur in der Malerei

Hirmer Verlag München

H. ROBERT

Inhalt

THE BRITISH MUSEUM WITHDRAWN
THE PAUL HAMLYN LIBRARY
759 SCH

Einleitung

Türen, Fenster und Spiegel: ein Interieur

Eine Theaterkulisse aus Holz und bemalter Leinwand mit einer halb geöffneten Tür, hinter der sich eine Frau verbirgt. Die Tür markiert die Grenze von innen und außen und umgekehrt, sie bildet zugleich den Übergang von einem Bereich zu einem anderen, die Handlung des Theaterstücks nimmt für den Zuschauer eine neue Wendung, mit der unbeobachteten Lauscherin entwickelt sich eine Nebenhandlung. Die Tür ist damit das konstituierende Element für die Darstellung des Innenraums, sie und nicht etwa eine Wand bildet die Trennlinie von Exterieur und Interieur. Wir kennen das Phänomen bis heute: eine Tür allein auf der Bühne in einer modernen Theaterinszenierung genügt, um ein Zimmer darzustellen.

Bei der erwähnten Szene handelt es sich um das Fragment eines apulischen Kelchkraters, ein in hellenistischer Zeit um 350 v.Chr. in Unteritalien entstandenes, großes und bemaltes Weingefäß, wie es im Totenkult und bei Grabzeremonien Verwendung fand (Abb. 1). Hergestellt wurden diese Gefäße von einheimischen Künstlern in den griechischen Kolonien Unteritaliens, die Malereien beschränken sich auf wenige Farben, vor allem schwarz, das durch einen dünnen Überzug hergestellt wurde, und rot, bei dem die natürliche Tonfarbe des Gefäßes zur Geltung gebracht ist, sowie weiße Akzente. Dargestellt wird eine Szene aus der griechischen Mythologie: Jason kommt als Fremder zu Pelias, um für seinen Vater den Thron zurückzufordern. Die Begegnung der beiden findet vor dem Palast von Iolkos statt und wird von einem Mädchen in der Tür belauscht. Die Szene ist als Schauspiel auf einer Theaterbühne dargestellt, die Architektur repräsentiert als Kulisse den thessalischen Palast. Sie besteht aus einem quadratischen Portikus, reich mit dekorativen Elementen und Akroterienfiguren geschmückt, und vor allem einer halb geöffneten Tür als Übergang vom Außen- zum Innenraum. Als eine der frühesten Interieurdarstellungen, die wir in allgemeinster Form als Bilder von Innenräumen definieren, enthält das Fragment einige Elemente, die für die Bildgattung charakteristisch sind: die – hier empirische – räumliche Erfassung eines umbauten Lokals, den Übergang zwischen innen und außen und nicht zuletzt eine Handlung, zu deren bildlichem Ausdruck der Raum notwendig gehört.

Die ersten Innenraumdarstellungen der europäischen Malerei finden sich in den Wandmalereien Giottos im frühen 14. Jahrhundert. Der Maler und mit ihm der Betrachter nimmt seinen Standpunkt nicht innerhalb des Innenraums ein, sondern er befindet sich immer außerhalb; wir sehen nicht nur die Räume,

1 **Theaterszene, Fragment eines apulischen Kelchkraters,** Tarent, um 350 v.Chr. Ton mit Firnisüberzug und roter und weißer Deckfarbe, Höhe 22,5 cm Würzburg, Martin von Wagner Museum

sondern zugleich das Gebäude von außen, wobei wir durch die fehlende Vorderwand ins Innere blicken können. In einer Szene wie der *Verkündigung an Anna* in der Arenakapelle (siehe Abb. 16) ist es aber nicht die fehlende Vorderwand, die innen und außen am sinnfälligsten sichtbar macht, sondern es sind der Verkündigungsengel, der durch das Fenster in den Innenraum eindringt, und die spinnende Magd, die vor der geschlossenen Tür sitzt und der das Geschehen im Innenraum verborgen bleibt. Die Öffnungen, die Wände durchbrechen, Türen und Fenster, sind für den Handlungsraum notwendig und zugleich konstitutiv.

Die Interieurmalerei wurde zur echten Innenraumdarstellung durch eine Einengung des Blickwinkels; Maler und Betrachter befinden sich nun nicht länger außerhalb des Raums, in den sie hineinschauen können, sondern haben sich in den Raum selbst begeben. Zugleich wird dieser Raum durch geöffnete Türen, die Durchblicke erlauben und Einblicke in anschließende Räume freigeben, erweitert. Samuel van Hoogstraten bezog mit den *Pantoffeln* (Abb. 126) die dezidierteste Position, indem er ein Interieur ohne Figuren und ohne Handlung schuf. Der Blick geht darin durch zwei offene Türen, der hervorgehobene Schlüsselbund, der an der Tür steckt, betont ihr zum Eintreten einladendes Offenstehen, zugleich aber das Überschreiten der Schwelle als Grenze, an der die Privatsphäre beginnt, die im Regelfall dem allgemeinen Zutritt verschlossen bleibt. Der Betrachter wird zum

Eindringling, dem es gelingt, einen zufälligen Blick in einen verlassenen Raum zu werfen. Ist es hier das heimliche Eindringen in einen Raum, so schlägt die Stimmung bei Hammershøis *Offenen Türen* (Abb. 231) ins Unheimliche um, wenn unser Blick durch offenstehende Türen in verlassen wirkende Zimmer schweift und damit Gedanken der Melancholie und Trauer aufkommen läßt.

Bereits Jan van Eyck, einer der Begründer der altniederländischen Malerei und zugleich einer der frühen Interieurmaler, der das Genre zu einem ersten Höhepunkt führte, fand einen Weg, um die für den Betrachter unsichtbare vierte Wand eines Raums, die sich hinter seinem Rücken befindet, durch einen Spiegel ins Bild zu bringen und damit das Charakteristische des Innenraums, nämlich das Umschließende, uns von allen Seiten Umgebende, auszudrücken (Abb. 37). Der zentrale, dem Maler genau gegenüber befindliche Spiegel in der *Arnolfini-Hochzeit* zeigt nicht nur den Teil des Raums, der dem Betrachter sonst verborgen bleiben würde, sondern darüber hinaus eine Tür, in deren Öffnung zwei Figuren, eine davon wohl der Maler selbst, zu sehen sind. Durch den Spiegel wird das Ausschnitthafte des dargestellten Raums augenfällig: er bestätigt uns, daß van Eycks Bild nur einen Teil der Realität sichtbar macht, die sich jenseits der durch die Bildfläche gegebenen Grenze fortsetzt. Wir blicken nicht länger als Beobachter von außen nach innen, sondern wir sind selbst Teil des Interieurs, das wir wie die beiden Figuren im Spiegel eben betreten.

Ein Spiegel im Hintergrund spielt in einem anderen berühmten Interieur eine wesentliche Rolle, das ebenso wie die *Arnolfini-Hochzeit* eines der formal wie inhaltlich komplexesten, oftmals neu gedeuteten und noch immer rätselhaften Bilder der europäischen Malerei ist, die *Meninas* des Diego Velázquez (Abb. 4). Der Spiegel neben der geöffneten Tür an der vom Betrachter weit entfernten Rückwand des großen Raums zeigt das Königspaar. Ob es sich dabei um Spiegelbilder der realen Personen handelt, die eben den Raum betreten, so daß alle innehalten, die Infantin den Kopf wendet und der Maler aufblickt, oder ob es sich um das Spiegelbild des Gemäldes handelt, an dem Velázquez eben malt, ein großes Gruppenbild der Königsfamilie: In beiden Fällen erweitert das Spiegelbild das Interieur nicht nur räumlich, sondern vor allem auf einer zweiten Ebene der Bedeutung, indem es der Darstellung eine zusätzliche inhaltliche Dimension verleiht.

Für Adolph Menzel, den großen Realisten der deutschen Malerei des 19. Jahrhunderts, hat der Spiegel in seinem populärsten Bild, dem *Balkonzimmer* (Abb. 194) vor allem kompositionelle und koloristische Bedeutung. Als großer schwerer Bodenspiegel neben dem Fenster ist er immerhin das gewichtigste – und wichtigste – Möbel im Raum. In der Spiegelung setzt sich der dargestellte Raum fort, wir sehen das durch den zufällig gewählten Ausschnitt Verborgene, anschaulich erweitert wird der Raum aber in die entgegengesetzte Richtung. Der Spiegel ist auch eine Tür, die den Blick in ein neues Zimmer erlaubt.

Auf einer ersten Ebene definieren die Wände das Interieur als visuellen Raum durch seine Grenzen. Das Interieur als Handlungsraum benötigt Wandöffnungen, Türen und Fenster, die einen Übergang von Außen nach Innen erlauben. Auf einer nächsten Stufe ermöglichen Spiegel eine Reflexion des Raums im buchstäblichen Sinn, aber auch im übertragenen, in dem sie über das Kompositionelle und Inhaltliche hinaus eine weitere Dimension des Bedeutungsvollen einbringen.

Gattungsgeschichte

Bereits die antike Kunstliteratur entwickelte eine Theorie der verschiedenen Malereigattungen und unterschied dabei vor allem Historienmalerei, Portrait und Landschaft. Diese alte Unterscheidung wurde von der Kunsttheorie der Renaissance wiederbelebt. Erst viel später kamen Stilleben und Genremalerei als eigene neue Gattungen hinzu. Sie existierten bereits längst als neue Themen der Malerei, ohne daß sich die Maler und ihr Publikum der Unterscheidungen bewußt waren oder sie benennen konnten und bevor sie von der Kunstliteratur anerkannt wurden. Die lebendige Praxis der Künstler kümmerte sich nicht um eindeutige Definitionen und die hierarchisch gestaffelte Abgrenzung der Gattungen untereinander, welche die Theorie später nachlieferte.

In der klassisch gewordenen Unterscheidung in fünf Malereigattungen findet das Interieur keinen Platz als eigenständige Bildform. Es geht vielmehr quer durch alle Gattungen mit Ausnahme der Landschaft, die als Exterieurmalerei den Gegenpol des Interieurs bildet. Als Fensterausblicke finden wir aber auch Landschaftsausschnitte als Teil von Interieurbildern, die damit den Gegensatz von Innenraum und Außenwelt betonen.

Die Emanzipation des Interieurs fand während des Spätmittelalters im Rahmen der religiösen Malerei statt, als eine der wesentlichen Triebfedern können wir den neuen Realismus der frühen niederländischen Malerei in den Werken des Meister von Flémalle und Jan van Eycks ausmachen. In der Miniatur mit der *Geburt Johannes des Täufers* im Turiner Gebetbuch (Abb. 36) wird zum ersten Mal der Innenraum selbst zum primären Darstellungsgegenstand. Es ist charakteristisch, daß diese religiöse Szene nicht nur als Interieurbild auftritt, sondern auch Elemente des Genrebildes und des Stillebens in der detailreichen Schilderung eines zeitgenössischen Wohnraums birgt. Entscheidend für den neuen Raumeindruck ist dabei das veränderte Größenverhältnis zwischen Figur und umgebendem Raum. Das ganze Mittelalter hindurch sind die umgebenden Räume zu klein für die Figuren, die sie beherbergen, das Kastengehäuse hat den Charakter einer thematisch geduldeten Notwendigkeit. Bei van Eyck ist nun zum ersten Mal – von einigen Vorstufen in der italienischen Trecentomalerei abgesehen – ein weiter, luftiger Raum mit einigen Möbelstücken und im Vergleich dazu winzigen Figuren dargestellt und sofort stellt sich der Eindruck des Innenraums als begehbarer Hohlkörper ein.

Mit der schon erwähnten *Arnolfini-Hochzeit* (Abb. 37) nimmt eine Portraitdarstellung – wenn auch in der ungewöhnlichen genrehaften Form eines ganzfigurigen Doppelbildnisses – die Form des Interieurs an. Im oberitalienischen und niederländischen Gelehrtenbildnis des 15. Jahrhunderts, das den Portraitierten in seiner engen Stube am Schreibpult umgeben von Büchern zeigt, wird das Interieur zum Attribut, das sich in Form einer raumlosen Hülle präsentiert (Abb. 41). Von hier nimmt die Bildnisform des Berufsportraits ihren Ausgang, die sich in den niederländischen Ladenbildern, wie dem *Hl. Eligius in seiner Werkstatt* von Petrus Christus (Abb. 42) oder dem *Geldwechsler und seiner Frau* von Quinten Massys (Abb. 43) zeigt und schließlich in den Bildnissen von Gelehrten und Kaufleuten von Hans Holbein d.J. (Abb. 62 und 63) einen kompositorisch wie maltechnischen Höhepunkt findet.

Beginnend mit den niederländischen Küchenstücken des 16. Jahrhunderts wird das Genrebild zur wichtigsten Gattung für das Interieur, so daß man für die Entwicklung der weiteren Zukunft sagen kann, das Interieurbild sei eine Untergattung des Genrebildes. Während die Historienmalerei, das Portrait, die Landschaft und zuletzt schließlich das Stilleben in der Kunsttheorie des 16. und 17. Jahrhunderts eindeutige Begriffsbestimmungen erhielten, blieb die Definition der Genremalerei ungenau. Charakteristisch dafür ist jedenfalls die Darstellung von Szenen des täglichen Lebens in realistischer Form und in zeitgenössischer Umgebung. Die aus dem täglichen Leben gegriffenen Themen der niederländischen Interieurmalerei des 17. Jahrhunderts wurden zu ihrer Zeit noch nicht mit dem damals unbekannten Sammelbegriff der Genremalerei bezeichnet, sie hießen entweder ganz allgemein »moderne Bilder« (*moderne beelden*) um das Zeitgenössische der Darstellung zu betonen, oder sie benannten nüchtern das Dargestellte als *geselschapje*, wenn eine fröhliche Gesellschaft gezeigt wurde, oder als *bordeeltje*, wenn eine der besonders beliebten Szenen im Wirtshaus oder Bordell dargestellt war (Abb. 86).

Bei der Genremalerei handelt es sich um Figurenmalerei, sie ist damit der Historienmalerei nahe, steht aber dennoch aufgrund ihrer im scheinbar Banalen wurzelnden Gegenstandsgebundenheit am unteren Ende der Gattungshierarchie. Die Figuren bleiben dabei anonym im Gegensatz zu den benennbaren Protagonisten der Historienmalerei mit religiösen, mythologischen oder historischen Themen, sie verkörpern jedoch bestimmte Typen – die Hausfrau und den Bauern, die Magd oder Haushaltshilfe, Kinder, Vertreter von Berufsgruppen, Gelehrte und Säufer, kurz: die alltägliche Welt. Die Genremalerei erfindet ihre Themen nicht, sondern entnimmt sie der Realität des täglichen Lebens.

Mit der Hochblüte der Genremalerei – und damit des Interieurbilds – im Holland des 17. Jahrhunderts ist diese Gattung als Bildform endgültig der nordischen Malerei zugeordnet. Bei den italienischen Werken aus dem 16. bis 18. Jahrhundert (vgl. Abb. 69, 158) wird daher immer wieder auf den niederländischen Charakter dieser Bilder und auf Vorbilder und Einflüsse, die aus den Niederlanden kamen, verwiesen. Zwei so unterschiedliche Maler wie Watteau und Chardin wurden von ihren Zeitgenossen als Vertreter des niederländischen Geschmacks betrachtet, vor allem wegen ihres Realismus und wegen des »niederen« Genres; Chardin war als »Teniers français« etikettiert.

Themengeschichte

In der Frühzeit der Interieurmalerei im 14. und 15. Jahrhundert war die Möglichkeit, Innenräume darzustellen, auf einige wenige religiöse Themen beschränkt, von den biblischen Historien sind es vor allem die Wochenstuben, die Geburt Mariens und die Geburt Johannes des Täufers, die vom Mittelalter an in Innenräumen dargestellt und mit der Tendenz zur realistischen Vergegenwärtigung zu echten Interieurs werden, wie etwa die Miniatur mit der *Johannesgeburt* aus dem Turiner Gebetbuch (Abb. 36). Auch die Szene der Verkündigung an Maria und die seltener dargestellte Verkündigung an Anna (Abb. 16) sind durch das Motiv des von außen in den Innenraum eindringenden und die Materialität auf wundersame Weise überwindenden Engels ein wichtiges und unverzichtbares Thema der Interieurmalerei seit ihren Anfängen.

2 Albrecht Dürer, **Hieronymus im Gehäuse**, 1514
Kupferstich, 24,7 x 18,8 cm

Hieronymus im Gehäus

Die Ikonographie des hl. Hieronymus als die eines der am häufigsten dargestellten Heiligen bildete im späten Mittelalter zwei wesentliche Haupttypen aus: einmal den Heilige als Büßer, der sich als Einsiedlermönch in die Wüste – meist als freie, oft als waldige, jedenfalls unbewohnte Landschaft geschildert – zur Askese zurückzieht, halbnackt vor einem Kruzifix kniet und sich mit einem Stein die Brust schlägt, zumeist von einem Löwen begleitet, dem er der frommen Legende nach einen Dorn aus der Pfote zog, worauf ihm der Löwe wie ein zahmes und treues Haustier nicht mehr von der Seite wich. Der andere, für die Interieurdarstellung fruchtbar gewordene Typus stellt den Heiligen als Gelehrten dar, an seiner Übersetzung der Bibel ins Lateinische arbeitend, die als Vulgata für Jahrhunderte den verbindlichen Bibeltext bildete.

Die frühesten Darstellungen des Heiligen als Bibelübersetzer nehmen von oberitalienischen trecentesken Bildschöpfungen wie etwa der Darstellung von Tommaso da Modena (Treviso, S. Niccolò) ihren Ausgang. Die bis ins Spätmittelalter übliche Enge des Raums, der eine Figur umgibt, ist hier inhaltlich motiviert; der Heilige haust in einer winzigen Gelehrtenstube an seinem Schreibpult, umgeben von Büchern. Mit der Bilderfindung Jan van Eycks, die in der Fassung von Petrus Christus überliefert ist (Abb. 41), fand das Motiv Eingang in die altniederländische Malerei. Die stillebenhafte Fülle der Bücher, Instrumente und Gegenstände auf dem Schreibtisch des Heiligen und im Regal dahinter, das nur teilweise von einem Vorhang verdeckt wird, entsprach der Fähigkeit der frühen niederländischen Maler, Oberflächenillusion zu schaffen. Das Interieur definiert sich nicht durch leere Wände, Türen oder Fenster, sondern durch eine kontinuierliche flächenfüllende Anhäufung verschiedener Gegenstände, die keinen Platz freiläßt.

Mit dem *Hieronymus* von Antonello da Messina (Abb. 49) kommt die Beharrlichkeit der Bildtradition der Gelehrtenklause deutlich zum Ausdruck. Der Künstler gestaltet zwar einen großen weitläufigen Raum, das enge Studio des Heiligen mit Schreibpult und Bücherregal ist aber wie ein großes Möbelstück, das der Gelehrte bewohnt, in den Raum gestellt.

Mit seinem *Hieronymus im Gehäuse* als einem der drei »Meisterstiche« fand Albrecht Dürer 1514 die sozusagen verbindliche Version der Darstellung des Heiligen in seiner Studierstube (Abb. 2). Es gelang ihm, durch eine streng gebaute und pedantisch durchkonstruierte perspektivische Raumanlage, die Instrumentierung dieses Raums mit Gegenständen und durch die meisterhafte Lichtführung im schwarz-weißen Medium des Kupferstichs die stimmungsvoll friedliche und anheimelnde Atmosphäre einer stillen Gelehrtenstube zu schaffen. Ein massiver Pfeiler trägt einen Deckenbalken und setzt mit der breiten Stufe vorne eine rudimentäre innere Rahmung des Interieurs, ein allerletzter Rest der alten Innenraumdarstellung der Spätgotik, die von außen nach innen in den Raum blickte. Die festen Orthogonalen dieser Rahmung wirken in der Konstruktion des Raums fort, alle Linien sind entweder bildparallel oder führen auf den exzentrisch ganz am rechten Bildrand liegenden zentralen Fluchtpunkt zu. Die Balkendecke und alle Gegenstände und Möbelstücke im Raum sind diesem Ordnungsprinzip unterworfen, der Arbeitstisch des Heiligen, die unter den Fenstern eingebaute Bank mit den abgelegten Büchern, das Regal im Hintergrund bis schließlich zu dem am Boden liegenden *cartellino* mit dem Monogramm Dürers. Die Komposition ist damit auf drei Seiten fest abgeschlossen und nur nach rechts hin durch die Lichtführung und einzelne Motive wie den von der Decke herabhängenden großen Kürbis lose begrenzt. Zwei große Fenster mit tiefer Laibung und mehrfach unterteilten Rahmen lassen durch Butzenscheiben das Licht der niedrig stehenden Sonne in den Raum strömen und ihn heiter und warm durchglänzt erscheinen. Breit hingelagert döst im Vordergrund der Löwe, Gefährte und Attribut des Heiligen, daneben ein kleiner Hund fest schlafend. Die trauliche Stimmung wird nicht einmal durch den Totenschädel auf der Fensterbank gestört.

Das Maleratelier

Den eigenen Arbeitsraum und die eigene Tätigkeit zum Thema eines Gemäldes zu machen, reizte Künstler ab dem Zeitpunkt, als sie über das Wesen ihrer Arbeit als Kunst zu reflektieren begannen. Atelierbilder sind daher nicht nur Interieurs und manchmal Selbstbildnisse, sondern darüber hinaus programmatische Darstellungen, die das Selbstverständnis des Künstlers zum Ausdruck bringen und die eigene Position definieren. Das wird deutlich an einem Bild von Rembrandt (Abb. 97), in dem er sich selbst in seinem Atelier vor einer Staffelei dargestellt hat. Der Raum ist einfach, fast schäbig, der in der Darstellung zum Ausdruck kommende künstlerische Anspruch jedoch um so höher. Rembrandt hat nichts weniger als die künstlerische Inspiration dargestellt, die sich im ruhig Dastehen äußert, dem konzentrierten und aufmerksamen Betrachten der Arbeit an der Holztafel, von der wir nichts zu sehen bekommen, weil sie vielleicht nur in der Vorstellung des Malers existiert. Auch Velázquez

1514

3 Johann Heinrich Schönfeld, **Akademieklasse**, um 1632/33
Leinwand, 132,2 x 96,7 cm
Graz, Landesmuseum Joanneum, Alte Galerie

zeigt in den wenige Jahrzehnte später entstandenen *Meninas* nur die Rückseite eines Bildes, an dem er arbeitet (Abb. 4). In beiden Fällen erkennen wir wohl den Künstler, nicht aber sein Werk. Nicht das materielle Bild steht im Mittelpunkt der Darstellung, sondern der schöpferische Akt an sich, der der manuellen Ausführung vorangeht. Vermeer hingegen kehrt in seiner *Malkunst* (Abb. 140) die Verhältnisse um und malt in ironischer Brechung einen Lorbeerkranz als höchstes Symbol künstlerischen Ruhms auf der sonst leeren Leinwand.

Hand in Hand mit dieser Auffassung der künstlerischen Tätigkeit ging eine neue Form der Ausbildung, die sich von der früheren Vermittlung rein handwerklicher Fähigkeiten an jugendliche Lehrlinge im Rahmen eines Werkstattbetriebes hin zur Kunstakademie entwickelte, an der die Ausbildung nicht wie in der Werkstatt nebenher läuft, sondern zur Hauptsache wird und über die Beherrschung des Handwerks hinaus auch Kunsttheorie gelehrt wird. Eine solche Akademie stellt die *Akademieklasse* von Johann Heinrich Schönfeld (Biberach a.d. Riß 1609 – Augsburg 1684) dar, ein Frühwerk des Künstlers, das unter malerisch prätentiösen Licht- und Farbspielen das Akt-Studium im hohen Saal einer Kunstakademie um 1630 zeigt (Abb. 3). Die stilistischen Besonderheiten Schönfelds, vor allem die unter französischem Einfluß stehenden kleinen, zierlichen und graziös bewegten Figuren, die helle leuchtende Farbigkeit, die malerische Auflösung der festen Formen, sind schon zu erkennen. Es handelt sich nicht, wie vermutet wurde, um die Augsburger Akademie, die erst um 1670 von Joachim Sandrart gegründet wurde, sondern um ein elegantes Gemeinschaftsatelier junger Männer, das Schönfeld auf seiner Wanderschaft in Frankreich besucht haben könnte.

Unter all den Bildern, mit denen Maler ihren Status, ihr Programm und ihre künstlerischen Ambitionen beansprucht, dokumentiert und als Entwurf des Künstlerdaseins vor Augen gestellt haben, kommt den *Meninas* des Diego Velázquez (Sevilla 1599 – Madrid 1660) ein einzigartiger Rang zu (Abb. 4). Das Meisterwerk, von den Zeitgenossen als *Königliche Familie* bezeichnet, entzieht sich durch seine komplexe Form und herausragende künstlerische Qualität der Einordnung in eine bestimmte Kategorie; es ist Interieur, Bildnis, Künstlerselbstportrait und höfisches Ereignisbild zur gleichen Zeit. Wie die alte Bezeichnung andeutet, steht das Bild in der Tradition der höfischen Familienbilder, es stellt aber auch ein Atelierbild dar und gehört darüber hinaus dem Ideenspektrum der gemalten Kunsttheorie an, wie schon die frühen Kommentatoren des Bildes anmerkten. Velázquez vereint in diesem Werk höchste malerische Brillanz mit tiefgründigem Scharfsinn, in dem er eine alltägliche Szene, wie sie sich bei Hof tatsächlich abspielte oder zumindest jederzeit hätte abspielen können, zum Anlaß nahm, ein vielschichtiges Werk von höchstem intellektuellem Anspruch zu malen. Der spanische Maler und Kunstschriftsteller Palomino beschreibt 1724 als erster ausführlich das Bild und überliefert Namen und Rang aller Dargestellten. Im Zentrum steht die kleine Infantin Margarita Teresa, die Tochter König Philipps IV. und seiner jungen zweiten Gemahlin Maria Anna, umgeben von ihrem Hofstaat, jungen Hofdamen, Dienern, der Hofzwergin Mari-Bárbola und dem kleinen Hofnarren Pertusato, der den riesigen Hund aus seiner vornehmen Ruhe zu scheuchen sucht. Ganz im Hintergrund erscheint in der geöffneten Tür, die in ein Stiegenhaus führt, Don José Nieto, Hausmarschall (*aposentador*) der Königin. Velázquez selbst mit Palette und Pinsel hält im Malen inne und blickt hinter der großen, auf dem Boden plazierten Leinwand hervor auf den Betrachter. Es wurde versucht, die Darstellung als den kurzen Moment eines Geschehens zu verstehen: die Infantin stand bis gerade eben Modell und wird in einer kurzen Erholungspause, während der ihr eine der Hofdamen ein Krüglein mit Wasser zur Erfrischung reicht, vom Erscheinen der Eltern überrascht.

Rätselhaft bleibt, was uns der Spiegel an der Rückwand des Raums genau gegenüber wirklich zeigt, in dem etwas verschwommen und durch das Gegenlicht aufgehellt der König und die Königin erscheinen. Zeigt der Reflex im Spiegel das für uns unsichtbare Bild, an dem Velázquez arbeitet, ein Bildnis des Königs und der Königin, oder zeigt er das in den Raum tretende Königspaar, von dessen plötzlichem Erscheinen alle überrascht sind und aufblicken, der Maler, der innehält, die Infantin, bis zum Hund, der einen Tritt erhält, um sich zu erheben, während der Marschall der Königin im Hintergrund bereit steht, um die Tür zum Verlassen des Raums offen zu halten. Vielleicht stimmt beides, Velázquez malt ein Familienbild, zu dem ihn das eintretende Königspaar inspiriert oder auf dem König und Königin bereits fertig ausgeführt sind, das Bildnis der Infantin aber eben in einer Portraitsitzung noch eingefügt wird. Die Verteilung der Personen im Raum bezieht sich also auch konkret auf die Arbeit des Künstlers an der Staffelei.

Das schon von den Zeitgenossen hervorgehobene besondere Verhältnis zwischen dem König und seinem Hofmaler erhält Ausdruck durch die Einbeziehung des Selbstportraits des Künstlers und die Darstellung seines Arbeitsplatzes in ein in königli-

4 Diego de Silva y Velázquez, **»Las Meninas«**, 1656
Öl auf Leinwand, 318 x 276 cm
Madrid, Museo del Prado

5 Pablo Picasso, **Las Meninas**, Cannes, 17. August 1957
Öl auf Leinwand, 194 x 260 cm
Barcelona, Museo Picasso

6 **Wanddekoration im Tablinum im Haus des Lucretius Fronto,** um 50 n. Chr.
Wandmalerei, Pompeji

chem Auftrag gemaltes Bild. Velázquez arbeitete in einem genau bestimmbaren Raum im Erdgeschoß der Südwestecke des Alcázar in Madrid, nach den alten Plänen des Königspalastes etwa 20 Meter lang und etwas mehr als 5 Meter breit. Es war eine vom Maler selbst mit Rubens-Kopien seines Schwiegersohns eingerichtete Galerie, die Themen des Künstlerwettstreits nach den Metamorphosen des Ovid zeigten. Velázquez wählte also für das höfische Interieur einen Ort eigener Konzeption, mit dem er gleichermaßen auf seine Rolle als Hofmaler wie als Architekt des königlichen Palastes hinweist.

Das Faszinosum, das um die Intention und die grandiose Ausführung der *Meninas* im Laufe ihrer Betrachtungs- und Deutungsgeschichte entstanden ist, spiegelt ein Werk des wohl einflußreichsten Künstlers des 20. Jahrhunderts, der in der Breite seiner Interessen, der stilistischen Vielfalt seiner Werke und seiner schöpferischen Möglichkeiten unter seinen Zeitgenossen konkurrenzlos geblieben ist. Picasso (Málaga 1881 – Mougins 1973) setzte sich zeit seines Lebens immer wieder mit der Malerei der Alten Meister auseinander, deren Werke ihm als Vorbild und zur Inspiration für eigene Variationen dienten. Besonders intensiv war die Beschäftigung mit den Werken Velázquez'. Bereits als 14-Jähriger zeichnete er bei seinem ersten Besuch im Prado nach zweien der Bildern in seinem ersten Skizzenbuch; während seines Studiums an der Kunstakademie in Madrid 1897/98 kopierte er regelmäßig im Prado, unter anderem ein Portrait Philipps IV., mehrere Skizzen der *Arachne* und eine Teilkopie der *Meninas*. 1901, während seines zweiten Aufenthalts in Madrid, malte er ein *Frauenbildnis in Blau*, eine Variante von Velázquez' *Portrait der Königin Mariana* im Prado, das in der »Exposición General de Bellas Artes« ausgestellt war.

1957 entstand in seinem Atelier in der Villa »La Californie« in Cannes, nicht zuletzt angeregt von der weiträumigen Architektur seines Ateliers, eine Serie von 58 Bildern, die *Las Meninas* bis ins Detail analysieren, einzelne Figuren oder Motive herausgreifen und paraphrasieren. In einer Anverwandlung der Gesamtkomposition veränderte Picasso vor allem die Erscheinung der Figuren und ihre Bedeutsamkeit im Beziehungsgeflecht der höfischen Situation, ihre Größenverhältnisse sowie die Farbigkeit (Abb. 5). Das Helldunkel des Originals ist in der Art einer Grisaille auf wenige Weiß-, Schwarz- und Grautöne beschränkt. Mit der formalen Verfremdung aller Gegenständlichkeit entwickelte Picasso sein Verständnis der *Meninas* zur Autonomie des Malerischen, was als Tendenz in dem kunstvollen Arrangement des Velázquez bereits angelegt ist. Wie sehr hier die Malerei selbst forciert zum Thema der Malerei wird, zeigt das monumental ausgearbeitete Interesse an der vorgegebenen Figur des malenden Velázquez mit seiner Staffelei, der nun in dem modernen Bild nach Ausführung und Komplexität eine herausgehobene Bedeutung verliehen wird. Der frontal gesehene Maler hinter der Leinwand ist stark vergrößert und füllt die gesamte Höhe des Raumes aus, die ganze linke Hälfte des Bildes nimmt in der Fassung Picassos mehr Raum ein. Im gesamten Farb- und Liniengefüge ist eine entschieden vehementer vorgetragenen Raumentwicklung angelegt als in der auf verdeckten Fluchtlinien basierenden Raumbeschreibung von Velázquez: Die räumliche Situation gewinnt durch die finstere Gestalt in der hellen Türöffnung im Hintergrund jähe – und unheimliche – Realität.

Die Darstellung des Innenraums vor der Erfindung des Interieurs

Die erhaltenen Reste der römischen Malerei stehen immer in Zusammenhang mit Architektur als Wandmalerei, wie sie sich in den römischen Villen der späten republikanischen und der ersten Kaiserzeit, also sowohl im ersten vor-, wie im ersten nachchristlichen Jahrhundert findet. Am Anfang steht eine Dekorationsform, die keine römische Erfindung ist, sondern sich im ganzen hellenistischen Bereich des östlichen Mittelmeerraums findet. Dabei ahmt die Wandmalerei die Struktur der Mauer nach, etwa als aus Stuck gebildete Quader. Nach der im späten 19. Jahrhundert getroffenen und bis heute üblichen Klassifizierung der aufeinanderfolgenden Stile der Wanddekoration an Hand der pompejanischen Wandmalerei, wo sich am meisten Material erhalten hat, wird diese abstrakte Dekorationsmalerei als I. Stil bezeichnet. Die Wand ist in drei übereinanderliegende Zonen gegliedert. Dabei liegt über einer Sockelzone eine breite Mittelzone, darüber folgt ein verschieden behandelter oberer Abschnitt. Diese Dreiteilung wird bis zum Ende der pompejanischen Wandmalerei, das mit der Auslöschung der Stadt im großen Ausbruch des Vesuv von 79 n. Chr. gegeben ist, beibehalten. Figürliche und szenische Darstellungen finden sich während des I. Stils ausschließlich auf den in Mosaik ausgeführten Fußböden.

Der II. Stil ab der Mitte des ersten vorchristlichen Jahrhunderts bringt eine räumliche Auflockerung der Wand durch den malerischen Dekor. Der gemauerten Wand wird eine gemalte Scheinarchitektur vorgeblendet, in die gerahmte figurale oder szenische Bilder – Kopien nach hellenistischen Vorbildern – eingefügt werden.

Der III. Stil gehört bereits der augusteischen Zeit an, es handelt sich um eine verfeinerte und manierierte Spätform unter höfischem Einfluß. Stilbildend waren die für das Kaiserhaus tätigen Maler, in den Villen Pompeijs fand der Stil reiche Nachahmung. Die Wände werden nun aus einheitlichen, leuchtenden Farbflächen in rot oder schwarz gebildet und die architektonischen Elemente zu dünnen zartgliedrigen Motiven. In der Wanddekoration im Tablinum des Hauses von Lucretius Fronto in Pompeij finden wir nach wie vor die alte Gliederung der Wand in Sockelzone, hohen Mittelteil und dekorativ besonders behandelten oberen Streifen. Diese obere Zone interessiert als Architekturdarstellung im besonderen (Abb. 6). Fast können wir von Zentralperspektive sprechen, auch wenn es keinen gemeinsamen Fluchtpunkt gibt. Räumlich vor- und zurückspringende Elemente sorgen für eine reiche Durchgliederung, aus der sich kleine, von dünnen Säulchen getragene Räume mit durchbrochenen Wänden herausheben. Dadurch ergibt sich eine Zone illusionistischer Raumdarstellung, die zwischen Innen- und Außenbereich oszilliert.

Die Kunst der Spätantike und des frühen Christentums ist neben allen Umbrüchen auch durch starke Tendenzen des Beharrens gekennzeichnet. Motive der antiken Kunst werden für neue Aufgaben nutzbar gemacht und durch Jahrhunderte hindurch tradiert. So leben die Scheinarchitekturen der pompejanischen Wandmalerei, jene luftigen dekorativen Gebilde, die Innen- und Außenarchitekturen in kleinen säulengetragenen Pavillons miteinander kombinieren, in den frühen byzantinischen Kirchenausstattungen weiter. Der in der gesamten Antike verbreitete Brauch, Innenräume mit Wandmalereien zu versehen, wurde vom Christentum übernommen und für die Darstellungen der biblischen Personen und Geschichten sowie der Heiligen verwendet. Diese Gewohnheit war so stark, daß sie sich auch gegen das Mißtrauen durchsetzte, das manche Kirchenväter und Bischöfe aus der jüdischen Tradition des strikten Bilderverbots gegen die bildliche Darstellung Gottes und der Heiligen hegten. Zur bevorzugten Technik wurde das Glasmosaik, in dem das junge Christentum adäquaten Ausdruck fand, vor allem durch seine tief leuchtende Farbigkeit, die der Transzendenz der vom Irdischen abgehobenen Inhalte entsprach.

Die leider schlecht erhaltenen Gewölbemosaiken von Hagios Georgios in Thessaloniki stellten einen kirchlichen Festkalender dar. Der ursprünglich als Mausoleum errichtete Bau wurde von Kaiser Theodosius I. um 390 in eine Kirche umgewandelt und mit Mosaiken in der Kuppel ausgestattet, die zum künstlerisch

7 Die Heiligen Onesiphoros und Porphyrios vor einer Palastarchitektur, um 400 n. Chr.
Kuppelmosaik, Thessaloniki, Hagios Georgios

8 **Evangelist Lukas, Evangeliar des hl. Augustinus**
Oberitalien, Ende 6. Jahrhundert
Cambridge, Corpus Christi College Library, Ms. 286, fol. 129v.

bedeutendsten der Zeit gehören. Im Zentrum stand ein jugendlicher Christus in einem von Engeln getragenen Medaillon, das von Aposteln und Heiligen umgeben ist. Die untere Kuppelzone ist in acht Felder unterteilt, in jedem Feld stehen zwei oder drei Heilige in Gebetsgestus mit emporgehobenen Armen in einer zweigeschossigen Palastarchitektur, die nicht gebaute Architektur wiedergibt, sondern phantasievoll aus luftigen Elementen zusammengesetzt ist; kleine Ädikulen, die von Säulen getragen werden, wechseln sich mit überkuppelten oder mit Apsiden versehenen Rundräumen ab (Abb. 7). Diese leichten Architekturen sind von antiken Theaterdekorationen des späten Hellenismus abgeleitet, wie sie seit mehreren Jahrhunderten gebaut und gemalt wurden und auch in der pompeijanischen Wandmalerei Verwendung fanden.

In dieser Phase des Übergangs von der Spätantike zum frühen Mittelalter entstand auch das Buch in der Form, wie wir es heute kennen. Der Codex aus Blättern dauerhaften Pergaments, zwischen festen und schützenden Buchdeckeln zusammengeheftet, löste im 4. Jahrhundert endgültig die aus Papyrus bestehende und damit leicht vergängliche Schriftrolle ab. Gleichzeitig wurde das Buch zum Kunstwerk und die Schrift selbst zum kunstvollen Bild. Es erhielt Illuminationen und wurde mit Einbänden aus kostbaren Materialien, Gold, Edelsteinen und Elfenbein geschmückt. Die Handschriften des ersten Jahrtausends werden neben der monumentalen Raumausstattung der Kirchen mit Wandmalerei und Mosaik zu den wichtigsten Zeugnissen der Bildkunst des frühen Christentums und die Buchmalerei erhält damit in der Hierarchie der Bildmedien einen überragenden Rang.

Den vier Evangelien kommt in der Nutzung der neuen Verbreitungsmöglichkeit die größte Bedeutung zu, die Ausstattung der Bibeltexte mit Bildern war die wichtigste Aufgabe der Buchmalerei. Die vorangestellten Darstellungen der Evangelisten als Autorenportraits in den frühmittelalterlichen Bibelhandschriften zeigen den Heiligen schreibend, lesend oder auf Inspiration wartend an seinem Schreibpult. Auch hier gilt die Beobachtung, daß einzelne aus der antiken Kunst übernommene Motive über die Jahrhunderte hinweg tradiert werden, die Darstellungen folgen einem gleichbleibenden Schema, das sich einmal mehr oder weniger von antiken Vorbildern abhängig zeigt.

Das sogenannte Evangeliar des hl. Augustinus gehört zu den wenigen erhaltenen Werken aus der spätesten Zeit der antiken Buchmalerei; der Überlieferung nach gelangte es mit dem hl. Augustinus nach England, als er 596 auf der Mission aus Rom kam. Das Evangelistenportrait des *Lukas* zeigt den Heiligen in der architektonischen Rahmung einer großen Säulenarkade, den geflügelten Stier als sein Symbol – seit frühchristlicher Zeit üblicherweise Begleiter des Evangelisten, in einigen seltenen Fällen auch stellvertretend für seine Person stehend – in der Lünette darüber (Abb. 8). Der Evangelist erscheint noch völlig in der antiken Tradition, sowohl was seine Haltung, die Kleidung mit einer römischen Toga als auch die Umgebung mit Steinthron, Kissen und inkrustierter Rückenlehne angeht. Der Bildtypus ist von spätantiken Repräsentationsbildern abgeleitet, in denen Autoren oder thronende Konsuln in der triumphalen Inszenierung einer Nische dargestellt waren. Ein ganz mittelalterlicher Gedanke ist hingegen die Einfügung von Szenen aus dem Leben Christi in den Zwischenräumen zwischen den Säulen links und rechts, die wie Reliefschilde die Seitentraveen der Architektur füllen.

Einer völlig anderen, noch stärker dem antiken Vorbild verhafteten Tradition gehört das Autorenbild mit dem Propheten Esra an, das aus einer großen Bibelhandschrift stammt, die in dem angelsächsischen Kloster Wearmouth-Jarrow um 700 entstand, wie die Widmungsverse des Buches angeben. Abt Coelfrid brachte das Buch 716 als Geschenk für den Papst nach Rom. Vorbild ist eine der drei Bibeln aus der Bibliothek Cassiodors. Esra sitzt in einer Schreibstube, das große Buch, in dem er schreibt, auf den Knien (Abb. 9). Als Sitzgelegenheit dient ein einfacher

LUCAS
LEGIS
PERITUS
SURREXIT
EXTOLLIT
uocemquae
dammulier
deturba
ZACHEUS

9 **Prophet Esra, Codex Amiatinus,** Wearmouth-Jarrow, vor 716
Florenz, Biblioteca Medicea Laurentiana, Ms. Amiat. 1, fol. 5r

Hocker ohne Rückenlehne, seine Füße ruhen auf einem niederen Schemel. Ein kleiner Beistelltisch dient zur Ablage der Schreibutensilien. Das bemerkenswerteste Möbel der Einrichtung des Skriptoriums ist aber der monumentale Bücherschrank, dessen geöffnete Türen den Blick auf mehrere Fächer freigeben, in denen die neun Bände einer zweiten Bibel des Klosters, die *novem codices*, die ebenfalls aus der Bibliothek Cassiodors kommen, zu sehen sind. Der Minator, der die spätantike Vorlage ganz getreu wiedergibt, hat damit eines der ältesten echten Interieurbilder überliefert, ein Interieur, das nicht durch Wände begrenzt und damit in seiner Ausdehnung definiert wird, sondern seine Dimension durch die Illusion eines Innenraums erhält, erzeugt durch die körperliche Ausdehnung der Möbel, die sogar Schatten werfen. Damit verrät er seine Kenntnisse der Antike, die sich in einem Bewußtsein für Raum und Körperhaftigkeit, einer Darstellung der Tiefenräumlichkeit durch Verkürzungen sowie in der Modellierung durch Licht und Schatten äußert, die dem mittelalterlichen Formempfinden völlig fremd sind.

Immer wieder kam es in der Kunst des frühen Mittelalters zu Rückgriffen auf die Antike, nicht nur aus ästhetischen Gründen, weil man in den überkommenen Resten der Vergangenheit vorbildliche und nachahmenswerte Formschöpfungen sah, sondern vor allem wegen ihres Alters und ihrer Ehrwürdigkeit im Rahmen der christlichen Überlieferung. Die Gliederung der vorromanischen Kunst in einzelne stilistische Epochen orientiert sich an ihrer Nähe zu antiken Vorbildern, deren Wiederbelebung in aufeinanderfolgenden Renaissancebewegungen versucht wurde. Am folgenreichsten war die karolingische Renaissance unter Karl dem Großen um 800; auf sie folgt 150 Jahre später eine neue Blütezeit mit der ottonischen Kunst. Beide Epochen gehen einher mit einer kraftvollen Stärkung der zentralen Gewalt in Gestalt der Kaiser, Karl der Große, der als Herr über ein gewaltiges Reich, das Deutschland, Frankreich und den größten Teil Italiens gleichermaßen umfaßte, das römische Kaisertum wiederbelebte und die ottonischen Kaiser, die als Träger der *Renovatio Imperii Romanorum* das Heilige Römische Reich begründeten.

Zahlreiche illuminierte Prunkhandschriften entstanden im Auftrag Karls des Großen selbst oder in seiner Umgebung, wobei verschiedene Skriptorien und Illuminatoren nebeneinander tätig waren. Aus der wohl in Aachen beheimateten sogenannten Hofschule stammt eine der prunkvollsten karolingischen Handschriften; sie wurde 827 von Ludwig dem Frommen, dem Sohn Karls des Großen, aus dessen Hinterlassenschaft der Kirche des hl. Medardus in Soissons gestiftet.

Der Maler der Evangelistenportraits lehnt sich an spätantike Vorbilder an, verarbeitet sie aber frei (Abb. 10). Das macht den Unterschied etwa zum Illuminator des *Codex Amiatinus* aus, der sich bei der Schreibstube des Propheten Esra sklavisch an seine Vorlage hielt und damit ihren malerischen und räumlichen Illusionismus getreulich wiedergab. Die Dreidimensionalität des Vorbilds wird dabei nur unvollkommen dargestellt. Der *Evangelist Johannes* sitzt auf einem Thron, der schräg gegen die Bildfläche gestellt ist und damit wohl eine räumliche Verkürzung der Vorlage in unverstandener Form wiedergibt. Der Thron hat aber auch keine feste Standfläche, sondern scheint frei vor der Architekturfolie zu schweben. Diese Architektur besteht aus einer Nische mit einer mehrgeschossigen Wandgliederung mit vielen Bogenfenstern, es bleibt wie in einem Vexierbild unentschieden, ob man sie als konvexe oder konkave Form sehen soll. Ebenso kann die Lünette mit dem Adler als Evangelistensymbol in ihrem oberen polygonalen Abschluß flächig, in ihrem unteren aber räumlich verstanden werden. Der typisch mittelalterliche Antagonismus zwischen Fläche und Raum bleibt unaufgelöst.

Neben den Evangelistenportraits und anderen Zierseiten enthält das Evangeliar von Soissons zwei ungewöhnliche Bildseiten, einmal mit der Darstellung der Lebensbrunnens, die auch in einer anderen karolingischen Handschrift vorkommt, zum anderen die Anbetung des Lammes, eine Kompositionen, die ohne Parallelen in der frühmittelalterlichen wie auch spätantiken und byzantinischen Buchmalerei ist (Abb. 11). Über einer imposanten Architekturkulisse steht wie ein Kastenfries die apokalyptische Vision (Ap.4-5) mit den vier Evangelistensymbolen, darüber die Darstellung des Gläsernen Meeres mit dem Lamm und den 24 Ältesten. Die Architektur ist in zwei flachen hintereinander liegenden Schichten aufgebaut, die eine räumliche Tiefenerstreckung ersetzen. Der Vorhang hinter den Säulen einer vorgestellten Kolonnade ist ein antikes illusionistisches Motiv und Hoheitszeichen, das hier als Distanzen definierendes Element einen Innenraum andeutet. In ihrer Größendimension undefiniert bleibt die durch Vor- und Rücksprünge gebrochene Wand dahinter, die durch die in mehreren Geschossen angeordneten Fenster wie die Fassade eines mehrstöckigen Hauses in einiger Entfernung wirkt. Es könnte sich aber ebenso um Nischen handeln, analog zu der räumlich ambivalenten, ebenfalls mehrgeschossigen Struktur, die den Evangelisten Johannes in der entsprechenden Miniatur desselben Codex (Abb. 10) umgeben.

Unter Karl dem Kahlen, dem Herrscher im westlichen Teil des inzwischen unter den Nachkommen Karls des Großen geteilten

CODICIBVS SACRIS HOSTILI CLADE PERVSTIS
ESDRA DŌ FERVENS HOC REPARAVIT OPVS

10 **Evangelist Johannes, Evangeliar aus Saint-Médard-de-Soissons**
Hofschule Karls des Großen, Anfang 9. Jahrhundert, 36,2 x 26,7 cm
Paris, Bibliothèque Nationale, Ms. lat. 8850, f.180v

11 **Anbetung des Lammes, Evangeliar aus Saint-Médard-de-Soissons**
Hofschule Karls des Großen, Anfang 9. Jahrhundert, 36,2 x 26,7 cm
Paris, Bibliothèque Nationale, Ms. lat. 8850, f. 1v

12 **Karl der Kahle auf dem Thron, Codex Aureus von Sankt Emmeram in Regensburg,** um 870
München, Bayerische Staatsbibliothek, Clm.14000

Reichs, erlebte die karolingische Buchmalerei in seiner Hofschule in Saint-Denis eine letzte Hochblüte. Eine der prunkvollsten Handschriften ist der Codex Aureus, laut Widmungsinschrift von den Schreibern Liuthard und Beringar ganz in Goldlettern geschrieben. Sie beginnt mit einer Darstellung Karls des Kahlen auf dem Thron unter einem auf vier Säulen ruhenden Ciborium, flankiert von den Insignienträgern des Herrschers mit Lanze und Schwert und huldigenden Allegorien der Provinzen mit Füllhörnern (Abb. 12). Das Herrscherbild ist von Byzanz und der Darstellung des oströmischen Kaisers übernommen, mit dem der fränkische König in direkte Konkurrenz tritt; eine Reihe von Elementen gehen auf antike Vorlagen zurück, wie die Füllhörner der Provinzen, vor allem aber die seitliche verkürzte Ansicht des Baldachins, von dessen gewölbter Fläche sowohl Außen- wie Innenseite zu sehen sind. Was hier räumliche Ausdehnung hat, kippt in der Hauptzone mit den Figuren in den Interkolumnien ganz in die Fläche, die vier Säulen stehen in einer Reihe auf gleicher Höhe.

Die Zentren der ottonischen Buchmalerei waren nicht mehr die Residenzen der Herrscher wie unter den Karolingern, sondern die Klöster. Neben dem wichtigsten Skriptorium, dem Kloster auf der Reichenau, war vor allem Trier bedeutend. Dort war eine stilistisch faßbare Künstlerpersönlichkeit tätig, die nach dem Fragment eines »Registrum Gregorii«, einer Sammlung der Briefe Papst Gregors des Großen in der Stadtbibliothek Trier benannt wird. Die Handschrift war von Erzbischof Egbert von Trier in Auftrag gegeben worden. Im Widmungsgedicht beklagt Egbert den Tod Kaiser Ottos II. (gest. 983), daraus ergibt sich ein Anhaltspunkt für die Datierung. Erhalten blieben zwei ganzseitige Miniaturen, eine Darstellung eines thronenden Kaisers und eine Szene mit Gregor dem Großen und seinem Schreiber (Abb. 13). Gregor galt als einer der herausragenden Theologen der Kirchengeschichte, die seinen Reformbestrebungen folgenden Sakramentare enthielten deshalb manchmal ein Bild des Verfassers. Dafür hatte sich, wohl aufgrund einer spätantiken Vorlage, eine feststehende Ikonographie entwickelt, die als anekdotisches Moment die Szene darstellt, wie der hinter einem Vorhang verborgene Schreiber heimlich den Papst während einer Inspiration durch die Taube des Hl. Geistes beobachtet und so zum Zeugen der göttlichen Eingebung wird.

Charakteristisch für den Maler – wie für die gesamte ottonische Buchmalerei – ist der Aufbau des Bildraums aus einzelnen dünnen, übereinandergelegt erscheinenden Schichten. Gleichzeitig wird die Ausdruckskraft der Figuren durch Blicke und Gesten gesteigert, nicht zuletzt durch die übergroßen Hände, mit denen gedeutet, hingewiesen und die Rede begleitet wird. Papst Gregor ist in seinem Studio am Schreibpult dargestellt, er lauscht der Eingebung durch den Hl. Geist, der sich in Gestalt einer weißen Taube auf seiner Schulter niedergelassen hat. Das Gebäude ist von antikischen Säulen getragen und mit einem Dach gedeckt; Längs- und Seitenansicht des Hauses mit Dreiecksgiebel und Arkadenbögen erscheinen nebeneinander in die Bildfläche geklappt. Der Arbeitsraum des Papstes ist durch einen um die Säulen gezogenen Vorhang abgetrennt, hinter dem die kleine Gestalt des Schreibers mit Schreibtafel und Griffel zu sehen ist, wie er den Heiligen belauscht.

Im ottonischen Köln, dem kulturellen Zentrum des Reichs in dieser Zeit entstand, nach 1000 als Stiftung der Äbtissin Hitda von Meschede ein reich illustriertes Evangeliar, dessen Widmungsseite die Überreichung der Handschrift durch die Stifterin an die hl. Walburga als Patronin des Klosters darstellt (Abb. 14). Für die Dedikation hat der Illuminator nach einer Möglichkeit gesucht, der Heiligen *in effigie* leibliche Gegenwärtigkeit in dem ihr gewidmeten Kloster zu geben, damit sie das Buch auch als gegenständliche Kostbarkeit in Empfang nehmen kann. Die farbige Folie dieser Szene wird daher von einer reich gegliederten Architektur überwölbt, die den Ort der Handlung als das Innere eines auf Fels gegründeten Gebäudekonglomerats mit Kirche, Türmen, Bauten und Wehrmauern charakterisiert.

Neben der Buchillumination war die Ausstattung von Räumen mit Wandmalerei das führende Medium der Malerei des frühen und hohen Mittelalters. In der Unterkirche von San Clemente in Rom befinden sich die wichtigsten Zeugnisse der frühen Wandmalerei vom 9. bis zum 11. Jahrhundert, die bis ins 19. Jahrhundert von Übermalungen verdeckt waren. Die späteren Wandbilder entstanden beim Wiederaufbau der Kirche nach dem Normannensturm. Drei Bilder zeigen Szenen aus der Legende des Titelheiligen der Kirche. Die Messe des Heiligen wird von der Szene der Blendung des römischen Stadtpräfekten Sisinnius begleitet, der seiner Gemahlin in die Katakombe gefolgt war (Abb. 15). Die feingliedrigen Architekturen aus einzelnen Ädikulen und Pavillons erinnern frappant an die illusionistischen Dekorationen der pompeijanischen Wandmalerei, von denen sich Beispiele in den großen römischen Häusern befanden und vielleicht in den Ruinen des antiken Rom in einzelnen Resten noch sichtbar waren (lange bevor die Monumente, aus denen wir heute unsere Kenntnis der antiken Malerei schöpfen, in den Ausgrabungen in Pompeij seit dem 18. Jahrhundert wieder ans Licht kamen).

13 Meister des Registrum Gregorii, Gregor der Große und sein Schreiber
Registrum Gregorii, kurz nach 983
Trier, Stadtbibliothek, MS. 117/1626

14 **Die Äbtissin Hitda überreicht das Evangeliar der hl. Walburgis**
Widmungsblatt des Hitda-Codex, um 1000
Darmstadt, Landesbibliothek, Cod. 1640

15 **Messe des hl. Clemens,** um 1100
Wandmalerei in der Unterkirche von San Clemente in Rom

ETRVS
SCS CLE
MENS
PP
CVMARIAVXOR MEA
ORE
LATICLEMENT
P

Das 14. und 15. Jahrhundert – Die Entstehung des Interieurs

Giotto und das »Puppenhaus-Interieur« des Trecento

Die italienische Kunstliteratur läßt seit jeher mit Giotto eine neue Epoche der Malerei beginnen. Giotto di Bondone (Colle di Vespignano 1266/67 – Florenz 1337) gilt als Überwinder einer erstarrten, auf alten byzantinischen Traditionen beruhenden Malweise und gleichzeitig als Begründer eines eigenständigen italienischen oder genauer gesagt toskanischen Stils. Bereits sein unmittelbarer Zeitgenosse Dante nennt ihn in der »Göttlichen Komödie« (Purg. XI, 94-97) als den führenden Maler: »jetzt gilt nur noch Giotto, und in den Schatten trat des anderen Ruhm«. Boccaccio, der zweite große italienische Autor des 14. Jahrhunderts, lobt ihn sowohl als Erneuerer der Kunst der Antike wie auch als hervorragenden Nachahmer der Natur. Diese beiden Kriterien ließen ihn als Ahnherrn der Kunst der Renaissance erscheinen, der florentinische Lokalstolz machte ihn zum Nationalhelden, dessen Andenken neben seinen Werken in zahlreichen überlieferten Anekdoten weiterlebte, die ihn von einfacher ländlicher Herkunft als frühreifes Genie schildern, als scharfsinnigen und witzigen Künstler, der gelegentlich zu volkstümlicher Derbheit neigte.

Durch seine frühe Berühmtheit wurden ihm im Lauf der Zeit zahlreiche Werke zugeschrieben, obwohl tatsächlich viel weniger Arbeiten durch Dokumente und Stilkritik für ihn als gesichert gelten können. Einer seiner größten und bedeutendsten Aufträge war die Ausmalung einer kleinen Kapelle in Padua, die Enrico Scrovegni neben seinem Palast in der Nachbarschaft des Klosters der Augustiner-Eremiten auf den Grundmauern eines römischen Amphitheaters, der Arena, für den aristokratischen Laienorden der Cavalieri Gaudenti errichten ließ. Enricos Vater galt als Wucherer und sein Sohn mußte bedeutende Mittel für die Errichtung der »Arenakapelle« stiften, um Ablaß für ihn zu erwirken. Die Eremitaner achteten auf die einfache Ausführung der Kirche ohne Querschiff und Turm. Auch die prächtige Ausstattung der Kapelle störte die Bettelmönche, womit nur die Fresken Giottos gemeint sein können: »Multa quae ibi facta sunt potius ad pompam et ad vanam gloriam« – Pomp und leere Ruhmsucht hätten in einer Bußkapelle nichts verloren.

Die Wandmalereien bedecken in drei horizontalen Streifen übereinander alle Wände, sechsunddreißig Szenen aus dem Leben Christi und Mariens reihen sich aneinander, darüber hinaus sind die Wände zwischen den Bildern mit gemalten breiten ornamentalen Bändern tektonisch und dekorativ gegliedert. Dazu kommt eine Darstellung des *Jüngsten Gerichts* an der Eingangswand der Kirche, dem dafür der Tradition nach vorgesehenen Ort, und auch das Tonnengewölbe der Kapelle ist bemalt und täuscht einen blauen Sternenhimmel vor. Die Szenenfolge beginnt in der obersten Reihe an der rechten Wand beim Chor mit Episoden aus dem Leben Joachims und Annas, die dem Protoevangelium folgen, und setzt sich an der gegenüberliegenden Wand mit Szenen aus dem Marienleben fort. Die beiden unteren Reihen zeigen das Leben Christi von der Heimsuchung bis zur Himmelfahrt. Die zeitliche Abfolge der Entstehung der Wandmalereien ist unbekannt; der üblichen Arbeitsweise entsprechend, müßten die Bilder der obersten Reihe als erste entstanden sein, aufgrund des stilistischen Fortschritts der Szenen der *Joachimslegende* und des *Marienlebens* wurde aber vermutet, diese könnten als letzte entstanden, die Reihenfolge also dem Erzählgang entgegen gelaufen sein.

Schon den zeitgenössischen Beobachtern fiel als besondere Eigenschaft der Malerei Giottos ihre Naturnähe auf: es gelingt ihm, »der Natur so nahe zu kommen (*naturae conveniunt*), daß seine Bilder für den Betrachter zu leben und zu atmen scheinen«. Der Eindruck der Naturnähe der Szenen entsteht durch die Plastizität der massigen Figuren, die von der gleichzeitigen Skulptur beeinflußt sind. Das lebendige Spiel von Licht und Schatten um die Körper, die Mannigfaltigkeit in den Bilderfindungen, die eine Handlung überzeugend darstellen, und schließlich die konsequente Dreidimensionalität in der Anlage von Architekturen und Innenräumen bilden den Auftakt zur Revolution der Renaissancemalerei. Szenen, die in Innenräumen spielen, werden so dargestellt, daß wir das Gebäude von außen sehen und durch die wie bei einem Puppenhaus weggenommene Vorderwand ins Innere blicken können. Der Maler nimmt seinen Standpunkt nicht innerhalb des Innenraums wie bei der entwickelten Interieurmalerei ein, sondern er befindet sich immer außerhalb des Innenraums. Das Haus und seine Teile geben keine gebaute oder tatsächlich existierende Architektur wieder, sondern es sind symbolische Formen, die innerhalb der Bilderzählung eine behelfsmäßige Funktion erfüllen und wesentlich dazu beitragen, sie für den Betrachter plausibel zu machen. Es hieße ihre Absicht verkennen, in ihnen ein konsistentes und für heutige Augen realistisches und räumlich kontinuierliches Ambiente sehen zu wollen, das die Wirklichkeit abbildet. Die klaren geradlinigen Formen seiner Architekturen hat Giotto zwar noch ohne Kenntnis der Linearperspektive – deren Konstruktion erst gut 100 Jahre später erfunden wurde – aber mit großem räumlichem Verständnis aus der Anschauung heraus wiedergegeben. Die Grundregeln der Perspektive hat der Künstler empirisch er-

faßt, nämlich daß mit zunehmender Entfernung gleich große Gegenstände immer kleiner erscheinen, daß die sich vom Betrachter in die Tiefe entfernenden Orthogonalen nach oben laufen, wenn sich der betreffende Gegenstand tiefer als der Betrachter befindet, daß sie nach unten zu laufen, wenn dem Betrachter die Untersicht zugewiesen ist. Die von Lokalpatriotismus erfüllte Florentiner Kunstliteratur versuchte von Anbeginn, Giotto zum Erfinder der Perspektive zu machen. Tatsächlich aber stehen Figuren und Architektur bei ihm immer in einem Mißverhältnis der Größen zueinander, die Figuren sind viel zu groß und würden oft gar nicht ins Innere der Häuser, die wie kleine, luftige Pavillons wirken, passen: Der Raum als Ort ist damit auch durch seine Größe gegenüber der »Storia« als Akzidenz erkennbar.

Das Haus von Joachim und Anna, den Eltern Marias, kehrt in zwei Szenen der *Joachims*-Folge in identischer Form wieder. Beim ersten Mal dient zur Charakterisierung und Festlegung des Handlungsorts die architektonische Kulisse, der dadurch sinnstiftende Funktion in der Bilderzählung zukommt. Nachdem das Opfer Joachims im Tempel zurückgewiesen wurde, weil seine Ehe kinderlos geblieben war, zog er sich in die Einsamkeit zu den Hirten seiner Herden zurück. In der Zwischenzeit erscheint

16 Giotto, **Verkündigung an die hl. Anna**, 1303/05
Fresko, Padua, Arenakapelle

17 Giotto, **Geburt Mariae**, 1303/05
Fresko, Padua, Arenakapelle

18 Giotto, **Abendmahl**, 1303/05
Fresko, Padua, Arenakapelle

ein Engel der hl. Anna, um ihr die bevorstehende Mutterschaft anzukündigen (Abb. 16). Giotto versetzt die Verkündigung an Anna in ein Haus über quadratischem Grundriß, das aus einem einzigen Raum besteht und das er als Gesamterscheinung, von außen und innen gleichzeitig, darstellt. Das »Haus« besteht aus kastenförmigen Elementen, rechtwinklig zusammengefügten schlanken Pfeilern und Gebälken, deren Körperlichkeit durch Licht und Schatten deutlich akzentuiert wird. Es gleicht in keiner Weise der Architektur der Gotik und Bauten wie diese wurden zu Giottos Zeit weder in Italien noch sonstwo in Europa errichtet. Ähnliche Tabernakel, allerdings in völlig gotischen Formen, schuf gleichzeitig nur der Bildhauer Arnolfo di Cambio (um 1250–1301) in seinen Ziborien und Grabmalaufsätzen. Die einzelnen Bauelemente, Pfeiler, Architrave, Fries, Dreiecksgiebel und skulpierte Giebelfelder sind Versatzstücke der antiken Architektur, deren monumentale Reste im Italien des Mittelalters mehr noch als heute allenthalben sichtbar waren. Giotto muß Detailformen wie die Profilierung von Gesimsen oder die Proportionen der kanonischen Architekturelemente studiert haben. Der seitlichen Eingangstür ist eine Loggia vorgelagert, die von dünnen Pfeilern mit winzigen Kapitellen und einem Plafond mit Balustrade gebildet wird, der als Balkon nur über eine schmale und steile Stiege zugänglich ist. Der Anbau, dessen Bedeutung für den Ablauf der Handlung im Bild nicht sofort klar wird, dient der Betonung des Übergangs von außen nach innen, indem er die unscheinbare Eingangstür besonders hervorhebt und in die Handlung des Bildes einbezieht: Giotto – so zeigt sich – gibt von der Architektur nie mehr an, als für die Erzählung notwendig ist.

Die hl. Anna kniet in einem sparsam möblierten Raum; der Verkündigungsengel kommt nicht durch die Tür, sondern dringt durch ein hochgelegenes kleines Fenster in der Seitenwand wie gewaltsam in den Raum. Mit diesem Spannungsmoment zwischen Behaustheit und dem Eindringen der göttlichen Macht hebt Giotto den Charakter des Innenraums forciert hervor, ebenso wie durch das Nebenmotiv der Magd, die spinnend vor dem Verkündigungsgemach in der seitlichen Loggia sitzt und von den Vorgängen im Inneren nichts bemerkt. Für die dargestellte Handlung bleiben Türen geschlossen und Fenster sind schwer passierbare Zugänge. Die weit offen stehende Vorderwand des Raums ist eben nur für uns als Betrachter geöffnet, für die handelnden Personen der Szene bleibt sie undurchdringlich. In ihrer fünfzig Jahre zurückliegenden, noch immer für das Studium der Interieurmalerei des 14. Jahrhunderts grundlegenden Arbeit hat Anna Rohlfs von Wittich diese Darstellungskonvention der für den Betrachter geöffneten Vorderwand der Handlungsräume als »Schauöffnung« bezeichnet und sie von der für das Agieren der Figuren bestimmten »Handlungsöffnung« unterschieden, die damit einer anderen Realitätsebene angehört. Fenster und Türen sind die Handlungsöffnungen, durch die das Innen und Außen in der Welt der dargestellten Personen miteinander verbunden sind. Nur für uns als Betrachter werden die Räume mit der Schauöffnung zugänglich, durch die konsequenterweise auch kein zusätzliches Licht in die Erzählrealität des Bildes fällt. Ebensowenig wie die riesige Maueröffnung eine Lichtquelle sein kann, ist sie tektonisch gesichert, sondern scheint im Gegenteil die Stabilität der gemalten Architekturen zu gefährden.

Die *Geburt Mariae* spielt im gleichen architektonischen Rahmen wie die *Verkündigung an Anna*, nämlich im Haus von Joachim und Anna (Abb. 17). Die Loggia akzentuiert hier die Erzählrichtung, die quer zum Bild verläuft, von der Begegnung der beiden Frauen im Eingang ins Haus bis zum Bett der Wöchnerin, das den Innenraum fast ganz ausfüllt, und der aufrecht sitzenden Anna, die ihre Arme dem frisch gewickelten Kind entgegenstreckt. Durch die Szene des Darreichens und Empfangens zwischen den Frauen unter der Tür bekommt die Eingangsschwelle eine inhaltliche Dimension: Die Gestalt im Haus macht durch ihre Übergröße die Bedeutung des Geschehens im Inneren unmittelbar anschaulich. Das im zeitlichen Ablauf der Handlung vorangehende Baden und Wickeln der Neugeborenen spielt sich im Vordergrund zu Füßen des Betts ab.

19 Giotto, **»Coretto« (»Geheime Kapelle«)**, 1303/05, Fresko, Padua, Arenakapelle

20 Giotto zugeschrieben, **Traum Papst Innozenz' III.**, um 1296/1300
Fresko, Assisi, Oberkirche von S. Francesco

Daß auch die Szene des *Letzten Abendmahls* in einem Innenraum spielt, ist an den kahlen Wänden im Hintergrund zu sehen; einfache Holzläden verschließen die Fenster (Abb. 18). Giotto stellt die Apostel an einem langen, schmalen rechteckigen Tisch auf Bänken sitzend dar, fünf kehren uns den Rücken zu, Christus an der Schmalseite mit dem an seine Brust gelehnten Johannes. Hätte es Giotto bei der Konstellation von Fensterwand und Figuren bewenden lassen, wir hätten das erste echte Interieurbild vor uns, in dem der Maler seinen Standpunkt innerhalb des Raums einnimmt, unmittelbar hinter der Bank mit den Aposteln, deren Rücken wir sehen. Aber noch war die Entwicklung nicht so weit, zwei Elemente erinnern an die alte Auffassung des Blicks von außen: das waagerechte Gesims, das die Szene mit dem Dach darüber nach oben abschließt, und der ganz dünne Pfeiler, der an der vorderen Ecke des Pavillons die Dachkonstruktion trägt und damit die Ausmaße des rechteckigen Raums, in dem sich Christus und die Apostel zum Letzten Abendmahl versammelt haben, markiert. Giotto hat sowohl die Vorderwand wie die Seitenwand des Raums geöffnet, nur das Zusammenstoßen der beiden, nun nicht mehr vorhandenen Wände wird durch den dünnen Pfeiler angegeben.

Die erstaunlichsten Innenraumdarstellungen der Scrovegnikapelle sind allerdings zwei auf den ersten Blick unscheinbare Wandfelder links und rechts des Chorbogens in der untersten Reihe der Szenenfolge (Abb. 19). Giotto hat hier, unterhalb der Darstellungen der *Heimsuchung* bzw. des *Verrats des Judas*, zwei freigebliebene Flächen mit Scheinarchitekturen bemalt, Beispiele einer frühen illusionistischen Malerei, die Einblicke in kleine, völlig leere gewölbte Nebenkapellen vortäuschen. Auch wenn die Perspektive nicht exakt, sondern nur annähernd aus Beobachtung und Erfahrung gezeichnet ist, bleibt der räumliche Eindruck der kleinen, mit gotischen Kreuzrippengewölben und zweiteiligen Spitzbogenfenstern versehenen Kapellen überzeugend. Zur Raumillusion tragen auch nicht unwesentlich die Marmorierungen der Wände und gemalte, frei von der Gewölbemitte hängende eiserne Leuchter bei.

Über die Bedeutung dieser leeren Nebenräume ist viel gerätselt worden, wahrscheinlich kommt ihnen kein symbolischer Gehalt zu, sondern vor allem eine architektonische Funktion; sie sollen ein nicht vorhandenes Querschiff der Kapelle vortäuschen, wie es auf dem Modell der Kirche in der Szene mit dem *Jüngsten Gericht* an der Eingangswand der Kapelle dargestellt ist und wie es durch den Einspruch der Augustinermönche des benachbarten Klosters nicht errichtet werden durfte.

Breite Bekanntheit und Popularität erlangte Giotto weniger durch die Freskenausstattung der Scrovegnikapelle in Padua als durch die einige Jahre früher entstandenen Wandmalereien in der Ober- und Unterkirche von S. Francesco in Assisi, vor allem durch die Szenen aus dem Leben und Wirken des vom Volk weithin verehrten hl. Franziskus. Allerdings ist die Zuschreibung dieser Wandmalereien an Giotto bis heute umstritten. Die Darstellung des *Traums des Papstes Innozenz* aus dieser Folge zeigt Ungeschicklichkeiten in der Darstellung, die man einem so großen Erzähler, als der sich Giotto in den Fresken der Arenakapelle erweist, nicht zutrauen würde (Abb. 20). Die Legende des hl. Franziskus berichtet von einer Episode, die den Wendepunkt der offiziellen kirchlichen Anerkennung der Tätigkeit des Heiligen markiert. Danach lehnte Papst Innozenz III. die Gründung eines neuen Mönchsordens ab, änderte jedoch seine Meinung, als er im Traum einen *poverello* – gemeint ist der kleine, arme Franziskus – allein die baufällige Lateransbasilika in Rom vor dem Einsturz bewahren sah. Das Wandbild zeigt den schlafenden Papst mit zwei vor seinem Lager sitzenden Männern in einem vorne und seitlich offenen Pavillon, während sich außerhalb des Gemachs das Traumgeschehen ereignet. Im Spiel mit den künstlerischen Möglichkeiten der Darstellungsrealität ist höchst originell – jedoch nicht frei von Traditionen (vgl. Abb. 7) – der vor der Szene zurückgezogene Vorhang um eine der Säulen des Baldachins geschlungen. Die als Ganzes ins Wanken geratene und schief stehende Kirche wird vom hl. Franziskus gestützt, der selbst keinen festen Stand hat, sondern auf dem schrägen Fundament steht.

Etwa gleichzeitig mit Giotto, dem Begründer eines neuen realistischen und körperhaften Stils in der Malerei, der aus Florenz stammte, aber auch in Rom und in Oberitalien tätig war, lebte Duccio da Buoninsegna (Siena 1255/60 – Siena 1319), der Hauptmeister der sienesischen Malerei der Jahrhundertwende zum Trecento. Duccio erhielt 1308 den Auftrag für sein malerisches Hauptwerk, die *Maestà*, den großen Altar für die Kathedrale seiner Heimatstadt Siena, den er 1311 vollendete. Der ursprünglich auf beiden Seiten bemalte, frei aufgestellte Altar zeigte als Mitteltafel die thronende Madonna mit dem Kind, verehrt von Engeln und Heiligen. Diese zentrale Darstellung wurde von Einzelfiguren der Apostel und Szenen aus dem Marienleben bekrönt, die Predella unten zeigte Geschichten aus der Kindheit Jesu und Figuren der Propheten. Auf der Rückseite des Altars waren 40 Szenen aus dem öffentlichen Wirken und der Passion Christi in mehreren Reihen übereinander angeordnet. Im spä-

21 Duccio, **Fußwaschung**, 1308/11,
Tempera auf Holz, 44 x 46 cm, Siena, Opera del Duomo

22 Duccio, **Letztes Abendmahl**, 1308/11,
Tempera auf Holz, 44 x 46 cm, Siena, Opera del Duomo

ten 18. Jahrhundert wurde der Altar zerlegt, der größte Teil der Tafeln befindet sich heute im Dommuseum, einige Szenen gingen verloren, andere Tafeln der Predella gelangten nach London, New York und Washington. Einige der Passionsszenen handeln in Innenräumen, durch die Anordnung einfach strukturierter rechteckige Räume mit offener Vorderwand als »Schauöffnung« in mehreren Reihen übereinander ergab sich der Eindruck eines additiven Übereinanders mehrerer Szenen, die wie Stockwerke in einem mehrgeschossigen Haus wirken. Das Letzte Abendmahl und die Fußwaschung finden dadurch im gleichen Raum statt, der zweimal übereinander angeordnet dargestellt ist. In der *Fußwaschung* drängt sich die Gruppe der Jünger hinter einer Bank, auf der drei Apostel Platz genommen haben, um ihre Sandalen abzulegen, zuvorderst Petrus, dem Christus eben die Füße wäscht, während der Apostel mit der Rechten eine abwehrende Geste versucht, die von Duccio als ikonographische Formel aus den Vorlagen der byzantinischen Kunst übernommen wurde (Abb. 21). Hinter Christus und Petrus wird ein großer Teil der grün gestrichenen Wandfläche mit einer geöffneten Tür sichtbar; für die Szene mit dem *Letzten Abendmahl* ist derselbe Raum mit einem großen weißgedeckten Eßtisch hergerichtet, vor und hinter dem die Apostel mit Christus im Zentrum auf Bänken sitzen (Abb. 22). Zwei weit ausladende Balkenkonsolen unter der Decke schaffen so etwas wie räumliche Tiefe, während die zeitliche Nähe der Handlungen jeweils durch die scheinbare Banalität eines an gleicher Stelle und in gleicher Weise über die Trockenstange geworfenen Tuches anschaulich gemacht wird.

Für die Darstellung des *Verhörs Christi durch Hannas* nach der Gefangennahme und die gleichzeitig stattfindende erste *Verleugnung Petri* fand Duccio eine räumlich besonders interessante Lösung, indem er die Szene in hochrechteckigem Format auf zwei Etagen verteilt und durch eine Treppe miteinander verband (Abb. 23). Im Gegensatz zu den anderen Szenen der Passion, die in mehreren Registern übereinander angeordnet und getrennt voneinander abzulesen sind, ist hier ein gleichzeitiges Geschehen dargestellt, das genau dem biblischen Text folgt: »Darauf führten sie Jesus zum Hohenpriester, und es versammelten sich alle Hohenpriester und Ältesten und Schriftgelehrten. Petrus aber war Jesus von weitem bis in den Hof des hohepriesterlichen Palastes gefolgt; nun saß er dort bei den Dienern und wärmte sich am Feuer … Als Petrus unten im Hof war, kam eine von den Mägden des Hohenpriesters. Sie sah, wie Petrus sich wärmte, blickte ihn an und sagte: Auch du warst mit diesem Jesus aus Nazaret zusammen.« (Mk 14,53 und 66) Der Konfrontation des Hohenpriesters mit Christus im oberen Stock, der gebunden inmitten der Schar von Würdenträgern und Häschern verhört und der Gotteslästerung beschuldigt wird, steht zu ebener Erde die Konfrontation von Petrus mit der Magd gegenüber. Parallel zu dem Verhör im oberen Stock findet im Hof die Befragung des Apostels durch die Magd statt, die mit der Verleugnung Petri endet. Nicht zufällig sind die handelnden Personen, der Hohepriester und seine Magd sowie Christus und Petrus genau übereinander angeordnet, wobei sie im Stehen und Sitzen abwechseln. Der ausgestreckte Arm der Magd, mit dem sie auf Petrus

23 Duccio, **Christus vor Hannas und dreifache Verleugnung Petri,** 1308/11
Tempera auf Holz, 88 x 46 cm
Siena, Opera del Duomo

24 Pietro Lorenzetti, **Abendmahl, 1316/19,**
Fresko, Assisi, San Francesco, Unterkirche

deutet, ist so mit dem Treppengeländer verbunden, daß man meinen könnte, sie sei im Begriff, eben die Treppe, die wie die eine Seite einer mittelalterlichen Gerichtstreppe angelegt ist, hochzusteigen, um den Apostel zu denunzieren. Sie hat aber auch noch die Wahl, den Platz durch den rundbogigen Durchgang in die Tiefe eines arkadengesäumten Innenhofs zu verlassen. Duccio hat hier einen der frühesten Raumdurchblicke durch die Bauteile eines italienischen Palastes geschaffen. Dabei ist er zwar bemüht, durch verschiedene Tiefenschichten im Bild Räumlichkeit vorzuführen und auch eine empirische Perspektive ist ihm offenbar bewußt, jedoch verzichtet er auf die Bindung der verschieden Stockwerke in ein einheitliches Achssystem. Die Herausgelöstheit der Einzelepisoden der Handlung aus einem wirklichen Erfahrungsraum und das Auflegen der Szenen auf einen hermetischen, hier nächtliches Dunkel symbolisierenden Bildgrund gehören ganz in die Darstellungstradition der byzantinischen und frühitalienischen Malerei. Der Sinn eines solchen gegen die sinnliche Wahrnehmung gerichteten, sich in einer mehrdeutigen Rahmung entfaltenden malerischen Konzeptes liegt in der Veranschaulichung auch der respektvollen Distanz zu dem heiligen Geschehen.

Pietro Lorenzetti (nachweisbar zwischen 1306–1348) und sein Bruder Ambrogio gehörten zu den führenden Malern in Siena in der Generation nach Duccio. Die Tätigkeit Pietro Lorenzettis in San Francesco in Assisi ist nicht dokumentiert, könnte aber zwischen 1316 und 1319 stattgefunden haben, als Assisi von den Ghibellinen eingenommen war; ebenso wenig sind die Auftraggeber der Freskenfolge bekannt. Der große Auftrag für die Unterkirche von Assisi brachte Lorenzetti jedenfalls durch dessen Werke im nördlichen Querschiff in direkten Kontakt mit Giotto und seiner Werkstatt, wodurch sich auch die größere Monumentalität der Kompositionen erklären läßt. Typisch für Lorenzetti bzw. für die Sieneser Malerei sind Züge, die Florentiner Künstler weniger interessierten wie die Darstellung der Landschaft, die Ausmalung genrehafter Momente und Effekte nächtlicher oder künstlicher Beleuchtung.

In der Darstellung des *Abendmahls* lassen sich diese Eigenschaften sehr gut beobachten (Abb. 24). Unter einem nächtlichen Sternenhimmel blicken wir in einen sechseckigen Pavillon mit seitlichem Anbau, in dem sich die Küche befindet. In Dunkelheit und mit künstlicher Beleuchtung, wie die Reflexe an den Balken und Konsolen zeigen, haben sich Christus und die Apostel im Kreis um einen großen Tisch versammelt. Völlig individuelle persönliche Zutat des Malers ohne ikonographische Tradition ist die liebenswert erzählte Küchenszene im seitlichen Anbau, dessen architektonische Verbindung mit dem Zentralbau nicht wirklich organisch geglückt erscheint. Dennoch wird hier das Alltägliche mit dem Heiligen inhaltlich verbunden, wiederum durch Figuren, die als Beobachter fungieren und das Ereignis kommentieren und in der offenen Tür stehend zwischen Haupt- und Nebenraum als den Handlungssphären vermitteln. Die Küche hat ihre eigene Lichtquelle in dem lodernden Kaminfeuer. Vor dem Kamin kauert ein Tellerwäscher, dem von einem zweiten Gehilfen vom Geschehen am Tisch des Abendmahls berichtet wird. Die Katze, die sich am Feuer wärmt, und der Hund, der die geleerten Teller ausleckt, runden als Motive im Vordergrund die Szene ab. Aus der Kaskade dieser Gruppe ergibt sich eine graduelle Abstufung der Teilhabe am Heilsgeschehen über die vermittelnden Zeugen in der Türöffnung, den Diener, der seinen Kollegen informiert bis zu den teilnahmslosen Tieren vorne.

Florenz und Brügge 1420–1440: die Zentren der *ars nova*

Als Giorgio Vasari, der erste große europäische Kunstschriftsteller, um die Mitte des 16. Jahrhunderts in Florenz seine Künstlerbiographien der Gegenwart und Vergangenheit zusammenstellte und auf die Malerei des 15. Jahrhunderts zurückblickte, da schienen ihm nur zwei Malschulen der Erwähnung wert: die italienische und die niederländische. Alles, was außerhalb dieser beiden Zentren lag, blieb entweder unbeachtet beiseite oder wurde der einen oder anderen Richtung zugerechnet. Er bezeichnete beispielsweise Albrecht Dürer zwar als Deutschen, im größeren Zusammenhang aber zählte er ihn zu den Flamen. In der Tat hatten von etwa 1430 an die italienische und die flämische Malerei oder, genauer gesagt, die Maler von Florenz bzw. von Brügge, Gent und Brüssel eine herausragende und dem übrigen Europa entwicklungsgeschichtlich weit vorausgegangene Stellung. Allerdings waren im Verlauf des 15. Jahrhunderts die Italiener von den neuen Fähigkeiten der niederländischen Maler mehr fasziniert, als die Flamen die Formenwelt der italienischen Frührenaissance beeindruckte. Erst gegen Ende des 15. Jahrhunderts begann sich das Blatt zu wenden, der Einfluß der italienischen Renaissance auf das übrige Europa wurde andauernd und nachhaltig.

Die niederländischen Städte waren bedeutende wirtschaftliche und politisch mächtige Zentren. Man ging auch in ihnen wie in Italien dazu über, den im Handel mit Waren und der traditionellen Textilmanufaktur erworbenen Reichtum in Geldgeschäfte zu investieren und Banken zu gründen. Diese neuen Unter-

25 Masaccio, **Trinität**, um 1426,
Fresko, Florenz, Santa Maria Novella

nehmen waren international tätig, ihre Repräsentanten fungierten als Auftraggeber und Mäzene der Künstler. So ließ sich Giovanni di Nicolao Arnolfini, der aus einer Luccheser Kaufmannsfamilie stammte und als Seidenhändler und Bankier in Brügge lebte, 1434 von Jan van Eyck in einem schon bald berühmten Doppelportrait mit seiner zweiten Frau darstellen ließ (Abb. 37). Der Florentiner Angelo di Jacopo Tani (1415–1492) hingegen führte von 1455 bis 1465 die Niederlassung der Medicibank in Brügge, 1467 wurde er nach London entsandt, um die dortige Filiale der Bank vor dem drohenden Bankrott zu retten. Im gleichen Jahr gab er bei Hans Memling in Brügge einen großen Flügelaltar mit dem Weltgericht für die Michaelskapelle der Badia Fiesolana in Florenz in Auftrag. Diese Kirche wurde als Stiftung der Medici 1466 fertiggestellt, und für vier Seitenkapellen kamen Auslands-Repräsentanten der Medicibank auf. 1473 war der Altar vollendet und wurde von Brügge aus mit dem Bestimmungsort Florenz verschifft. Als Folge des Seekriegs zwischen der deutschen Hanse und England wurde das Schiff aber von dem in Danziger Diensten stehenden Paul Benecke gekapert und der Weltgerichtsaltar für die Frauenkirche in Danzig gestiftet (heute Danzig, Nationalmuseum). Trotz Intervention des Papstes Sixtus IV. wurde die Beute nicht zurückerstattet, die Stadt Brügge aber leistete Tommaso Portinari, dem Nachfolger Tanis in Brügge, der das Schiff gechartert und den Transport finanziert hatte, eine Schadenersatzzahlung. Portinari ist vor allem dadurch bekannt, daß er den Genter Maler Hugo van der Goes mit einem großen Altar für das Florentiner Hospital Santa Maria Nuova (heute Florenz, Uffizien) beauftragte, der bis heute das bedeutendste Werk altniederländischer Malerei südlich der Alpen darstellt.

Die Erfindung der Zentralperspektive in Florenz

In Florenz wie in den Niederlanden fand in den ersten Jahrzehnten auf ganz verschiedenen Wegen die Entdeckung der konsistenten Raumprojektion auf eine Fläche statt, was zu einer der größten Umwälzungen in der Geschichte der europäischen Kunst wurde und einen fundamentalen Schritt in der Entwicklung der Interieurdarstellung bedeutet. Der Beitrag Italiens war die Entdeckung der Gesetze der Linearperspektive und ihre praktische Anwendung in der Kunst zur exakten Abbildung des Raumes und von Körpern in unterschiedlichem Abstand vom Betrachter, getrieben vom Wunsch, den uns umgebenden Raum in rationaler Weise so darzustellen, wie es dem vom Auge gesehenen Bild entspricht. Der Florentiner Goldschmied, Architekt, Bildhauer und Erfinder Filippo Brunelleschi (Florenz 1377–1446), berühmt durch die technische Bravourleistung des Kuppelbaus des Doms von Florenz, beschäftigte sich im Zusammenhang mit seiner Arbeit für das Florentiner Baptisterium mit dem Problem, die Gesetze der Optik mit der Bildkunst in Einklang zu bringen. Er gilt durch die von ihm gefundene Lösung seither nach einhelliger und unbestrittener Meinung als Erfinder der linearperspektivischen Konstruktion. Ein Brief aus dem Jahr 1413 beweist, daß Brunelleschi die Entdeckung in diesem Jahr oder kurz davor gelang. Sein Biograph Manetti berichtet, daß er zwei kleine quadratische Tafelbilder mit einer Ansicht des Florentiner Baptisteriums und einer Übereckansicht des Palazzo Vecchio malte; sie blieben zwar nicht erhalten, können aber als erste Werke gelten, die nach den Gesetzen der Linearperspektive gemalt wurden. Der Illusionismus der Darstellung wurde noch gesteigert, indem Brunelleschi ein Loch durch die Holztafel mit dem Bild bohrte. Wenn man nun an einem genau festgelegten Standort – »drei *bracci* hinter dem Portal im Inneren des Doms« – von der Rückseite der Tafel durch das Loch schaute, sah man in einem dem Bild gegenüber aufgestellten kleinen Spiegel die Reflexion des Bildes, die den Eindruck eines Blicks in eine tatsächlich vorhandene Realität vermittelte. An dem genau festgelegten Standort fielen wie durch Magie das gemalte Bauwerk auf dem Täfelchen und die Realität zusammen. Dazu bedurfte es der Planspiegel aus Glas, die erst kurz zuvor in Venedig zum ersten Mal produziert worden waren.

Seit dem Mittelalter war das grundlegende Werk des griechischen Mathematikers Euklid über die Optik in lateinischer Übersetzung unter dem Titel *Perspectiva* in ganz Europa verbreitet. So wurde der Name der zu Grunde liegenden Wissenschaft zur Bezeichnung der neuen Methode, die von dem Humanisten, Kunstschriftsteller und Architekten Leon Battista Alberti (Genua 1404–Rom 1472) in seinem grundlegenden Traktat *De Pictura* 1435 auf eine einfache Formel gebracht wurde: Sehstrahlen verlassen das Auge (so glaubte man beim damaligen Stand des Wissens, in Wirklichkeit nehmen die Lichtstrahlen den umgekehrten Weg) und fallen auf ein Objekt unserer Betrachtung, wobei sie eine Pyramide bilden. Ein Schnitt durch die Perspektive in beliebigem Abstand vom Auge des Betrachters liefert ein naturgetreues zweidimensionales Abbild, oder, wie Alberti es plastisch beschrieb, dieser Querschnitt ist wie ein offenes Fenster, durch das die Szene zu sehen ist. Alberti bezeichnete die von ihm angegebene Methode der perspektivischen Konstruktion als *costruzione legittima* und formulierte damit zum ersten

26 Masaccio, **Das Wunder des hl. Nikolaus von Bari**, 1426
Tempera auf Holz, 21 x 30 cm (Teil einer Predella)
Berlin, Staatliche Museen, Gemäldegalerie

Mal den humanistischen Gedanken einer Malerei, deren Darstellungen den Naturgesetzen folgen. Zugleich erfand und benützte er die *camera obscura*, die ein wirklichkeitsgetreues Bild auf eine Fläche projizierte.

Der Florentiner Maler Masaccio (S. Giovanni Valdarno 1401 – Rom 1428) schuf in seinem Fresko mit der Darstellung der *Trinität* in der Dominikanerkirche S. Maria Novella in Florenz (um 1426) das älteste erhalten gebliebene monumentale Bild, das nach den Gesetzen der Linearperspektive konstruiert ist, zehn Jahre bevor Alberti die Regeln schriftlich kanonisierte (Abb. 25). Mit Hilfe der Perspektive sollte aber nicht nur ein Bild erzeugt, sondern vielmehr die Illusion eines echten Raums hervorgerufen werden. Zugleich beruht die Komposition aus einer Abfolge von Quadraten, Kreisen und Halbkreisen, oder vielmehr: wir sehen alle diese an sich regelmäßigen Flächen in Verkürzung, geometrische Elemente, die seit dem Mittelalter als vollkommen angesehen wurden und in ihrer symbolischen Bedeutung der letzten Wahrheit und dem Wesen Gottes angemessen erschienen. Durch die Symmetrie der Anordnung der Architektur und die Untersicht entsteht der Eindruck von monumentaler Wucht und strengem Ernst. Die Bodenfläche der Kapelle, auf der das Kreuz aufgerichtet ist und Maria und Johannes stehen, befindet sich etwas über der Augenhöhe des Betrachters und bleibt daher unsichtbar. Eine Stufe tiefer liegt der Absatz, auf dem außerhalb der Kapelle links und rechts die beiden Stifter knien, die Deckplatte des Heiligen Grabes bildet den Sockel der Darstellung und liegt genau in Augenhöhe, so daß sie zugleich den optischen Horizont bildet. Bravourös meisterte Masaccio die Konstruktion des kassettierten Tonnengewölbes, wofür er sich vielleicht, angeleitet von Brunelleschi, eines Astrolabiums bediente, eines schon im Mittelalter gebräuchlichen astronomischen Geräts. Mit der Architektur einer in antikischer Manier von Pilastern und Säulen gerahmten tonnengewölbten Kapelle schuf der junge, erst 25-jährige Künstler einen gemalten Raum von überzeugender Illusion, der die glatte Wand des gotischen Kirchenschiffs mit Hilfe der Malerei für den Betrachter mit einem überraschenden Einblick in eine Kapelle im modernen Stil der Frührenaissance öffnet. Dazu passen die schwere Monumentalität und das raumgreifende Volumen der massigen Körper seiner Figuren, die sich direkt auf das Vorbild Giottos berufen können: Maria, die mit lapidarer Geste auf ihren Sohn am Kreuz weist, und Johannes der Täufer zu Seiten des Gekreuzigten stehend sowie die weiter außen hierarchisch herabgestuft vor der Architektur knienden Stifter.

Mit diesem Bild beginnt ein neues Kapitel in der Geschichte der Darstellung des Raums und damit auch der Interieurmalerei, man könnte noch weiter gehen und es als erstes Bild der Renaissance, der neuzeitlichen europäischen Malerei überhaupt bezeichnen.

Masaccios künstlerische Karriere dauerte durch seinen frühen Tod nur wenige Jahre, er schuf nach seinem Eintritt in die Florentiner Malerzunft 1424 in wenigen Jahren eine dichte Folge von Werken, zum Teil in enger Zusammenarbeit mit seinem viel älteren, aus der gleichen Gegend in der Nähe von Florenz stammenden Malerkollegen Masolino (Panicale 1383/84 – 1440?), die zu den ersten Zeugnissen der Frührenaissance zählen. Umfangreichstes Werk ist die Ausstattung der Brancaccikapelle in der Florentiner Karmeliterkirche S. Maria del Carmine mit Wandmalereien oder der große, nur mehr in Fragmenten erhaltene Altar für die Karmeliterkirche in Pisa, der von einem Pisaner Notar für seine Familienkapelle gestiftet wurde und dem hl. Julianus geweiht war. Es handelte sich um ein aus mehreren Tafeln bestehendes Altarwerk mit einer vielgerühmten und von Vasari beschriebenen Madonna als Haupttafel (heute London, National Gallery) und seitlichen stehenden Heiligen im Hauptregister. Die heute verschollenen Tafeln mit Einzelfiguren von Heiligen stellten nach Vasari Petrus, Johannes den Täufer, Julianus und Nikolaus dar. Unter den Heiligen befand sich die schmale Predella auf Augenhöhe des Betrachters, die der traditionellen Ikonographie folgend figurenreiche Szenen aus dem Leben der Heiligen schilderte. Drei Tafeln der Predella blieben in der Berliner Gemäldegalerie erhalten, darunter eine Szene aus der Nikolauslegende (Abb. 26). Zu den legendenhaften Wundertaten des Heiligen, der im 4. Jahrhundert als Bischof von Myra in Kleinasien wirkte, zählt die oft dargestellte Szene, wie er in der Nacht drei Goldkugeln in das Zimmer von drei Schwestern wirft, deren Vater zu arm war, um ihre Mitgift zu zahlen. Diese Legende begründete den in ganz Europa verbreiteten Brauch, Kinder am Nikolaustag mit Geschenken zu bescheren.

Die Tafel wurde nach dem Entwurf des Masaccio vielleicht von einem Mitarbeiter ausgeführt. Der Bischof ganz links – weltmännisch gewandet – wirft durch die Fensteröffnung mit erhobenem Arm die Kugeln ins Innere. Im Haus sind die Schlafenden zu sehen, der alte Vater auf einer Bank ausgestreckt, die drei Mädchen am Boden davor zusammengekauert. Der Künstler stellt in noch altertümlicher Weise Außen- und Innenansicht des Hauses gleichzeitig dar, indem er die Vorderwand des Gebäudes entfernt. Ein neuer Zug zeigt sich allerdings in den blockhaft verein-

fachten stereometrischen Formen der Architektur und der leichten Übereckstellung des Hauses.

Das Rundbild, der sogenannte *Tondo*, war in der italienischen Malerei der Renaissance eine beliebte Bildform. Ein Bild in der geschlossenen Form des Kreises zu komponieren, galt als besondere Herausforderung für die Künstler, um damit Erfindungsgabe und künstlerische Kraft in der schwierigen Form zu beweisen. In der früher auch Domenico Veneziano, heute aber überwiegend Masaccio zugeschriebenen Darstellung einer vornehmen Florentinerin in der Wochenstube ist die Rundform von der Funktion des Bildes vorgegeben. Es handelt sich um einen *Desco da Parto*, einen sogenannten Geburtsteller; auf solchen gemalten Platten wurden den Wöchnerinnen von gratulierenden Besuchern, die ins Haus kamen, Geschenke überreicht (Abb. 27). Genau eine solche Szene ist auf dem Bild selbst dargestellt. Wir sehen in einen von Arkaden gesäumten Innenhof eines Palastes im aktuellen Stil der Florentiner Frührenaissance, wie ihn Brunelleschi geprägt hatte, und rechts ins offene Zimmer der Wöchnerin, deren Bett von vier Frauen umgeben ist, von denen eine das Neugeborene hält. Vom Hof her nähern sich weitere Besucher, eine Gruppe von fünf Frauen, darunter zwei Nonnen, kommt durch den Arkadengang, vom Hof naht eine offizielle Abordnung der Florentiner Stadtregierung mit zwei Trompetern an der Spitze und zwei jungen Männern mit Geschenken; von den Trompeten hängen Banner mit der roten Lilie, dem Stadtwappen von Florenz. Die Darstellung von Besuchen anläßlich einer Geburt in einem vornehmen Florentiner Haus entspricht der üblichen Ikonographie apokrypher biblischer Szenen, der Geburt Mariens und Johannes des Täufers (vgl. Abb. 17, 46, 47). Das strenge geometrische Bildmuster von hellen Pfeilern und Arkadenbögen, Sockeln und Mauerwerk korrespondiert mit der Rundform des Bildes, der Einblick in das Geburtszimmer ist ebenso von einer Arkade gerahmt wie der Blick in den Hof. Durch die Arkaden wird die Ausschnitthaftigkeit des Bildes betont, ihr nach rechts zunehmender Raumanspruch richtet jedoch die verschiedenen Prozessionen auf das Hauptgeschehen: Die Anschnitte der Arkadenbögen erlauben es dem Künstler, ohne Veränderungen der Scheitelhöhen und trotz scheinbarer Einhaltung des halbkreisigen Bogenverlaufs die Travéeweiten zu variieren. Nur die mittlere Arkade, die einen weiten Blick in die Tiefe freigibt, wird zur Gänze sichtbar, sowohl die linke, die in den Hof blicken läßt, wie die rechte, unter der die Wochenstube liegt, werden wie das obere Stockwerk vom Bildrand überschnitten. In der Konstellation der Raumteile mit ihren

27 Masaccio zugeschrieben, **Wochenstube**, um 1427
Tempera auf Holz, 56,5 cm Durchmesser
Berlin, Staatliche Museen, Gemäldegalerie

28 Masolino, **Verkündigung Mariae**, um 1424
Tempera auf Holz, 148,8 x 115,1 cm
Washington, National Gallery of Art

29 Fra Angelico, **Verkündigung**, um 1440
Fresko, Florenz, San Marco, Obergeschoß, Zelle Nr. 3

vielfältigen Blicken in die Bogengänge des Hofs wird nun das so aufwendig und geschickt inszenierte Geburtszimmer zum Nebenmotiv.

Masolino, der ältere Kollege Masaccios, der gemeinsam mit ihm große Aufträge bestritt, zeigt mit Bildern wie der sogenannten *Goldman-Verkündigung* in Washington eine wesentlich altertümlichere Bildauffassung, beeinflußt vom Stil der höfisch geprägten internationalen Gotik, die um 1400 als einheitlicher Stil an den europäischen Fürstenhöfen geschätzt wurde (Abb. 28). Vor allem die Figuren mit ihren großflächig gemusterten Kleidern und der weichen Stoffülle entsprechen diesem eleganten dekorativen Stil; im Vergleich dazu wirkt der von Masolino dargestellte Raum viel fortschrittlicher durch den rahmenden halbrund abgeschlossenen Steinbogen, der den Blick wie auf eine Bühne freigibt, sowie die Tiefenerstreckung mit den halb geöffneten Türen im Hintergrund, die einen Einblick in die Schlafkammer Mariens erlauben. Andererseits trägt die Architektur ganz fantastische und unrealistische Züge, die sich etwa im dekorativen Flächenmuster der Arkaden und der Kassettendecke äußern, wobei die stark ornamentale Wirkung durch die kräftige Farbigkeit, den Wechsel von roten Friesen und Bändern mit kleinteilig bunt gemusterten Flächen entsteht. Besonders auffallend ist das Motiv der schlanken, zwischen dem Engel und Maria aufragenden Säule, deren tektonische Funktion als Träger der Arkaden höchst unklar bleibt.

Im Vergleich zu der *Verkündigung* von Masolino wirkt die einige Jahre später entstandene Darstellung des gleichen Themas von Fra Angelico (Vicchio 1395 – Rom 1455) in der Schlichtheit der Raumdarstellung und der Konzentration auf die Figuren völlig anders (Abb. 29). Fra Angelico trat zwischen 1418 und 1423 als Laienbruder in das Dominikanerkloster in Fiesole bei Florenz ein und erhielt den geistlichen Namen Fra Giovanni. 1469 wird er erstmals als Fra »Angelico«, der Engelgleiche, bezeichnet, später auch als Beato Angelico, obwohl eine kirchliche Seligsprechung niemals erfolgte. Er übernahm in seiner Malerei die erstmals von Masaccio konsequent angewendete neue perspektivische Raumkonstruktion, behält aber die traditionellen Stilelemente bei, um die religiösen Inhalte seiner Malerei zu vermitteln. Damit wurde er zum Inbegriff des frommen Künstlers, der die dargestellten Glaubensinhalte aus persönlicher Überzeugung vortrug und die dafür empfänglichen Betrachter tief zu berühren versteht. Um 1440 führte er im Dienst seines Ordens seinen größten Auftrag aus, als er im Kloster San Marco in Florenz die Mönchszellen und die verbindenden Korridore mit großen Wandmalereien biblischer Szenen ausstattete, denen jeweils ein Dominikanerheiliger als stummer Zeuge beiwohnt. Die Darstellung des von völlig kahlen weißen Wänden umgebenen Raums, der die karge Mönchszelle illusionistisch fortsetzt, bereitete dem Maler keinerlei Schwierigkeit; überzeugend meistert er die Wiedergabe der Gewölbekonstruktion, die durch leichte Abstufung der Schatten räumliche Plastizität gewinnt. Die Begegnung des Engels mit Maria stellt er in größtmöglicher Reduktion dar, die körperlos wie schwebend leichten Figuren verharren regungslos, begleitet vom hl. Petrus Martyr als Glaubenszeugen, der an seiner blutenden Stirnwunde erkennbar ist.

Der Oberflächenrealismus der Altniederländer

Was machte nun die Faszination der niederländischen Malerei für italienische Besteller aus, von denen wir annehmen können, daß sie weitgereiste und erfahrene Kunstkenner waren, die in ihrer toskanischen Heimat selbst die, wie wir heute meinen, modernste und stilistisch am weitesten fortgeschrittene Malerei vor Augen hatten. Es war wohl die völlig neue Art der Darstellung, die Art der niederländischen Künstler, Farben zu verwenden und damit eine Brillanz der Farboberfläche, aber auch eine Illusion des Gesehenen zu erzeugen, die in ihrer Wirklichkeitsnähe und Überzeugungskraft mit nichts bisher Dagewesenem vergleichbar war.

Die Praktiker der Malerei, die darüber schrieben, hatten dafür wie Vasari eine überaus einfache Erklärung: Jan van Eyck (Maaseyck 1390 – Brügge 1441), der Gründungsvater der altniederländischen Malerei und ihr erster Hauptmeister, war der Erfinder der Ölmalerei und die besondere Wirkung der niederländischen Malerei beruht auf dieser technischen Neuerung. Noch bevor die Kunstgeschichte seit dem 19. Jahrhundert sich des Themas annahm, äußerte schon der große Aufklärer Gotthold Ephraim Lessing in seiner Schrift »Vom Alter der Oelmalerei« Zweifel an der seit Vasari eingebürgerten festen Überzeugung: »Und wer weiß, wie viel man noch itzt Gemälde in alten Kirchen finden möchte, die erweislich älter sind als 1400, und die man doch als wahre Oelgemälde würde erkennen müssen, wenn man nur zuverlässige Prüfungen damit anstellen könnte und dürfte!« Damit war die Suche nach den ältesten und ersten Ölgemälden eröffnet und bald meinte man, sie gefunden zu haben. Als Christian von Mechel 1781 die kaiserliche Gemäldegalerie in Wien im Oberen Belvedere einrichtete und zu diesem Zweck die außerhalb Wiens, in Prag, Pressburg und Innsbruck aufbewahrten kaiserlichen Bildbestände sichtete, wurde er in

30 Jan van Eyck, **Lucca-Madonna**, um 1436
Öltempera auf Holz, 65,5 x 49,5 cm
Frankfurt, Städelmuseum

Schloß Karlstein bei Prag fündig. »Nirgends redete man noch in unserm Vaterland entschieden von wirklich vorhandenen Oelgemälden aus dem dreyzehenden und vierzehenden Jahrhundert. – Hier sind nun die Proben, hergeschafft vom Schlosse Karlstein aus Böhmen … wie der Augenschein jeden es lehren kann, unwidersprechliche Anwendung des Oels.« (Hilchenbach, Kurze Nachricht von der Kaiserl.Königl. Bildergalerie zu Wien und ihrem Zustande im Jenner 1781, Frankfurt 1781)

Die Diskussion um das Alter der Ölmalerei und die Bedeutung dieser technischen Neuerung für das Wesen der altniederländischen Malerei hat aber den Blick auf das eigentliche Phänomen verstellt, nämlich die Brillanz und Leuchtkraft der Farben, die, wie schon Vasari beobachtete, von selbst Glanz geben ohne Firnis. Jan van Eyck und seine niederländischen Zeitgenossen erreichten diesen Effekt durch eine besondere Temperamalerei, eine Mischung von wässrigen und öligen Bindemitteln, wie bei der groß angelegten Restaurierung und technischen Untersuchung des Genter Altars vor bald 60 Jahren bestätigt wurde, die in vielen dünnen lasierenden Schichten aufgetragen das Licht aus der Tiefe reflektieren und damit die einmalige Leuchtkraft der Farben erreichen.

Die sogenannte *Lucca-Madonna* aus dem Städel in Frankfurt, die ihren Namen nach einem früheren Besitzer erhielt, Karl Ludwig von Bourbon, der bis 1847 Herzog von Lucca war, zeigt alle Besonderheiten der Kunst Jan van Eycks (Abb. 30): die Sicherheit in der Gestaltung des Raums, obwohl ihm die exakte Konstruktion nach den Gesetzen der Linearperspektive fehlt; die Präzision in der Darstellung aller Details, die juwelenhafte tiefe Leuchtkraft der Farben. Die Madonna thront frontal dem Betrachter gegenüber in einem engen, symmetrisch gestalteten Raum. Die seitlichen Thronwangen älterer Madonnenbilder sind hier durch die Seitenwände mit ihren Nischen ersetzt, dem Rundbogenfenster links entspricht genau die Wandnische auf der rechten Seite. Der Glanz des Metallbeckens und der halb gefüllten Flasche mit ihren Lichtreflexen zeugt vom unübertroffenen Oberflächenrealismus der Eyckschen Darstellungskunst. Der Raum wirkt zwar häuslich intim und unzeremoniell, dennoch erscheint die Madonna monumental und streng hieratisch. Dieser Eindruck wird durch das Sitzmotiv mit der breiten und voluminösen Basis und dem im Vergleich dazu klein erscheinenden Oberkörper mit dem Kind noch verstärkt. Jan van Eyck visualisiert damit zum ersten Mal gegenüber älteren Darstellungen in realistischer Weise ein Sitzmotiv, bei dem für den Betrachter der Oberkörper unmittelbar auf den Knien aufsitzt und die Oberschenkel unsichtbar bleiben. Das Jesuskind ruht damit tatsächlich auf einer Waagerechten und droht nicht abzurutschen. Damit ist auch der Größenunterschied zwischen Unter- und Oberkörper erklärt, der sich aus der Verkürzung des vom Betrachter weiter entfernten Oberkörpers ergibt. Zum ersten Mal ist der Blick eines Künstlers starr wie das unbewegliche Objektiv einer Kamera auf sein Motiv gerichtet, sein Blick wandert nicht wie der früherer Maler im Raum umher und betrachtet seine Figuren aus verschiedenen Blickwinkeln. Diese Radikalität des neuen Sehens finden wir nur bei Jan van Eyck.

Jan van Eyck und sein älterer Bruder Hubert waren aber nicht die einzigen Künstler der neuen Malerei in den Niederlanden. Es gibt daneben auch andere, weniger revolutionäre Maler, unter denen die Figur des sogenannten »Meisters von Flémalle« hervorragt, ein Künstler, von dem man annahm, daß er etwa zehn bis fünfzehn Jahre älter als Jan van Eyck sein dürfte und über dessen Identität Unklarheit besteht. Er trägt seinen Namen nach drei großen Tafeln, die sich heute im Städel in Frankfurt befinden, Fragmenten eines monumentalen Flügelaltars, der angeblich aus der Abtei Flémalle bei Lüttich stammt; es wurde aber auch versucht, ihn mit dem in Tournai tätigen Maler Robert Campin zu identifizieren oder die ihm zugeschriebenen Bilder für Jugendwerke des Rogier van der Weyden zu erklären, dessen Malerei viele Anknüpfungspunkte beim Meister von Flémalle findet. Die Frage ist bis heute ungelöst, jüngst wurde vorgeschlagen, die ihm traditionell zugeschriebenen Bilder auf mehrere namentlich unbekannte Maler zu verteilen, die ihre Tätigkeit in der Werkstatt Robert Campins und Rogier van der Weydens verbindet. Charakteristisch für diese Bildergruppe ist die schwere Körperlichkeit und Plastizität der Figuren, die sich von der älteren niederländisch-burgundischen Malerei und Skulptur herleitet. Im Unterschied zu Jan van Eyck mit seinen handlungslosen Zustandsbildern begründet der Meister von Flémalle die narrative Kunst der Altniederländer.

Seine ausgeprägte Fähigkeit, eine Geschichte überzeugend ins Bild zu setzen, zeigt der Künstler mit dem sogenannten *Mérodealtar*, der seinen Namen nach den früheren Besitzern, der Familie Mérode, trägt. Auf der Mitteltafel ist die *Verkündigung Mariae* dargestellt (Abb. 31). Der Meister von Flémalle versetzt die Szene, die bis dahin zumeist in einer offenen Halle oder einem kirchenähnlichen Raum dargestellt wurde, in ein bürgerliches Wohngemach in einem gemauerten Haus, von dem die beiden Seitenwände und die Rückwand zu sehen sind. Die Interieurdarstellung entspricht damit älteren Vorbildern, auf denen ein

31 Meister von Flémalle, **Mérodealtar**, um 1425
Öltempera auf Eichenholz, Mitteltafel 64 x 63 cm, Flügel 64 x 27 cm
New York, Metropolitan Museum of Art, Cloisters

32 Meister von Flémalle, **Mérodealtar**, um 1425, Detail
Öltempera auf Eichenholz, 64 x 27 cm
New York, Metropolitan Museum of Art, Cloisters

kompletter Raum dargestellt ist, dessen Vorderwand weggenommen wurde. Die Steinkonsolen in den beiden oberen Ecken des Bildes, die einen Deckenbalken tragen, sind als Rahmenmotiv ein letzter Rest dieser Bildauffassung. Der kleine Raum ist mit Tisch und Bank, einem hohen Kamin an der rechten Seitenwand und einem Fenster mit geöffneten Holzläden und einer Wandnische mit Wasserkessel und Handtuch an der Rückwand bequem und wohnlich ausgestattet. Maria sitzt lesend vor einer Bank auf dem Fußboden – im Zusammenhang der Marien-Ikonographie ein altes Motiv der Demut – der Zwischenraum zwischen dem Verkündigungsengel und Maria wird von dem runden Tisch völlig ausgefüllt. Dem Künstler war die Schilderung der räumlichen Situation ein Anliegen, zugleich füllt er die Bildfläche mit einem dichten Muster aus Formen, die alle Flächen bedecken und kaum einen Zentimeter frei lassen. Einige Details wie der Wasserkessel und das Handtuch sind dadurch größer abgebildet, als es ihrem Abstand vom Betrachter entspricht. Diese Diskrepanzen in der perspektivischen Verkürzung bedingen den Eindruck der räumlichen Enge. Das Sitzmotiv Mariens und ihr ausgebreitetes rotes Kleid schmiegen sich mit geringem Abstand der gerundeten Form der Tischplatte an, die in starker Aufsicht in die Fläche geklappt erscheint. Dem Darstellungsrealismus sind auch die herkömmlichen ikonographischen Elemente, die seit jeher gebräuchlichen Mariensymbole der Verkündigung wie die Lilie, untergeordnet und lassen sie in stillebenhafter Form, dem bürgerlichen Interieur integriert, als Blumenvase auf dem Tisch erscheinen.

Am linken Flügel sehen wir das Stifterpaar, von dem wir den Namen Inghelbrechts kennen, in einem abgeschlossenen Gärtchen vor einer geöffneten Tür knien, die zur Wohnung Mariens führt und durch die eben der Engel eingetreten ist, während die beiden Stifter demütig betend davor warten. Der Außenraum setzt damit sozusagen das Interieur der Mitteltafel fort. Am rechten Flügel ist ein weiterer für sich abgeschlossener Raum zu sehen, die ganz aus Holz gezimmerte Tischlerwerkstatt des hl. Josef, der an seiner Werkbank sitzt und arbeitet. Er stellt den gelochten Deckel einer Fußbank her, unter die ein Kohlebecken zum Wärmen gestellt werden kann. Vorher hat er zwei Mausefallen gebaut, eine steht auf dem Tisch, eine zweite ist auf dem Fensterbrett zum Kauf ausgestellt. Der amerikanische Kunsthistoriker Meyer Schapiro hat die Mausefallen als Anspielung auf die Lehre des Kirchenvaters Augustinus von der *muscipula diaboli* gedeutet, der zufolge die Heirat der Jungfrau Maria und die Inkarnation Christi nach der göttlichen Vorsehung geschahen, um den Teufel zu täuschen, so wie die Mäuse vom Köder in der Mausefalle getäuscht werden.

Das von der Mitteltafel mit der *Verkündigung* unabhängige Interieur der Josefstafel ist indes im Hinblick auf die Raumgestaltung und die Beleuchtungssituation moderner als die Mitteltafel. Der Blick von innen durch die geöffneten Fensterläden auf den Marktplatz einer flämischen Stadt bedeutet zugleich den Blick aus dem Halbdunkel des Innenraums ins helle Freie, ähnlich wie einige Jahre später Jan van Eyck in der *Madonna des Kanzlers Rolin* (vgl. Abb. 39) den Innenraum durch die Lichtsituation definiert. Bei einer jüngst durchgeführten dendrochronologischen Untersuchung der Holztafeln, auf die der Altar gemalt ist, wurde festgestellt, daß die Flügel vermutlich 25 Jahre später als die Mitteltafel des Altars entstanden sind.

Die Flügel eines Triptychons mit dem Datum 1438, dessen Mittelbild nicht erhalten ist, das ein *minister henricus Werlis magister Coloniensis*, nämlich Heinrich von Werl, Professor an der Universität in Köln und Provinzial des Minoritenordens, in Auftrag gab, stellen den einzigen datierten Fixpunkt im Werk des Meisters von Flémalle dar. Es handelt sich dabei um Spätwerke des Künstlers – falls die beiden stilistisch voneinander abweichenden Flügel nicht von zwei verschiedenen Künstlerpersönlichkeiten stammen – in denen er sich von der schweren massiven Körperlichkeit der Figuren seiner früheren Werke entfernt und umgekehrt Einflüsse des jüngeren Jan van Eyck aufnimmt. Der rechte Flügel des Triptychons mit der Darstellung der hl. Barbara knüpft in der Raumdisposition unmittelbar an den rechten Flügel des Mérodealtars an, den stilistisch fortschrittlichsten Teil des Frühwerks dieses Künstlers (Abb. 33). Die perspektivische Konstruktion, bei der die Deckenbalken auf einen weit links liegenden Fluchtpunkt zulaufen, ist ähnlich, ebenso die Beleuchtungssituation mit dem Fenster an der Rückwand. Beide Interieurs werden jeweils von einer einzigen Figur bewohnt: die hl. Barbara ist so in das Studium ihres Buches vertieft, wie der hl. Josef in seine Schreinerarbeit. Im Sinn der Bilder Jan van Eycks moderner ist beim Werl-Altar allerdings das Verhältnis der Figur zum Raum, der Meister von Flémalle erreicht hier ein Maximum an Räumlichkeit, die Möbel stehen frei und auch die lesende Frau hat mehr Raum um sich. Das Zimmer der Heiligen ist von Gegenständen erfüllt, die sämtlich als Reinheitssymbole Mariens gelten, die Vase mit der Iris, das Fensterglas und die verschlossene Karaffe auf dem Kaminsims (vgl. Abb. 30) sowie Schüssel, Messingkrug und Handtuch als Utensilien der Reinigung. Der Maler übertrug diese Symbole von Maria auf die hl. Barbara und so wurde sie auch gelegentlich mit ihr verwechselt. Nur der Turm vor dem Fenster verweist unmißverständlich auf die Heilige.

Von Jan van Eyck selbst kennen wir weder Geburtsort noch Geburtsjahr mit Gewißheit. Aufgrund des Namens wurde traditionell der kleine Ort Maaseyck in Limburg als Ort seiner Herkunft angenommen, er könnte aber auch aus dem einige Kilometer entfernten größeren Maastricht stammen. Er findet erstmals zwischen 1422 und 1425 als Hofmaler Johanns von Bayern, Bischofs von Lüttich (und damit Herr von Maaseyck) und Graf von Holland Erwähnung, als er an der Ausstattung der Residenz in Den Haag arbeitete. Man hat daher ein Geburtsdatum um 1380 oder 1390 angenommen. Nach dem Tod Johanns von Bayern 1425 wechselte Jan van Eyck unmittelbar in den Dienst Herzog Philipps des Guten von Burgund und war als dessen Hofmaler in Lille tätig. 1430 ließ er sich endgültig in Brügge nieder, wo er Aufträge des städtischen Bürgertums ausführte, gleichzeitig aber weiter bis zu seinem Tod 1441 als Hofmaler tätig war. Philipp der Gute schätzte seinen Hofmaler überaus und beauftragte ihn auch mit diplomatischen Missionen, die ihn nach Spanien und Portugal führten, um dort für seinen Fürsten um die Hand Isabellas von Portugal anzuhalten.

Nur aus den letzten Jahren der künstlerischen Tätigkeit Jan van Eycks sind gesicherte Werke erhalten. Das älteste ist der *Genter Altar*, der nach der Inschrift von Hubert van Eyck, dem älteren der Brüder, von dem sonst keine Werke bekannt sind, begonnen und von Jan 1432 vollendet wurde. Nach einer Inschrift auf den Unterleisten der Außenflügel, die von manchen nicht für authentisch und damit zuverlässig gehalten wurde, wäre Hubert der bedeutendere der beiden gewesen. Die Trennung der verschiedenen Anteile der beiden Künstler hat die Kunsthistoriker bis heute beschäftigt, ohne zu einem befriedigenden Ergebnis zu führen. Tatsächlich wirkt der Altar in seinen Teilen uneinheitlich, vor allem durch den Unterschied im Figurenmaßstab der Landschaft mit der Anbetung des Lammes in der unteren Zone und den großen Figuren Gottvaters, Marias und des Johannes in der Mitte und der seitlichen musizierenden Engel.

Als Interieurdarstellung interessiert uns die *Verkündigung Mariae* von der Außenseite des Altars (Abb. 34), wo sie auf vier Einzeltafeln verteilt ist, zwei größere links und rechts außen mit dem Erzengel Gabriel bzw. Maria und zwei schmale mittlere Zwischenstücke mit verbindenden leeren Raumteilen, die ein Rundbogenfenster mit einer Stadtansicht und eine Wandnische

33 Meister von Flémalle, **Altarflügel mit hl. Barbara,** 1438
Öl auf Holz, 101 x 47 cm
Madrid, Museo del Prado

mit einem Stilleben aus Wasserkrug, Waschbecken und Handtuch zeigen. Die beiden Figuren, Verkündigungsengel und Maria füllen den engen Raum völlig aus, ein Eindruck, der durch den Schattenwurf der Figuren auf die sie ringsum eng umgebenden Wände noch verstärkt wird. Ursprünglich waren, wie die Unterzeichnung der Tafeln erkennen läßt, Maßwerkarkaden als vorderer Abschluß der Bildfläche vorgesehen, die Figuren schienen also in Nischen zu stehen, wozu ihre hellen Gewänder passen, die sie wie monochrome Skulpturen erscheinen ließen. Zuerst waren also die Figuren da, der Raum wurde nachträglich um sie herum gebaut, möglicherweise eine der Bruchlinien in dem komplexen Altarwerk, an der sich der Anteil des älteren vom jüngeren Bruder und damit ein älterer von einem modernen Stil unterscheiden läßt. Auf jeden Fall ist in der Raumauffassung und der schweren Massigkeit der Figuren der Verkündigung vom Genter Altar der Einfluß des Meisters von Flémalle deutlich spürbar. In einzelnen übereinstimmenden Motiven wie der hier auf einem eigenen Flügel isolierten Darstellung der Wandnische mit dem Wasserkessel und dem Handtuch daneben wird der Fortschritt in der räumlichen Illusion bei van Eyck deutlich, bedingt durch die richtigen Größenverhältnisse zwischen den Gegenständen und dem ihnen zur Verfügung stehenden Umraum wie auch durch die Beleuchtungssituation und die raumschaffende Funktion des Schattens.

Den unmittelbaren Eindruck, den die Werke Jan van Eycks und der anderen niederländischen Maler, vor allem Rogier van der Weydens auf die Künstler ganz Europas gemacht haben, läßt sich mit zahlreichen Beispielen belegen. Vor allem in der ungemein reichen Produktion von Tafelbildern, die überwiegend als Teile großer gotischer Flügelaltäre in den Zentren der Malerei im Deutschen Reich wie den großen Städten Köln, Nürnberg, Augsburg, Hamburg, Basel und Wien entstanden, läßt sich ab den 40er Jahren ein durchgreifender Stilwandel beobachten. An die Stelle der letzten Ausläufer eines dekorativ eleganten flächenhaften Stils der höfischen Internationalen Gotik tritt eine schwere Formgebung mit massigen, körperbetonten Figuren in Gewändern aus materialreichen Stoffen, die sich in scharfen voluminösen Falten brechen. Unter dem Einfluß des Realismus der niederländischen Malerei werden Körper- und Raumdarstellung wichtig, ebenso die Wiedergabe von Oberflächentexturen, Glanzlichtern und Reflexen sowie eine effektstarke Kontrastierung von Licht und Schatten.

Einer der bedeutendsten Vertreter dieses neuen Realismus war der aus Rottweil stammende und in Basel zwischen 1434 und

34 Jan van Eyck, **Verkündigung Mariae**, vor 1432
obere Rückseitentafeln des Genter Altars
Öl auf Holz, 164,8 x 217,6 cm
Gent, St. Bavo

35 Konrad Witz, **Verkündigung Mariae**, um 1440/45
Öl auf Leinwand auf Holz, 156 x 120 cm
Nürnberg, Germanisches Nationalmuseum

36 Turiner Stundenbuch, **Geburt des Johannes**
Tempera auf Pergament, 28 x 19 cm
Turin, Musei Civici

1443 nachweisbare Konrad Witz (Rottweil 1400/10 – Basel vor 1447), eine Ausnahme unter den Künstlern seiner Zeit auch insofern, als sein Name überliefert ist. Von einem vielleicht für das Dominikanerinnenkloster Maria Magdalena in den Steinen in Basel bestimmten Marienaltar, einem Spätwerk des Künstlers, stammt eine Tafel mit der *Verkündigung Mariae* (Abb. 35). Monumental und zugleich realistisch derb sind die Figuren Mariens und des Engels wie aus Holz geschnitzte und farbig gefaßte Skulpturen in den Raum gesetzt, mit weit ausladenden Gewändern, die sich in Faltenkaskaden am Boden stauen. Aus groben Holzbalken ist der schlichte Raum gezimmert, der Fußboden aus einfachen breiten Bohlen, die Wände weiß getüncht und kahl, darüber eine schwere Balkendecke, aus behauenem farbigen Sandstein sind nur Tür- und Fensterrahmen; hervorgehoben ist der glänzende Eisengriff der Tür, der einen deutlichen Schlagschatten wirft. Der Raum erstreckt sich weit in die Tiefe, durch die forcierte Verkürzung befinden sich die beiden Figuren nahe beim Betrachter und der Fußboden scheint stark anzusteigen. Dadurch wird die Ausdruckskraft der Figuren noch weiter gesteigert.

Läßt man allerdings die spätere Geschichte der Interieurmalerei bis ins holländische 17. Jahrhundert Revue passieren, so findet sich das fortschrittlichste Interieur der altniederländischen Kunst nicht in der Tafelmalerei, sondern in einer kleinen Miniatur im sogenannten »Turiner Stundenbuch«, einer heute als Fragment erhaltenen, einstmals reich mit Miniaturen ausgeschmückten Handschrift für die Privatandacht eines fürstlichen Auftraggebers. Das kleine Format der illuminierten Handschrift ermöglichte eine formal und stilistisch fortschrittliche Darstellung eher als die große Tafelmalerei, allerdings konnte sich die besondere Stärke der altniederländischen Malweise, der tiefe leuchtende Glanz der Farben, nur in der Technik der Tafelmalerei, nicht aber der Buchillumination entfalten.

Die Entstehungsgeschichte der Handschrift ist ebenso wie ihr späteres Schicksal verwickelt und wechselvoll. Sie wurde noch vor 1400 für den kunstsinnigen Herzog von Berry als Stundenbuch, ein persönliches Gebetbuch, das die Tagesgebete im Jahreslauf enthält, begonnen und blieb bei seinem Tod 1416 unvollendet. Ein Teil gelangte in die Niederlande und wurde hier vermutlich im Auftrag Graf Wilhelms IV. von Holland mit weiteren Miniaturen versehen, die zu den fortschrittlichsten und damit zugleich am meisten rätselhaften Werken der frühen niederländischen Malerei zählen. Der Maler dieser Miniaturen ist unbekannt, Generationen von Kunsthistorikern haben sich bemüht, seine Identität zu lüften, aber sie bleibt eine der großen ungelösten Fragen der Kunstgeschichte. Sicher ist nur, daß er aus dem Umkreis des damals noch jungen Jan van Eyck kommt, wenn es nicht sogar ein Werk des Meisters selbst ist.

Die Seite mit der Darstellung der *Geburt des Johannes* aus dem Turiner Stundenbuch bringt nicht nur mit der Schilderung der Geburtsszene das früheste moderne Interieur und in den vielen Details eines der ersten Stilleben der europäischen Malerei, sondern in der »bas-de-page«-Szene der *Taufe Christi* die erste echte Landschaftsdarstellung (Abb. 36). Drei der für die weitere Geschichte der europäischen Malerei der Neuzeit wichtige Genera, nämlich die reine Landschaft, das Stilleben sowie die Genre- bzw. Interieurdarstellung nehmen damit von den beiden Miniaturen einer einzigen Buchseite ihren Anfang.

Zum ersten Mal in der europäischen Malerei wird in der *Geburt des Johannes* der Innenraum selbst zum primären Darstellungsgegenstand. Die Überzeugungskraft der räumlichen Illusion entsteht durch die Ausschnitthaftigkeit des Interieurs, das sich für uns nicht sichtbar hinter der Rahmung der Miniatur fortsetzt. Der Innenraum ist nicht mehr länger ein kompletter Raum mit drei Wänden und offener Vorderseite, sondern eine Raumecke, ein beliebiger Ausschnitt aus einem größeren Raum, den wir nicht sehen, sondern uns vorstellen können, dafür aber mit Ausblicken durch geöffnete Türen in die Nebenräume. Schon der Wiener Kunsthistoriker Max Dvořák erkannte in seinem bahnbrechenden Artikel über das »Rätsel der Kunst der Brüder van Eyck« (1903) den Umbruch in der Interieurdarstellung in dieser Miniatur: »Ein Auschnitt aus größeren räumlichen Verbänden, deren Grenzen nur teilweise in der Malfläche liegen und deren Raumkörper, soweit er dargestellt ist, vor allem durch seinen malerischen Inhalt umschrieben wird. Man ahnt mehr die eine Wand, als dass man sie sähe; die andere fehlt ganz; die Gegenstände werden vom Rahmen überschritten, der Raum erstreckt sich über ihn hinaus, wie er auch in die Tiefe durch den Ausblick in anstoßende Wohnräume fortgeführt wird. Diesem Streben nach freiem räumlichen Sichausbreiten passt sich auch die figurale Komposition an. In der mittleren Tiefenachse der Darstellung gibt es keine Figuren, sie sind exzentrisch links und rechts davon angeordnet, und die inhaltlich wichtigste Szene befindet sich nicht im Vordergrunde, sondern ist nach rückwärts in die Zimmerecke verlegt, so dass das Auge beim Betrachten des Gemäldes gezwungen ist, den Raum nach allen Richtungen hin zu durcheilen, um ihn auf diese Weise in seiner freien Ausdehnung und Tiefenbewegung stärker und lebendiger als durch die per-

De uentre matris mee uocauit me dñs
nomine meo. et posuit os meũ sicut
gladium acutum sub tegumento
manus sue protexit me posuit me

37 Jan van Eyck, **Giovanni Arnolfini und seine Frau**, 1434
Öl auf Holz, 82,2 x 60 cm
London, The National Gallery

spektivische Konstruktion allein dem Beschauer zum Bewusstsein zu bringen.« Erwin Panofsky hingegen betonte die in die Zukunft weisende Modernität der Darstellung: »Der Blick durch drei hintereinanderliegende Räume in der Johannesgeburt ist zu Recht als eine Vorwegnahme Pieter de Hoochs (vgl. Abb. 127–129) gefeiert worden«.

Die Figuren sind dem Raum völlig untergeordnet, den sie bis in den Hintergrund bewohnen. Sie erscheinen klein in dem großen Zimmer, dessen linke Ecke von einem riesigen Himmelbett eingenommen wird, das den Bildinhalt, die Geburt von Johannes dem Täufer fixiert. Die Hauptfiguren der Szene sind damit weit nach hinten gerückt, Elisabeth an die Rückwand des Himmelbetts, Zacharias wird als winzige Figur durch die Tür im anschließenden Raum sichtbar. Im Größenverhältnis zwischen den Figuren und dem umgebenden Raum liegt das Geheimnis der überzeugenden Wirkung des Interieurs.

Der niederländischen modernen Auffassung einer Bilderzählung entsprechend, sind die verschiedenen im Evangelium des Lukas (1,57–60) geschilderten und exegetisch bedeutsamen Szenen simultan nebeneinander dargestellt; allerdings weder das üblicherweise geschilderte Bad noch die Namensgebung des Neugeborenen, sondern der Besuch der Nachbarn und Verwandten, darunter die schwangere Maria, und die Vorbereitung zum Bad. Der stumme Vater des Johannes, Zacharias, ist in einem Nebenraum lesend gezeigt und nicht der Tradition entsprechend mit der Schreibtafel, auf der er den zukünftigen Namen seines Sohnes bestimmt.

Auffallend sind die an vielen Stellen eingefügten stillebenhaften Motive, die als Attribute geordneten Wohlstands die Szene bereichern: der Tisch in der Raummitte mit Krug, Becher und Teller, die mit sorgfältig gefalteter Wäsche und Spanschachteln gefüllte Truhe, die glänzenden Metallgefäße im Wandbord über der Tür, isoliert für sich vollendete Stilleben, aber doch nur im größeren Zusammenhang einer szenischen Darstellung möglich und damit noch weit entfernt vom späteren autonomen Stilleben.

Die portraithafte Darstellung eines Mannes, der in zeremonieller Geste die Hand einer neben ihm stehenden Frau hält, ist nicht nur eines der berühmtesten Bilder Jan van Eycks, sondern auch dasjenige, dessen Bedeutung oder vermutete Symbolik am heftigsten diskutiert wurde (Abb. 37). Durch die auffällige, in der Mitte des Bildes an der Rückwand des Raums über dem runden Spiegel angebrachte kalligraphisch verzierte Inschrift: *Johannes de eyck fuit hic. 1434* ist das Bild nicht nur datiert und als Werk Jan van Eycks beglaubigt, sondern der Künstler tritt durch die Bekräftigung, daß er bei dem Geschehen anwesend gewesen sei, förmlich als Zeuge auf. In dem darunter an der Wand hängenden Konvexspiegel mit reich verziertem Rahmen, der im Zentrum des Bildes den Blick des Betrachters sofort auf sich zieht, ist nicht nur der Raum mit einer Rückenansicht des Paares, sondern auch der dem Betrachter sonst verborgen bleibende vordere Teil des Raums mit seiner vierten Wand und einer Tür sichtbar, in deren Öffnung zwei Figuren, ein blau und ein rot gekleideter Mann, einer davon wohl Jan van Eyck selbst, zu sehen sind. Durch den Spiegel wird das Ausschnitthafte des dargestellten Raums augenfällig: er bestätigt uns, daß van Eycks Bild nur einen Teil der Realität sichtbar macht, die sich jenseits der Grenzen der Darstellung fortsetzt. Damit wird zugleich ein Paradigmenwechsel der Interieurdarstellung greifbar: wir blicken nicht länger als Beobachter von außen nach innen, sondern wir sind selbst Teil des Interieurs, das wir wie die beiden Figuren im Spiegel eben betreten haben müßten, um an dem optischen Wechselspiel auf der Bildtafel teilhaben zu können.

Jan van Eyck hat das rechteckige Zimmer bis ins kleinste Detail unter genauer Beachtung des Lichteinfalls, der Schatten und

38 Jan van Eyck, **Madonna in der Kirche**, um 1425/27
Öl auf Holz, 31 x 14 cm
Berlin, Staatliche Museen, Gemäldegalerie

Halbschatten, zwar ohne Kenntnis der Linearperspektive, aber dennoch in den Verkürzungen völlig überzeugend dargestellt. Die Schilderung ist minutiös und von größter Ökonomie der Pinselführung, wie in der Vergrößerung einzelne schnell hingesetzte Glanzlichter oder Farbakzente zeigen, die an der Rahmung des Spiegels oder der daneben hängenden Bernsteinkette zu sehen sind. Das zeremonielle Paar steht in der Mitte des Raums zwischen den beiden Fenstern, von denen das vordere im Spiegel zu erkennen ist. Die Fenster sind von innen mit Holzläden zu verschließen und tragen nur in den Oberlichtern Glasscheiben. Die sorgfältige Ausführung des Ziegelmauerwerks, der Fenster, der Holzdecke und des Fußbodens, des prächtigen verzierten Messinglusters sowie die Möblierung des Raums mit einem großen rot bezogenen Himmelbett, einem orientalischen Teppich, daneben einem Stuhl mit hoher geschnitzter Lehne, einem drapierten Betstuhl und einer Truhe unter dem Fenster bezeugen den Reichtum des Hauswesens. Dem entspricht die luxuriöse Kleidung des Paares, der mit Pelz gesäumte violette Mantel aus Seidensamt des Mannes, das mit Hermelin besetzte lange grüne Kleid der Dame, das sie in einem gerafften Bausch so vor dem Körper trägt, daß heutige Betrachter fälschlich geneigt sind, sie für schwanger zu halten. Trotz der Überzeugungskraft der vielen Details, die eine überwältigende Illusion erzeugen, handelt es sich nicht um einen genau dargestellten existierenden Raum wie etwa in der niederländischen Malerei des 17. Jahrhunderts, sondern um eine geniale künstlerische Erfindung.

Aufgrund von Inventareintragungen aus dem frühen 16. Jahrhundert wird der Portraitierte für Giovanni di Nicolao Arnolfini gehalten, Angehöriger einer Kaufmannsfamilie aus Lucca, der seit 1419 in Brügge lebte und mit seiner zweiten, namentlich nicht bekannten Ehefrau dargestellt wurde. Das Paar wird öfters als Giovanni di Arrigo Arnolfini – ein ebenfalls in Brügge ansässiger etwas jüngere Cousin des Giovanni di Nicolao – und seine Ehefrau Jeanne Cenami bezeichnet; die Hochzeit wurde allerdings erst 1447, 13 Jahre nach Entstehung des Bildes geschlossen. Es ist jedenfalls nicht zu leugnen, daß in dem Bild eine zeremonielle Handlung dargestellt scheint.

Rückblickend von der Interieurmalerei des 17. Jahrhunderts erscheinen uns die Miniatur mit der *Geburt von Johannes dem Täufer* aus dem Turiner Stundenbuch oder das Gemach, in dem sich Giovanni Arnolfini mit seiner Frau aufhält, wie eine Vorwegnahme der späteren Entwicklung des bürgerlichen Interieurs, einmal durch die Versetzung einer biblischen Szene in einen Wohnraum des 15. Jahrhunderts, im anderen Fall durch die Wiedergabe eines zeitgenössischen Innenraums mit offenkundig luxuriöser Ausstattung. Wenn Jan van Eyck monumentale Architekturen in seinen Bildern darstellt, so geht er dabei so präzise vor, daß man sie genau bestimmen und datieren könnte. Sogar Stilunterschiede innerhalb eines Bauwerks werden genau registriert. In dem Berliner Bild der *Madonna in der Kirche* ist eine gotische Kathedrale in allen ihren Einzelheiten sowie der charakteristischen Lichtsituation dargestellt (Abb. 38). Die Arkaden und Triforien des Langhauses zeigen die architektonischen Formen des 13. Jahrhunderts, während der höhere und schlanker dimensionierte Chor etwa hundert Jahre später entstanden sein könnte. Triforium und Obergaden des Chors überragen das Kirchenschiff, so daß das Vierungsgewölbe für den Betrachter unsichtbar bleibt, weil es von niedrigeren Bögen verdeckt wird. Die von van Eyck wiedergegebene Bausituation ergab sich als Folge der langen Bauzeiten der gotischen Kathedralen immer wieder. Allerdings ist van Eyck hier wie auch in seinen anderen Bildern weit davon entfernt, bestehende Bauten zu portraitieren, wie es etwa im 17. Jahrhundert Saenredam und seine Zeitgenossen (vgl. S. 172 f.) taten.

Bewundernswert ist die Wiedergabe des seitlich einfallendem Sonnenlichtes, das helle Flecken auf den Boden zeichnet, eine momentane Situation festhält, die zu ewiger Gültigkeit eingefangen ist und die besondere Atmosphäre der Zeitlosigkeit trägt. Die Wirksamkeit des Lichts geht aber noch weiter, der ganze Raum ist aus Licht und Schatten gebildet, die Farben entstehen aus dem Licht und verändern sich mit ihm, sie leuchten auf in den Reflexen der Krone Mariens aus Gold und Juwelen, den beleuchteten Stellen des Steinbodens und der seitlichen Gewände.

Einen scheinbaren Widerspruch zu der detailgenauen Darstellung des Kirchenraums – der ersten illusionistischen Wiedergabe monumentaler gotischer Architektur in der Geschichte der Malerei – bildet die im Vergleich zur Größe des Gebäudes riesenhafte Figur der Madonna mit dem Kind. Es handelt sich dabei aber nicht um ein Unvermögen des Künstlers, wie manchmal vermutet wurde, sondern um eine symbolische Darstellung, die auf der christlichen Bildtradition des Mittelalters beruht und die Jan van Eyck die mit der neuen, von ihm wesentlich mitbegründeten realistischen Veranschaulichung der Welt verbindet. Dargestellt ist nicht eine Madonna in der Kirche, sondern Maria als Kirche. In der von den Kirchenvätern begründeten allegorischen Auslegung des Hohelieds Salomos werden der Bräutigam mit Christus und die Braut mit der Kirche gleichgesetzt. Die Kirche wiederum wird mit der Jungfrau Maria identifiziert. Die mittelalterliche Ikonographie fand dafür ein Bild, das die Darstellung Mariens mit einer Ädikula oder einem Tabernakel umgibt. Jan van Eyck verwandelt diese abgekürzt dargestellte Architektur in eine wirklichkeitsgetreu wiedergegebene zeitgenössische Kathedrale.

Symbolisch gemeint ist daher auch die Lichtführung: das Licht fällt von links in die Kirche ein, bei einer mit dem Chor nach Osten ausgerichteten Kirche, wie es der allgemein befolgten Regel entsprach, daher von Norden. Das von Jan van Eyck gemalte Licht entspricht in seiner Erscheinung völlig dem natürlichen Sonnenschein, gemeint ist aber ein übernatürliches, ewiges Licht, das von der Sonne unabhängig ist. Darauf bezieht sich die eingewirkte Inschrift am Saum des Kleides der Maria, die Teil eines Spruchs aus dem Buch der Weisheit Salomos (7,29) wiedergibt: »Sie ist schöner als die Sonne und übertrifft jedes Sternbild, sie ist strahlender als das Licht«. Darüber hinaus deuten viele Details im Kirchenraum auf die Mariensymbolik, wie etwa die Reliefs mit der Verkündigung und der Marienkrönung auf den Wimpergen der Lettnerarkaden oder die Skulptur der trauernden Maria unter dem Kreuz auf dem Lettner.

In der *Kirchenmadonna* stellt Jan van Eyck eine zeitgenössische gotische Kirchenarchitektur dar, wie sie in den Städten Frankreichs, aber auch seiner niederländischen Heimat zu finden war, in der *Rolin-Madonna* findet er für den Raum eine in mehrfacher Hinsicht originelle Lösung (Abb. 39). Der mächtige burgundische Kanzler Nicolas Rolin, Auftraggeber des Bildes, das er der Kathedrale von Autun schenkte, kniet nicht als kleine Stifterfigur, sondern von Angesicht zu Angesicht vor der thronenden Madonna. Sein mit Stoff verhangenes Betpult ist in geringer Entfernung unmittelbar vor dem Thron Mariens aufgestellt. Die Begegnung findet in einer prächtig ausgestatteten und nach allen Seiten mit Arkaden geöffneten Halle statt, deren kostbarer Steinboden in den ornamentalen Mustern eines farbigen Mosaiks ausgelegt ist. Polychrom und poliert sind auch die Marmorsäulen, die mit figural skulpierten Kapitellen und gestelzten Profilbögen die schlank proportionierten Arkaden bilden. Auf keiner Seite wird der Raum durch Wände begrenzt, er öffnet sich durch einen Blick in eine weite freie Landschaft, links und rechts in seitliche Räume, deren Ausdehnung nicht erkennbar ist. Van Eyck definiert den Innenraum nicht durch die Wände, die ihn begrenzen, sondern ausschließlich durch die Beleuchtungssituation, die innen und außen unterscheidet, am sinnfälligsten im Blick durch die Arkaden ins Freie. Hier ist zum ersten Mal der Eindruck im Bild fest-

39 Jan van Eyck, **Die Madonna des Kanzlers Nicolas Rolin**, um 1433/34
Öl auf Holz, 66 x 62 cm
Paris, Musée du Louvre

gehalten, den man beim Blick aus einem ins Halbdunkel getauchten Innenraum in die lichtdurchflutete sonnige Landschaft draußen hat. Das ganze Bild ist auf dem Beleuchtungskontrast zwischen Freiraum und Interieur aufgebaut. Das war einer der großen entwicklungsgeschichtlichen Schritte Jan van Eycks: sobald es gelang, ein Interieur allein durch ein besonderes Innenraumlicht zu charakterisieren und den Eindruck des Innenraums durch eine spezifische Beleuchtungssituation hervorzurufen, war es nicht mehr notwendig, die Grenzen des Raums, seine Wände darzustellen, sondern es genügte auch ein beliebiger Ausschnitt aus dem Innenraum.

Der Blick ist vom Vordergrund weit in die Tiefe geführt, zwischen den beiden statuarischen Figuren des Kanzlers und der Madonna hindurch, durch die Arkaden ins Freie und über die Terrassensenke mit den Blumenbeeten des Palastgartens, der mit einer Zinnenmauer abschließt. Von der Höhe der luxuriös genutzten Bastion bewundern zwei Männer ihrerseits das Landschaftspanorama. Der Blick überspringt so den Mittelgrund und führt in die Weite einer Stadt, die sich links und rechts eines Flusses ausbreitet, von einer Brücke überspannt und von da fort bis zu einem fernen Gebirge am Horizont.

Jan van Eyck stellt den Palast der Madonna, in der sie den Stifter des Bildes empfängt, als prachtvolle Architektur aus wertvollen Materialien in sorgfältiger Ausführung mit symbolischer Bedeutung dar, die das Himmlische Jerusalem verkörpert. Er wählt dafür den Baustil der Romanik des 12. Jahrhunderts und geht dabei mit großer historischer Treue vor. Im Gegensatz zur zeitgenössischen Gotik galt der ältere, heute als romanisch bezeichnete Stil damals als byzantinisch und damit als ehrwürdig und dem Heiligen Land entsprechend.

Die Malerei Jan van Eycks blieb eine Ausnahmeerscheinung, Oberflächenrealismus und Detailreichtum seiner Bilder waren für seine Zeitgenossen und Nachfolger unerreichbar und nicht zu imitieren. Dennoch lebten seine Bilderfindungen in den Werken seiner Nachahmer weiter, entweder als Übernahme einzelner Motive oder aber ganzer Kompositionen. Der bedeutendste Maler der zweiten Generation der altniederländischen Malerei, Rogier van der Weyden, variierte in seiner *Lukasmadonna*, einer Darstellung des Evangelisten Lukas, des Schutzpatrons der Maler, der die Madonna zeichnet, die kurz zuvor entstandene *Madonna des Kanzlers Rolin* von Jan van Eyck. Die Komposition ist in vier Fassungen überliefert, das verlorene, um 1435 entstandene Original war wahrscheinlich für eine Kapelle der Brüsseler

40 Rogier van der Weyden, **Lukasmadonna**, um 1450
Öl auf Holz, 138 x 110 cm
München, Alte Pinakothek

Malergilde bestimmt. Rogier van der Weyden hat für den Raum den Palast Mariens der *Rolin-Madonna* adaptiert, für die Figuren sich aber von einem heute verlorenen und nur in späteren Kopien erhaltenen Werk seines mutmaßlichen Lehrers, des Meisters von Flémalle, anregen lassen. Die Darstellung des Evangelisten Lukas, der die Madonna portraitiert und damit zum Prototyp des Künstlers wird, hat eine lang zurückreichende Tradition. Während in den mittelalterlichen Darstellungen der Evangelist das Bildnis der Madonna aus bloßer Inspiration schuf, setzte sich später die Auffassung einer Vision durch, die dem Heiligen erscheint. Für den Realitätssinn des Meisters von Flémalle war dies undenkbar, sein Lukas tritt der Madonna unmittelbar gegenüber, um sie leibhaftig vor Augen stellen zu können. Er schuf damit das erste Atelierbild in der Geschichte der europäischen Malerei, das selbstbewußt die Tätigkeit und den Beruf des Malers zum Thema der Malerei macht, mit Vermeers *Allegorie der Malkunst* (siehe Abb. 140) einen Höhepunkt findet und bis in die gegenständliche Malerei der Moderne reicht.

41 Petrus Christus (nach Jan van Eyck), **Hl. Hieronymus**, 1442
Öl auf Holz, 20,6 x 13,3 cm
Detroit, Institute of Arts

Maria, die dem Jesuskind die Brust gibt, sitzt vor einem prächtigen hölzernen Thron auf dessen Fußbank und verkörpert damit wie die Maria der Verkündigung im *Mérodealtar* (Abb. 31) eine Haltung der Demut. Lukas stützt in einer zwischen Knien und Stehen schwankenden Haltung sein Knie gegen ein Kissen und portraitiert die Madonna mit dem – künstlerisch sehr anspruchsvollen – Silberstift auf einem Papier oder Pergament, das er auf einer kleinen Holztafel als Unterlage hält. Die Art der Zeichnung mit bereits skizzierten Gesichtszügen gibt wohl präzise die damals übliche Vorbereitung eines Portraits wieder, wenn auch kaum die freihändige Art des Zeichnens. In der mutmaßlichen Vorlage des Meisters von Flémalle malte Lukas an einem Bild auf einer Staffelei, die allerdings im Bild den Blick auf die Madonna verstellte.

Die Nachfolge der Meister der ersten Generation

Neue Themen in den Niederlanden

Die Erfindung der Linearperspektive ermöglichte es, bildliche Darstellungen auf der Fläche so zu gestalten, daß sie dem Eindruck des Gesehenen vollkommen entsprachen. Besonders in der Interieurmalerei eröffnete sich die Möglichkeit, komplizierte Räume überzeugend darzustellen und durch die Entdeckung des Tiefenraums kühne Verkürzungen und Raffungen in der Wiedergabe von Raumfluchten zu gestalten. Der Detailrealismus in der naturgetreuen Wiedergabe von Oberflächen, wie er von den Gründervätern der altniederländischen Malerei, im besonderen Maße von Jan van Eyck entwickelt wurde, erlaubte hingegen einen alternativen Weg zur Entwicklung der Innenraumdarstellung, der nicht primär von der Tiefenräumlichkeit und damit der gefühlten oder tatsächlich konstruierten perspektivischen Verkürzung ausging, sondern von der Oberflächenillusion der mit verschiedenen Gegenständen vollgeräumten und ausgefüllten Wandflächen, die damit einen Raum konstituieren. Die Stärke der niederländischen Interieurmalerei des 15. Jahrhunderts liegt aber in der Vielfalt neuer und unkonventioneller Themen, neben profanen Darstellungen wie dem Arnolfini-Bildnis finden wir Szenen mit religiösem Hintergrund in profaniertem Gewand, so etwa den *Hl. Eligius in seiner Werkstatt* von Petrus Christus (nachweisbar zwischen 1444 und 1476) (Abb. 42). Das moralisierende Sittenbild sprengt vollends die Grenzen zwischen religiöser und profaner Szene, wie die Sündendarstellungen in der Tischplatte mit den *Sieben Todsünden* von Hieronymus Bosch (s'Hertogenbosch um 1450 – s'Hertogenbosch vor 1516) es demonstrieren (Abb. 44).

Das beliebte Thema des hl. Hieronymus als Gelehrter, der in seiner Studierstube umgeben von Büchern an der Übersetzung der Bibel ins Lateinische arbeitet, wurde in dieser Form sowohl in Italien wie in den Niederlanden dargestellt. Es hatte seinen Ursprung in den oberitalienischen Darstellungen von Gelehrtenstuben, die sowohl im kleinen Format der Buchmalerei wie im monumentalen der Wandmalerei zu finden sind.

Die Legende des hl. Hieronymus erzählt von sehr gegensätzlichen Taten und Erlebnissen des Heiligen, die zu zwei verschiedenen Bildtraditionen führten, die beide in der Kunst seit dem 15. Jahrhundert mit besonderer Vorliebe dargestellt wurden. Da ist einmal die Askese des Heiligen, der sich in die Einöde zurückzieht, um zu fasten und zu beten. Sie gab Anlaß zu Landschaftsschilderungen und damit zu den frühesten Beispielen dieser Bildgattung überhaupt. Vom anderen, völlig gegensätzlichen Aspekt des Heiligen als Gelehrter nahm eine eigenständige Tradition der Interieurdarstellung ihren Ausgang, die den Innenraum vor allem durch seine Einrichtungsgegenstände, die wie Stilleben wirken, begreifbar macht und nicht von seiner Raumgestalt her.

Die Bilderfindung Jan van Eycks ist nicht im Original, sondern nur in einer Wiederholung von Petrus Christus erhalten (Abb. 41). Sie zeigt den Heiligen reglos in seine Lektüre vertieft in einem Raum, von dem nur ein kleiner Ausschnitt zu sehen ist. Er besteht aus einer in die Seitenwand integrierten Sitzbank in der Art eines gotischen Chorgestühls mit einem hoch oben darüber angebrachten Fenster, von dem die unterste Ecke sichtbar wird, und der Rückwand, aus Regalen, die mit einem Vorhang zu verschließen sind und das Sammelsurium eines Gelehrtenlebens enthalten. Auch auf dem unmittelbar vor dem Regal stehenden Tisch ist mit dem Lesepult des Heiligen und vielen anderen Gegenständen wie Schreibzeug und einer Sanduhr jeder freie Raum ausgefüllt. Im Verhältnis der Gegenstände zueinander konstituiert sich die räumliche Illusion.

In der Darstellung des *Hl. Eligius in seiner Werkstatt als Goldschmied* desselben Petrus Christus haben die vielen stillebenhaft angeordneten Gegenstände attributive Funktion für den dargestellten Heiligen als Patron der Goldschmiede (Abb. 42). Zugleich steht hier ein frühes Genrebild vor uns, das den Verkaufsladen eines niederländischen Goldschmieds im 15. Jahrhundert mit seinen Rohstoffen zeigt: Perlen, Korallen, Bergkristall und Porphyr und daraus gefertigtes Geschmeide, Ringe, Broschen, Edelsteinketten, einem Kristallgefäß für liturgischen Gebrauch und sogenannte *presentkannen*, die der Stadtrat an wichtige Besucher oder zu besonderen Anlässen als Ehrengaben verschenkte.

Tyriaca

42 Petrus Christus, **Der hl. Eligius in seiner Werkstatt als Goldschmied**, 1449
Öl auf Holz, 100,1 x 85,5 cm
New York, Metropolitan Museum of Art, Robert Lehman Collection

43 Quinten Massys, **Der Geldwechsler und seine Frau**, 1514
Öl auf Holz, 70,5 x 67 cm
Paris, Musée du Louvre

44 Hieronymus Bosch und Werkstatt, **Sieben Todsünden, Superbia**, nach 1500
Öl auf Holz, 120 x 150 cm
Madrid, Museo del Prado

Petrus Christus, der 1444, drei Jahre nach Jan van Eycks Tod, in Brügge Meister wurde, galt zu unrecht nicht nur als dessen Schüler, sondern lange ausschließlich als Nachahmer, weil ein Teil seiner – allerdings späten – Werke deutlich Orientierung bei dem Brügger Hauptmeister suchen.

Wenn auch die genaue inhaltliche Deutung des Bildes wie seine ursprüngliche Bestimmung nicht im einzelnen geklärt sind, wird doch deutlich, daß es sich um eine profane Darstellung handelt, die wie kaum eine zweite den Reichtum der Niederlande des 15. Jahrhunderts widerspiegelt, oder zumindest um eine Szene, in der religiöser Gehalt in profaner Form auftritt. Es handelt sich um ein Verlöbnisbild und damit um eine nahsichtige, halbfigurige Variation des *Arnolfini-Doppelportraits* (Abb. 37). Ein vornehmes junges Paar ist in den Laden des Goldschmieds gekommen, um Verlobungsringe auszuwählen. Es steht dabei nicht vor dem Ladentisch, auf dem neben Gold- und Silbermünzen und den Gewichten des Goldschmieds der purpurfarbene Verlobungsgürtel liegt, sondern ist hinter den rot gekleideten Goldschmied getreten, um zusammen mit ihm zur Erinnerung an das Ereignis portraitiert zu werden. Diese Deutung steht nicht im Widerspruch zu der allgemein akzeptierten Annahme, daß mit dem Goldschmied der heilige Eligius, der Patron der Gold- und Silberschmiede, aber auch der metallverarbeitenden Handwerker gemeint ist. Das große Format des Bildes mit seinen nahezu in Lebensgröße wiedergegebenen Figuren scheint einen Privatauftrag auszuschließen und die Aufstellung in der Kapelle der Zunft der Goldschmiede, wahrscheinlich in Brügge, nahezulegen.

An der Stelle des Kunden befindet sich der Betrachter, wie der seitlich auf der Theke stehende Konvexspiegel erkennen läßt. Der Laden öffnet sich demnach unmittelbar auf die Straße, so wie es auch die Tischlerwerkstatt Josephs auf dem rechten Flügel des *Merodealtars* (Abb. 32) zeigt. Mit diesem Ladenbild wird ein natürlicher Weg zur Interieurdarstellung beschritten, indem die weggenommene Vorderwand, die alte »Schauöffnung« der Interieurs des 14. Jahrhunderts, eine realistische Begründung findet; der Ladentisch im Vordergrund trennt innen und außen und markiert die Schwelle zwischen der Betrachter-Welt und der Bild-Welt.

Der Erfinder des Bildtyps »Ladenbild«, der für die weitere Entwicklung der Interieurdarstellung eine wichtige Rolle spielen wird, ist aber nicht Petrus Christus, sondern wahrscheinlich Jan van Eyck selbst. Marcantonio Michiel, ein venezianischer Kunstsammler der Renaissance, berichtet um 1530, in der Casa Lampagnano in Mailand ein Bild gesehen zu haben, das als Werk Jan van Eycks galt und auf dem ein Kaufmann zu sehen war, der mit seinem Angestellten abrechnet. Diesem verlorenen eyckschen Werk glich aber wahrscheinlich weniger der *Hl. Eligius* des Petrus Christus als vielmehr ein Bild von Quinten Massys (Löwen 1465/66 – Antwerpen 1530). In dem engen Raum des *Geldwechslers und seiner Frau*, der nach vorne durch einen Tisch und im Hintergrund durch ein Regal abgeschlossen werden, sind ein Mann und eine Frau als Halbfiguren nebeneinander auf einer Bank mit hoher Lehne sitzend dargestellt (Abb. 43). Der Mann ist mit dem Wägen von Goldmünzen beschäftigt, die Frau blickt von einem illuminierten Gebetbuch auf, in dem sie blättert, und beobachtet das Ausschlagen der Waagschale. Das in einem eng gefaßten Ausschnitt zwischen Tisch und Rückwand wiedergegebene Interieur wird durch zwei kleine, vignettenartige Details zum eigentlichen Innenraum erweitert. Wie bei dem früheren Bild von Petrus Christus liegt auch hier ein Konvexspiegel auf dem Tisch, der den Raum hinter dem Betrachter abbildet und damit das im Bild dargestellte Interieur zu einem vollständigen Raum ergänzt. Man erkennt einen alten Mann, der in einem Buch liest, vor allem aber ein Fenster mit farbigen Glasscheiben im Oberlicht, das den Blick ins Freie, auf eine seitlich anschließende Hauswand mit einem Fenster und in einiger Entfernung auf Bäume und einen Kirchturm freigibt. Mit diesem Fenster, das wir als Betrachter hinter unserem Rücken zu denken haben, und der seitlichen Tür im Hintergrund des Bildes, die einen Spalt breit den Blick ins Freie öffnet, wo vor der Fassade des gegenüberliegenden Hauses zwei Männer auf der Straße plaudern, erweitert sich das enge Interieur in beide Richtungen weit in die Tiefe und bringt das Paar, das auf sein Tun in einem engen Bereich ernsthaft konzentriert ist, in einen größeren Zusammenhang mit der Außenwelt.

Es hat auch hier nicht an Versuchen gefehlt, Mann und Frau, denen im Gegensatz zu vielen anderen Werken von Quinten Massys keine karikierende Absicht unterliegt, mit symbolischer Bedeutung zu versehen, einerseits im Formalen durch die farbige Verschränkung der beiden Figuren, andererseits im Inhaltlichen. Die Frau blickt von ihrer Lektüre im Gebetbuch auf, ihre religiöse Andacht wird durch die profane Welt des Geldes gestört; es scheint aber hier keine moralisierende Absicht hinter der Darstellung zu stehen, zu ernsthaft und sorgfältig, zu abwägend im wahren Sinn des Wortes wird die Tätigkeit des Mannes geschildert. Massys war durch seine Freundschaft mit Erasmus von Rotterdam dem Humanistenkreis verbunden, in dem mora-

superbia

45 Andrea Mantegna, **Marientod**, um 1460
Tempera auf Holz, 54 x 42 cm
Madrid, Prado

lisierende Darstellungen beliebt waren. In der Tradition der altniederländischen Malerei, vor allem der Werke von Hans Memling und Dirk Bouts ausgebildet, wurde Massys zum Hauptmeister der Malerei in Antwerpen, der seit dem späten 15. Jahrhundert wirtschaftlich mächtig aufstrebenden Handelsmetropole der Niederlande. Später und unter dem Einfluß von Leonardo da Vinci wurde Massys zu einem der ersten Vertreter des niederländischen Romanismus, der aber immer wieder, so wie in dem vorliegenden Werk, bewußt auf Bilderfindungen und Stil der frühen Niederländer wie Jan van Eyck zurückgriff.

Neben dem *Arnolfini*-Bild gab es andere Sittenbilder Jan van Eycks, wie Kopien und Reflexe in späteren Werken zeigen. Moralisierende Sujets wurden populär, wie sie etwa Hieronymus Bosch als kreisrunde Komposition der *Sieben Todsünden* mahnend in die Mitte einer nahezu quadratischen Tischplatte setzte. Christus als Schmerzensmann im Strahlenkranz, gleichsam ein Auge Gottes, bildet das Zentrum, um ihn herum sind in einem Ring die Sieben Todsünden szenisch dargestellt, abwechselnd in freier Landschaft oder in Interieurs. Um die feste Mitte rotiert das sündige Treiben der Welt. Die Ecken der rechteckigen Platte sind mit den Medaillons der Vier Letzten Dinge: Tod, Jüngstes Gericht, Hölle und Himmel gefüllt.

Traditionellerweise für ein Frühwerk des Künstlers um 1475/80 gehalten, sprechen doch einige Details wie die Mode der Dargestellten für eine spätere Entstehung dieses Welten-Gemäldes. Außerdem erscheint das gesamte Werk wie eine Zusammenfassung der Erfindungen und Bildideen von Hieronymus Bosch. Schon Guevara, ein zeitgenössischer spanischer Chronist, der das Bild in der Sammlung König Philipps II. von Spanien sah, sprach von einem Werk eines *discipulo*, eines jüngeren Mitarbeiters oder Schülers. Dafür spricht auch die derbe malerische Ausführung der Szenen, während ihre Erfindung höchste Originalität beweist.

Die Darstellung der Sünde des Hochmuts, der *Superbia*, ist durch die Rückenfigur der Hoffärtigen bemerkenswert, die in einer bürgerlichen Wohnstube ihre Haube arrangiert, ohne zu merken, daß es ein teuflischer Dämon ist, der ihr unter der spöttischen Replik des Häubchens dazu den Spiegel vorhält (Abb. 44). Am Boden steht ein geöffneter Schmuckkasten, über dessen Rand ein unbenützter Rosenkranz hängt. Die geöffnete Tür an der Seite erlaubt den Einblick in ein Nebenzimmer mit einem Kaminfeuer. Schemenhaft ist die Gestalt eines jungen Mannes zu erkennen, der sich seinerseits dem eigenen Spiegelbild hingibt.

Alte Themen in neuer Form in Italien

Die Darstellung der herkömmlichen Bildvorwürfe, die in Innenräumen spielen, wie die Verkündigung, die Geburt Mariens oder die Geburt Johannis des Täufers, gleicht in der italienischen Malerei des Quattrocento einem Triumphzug der Möglichkeiten der perspektivischen Darstellung. Das von Jan van Eyck in der *Rolin-Madonna* (Abb. 39) gefundene Motiv eines Innenraums, der sich durch eine große Öffnung in eine ferne Landschaft öffnet, verwendete auch der in Padua und Mantua tätige Andrea Mantegna (Isola di Cartura 1430 – Mantua 1506) in seiner Darstellung des *Marientods* (Abb. 45). Das nur als Fragment erhaltene Bild – es fehlt das ganze obere Drittel der Tafel mit dem Gewölbe, das von den seitlichen Pfeilern getragen wird – stellt zentralperspektivisch eine Pfeilerhalle dar. Am Ende der Halle steht die Bahre mit der toten Maria. Genau genommen ist nicht der Marientod, sondern sind die Exequien unter Teilnahme der Apostel dargestellt. Hinter der Bahre steht der kahlköpfige und weißbärtige Petrus, ihm zur Rechten assistiert ein anderer Apostel mit Weihwasserkessel und Aspergillum, ein dritter, als vornübergebeugte massige Rückenfigur, schwingt ein Weihrauchfaß. Die übrigen Apostel flankieren die Szene. Mantegna ist von der Dreidimensionalität der Körper fasziniert, er stellt Figuren als stereometrische Formen dar, als seien sie aus hartem Stein geformt. Zusammen mit seinem archäologischen Interesse an der Kunst der Antike prädestiniert ihn dieser Formwille zum Renaissancemaler schlechthin. Einen um so größeren Kontrast bildet dazu der Blick auf die Seenlandschaft, die Mantua umgibt, mit dem Borgo di San Giorgio, so wie sich der Ausblick vom Palazzo Ducale darbot. In einem Raum aufgestellt, erzielte das Bild eine illusionistische Wirkung von höchster Überzeugungskraft, indem es scheinbar einer tatsächlichen Architektur angehörte, die den Blick mit einer großen Öffnung in die Wirklichkeit freigab.

Erlaubt der Illusionismus die szenische Teilhabe des Betrachters durch konsistentes Hineinsehen in einen Raum, so ist eine Raumfolge geeignet, Handlungsabläufe erzählerisch aufzunehmen. Der sogenannte *Bartolini-Tondo* von Filippo Lippi mit einer Raumkomposition, die kunstvoll in die Kreisform des Bildes eingefügt ist, stellt im Vordergrund die thronende Madonna mit dem Kind dar und verbindet das Andachtsbild vorne mit erzählenden Szenen aus dem Marienleben im Hintergrund (Abb. 46). Das Bild wird in der Regel mit einem Auftrag für eine Madonnentafel, den Fra Filippo Lippi (um 1406 – Florenz 1469) von Leonardo Bartolini aus Florenz 1452 erhielt, in Verbindung gebracht, könnte aber auch später entstanden sein.

46 Filippo Lippi, **Madonna mit Kind (Bartolini-Tondo)**, 1452/53 oder um 1465/69
Tempera auf Holz, Durchmesser 135 cm
Florenz, Palazzo Pitti, Galleria Palatina

47 Domenico Ghirlandaio, **Geburt Mariens**, 1485/90, Fresko, Florenz, Santa Maria Novella, Tornabuoni-Kapelle

Die Madonna sitzt auf einem Thron mit einer für das Quattrocento ungewöhnlich geschwungenen und ornamentierten Rückenlehne; das Jesuskind hält einen geöffneten Granatapfel und reicht Maria einen Kern. Der Hintergrund wird von einer mehrteilig angeordneten Architektur eingenommen, deren Reiz vor allem in der rechtwinkeligen Struktur einfacher stereometrischer Formen besteht. Wände, Türen, Fenster, Stiegen, Podeste, Kassettendecken und Fußbodenmuster bilden gleichermaßen Schachtelraum und proportionierende Flächenmuster, die sich aus einem komplizierten Gefüge von Senkrechten, Waagerechten und auf einen zentralen Punkt zielenden Fluchtlinien ablesen lassen. Lippi liefert damit ein Bravourstück für die Demonstration der Gesetze linearperspektivischer Konstruktion. Eine massive Wand trennt den Hintergrund in einen breiteren Innenraum links mit der Szene der Geburt Mariens und einen Innenhof rechts mit der vom Betrachter viel weiter entfernten Begegnung von Joachim und Anna auf einer Freitreppe. Das Treffen findet sonst in der Malerei häufiger, dem apokryphen Evangelium des Pseudo-Matthäus und der Legenda Aurea folgend, an einem Stadttor, der Goldenen Pforte, statt. Lippi folgt hier einer anderen apokryphen Erzähltradition, dem Protoevangelium Jacobi, das die Begegnung der beiden an die Tür des eigenen Hauses verlegt.

Der Maler trennt den ikonischen Teil des Bildes mit der thronenden Madonna vom narrativen Bereich im Hintergrund durch einen Tiefensprung und schafft damit eine dramatische Szenographie. Linke und rechte Bildhälfte sind durch den von rechts herankommenden Zug der Frauen, die Anna im Wochenbett aufsuchen und Geschenke darbringen, miteinander verklammert. Das Geburtszimmer, in dem das freistehende Bett der Wöchnerin von den Besucherinnen umgeben ist, wird durch einen roten zurückgezogenen Vorhang von weiteren im Dunklen dahinter liegenden Räumen getrennt.

Die biblischen Geburtsszenen waren prädestiniert für die Künstler des 15. Jahrhunderts, ihr perspektivisches Können mit erfindungsreichen Raumentwürfen unter Beweis zu stellen. Einige Zeit nach Filippo Lippi hat sein eine Generation jüngerer Florentiner Malerkollege Domenico Ghirlandaio (Florenz 1449 – Florenz 1494) das Thema der Mariengeburt im Rahmen eines umfangreichen Zyklus von Wandmalereien aufgenommen (Abb. 47). Eine der unter der Herrschaft von Lorenzo de'Medici sozial aufgestiegenen und reich gewordenen Familien, die Tornabuoni,

48 Petrus Christus, **Hieronymus** (vgl. Abb. 41)

49 Antonello da Messina, **Hl. Hieronymus**, um 1475
Öl auf Kalkgrund und Holz, 45,7 x 36,2 cm, London, The National Gallery

gaben die Ausmalung einer ganzen Kapelle mit Szenen aus dem Marienleben und der Johanneslegende in Santa Maria Novella in Florenz in Auftrag.

Die *Geburt Mariens* findet in einem modernen Palast der Renaissance statt, der mit reicher Bauornamentik an den Pfeilern und Friesen versehen ist. Die äußeren tragenden Pfeiler und der darüberliegende Architrav bilden eine innere Rahmung des Bildfelds, die Erinnerungen an die alte Form der Interieurdarstellung des Trecento weckt. Der Raum ist durch eine mittlere Pfeilerreihe in einen größeren Raum rechts, das Geburtszimmer, und einen kleineren Vorraum mit einer Treppe links, auf dem die Begegnung zwischen Joachim und Anna stattfindet, geteilt. Der Zug der Besucherinnen der Wöchnerin zieht aus diesem Vorraum an dem mittleren Pfeiler vorbei ins Geburtszimmer. Ghirlandaio paraphrasiert damit den *Bartolini-Tondo* von Filippo Lippi (Abb. 46), wobei er einerseits die Komposition glättet und der Figurenfolge der Besucherinnen wie auch der genrehaften Szene mit der wassereingießenden Magd und der Amme, die das Neugeborene wiegt, statuarische Körperlichkeit und damit klassischen Zuschnitt verleiht, zugleich aber eine altertümelnde Form der Raumdarstellung wählt. Das einige Jahrzehnte früher entstandene Bild Lippis wirkt dagegen fortschrittlicher, in der Darstellung der verschachtelten stereometrischen Räume geradezu wie eine frühe Vorwegnahme der Kunst des Manierismus.

Von allen italienischen Malern des Quattrocento hat sich Antonello da Messina (Messina um 1430 – Messina 1479) am stärksten den Einflüssen der altniederländischen Malerei, im besonderen Jan van Eycks selbst, geöffnet. Dementsprechend wirkt seine Darstellung des *Hl. Hieronymus in seinem Studiolo* wie eine Mischung aus italienischen und niederländischen Elementen (Abb. 49). Die Anlage des perspektivisch konstruierten Raums – auch wenn Antonello die Perspektive nicht mathematisch genau konstruierte, da es zwei Fluchtpunkte gibt – ist italienisch; vor allem das quadratische Muster der Fußbodenplatten, das sich in den meisten Interieurdarstellungen des Quattrocento findet, ist ein untrüglicher Indikator, an dem die exakte Konstruktion der perspektivischen Verkürzung mit Hilfe des Distanzpunkts sofort zu erkennen ist. Mannigfach hingegen sind die Motive aus der niederländischen Malerei: die Idee der inneren Rahmung, der »Diaphragmabogen«, der die Darstellung von Außenraum und Innenraum gleichzeitig erlaubt, der Ausblick in eine ferne Landschaft durch ein Fenster bzw. einen Arkadengang im Hintergrund, die vom Genter Altar übernommenen Biforienfenster im Gegenlicht, das Ambiente des Studiolo aus Schreibpult und Regalen des Heiligen. Um diese enge Eingehaustheit des Heiligen zu erreichen, wie sie Jan van Eyck in seiner Version, die durch eine Kopie des Petrus Christus überliefert ist (Abb. 48), darstellte und wie sie sich in den italienischen Gelehrtenbildern um 1400 findet, bildete Antonello das Studiolo als riesiges Möbelstück, das vorne offen frei in den großen Kirchenraum gestellt ist, der sich als luftige Halle nach der Seite, nach hinten und nach oben öffnet und in den wir durch den offenen Steinbogen blicken können. Ein Pfau, eine Taube und eine Metallschale auf der Schwelle steigern den räumlichen Illusionismus. Antonello folgt damit der Maxime, daß ein gemaltes Bild wie der Blick durch ein Fenster wirken soll.

Kein anderer Vertreter der gotischen Tafelmalerei des Nordens hat sich so begierig die italienischen Entwicklungen zu eigen gemacht wie der in Bruneck im Pustertal tätige Michael Pacher (Brixen, um 1430/35? – 1498). Er beherrschte sichtlich die Regeln der Linearperspektive, die er sich während seiner Wanderjahre

50 Michael Pacher, **Christus und die Ehebrecherin**, 1479–81
Flügelaltar St.-Wolfgangs-Altar, Detail
Pfarrkirche St. Wolfgang im Salzkammergut

nach Italien aneignete, die ihn vor allem nach Padua geführt hatten. Dort lernte er sowohl die Malereien kennen, die Fra Filippo Lippi 1434 in der Cappella del Podestà ausgeführt hatte, als auch die Werke Andrea Mantegnas, der zwischen 1441 und 1459 in Padua tätig war.

Berühmtes Hauptwerk Pachers ist der Altar von St. Wolfgang, einer der wenigen vollständig in allen seinen Teilen am ursprünglichen Aufstellungsort erhaltenen gotischen Flügelaltäre, der Bildhauerarbeit in den geschnitzten, farbig gefaßten und vergoldeten Teilen mit Malereien auf den Flügeln vereint. Pacher erhielt den Auftrag für den Altar 1471, doch erst 1477 wurde der neu errichtete Kirchenchor vollendet und geweiht. In den folgenden Jahren bis 1481 entstanden die geschnitzten Bildwerke und Tafelbilder, zum Schluß unter großer Hast.

Bei geschlossenen Innen- und geöffneten Außenflügeln bietet sich dem Betrachter eine monumentale Bilderwand von acht Szenen, vier Bildern in zwei Reihen übereinander, aus dem öffentlichen Wirken Christi, beginnend mit der Taufe bis zur Erweckung des Lazarus, als sogenannte »Evangelienbilder« für die Fastenzeit bestimmt. Michael Pacher bevorzugt in seinen Entwürfen, die unter Mitarbeit von Gehilfen ausgeführt wurden, dramatisierte Architekturen mit starken tiefenräumlichen Wirkungen. Er verlegt die Szenen in gotische Bauten, die *Vertreibung der Wechsler aus dem Tempel* etwa in eine gotische Hallenkirche mit einem sich weit nach hinten erstreckenden Kreuzgang, die Szene mit *Christus und der Ehebrecherin* in eine mit Netzrippengewölben versehene Halle (Abb. 50). Das Bildfeld ist von einem wie aus Stein gemeißelten und profilierten inneren Rahmen eingefaßt, der als eine geöffnete Tür den Blick in perspektivischer Zentralansicht in die Tiefe freigibt; die großen Figuren im Vordergrund mit Christus auf der linken Seite und rechts der Gruppe mit der von mehreren Pharisäern nach vorne geschobenen Ehebrecherin lassen die Mitte des Bildes mit dem zentralen Fluchtpunkt offen, auf den die Senkrechten des Gewölbescheitels und des aus verschiedenfarbigen Steinplatten zusammengesetzten Bodenmusters zulaufen und das gesamte Bild senkrecht in der Mitte in zwei Hälften teilen. Es ist der Raum, der bei Pacher mit seiner Dynamik und seinen abrupten Lichtwechseln die Dramatik der Handlung anschaulich werden läßt. Die manieristische Eleganz der Figuren, seltsame Bewegungen in der Hintergrundsstaffage und der modische Putz sind darin nur Aperçu gegen die denkbar schlichte, jedoch maßstäblich vergrößerte Erscheinung Christi.

Das Interieur in der niederländischen Buchmalerei und das Ende der Buchillumination

Die innere Bildrahmung, die den Blick wie durch eine Tür oder eine Fensteröffnung auf einen Innenraum freigibt, deren Durchlaßcharakter Erwin Panofsky mit dem Terminus »Diaphragmabogen« zu beschreiben versuchte, war als Motiv, das eigentlich zur Außenarchitektur gehört, aber zum Innenraum überleitet, in der nordischen Malerei ein beliebtes Mittel, um das Problem der Innenraumdarstellung zu lösen. Es ist eine Vorstufe zum eigentlichen Interieur, um den Übergang von außen nach innen möglichst bruchlos und plausibel zu bewältigen. Eine radiographische Untersuchung der Miniatur mit der *Geburt des Johannes* aus dem Turiner Stundenbuch (Abb. 36) ergab den erstaunlichen Befund, daß der Maler auch hier ursprünglich einen architektonischen Binnenrahmen vorgesehen hatte. Erst seine Eliminierung macht die Modernität der Darstellung aus, die zugleich das Ende der mittelalterlichen Buchillumination bedeutet, in der Figuren und Raum an die Fläche der Buchseite gebunden blieben, in der Schriftzeilen, dekorative Rahmenmotive und Bilder als Flächenmuster miteinander in Beziehung traten. Der Blick ins Geburtszimmer öffnet die Buchseite in einen Tiefenraum wie ein Fenster und überwindet damit die traditionelle Flächenbindung der Buchillumination.

Der Meister der Maria von Burgund (tätig um 1465 – 1490) war ein in den 70er Jahren des 15. Jahrhunderts in den Niederlanden tätiger, namentlich unbekannter Buchilluminator, der seinen Notnamen nach mehreren für Maria von Burgund, der jungen, früh verstorbenen Erbprinzessin von Burgund und Gemahlin des zukünftigen Kaisers Maximilian I. angefertigten kostbaren Handschriften erhielt. Er ging noch einmal einen Schritt hinter die kompromißlose Öffnung der Buchseite durch den Blick in einen Tiefenraum, wie sie der Miniator des Turiner Stundenbuchs gezeigt hatte, zurück, indem er diese Öffnung durch allerlei Rahmenmotive, flächige Streumuster von Blumen oder aber einen architektonisch gestalteten Durchblick verschleierte. In den Miniaturen gewinnt der Fensterdurchblick als Diaphragmabogen durch die Ausgestaltung als Stilleben illusionistischen Charakter. Das Bildchen, das die sieben himmlischen und sieben irdischen Freuden Mariens illustriert, zeigt den Blick durch das geöffnete Fenster eines Oratoriums in den Chor einer gotischen Kirche (Abb. 51). Die Madonna sitzt vor der untersten Stufe des mit einem geschlossenen Retabel bekrönten Altars in der Position einer *Madonna humilitatis*, also demütig am Boden, jedoch gekrönt und umgeben von vier leuchtertragenden Engeln

51 Meister der Maria von Burgund, **Stundenbuch der Maria von Burgund,** Widmungsbild, 1465/69
Pergament, 22,5 x 16,3 cm
Wien, Österreichische Nationalbibliothek, Cod. 1857, fol. 14v

auf einem Teppich. Vor ihr kniet in intimer privater Andacht eine vornehme Dame mit ihrem Gefolge. Gegenüber schwenkt ein als Diakon gekleideter Mann ein Weihrauchfaß. Die in der Buchmalerei traditionelle Form der Bordüre der Miniatur ist in aufwendiger Form als Fensterrahmen interpretiert. Die seitliche Laibung wird durch zwei aufgeklappte, mit Butzenscheiben versehene Fensterflügel verdeckt, nach unten schließt die Fensterbrüstung das Blickfeld. Links ist eine lesende Dame in der modischen burgundischen Tracht des 15. Jahrhunderts mit hohem Spitzhennin uns halb zugewandt und in die Lektüre ihres Gebetbuchs vertieft zu sehen, das sie mit gezierter Geste geöffnet hält. In ihr hat man die Besitzerin des Stundenbuchs, gleichsam als Verdoppelung der Andächtigen im Kirchenraum, gesehen. Im Gegensatz zu ihrer Doppelgängerin nimmt sie von der Madonna keine Notiz, nur wir als Beobachter blicken von einem Innenraum in einen anderen. Im Schoß der Dame liegt ein Hündchen, auf der anderen Estrade ist ein schwarz-goldener Brokatbeutel abgelegt. In dem Fensterblick wird in besonderer Weise das Motiv des Schauens an sich dargestellt, in dem wir als Betrachter beides sehen, die Umrahmung und den Blick durch sie hindurch. Die italienische Definition des perspektivischen Bildes als Blick durch ein geöffnetes Fenster ist hier im Bild selbst dargestellt.

Obwohl die Buchillumination im 15. Jahrhundert ihre große Zeit hinter sich hatte, forderte sie Künstler zu neuen, modernen und unkonventionellen Bildschöpfungen heraus. So wie wir im Turiner Stundenbuch mit der *Geburt des Johannes* das erste echte Interieur und ein frühes Stilleben, in der Miniatur mit der *Taufe Christi* die früheste Fernlandschaft finden, bietet eine der Miniaturen im »Livre du Coeur d'amour éspris« die erste nächtliche Interieurdarstellung, die durch die Beleuchtungseffekte, wie sie eine künstliche Lichtquelle in einem dunklen Raum hervorruft, gekennzeichnet ist. Der von König René d'Anjou 1457 verfaßte »Roman vom liebentbrannten Herzen« schildert in märchenhafter Form mit allegorischen Figuren von Coeur, der als gerüsteter Ritter auftritt, Amour in orientalischem Gewand, Ardent-Desir, Dame Esperance, Melancholie, der häßlichen Zwergin Jalousie usf. den von zahlreichen Hindernissen beschwerten Weg des liebenden Herzens zur Liebesinsel und dem Schloß des Liebesgottes. René d'Anjou (1409–1480), Herzog von Lothringen und Graf der Provence, aus der jüngeren Linie des Hauses Anjou, die Neapel regierte, kam durch seine Heirat mit Isabella von Lothringen zur Anwartschaft auf dieses Herzogtum, unterlag aber einem Verwandten, der mit dem Herzog Philipp von Burgund verbündet war und geriet für mehrere Jahre in Gefangenschaft des burgundischen Herzogs. In der Zwischenzeit war ihm das Königreich Neapel als Erbe zugefallen, das er ebenfalls nicht behaupten konnte. Politisch solcherart erfolglos, zog sich René in die Provence zurück, sammelte die Dichtungen der Troubadoure, beschäftigte Künstler und sammelte Kunstwerke, dichtete aber auch selbst und malte wahrscheinlich auch die Illustrationen seiner Handschriften selbst, auch wenn es schwer vorstellbar erscheint, daß einer der innovativsten und bedeutendsten Künstler Frankreichs im 15. Jahrhundert nicht ein Maler mit professioneller Ausbildung, sondern ein kunstbegeisterter Amateur und Gelegenheitsmaler gewesen sein soll.

In der ersten Miniatur der verschwenderisch mit Illustrationen – von denen nur etwa ein Drittel tatsächlich zur Ausführung gelangten – ausgestatteten Handschrift des Romans ist der Traum des Autors wörtlich verstanden (Abb. 52). Die Szene spielt in einem nächtlichen Schlafzimmer, in dem zwei Schlafstätten stehen, links ein mit dunkelvioletten Vorhängen versehener Alkoven, in dem der Träumende liegt, rechts eine leere niedrigere Lagerstatt mit einem kegelförmigen Baldachin. Die Wandstreifen links und rechts des mittleren Fensters wie die Innenseite des Alkovens sind mit einem heraldischen Muster aus grauen Astpfählen (arbre sec) versehen. Vor dem Bett steht Amor und nimmt dem Schlafenden das Herz und übergibt es Ardent-Desir, der brennenden Begierde, dessen Rock mit Flammenemblemen besetzt ist. Einzige Lichtquelle ist eine rechts unten am Boden unter einem Schemel stehende Kerze. Ihr heller Schein beleuchtet den Rücken des weiß gekleideten Desir, wirft einen Schlagschatten seiner Gestalt quer durch den Raum und beleuchtet die Gesichter Amors und des träumenden René von unten. Die nächtliche Atmosphäre kommt nicht nur durch die Beleuchtungssituation, sondern einer Tendenz aller Farbvaleurs ins gesättigt Dunkle zum Ausdruck. Das im hellen Lichtschein weiße Bettzeug verwandelt sich im Schatten zu grau, rot wird zu violett, helle Hautfarbe zu braun. Die Fläche der ganzen Miniatur ist aus winzigen Farbstrichen gebildet, die ein Flimmern der Oberfläche wie in einem Gemälde des Pointillismus hervorruft, eine *»vibration lumineuse«* (Charles Sterling).

Die im 15. Jahrhundert noch ungebrochene innovative Kraft der Miniaturmalerei zeigt sich auch an weniger bedeutenden Werken als dem Meister der Maria von Burgund oder dem René-Meister. In diesem Medium, das naturgemäß nur einem auserwählten Kreis von Betrachtern oder allein den Blicken des Besitzers der Handschrift zugänglich war, konnten immer wieder überraschende Bilderfindungen entstehen wie die Darstel-

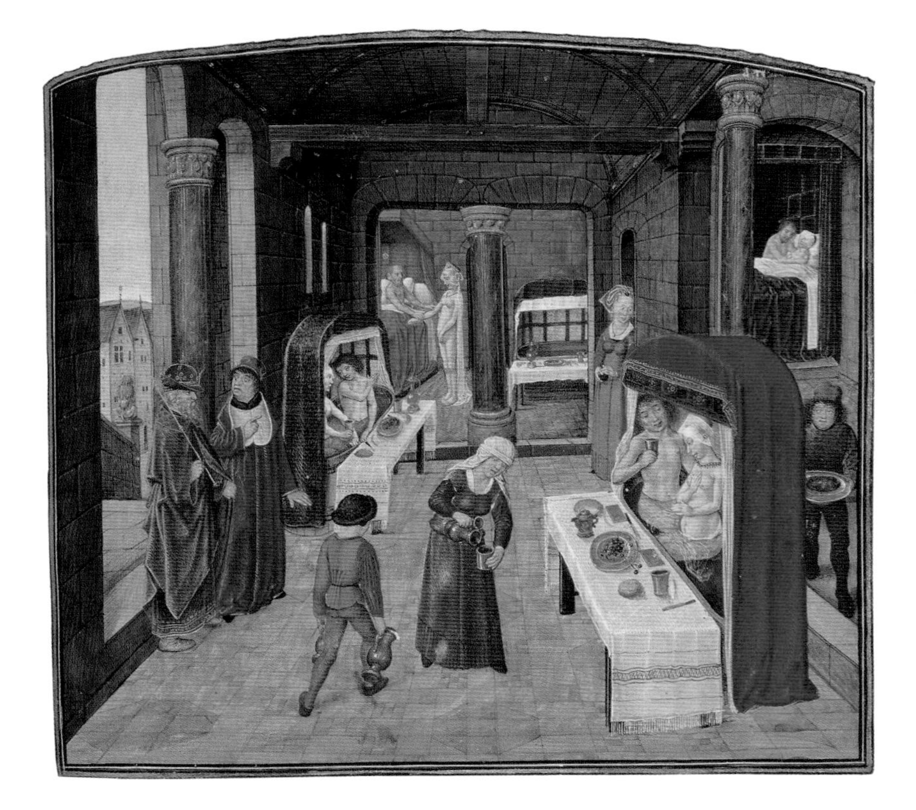

53 oben
Meister des Dresdener Gebetbuches, **Illustration zum Valerius Maximus**, um 1470
Pergament, 41 x 31 cm, Detail
Leipzig, Universitätsbibliothek, Rep I, 11b, Bd. 2, f.269
unten
Frankreich, Mitte 15. Jahrhundert, **Ein Ehepaar empfängt ein Kind durch die Hl. Dreifaltigkeit**
Livre lequel entre autres matières traitte de la nativité Nostre Seigneur Jhesu Crist, II, ms. 5206, fol. 174
Paris, Bibliothèque de l'Arsenal

52 René-Meister, **René träumt, daß sein Herz von Amor aus der Brust genommen und Ardent-Desir eingehändigt wird**, Livre du Coeur d'amour éspris, um 1465/70, Pergament, 29 x 20,7 cm
Wien, Österreichische Nationalbibliothek, Cod. 2597, fol. 2r

lung eines im Ehebett liegenden Paares, das durch die Hl. Dreifaltigkeit ein Kind empfängt (Abb. 53 unten). Trotz der ein wenig ungeschickten räumlichen Verkürzung ist die Szene voll überraschender und liebenswürdig detailliert geschilderter Beobachtungen.

Einen ähnlich unmittelbaren und frischen Zugang zur zeitgenössischen Realität einer luxuriös ausgestatteten spätmittelalterlichen Badestube und den losen Sitten ihrer Besucher zeigt eine der Miniaturen aus einer um 1470 angelegten französischen Handschrift von Valerius Maximus' »Factorum et dictorum memorabilium libri novem« in Leipzig (Abb. 53 oben). Auftraggeber für das exquisite Stück war vermutlich Jean de Gros, dem als Steuereinnehmer für Karl den Kühnen zwar ein höchst zweifelhafter, als Mäzen jedoch einen durchaus respektabler Ruf in der Geschichte des burgundischen Herzogtums zuteil geworden ist. Der Doppelband gilt als Frühwerk des namentlich nicht faßbaren, in seinem Œuvre aber gut erschlossenen Meisters, der aus der Tradition der flämischen Stundenbücher kam und für die Dijoner Hof- und Geldaristokratie arbeitete. Mit seinen Illustrationen zu den antiken Historien hat er unbekümmert die von dem römischen Autoren und Rhetoriker zusammengestellte bunte Mischung von Fakten, Anekdoten und Fabeln in seine eigene Zeit versetzt. Der von monumentalen Säulen getragene Hauptraum vorne mit Gruppen von tafelnden und trinkenden Badegästen öffnet sich in mehreren Durchblicken zu den mit Betten versehenen Hinterzimmern, in die sich paarweise weitere Gäste zurückgezogen haben. Zum lebendigen Charakter solcher Illustrationen paßt nicht nur das prunkvolle Interieur, das als luftiges Ambiente die Anspielung auf die antike Thermenarchitektur enthält, sondern auch das kostbare Kolorit der vegetabil gerahmten Bilder in dem keineswegs handlich dimensionierten Buch: Der Luxus seines Besitzers spiegelt sich im Luxus des dargestellten Themas. Mit Werken von derart gewählter Kunstfertigkeit kommt die normensetzende Epoche der Altniederländischen Malerei an ihr Ende, um im großen Strom der Renaissance aufzugehen.

Une nuyt en ce mois passe
Travaille tourmente lasse
Forment pensifz ou lit me mis
Comme homme las qui a si mis
Son cueur en la mercy damours
Que ma vie en plains et en plours

16. Jahrhundert – Hochrenaissance und Manierismus

Das Interieur der Hochrenaissance

Die Kunst der Renaissance stellte den Menschen in ihr gedankliches Zentrum. Die Darstellung der menschlichen Gestalt in ihren richtigen Proportionen, in genau studierter Anatomie, räumlicher Bewegung, überzeugender Aktion und dem Sujet angemessener Wiedergabe des Gefühlslebens wird zum wichtigsten Anliegen der Kunst. Die drei führenden Maler der italienischen Hochrenaissance, Leonardo da Vinci, Raffael und Michelangelo wurden schon von ihren Zeitgenossen wegen ihrer vollendeten Fähigkeit der Darstellung des Menschen gerühmt, ihr nie verblaßter Nachruhm als klassische Künstler beruht auf der Vorbildhaftigkeit des von ihnen vermittelten Menschenbildes. Architektur und Innenräume haben im Historienbild untergeordnete Funktion, sie sind entweder schmucklose Hülle oder triumphale Monumente im zeittypischen Stil. Das Interieur, wie es die Maler des Trecento und ein Jahrhundert später die Altniederländer entwickelten und wie es im 17. Jahrhundert einen neuen Höhepunkt erlebte, gibt es in der Renaissance nicht. Innenräume sind reine Architekturdarstellung, nicht Wiedergabe einer persönlich eingerichteten Lebenssphäre.

Leonardo da Vinci (Vinci 1452 – Cloux 1519) kam aus seiner Heimatstadt Florenz, in der seine künstlerischen Anfänge liegen, 1482 nach Mailand, um dem dortigen Herrscher Ludovico Sforza als Bildhauer, Maler und Militäringenieur zu dienen. 1495 erhielt er vom Herzog den Auftrag, ein Wandbild mit dem *Abendmahl* für das Refektorium des Dominikanerklosters Santa Maria delle Grazie in Mailand zu malen (Abb. 54). Zusammen mit dem Bildnis der *Mona Lisa* wurde diese Darstellung zum wohl bekanntesten Werk der Kunstgeschichte. Seit seiner Entstehung ist es in zahlreichen Kopien und Nachschöpfungen, heute sogar in millionenfachen Reproduktionen verbreitet und bildet damit die Darstellung des Themas schlechthin. Leonardo hielt sich an die ikonographische Tradition, denn auch sein Abendmahl findet an einem langen, quer im Raum stehenden Tisch statt, an dem zu Seiten Christi die Apostel ihre Plätze haben. Der Heiland ist frontal und als Silhouette vor dem Portal im Hintergrund gezeigt, sein rechtes Auge dient der zentralperspektivischen Konstruktion als Fluchtpunkt. Doch nicht nur die Raumsituation betont seine prominente Bedeutung, sondern auch der szenischen Moment der Handlung, in dem Christus den bevorstehenden Verrat ankündigt und die Apostel mit den unterschiedlichsten Gesten und Handlungen darauf reagieren, sich aufgebracht erheben, die Arme entsetzt emporreißen, sich empört umblicken und gestikulieren. Gegenüber älteren Darstellungen hat Leonardo das Geschehen dynamisiert und die Apostel in vier unterschiedlich komponierte Dreiergruppen gegliedert. Die Gestaltung der Mimik und Gestik sowie der Bewegungshaltungen bereitete er in zahlreichen Detailstudien sehr genau vor. Im Vergleich dazu ist der rechteckige Raum sehr einfach gestaltet, die Seitenwände sind jeweils in vier große rahmenlose Türen aufgelöst, die ins Dunkle führen, die Rückwand öffnet sich mit drei Durchlässen einer weiten Landschaft. Mehrere Lichtquellen beleuchten die Szene aus verschiedener Richtung, einmal den Tisch und die Figuren von vorne, dann von links, so daß der hellen Seitenwand rechts ein dunkles Gegenüber entsprechen kann.

Leonardo hat den Raum illusionistisch komponiert. Von einem Standort des Betrachters etwa in der Mitte des Refektoriums scheinen die seitlichen Wände des Bildes den gebauten Raum in die Tiefe fortzusetzen, das Geschehen des Abendmahls kann als Teil des wirklichen Raumes wahrgenommen werden und so in die Realität hineinreichen. Die dargestellte Szene mit der Einsetzung der Eucharistie, in der Christus auf Brot und Wein vor sich weist, erhält damit für die im Refektorium versammelten Mönche liturgische Bedeutung als ein sich stets erneuerndes Ereignis.

Aufgrund der verwendeten Maltechnik von Tempera mit Öl in mehreren Schichten statt des *buon fresco*-Verfahrens einer dauerhaften Kalkmalerei erwies sich das Bild als nicht sehr haltbar. Bereits im 16. Jahrhundert sind Schäden dokumentiert. So kam es in späteren Jahrhunderten zu zahlreichen Ausbesserungen und Übermalungen, die bei der vor einigen Jahren durchgeführten Restaurierung alle entfernt wurden.

Die Zählebigkeit der ikonographischen Tradition der Abendmahldarstellungen, auf der Leonardo seine Komposition aufbaute, zeigt der Vergleich mit einem dreißig Jahre später entstandenen Werk von Andrea del Sarto (Florenz 1486 – Florenz 1530), der von seinen Zeitgenossen auf eine Stufe mit Michelangelo und Raffael gestellt wurde und den man bedauerte, daß er nicht die gleiche Möglichkeit erhalten hatte, große Aufträge auszuführen. Eine seiner bedeutendsten Kommissionen war die Ausstattung des Refektoriums der Abtei der Mönche von Vallombrosa von San Salvi in Florenz. Ilario Panichi, Wohltäter des Klosters, dem er gleichzeitig als Mönch angehörte, erteilte 1511 Andrea Sarto den Auftrag, wobei der Künstler im gleichen Jahr nur die Gewölbemalereien ausführte. Die begonnenen Arbeiten mußten unterbrochen werden, weil wegen eines schweren Falls von Korruption der Abt des Klosters seines Amtes enthoben wurde. Erst 1526

54 Leonardo da Vinci, **Abendmahl**, um 1495/98
Fresko, Mailand, S. Maria delle Grazie

– der Stifter war in der Zwischenzeit gestorben – konnte Andrea del Sarto das *Abendmahl* ausführen (Abb. 55).

Die Komposition wird überwiegend von bildparallelen horizontalen Elementen bestimmt, dem quergestellten Tisch mit dem weißen Tischtuch, den Wandfeldern dahinter aus verschiedenfarbigem Stein, hellen Feldern aus *pietra serena* und Rahmungen aus *pietra rossa* und der hellen Wand darüber. Im oberen halbkreisförmig abgeschlossenen Teil öffnen sich drei Fenster eines Loggiengangs, die den Blick auf den Himmel freigeben; in der mittleren Öffnung erscheinen als einzige Auflockerung der streng komponierten Szene zwei Zuschauer. Sarto hat wie vor ihm Leonardo den entscheidenden Moment, in dem Christus den Verrat des Judas vorhersagt, dargestellt. Die Apostel geraten in Bewegung, jedoch ohne die dramatischen Reaktionen und die Gruppenbildung wie bei Leonardo vorgebildet. Dennoch soll nach verschiedener Überlieferung das Fresko durch seine Größe und die Macht der Bilderzählung auf die plündernden Bauern und Soldaten während der Belagerung von Florenz 1529 einen solchen Eindruck gemacht haben, daß sie vor einer Brandschatzung des Klosters zurückschreckten. Neben der Mailänder Bildvariante orientierte sich Andrea del Sarto offenbar an einer verlorenenen, heute nur durch einen Stich überlieferten Komposition des *Abendmahls* von Raffael.

Der Wirkung eines einzigen Wandbildes waren auch die Anfänge der kometenhaften Karriere Raffaels in Rom zu verdanken. Papst Julius II. plante 1507, drei etwa gleich große Räume im zweiten Stock des Vatikanischen Palastes als Arbeits- und Repräsentationsappartement zu beziehen. Nach einigen Umbauarbeiten durch Bramante begann im Herbst 1508 eine Gruppe von Malern mit der Freskenausstattung, deren Programm der Papst selbst festgelegt hatte. Ende 1508 wurde Raffael (Urbino 1483 – Rom 1520) aus Florenz nach Rom berufen und erhielt eine Wand der »Stanza della Segnatura« zur Bemalung zugewiesen. Er begann sofort mit der Arbeit an der *Disputa del Sacramento*, die das Wesen des Christentums in seinen größten Repräsentanten – Heilige, Kirchenväter, Päpste und Theologen – darstellen sollte und die im Oktober 1509 fertiggestellt wurde. Das Wandbild machte einen so überwältigenden Eindruck auf den Papst, daß

55 Andrea del Sarto, **Abendmahl**, 1526/27
Fresko, Florenz, Museo del Cenacolo di San Salvi

56 Raffael, Schule von Athen, 1510
Fresko, Rom, Vatikan

er Raffael zum päpstlichen Hofmaler bestellte und umgehend beschloß, die malerische Ausstattung aller drei Stanzen durch ihn allein ausführen zu lassen und die Wandmalereien der anderen Maler zu entfernen. Nur in den Gewölben blieben Werke von Sodoma und Perugino erhalten. Die »Stanza della Segnatura« gilt seit jeher neben dem Neubau von St. Peter und den Deckenbildern der Sixtinischen Kapelle von Michelangelo als Gipfelpunkt der römischen Hochrenaissance.

Als Gegenstück zur *Disputa*, in der die übernatürliche Weisheit in der Offenbarung des dreieinigen Gottes im Altarsakrament dargestellt ist, entstand die *Schule von Athen* mit dem Thema der Philosophie des Altertums als Suche nach rationaler Wahrheit (Abb. 56). Raffael entwarf eine monumentale und funktional kaum zu erschließende Architekturkulisse als Dom der Wissenschaft, der sich in Struktur und Detailformen an die Entwürfe Bramantes (Monte Asdrualdo 1444 – Rom 1514) für den gigantischen Neubau der Peterskirche hält. Die Verwendung der tiefenräumlichen Perspektive zur Gestaltung eines weiten und dabei vielfältig differenzierten und axialsymmetrisch angeordneten Architekturraums hat hier den Zenith ihrer Möglichkeiten erreicht. Flankiert von massiven Pfeilergehäusen mit statuengeschmückten Nischen führt ein mit Kassetten geschmücktes dunkles Tonnengewölbe in die Tiefe, öffnet sich in einen durchlichteten Kuppelraum, setzt sich mit der weiteren Dunkelzone einer Tonne fort in einen zum Himmel offenen Raum, der mit einem dritten tonnengewölbten Gang weit im Hintergrund endlich ins Freie führt: Das Innere dieser Hallen wird mit seiner klaren, gravitätisch strengen Gliederung zum Schauplatz der Gei-

57 Raffael, **Vertreibung des Heliodor**, 1511
Fresko, Rom, Vatikan

stigkeit der antiken Welt. Vier breite Stufen bilden den Übergang von einer vorderen Fläche in den energisch proportionierten Bau, die beiden Ebenen bieten Raum für die Gestaltung der breit gelagerten Figurengruppe der Philosophen, die hier und da von portraithaft wiedergegeben Zeitgenossen verkörpert werden. Die Silhouetten der Bogenstellungen rahmen die beiden Hauptfiguren Plato und Aristoteles, die sich gegen den hellen Himmel des Hintergrunds abheben. Die übrigen Figuren repräsentieren sowohl die Synthese von aristotelischer und platonischer Philosophie, die sieben Freien Künste wie auch die Stufen menschlicher Erziehung vom Erlernen des Schreibens, der Unterweisung in Geometrie und Astronomie in der Gruppe ganz rechts vorne bis zu den Zuhörergruppen, die sich um Aristoteles und Plato sowie um Sokrates links davon scharen.

Die wahrscheinlich nur ein Jahr später entstandene alttestamentarische Szene mit der *Vertreibung des Heliodor* aus dem Tempel zeigt eine ganz ähnliche architektonische Anlage mit einer zentralperspektivisch wiedergegebenen Abfolge mehrerer hintereinander liegender Räume (Abb. 57). Sie gab der für päpstliche Audienzen genutzten »Stanza di Eliodoro« den Namen; die darin dargestellten Szenen verbindet das Thema des göttlichen Eingreifens in ein irdisches Geschehen. Als der Reichsverweser Heliodor im Auftrag von König Seleukos in den Tempel in Jerusalem kam, um den Tempelschatz wegschaffen zu lassen, erschien ein göttlicher Reiter in Begleitung von zwei Engeln, die Heliodor zu Boden warfen und schlugen, so daß er bewußtlos aus dem Tempel getragen werden mußte (2 Makk 3, 1-40). Nur der Fürbitte des Hohenpriesters Onias verdankte er sein Leben.

58 Raffael, **Befreiung Petri**, 1512
Fresko, Rom, Vatikan

59 Jan van Scorel, **Darbringung Christi**, um 1530/40
Öl auf Eichenholz, 114, x 85 cm
Wien, Kunsthistorisches Museum, Gemäldegalerie

Der thronende Papst ist ein Portrait des Auftraggebers Julius II., der damit die Befreiung des Kirchenstaats von den Barbaren dargestellt sehen wollte.

Der Blick geht durch die Fluchten eines phantastischen Tempelbaus mit drei Kuppelräumen, deren Wölbungen von körperhaft massiven Säulen getragen werden. Im Dunkel der Kuppelzonen schimmern an den Bogenprofilen der Arkaden und den Gebälkringen warme Lichtreflexe über der Vergoldung. Größere Kontraste, eine dramatische Beleuchtung, ein starker Sog des Blicks in die Tiefe gehen nicht nur auf Rechnung der im Vergleich zur Schule von Athen aktionsreichen Handlung, sondern markieren zugleich einen erstaunlichen Stilwandel des Künstlers innerhalb kurzer Zeit: Auch mit dieser auf das Besondere zielenden Invention eines Raumgefüges erweist sich Raffael als intimer Kenner der damals aktuellen Planungen für St. Peter.

Die im gleichen Saal eine Lünette füllende Darstellung der Befreiung des Apostels Petrus aus dem Kerker zeigt gegenüber der Tempelarchitektur eine noch stärkere Dramatisierung durch den Einsatz der übernatürlichen Lichterscheinung des Engels in der nächtlichen Umgebung (Abb. 58). Das Bild ist unter geschickter Ausnutzung der Wandfläche in drei Episoden gegliedert. Dem Betrachter nah und in starker Untersicht vor Augen gerückt, wird das Geschehen als raum-zeitliche Folge und unter genialer Verwendung der Treppen und des Kerkergitters wie von einer Proszeniumsbühne herab erzählt. Himmlisches Licht, das vom sonnenhaft hellen Strahlenkranz des Engels ausgeht, der gekommen ist, um den Apostel zu befreien, beleuchtet den gewölbten Kerker, rechts führt der Engel Petrus an den betäubt daliegenden Wächtern – eine Anspielung auf die Soldaten einer Auferstehung Christi – vorbei, links werden die Soldaten der

60 Albrecht Altdorfer, **Geburt Mariae,** um 1520
Öl auf Fichtenholz, 140,7 x 130 cm
München, Bayerische Staatsgemäldesammlungen, Alte Pinakothek

Flucht gewahr; fahles Mondlicht, der Schein einer Fackel und die beginnende Morgendämmerung beleuchten die Szene.

Nachfolger Raffaels als Vorsteher der päpstlichen Antikensammlung war bis 1524 der aus Holland stammende und über die Alpen nach Italien gereiste Jan van Scorel (Alkmaar 1495–Utrecht 1552). Daraus erklärt sich seine Kenntnis aktuellster zeitgenössischer Architektur wie auf dem Bild der *Darbringung Christi*, in dem die Raumgestalt von Plänen und Bauten Bramantes, Peruzzis und Raffaels inspiriert ist (Abb. 59). Scorel bediente sich der Entwürfe wie eines Reservoirs von Versatzstücken und fügte sie zu einem für den Betrachter nach allen Seiten unvollständigen Lokal von römisch-schwerem Formcharakter zusammen. Mit dem Rekurs auf die Großbaustellen der 20er Jahre, St. Peter und die der Villa Madama, machte Scorel sein Interieur zu einem Propagandastück für die Errungenschaften der damals modernen Architektur. Für die Figuren nimmt man eine Beeinflussung durch Mantegnas (zerstörtes) Wandgemälde im Belvedere im Vatikan an. Stilistisch in die Zukunft und auf den Manierismus weist die exzentrische Komposition ohne eigentlichen Mittelpunkt mit der Hinausschiebung der Hauptfigur an den rechten Rand, die Betonung von klassisch-antik gekleideten Rückenfiguren, »verlorenen Profilen« und die statuarisch verlangsamt wirkenden Bewegungen der Handelnden.

Das manieristische Interieur

Die klassische Ausgewogenheit der Hochrenaissance hielt nur für kurze Zeit. Selbst Raffael, der mit seinen Fresken in der »Stanza della Segnatura« den einsamen Höhepunkt des klassischen Stils gesetzt hatte, entwickelte sich während der letzten zehn Jahre seines Lebens rasch in Richtung auf stärkere Dramatisierung und emotionelle Steigerung der inhaltlichen Auffassung sowie formal größere Hell-Dunkel-Kontraste und stärkere Farbakzente weiter. Die Schüler und Nachfolger Raffaels wie Giulio Romano, aber auch geniale Einzelgänger wie Parmigianino etablierten in den folgenden Jahrzehnten den sich international durchsetzenden »Manierismus«. Verbindende Klammern waren einerseits der ausgeprägte Individualismus der Künstler, andererseits eine formale, Künstlichkeit betonende Opposition zur Wirklichkeit, die in der Interieurmalerei als bewußte Verunklärung etwa durch forcierte Perspektive oder überraschende Aus- und Einblicke auftritt.

Albrecht Altdorfers (Regensburg kurz vor 1480 – Regensburg 1538) Bedeutung für die Geschichte der Malerei liegt in seiner Rolle als Protagonist der sogenannten »Donauschule«, dem vorherrschenden malerischen Stil in Süddeutschland und Österreich in den ersten Jahrzehnten des 16. Jahrhunderts. Er ist gekennzeichnet durch vegetative Formen, die sich nicht nur in den vorherrschenden Landschaftsdarstellungen finden, sondern von denen auch die Figuren erfaßt werden. Ab etwa 1520 machte Altdorfer unter italienischem Einfluß einen Stilwandel zum Manierismus durch. Vor allem in der Architekturdarstellung wird diese Tendenz bemerkbar, etwa in den Münchner Bildern der *Geburt Mariens* (1520) als Interieur oder der *Susanna im Bade* als phantasievolle Gebäudelandschaft (1526).

Die *Geburt Mariens* war seit den Anfängen der Schilderung von Innenräumen im 14. Jahrhundert ein Thema, das die schönsten Interieurdarstellungen und damit zugleich partielle Einblicke in die Wohnkultur des Spätmittelalters erlaubte (Abb. 60). Altdorfer wählte eine völlig unkonventionelle Lösung, indem er, einem theologischen Konzept – ähnlich wie Jan van Eyck in seiner *Madonna in der Kirche* (vgl. Abb. 38) – und nicht der Plausibilität folgend, die Geburtsszene zur Veranschaulichung des Wunders in eine gotische Kirche verlegte. Die Tafel, dem Format nach eine der größten Altdorfers, stammt wahrscheinlich aus dem Regensburger Dom, wo sie einen Marienaltar schmückte. Der bürgerlichen Wochenstube sind sozusagen die Seitenwände abhanden gekommen, nur die Plattform des Zimmergrundrisses ist geblieben, die im linken Seitenschiff einer großen Kirche steht. In dieser überschaubaren Situation unspektakulärer Alltäglichkeit folgt die Darstellung der üblichen Ikonographie: Anna sitzt aufrecht im Bett und erhält als erste Mahlzeit nach der Geburt einen Teller mit Suppe, den ihr eine Magd reicht. Um das Kind kümmern sich hilfreiche Frauen, eine sitzt zu Füßen des Bettes und hält das gerade gewaschene Neugeborene auf dem Schoß, daneben ist eine Wiege bereitgestellt, Wasserkrug und Badeschaff werden fortgetragen. Auch die von vielen anderen Darstellungen des Themas bekannten Besucher, die zur Wöchnerin kommen, um Geschenke zu überreichen, fehlen nicht. Joachim, der Vater, erscheint als Pilgergestalt ganz im Vordergrund, wie von weit her kehrt er zurück in sein Haus, vom freudigen Ereignis gerufen. Als Kontrast zu diesen realistisch aufgefaßten Figuren der Geburtsszene kommt der Bereich des Übernatürlichen in Form eines Engels mit Weihrauchfaß über dem neugeborenen Kind sowie eines riesigen fröhlichen Engelreigens, der in einem großen Kreis um drei freistehende Pfeiler den weiträumigen Kirchenraum umrundet.

Hans Baldung Grien (Schwäbisch Gmünd 1484/85 – Straßburg 1545) war der begabteste und eigenständigste Schüler und Mit-

61 Hans Baldung Grien, **Geburt Christi**, 1520
Öl auf Holz, 105,5 x 70,4 cm
München, Bayerische Staatsgemäldesammlungen, Alte Pinakothek

arbeiter Albrecht Dürers. Dem Manierismus verpflichtet sind vor allem die zum Spätwerk gehörenden Figurendarstellungen, die bekannte Themen oftmals in unheimlicher Weise verrätseln. Seine *Geburt Christi* ist einerseits eine Lichtstudie, andererseits ein Architektur-Capriccio (Abb. 61). Eine zur Ruine verkommene Palastarchitektur, phantastisch bestrahlt durch das von dem neugeborenen Jesusknaben ausgehende Licht, ist das Hauptmotiv des Bildes. Die Heilige Familie, Maria und Josef in Begleitung von Engelputten, befindet sich in dem hochaufragenden Gemäuer des romanischen Baus. Ein im tiefen Schatten liegender massiver Pfeiler teilt das Bild in zwei ungleiche Hälften und trennt Ochs und Esel von Maria und Josef, die sich zwischen den ganz unromanisch auskragenden Basisplatten der Pfeiler niedergelassen haben. Der hellste Widerschein geht von der Rückwand des einstmals herrschaftlichen Raums mit der bizarr ausgezackten Bruchkante aus. Jenseits davon wird durch ein bröckelndes Portal am dunklen Nachthimmel in einer Lichtaura der herabfliegende Engel sichtbar, der den Hirten die Botschaft von der Geburt Christi bringt. Die widerstreitenden Motive der harten und scharfkantigen Architektur und der intimen Anbetungsszene sind ganz manieristisch gedacht, sie lassen keinen Eindruck von Geborgenheit entstehen.

In den an künstlerischen Begabungen so reichen ersten Jahrzehnte des 16. Jahrhunderts war Hans Holbein d.J. (Augsburg 1497/98 – London 1543) neben Albrecht Dürer der bedeutendste Maler in Deutschland. Er stammte aus einer Augsburger Malerfamilie, bei seinem Vater Hans Holbein d.Ä. lernte er das Handwerk, seit 1515 arbeitete er in Basel, ab 1526 in den Niederlanden und in England. 1528 kehrte er nach Basel zurück, das kurze Zeit später protestantisch wurde. Mit dem Bildersturm zur Fastnacht 1529 wurden die wirtschaftlichen Bedingungen für Maler so schwierig, daß Holbein 1532 neuerlich nach England zu gehen beschloß, um sich dort vor allem mit Bildnissen einen großen Namen zu machen.

Holbein fand gleich zu Beginn des Aufenthalts in London Kontakt zur Gemeinschaft der deutschen Kaufleute der Hanse, die er in einer Reihe von Bildnissen als Persönlichkeiten in Erscheinung treten ließ. Eines der größten und anspruchsvollsten dieser Portraits ist das des Danziger Kaufmanns Georg Gisze (Abb. 62). Das Bild ist in erster Linie Portrait, es ist aber zugleich eines der frühesten Stilleben mit zahlreichen Gegenständen auf dem Tisch und im Hintergrund. Formal schließt die Komposition an die niederländischen Ladenbilder des 15. Jahrhunderts an, ein Bildtyp, der wohl von Jan van Eyck erfunden wurde und in der Darstellung des *hl. Eligius* von Petrus Christus (Abb. 42) sein bekanntestes Beispiel gefunden hat. An Holbein vermittelt wurde diese Kompositionsform durch niederländische Werke des frühen 16. Jahrhunderts wie das mit dem Geldwechslerpaar von Quinten Massys (siehe Abb. 43). Holbein stellte den Kaufmann in seinem Kontor dar, einem aus grün gestrichenen Brettern gefügten Raum mit Regalen zur Ablage von Büchern, allerlei Geräten und Briefen. Während der Tisch und die Paneele die Dimension des Interieurs ermessen lassen, bezeichnen die Gegenstände zwar seinen Zweck und den Status ihres Besitzers, widersetzen sich aber in ihrem Zueinander der Verständigung des Auges mit den räumlichen Verhältnissen. Auch die kostbare Kleidung und der prachtvolle orientalische Tischteppich deuten auf die Wohlhabenheit Giszes, die Briefe und Schriftstücke aber auf seine weitgespannte Korrespondenz als über Ländergrenzen hinweg tätiger Kaufmann.

Ein Jahr nach dem anspruchsvollen Portrait des deutschen Hansekaufmanns erhielt Holbein seinen bis dahin größten und bedeutendsten Auftrag in London. Jean de Dinteville, französischer Gesandter am Hof König Heinrichs VIII. von England, beauftragte Holbein, ein großes Doppelbildnis zu malen, das den Diplomaten selbst zusammen mit seinem Freund Georges de Selve, Bischof von Lavaur zeigt, um damit an dessen Besuch in London im Frühjahr 1533 zu erinnern (Abb. 63). Auf der linken Seite des Bildes steht Jean de Dinteville, luxuriös und auffallend gekleidet in hellroter und schwarzer Seide, in einem mit Luchspelz verbrämten Mantel. Die Inschrift auf seinem verzierten Dolch läßt sein Alter mit 29 Jahren erkennen. Ihm rechts zur Seite steht George de Selve, in seiner langen braunen groß gemusterten Damastrobe weniger auffallend, aber nicht weniger luxuriös gekleidet. Das Buch, auf das er seinen Arm stützt, nennt sein Alter mit 25 Jahren. Zwischen den beiden Männern befindet sich ein aus Holz gezimmertes massives Regal, auf dessen beiden Fächern eine Vielzahl von astronomischen Instrumenten, Erd- und Himmelsgloben, Büchern, Noten und Musikinstrumenten zu sehen sind. Die Ausdehnung des Interieurs wird durch die beiden Figuren, das Möbelstück, den mit Steineinlegearbeiten gemusterten Fußboden sowie einen grünen Damastvorhang, der den Raum nach hinten abteilt, definiert. Ein ganz schmaler Spalt, den der Vorhang hart am linken Bildrand freiläßt, gibt den Blick auf ein großteils verborgenes Kruzifix frei. Die verschiedenen Instrumente, deren Funktion auf dem Durchsehen und Anvisieren beruht, wie auch das versteckte Kruzifix deuten auf die entscheidende Rolle, die der gerichtete

Nulla sine merore voluptas
G. Gisze

62 Hans Holbein d. J., Bildnis des Kaufmanns Georg Gisze, 1532
Öl auf Eichenholz, 96,3 x 85,7 cm
Berlin, Staatliche Museen, Gemäldegalerie

63 Hans Holbein d. J., **»The Ambassadors«, Doppelbildnis von Jean de Dinteville und Georges de Selve**, 1533
Öl auf Eichenholz, 207 x 209,5 cm
London, The National Gallery

64 Lorenzo Lotto, **Die hl. Lucia am Grabmal der hl. Agathe**, 1532 vollendet
Öl auf Holz, 32 x 69 cm
Jesi, Pinacoteca Civica

65 Lorenzo Lotto, **Verkündigung**, um 1534/35
Öl auf Leinwand, 166 x 114 cm
Recanati, Pinacoteca Civica

Blick in diesem Bild spielt. So ist auch der merkwürdig auffallende Gegenstand vorne zu verstehen, es ist eine sogenannte »Anamorphose«, ein optisches Bravourstück, das einen völlig verzerrt gemalten Totenschädel darstellt, der erst aus einem bestimmten flachen Blickwinkel seine richtige Gestalt erhält. John North hat jüngst auf diese Zusammenhänge hingewiesen: Die im Regal dargestellten Sonnenuhren, Quadranten und anderen Messinstrumente markieren einen genau bestimmbaren Zeitpunkt, den 11. April 1533, drei Uhr nachmittags. Das war in diesem Jahr der Karfreitag, Datum und Uhrzeit geben den Moment des Todes Christi am Kreuz an, es handelt sich somit nicht nur um ein Doppelbildnis, sondern zugleich um ein privates Andachtsbild, das nach traditioneller Berechnung an den 1500. Todestag Christi erinnern soll. Dazu kommt noch eine weitere Beobachtung. Mehrfach findet sich im Bild, z.B. in der Sonnenuhr der Hinweis auf den Winkel von 27°; das ist der Sonnenstand an diesem Tag um 4 Uhr nachmittags, der ersten Todesstunde Christi. Aus einem Winkel von 27° von der Horizontalen von rechts betrachtet, enthüllt auch der Totenschädel im Bild seine wahre Gestalt.

Das Vergnügen an der intellektuellen Herausforderung gehört auch zu Lorenzo Lotto (Venedig 1480/82 – Loreto 1556/57), einer der eigenwilligsten Künstlerpersönlichkeiten der italienischen Renaissance, der Venezianisches seiner Heimat immer wieder mit Einflüssen der niederländischen und deutschen Malerei bereicherte. Trotz zahlreicher Aufträge gelang es ihm nicht, die entsprechende Anerkennung seiner Zeitgenossen zu finden. Die kurze Lebensbeschreibung, die Vasari dem Künstler in seinen Viten widmete, wird seiner Bedeutung nicht gerecht und die negativen Urteile der führenden venezianischen Kunstkenner wie Pietro Aretino, der darüber hinaus die starke Religiosität des Künstlers anmerkte, trugen dazu bei, daß er bis ins späte 19. Jahrhundert in Vergessenheit geriet. In Venedig geboren, war Lotto den größten Teil seines Lebens außerhalb der Lagunenstadt tätig, nach Anfängen in Treviso ab 1506 in Recanati in den Marken, für kurze Zeit in Rom und Mittelitalien, von 1513 bis 1525 in Bergamo, weshalb er lange von der dortigen Lokalforschung für einen Bergamasken gehalten wurde, in den 30er und 40er Jahren wieder in den Marken und in Treviso, dazwischen immer wieder kurze Aufenthalte in Venedig, ab 1549 in Ancona und dann in Loreto, wo er schließlich 1554 – weitgereist und kunsterfahren – als Laienbruder in die religiöse Gemeinschaft der Casa Santa eintrat. Während sein bedeutendster venezianischer Zeitgenosse Tizian Aufträge der obersten gesellschaftlichen Schicht, der oberitalienischen Fürsten und des Kaisers erhielt, war Lotto vor allem für Bruderschaften und andere religiöse Gemeinschaften sowie

66 Pseudo Félix Chretien, **Im Keller**, 1537
Tempera auf Holz, 57 x 58 cm
Frankfurt, Städelmuseum

als Portraitist für bürgerliche Auftraggeber tätig. Noch in Bergamo erhielt Lotto 1523 von der Bruderschaft der hl. Lucia in Jesi in den Marken den Auftrag zu einem Altar für die Kapelle der Gemeinschaft in der Franziskanerkirche San Floriano. Sowohl die Haupttafel, wie die drei Predellenbilder stellen Szenen aus dem Leben der Heiligen dar, wobei Lotto sich an den Text der Legenda aurea hielt. Den Beginn der Erzählung macht die linke Predellentafel mit der Schilderung des *Besuchs der hl. Lucia am Grab der hl. Agathe* in Begleitung ihrer Mutter Euticia, die an Blutfluß leidet (Abb. 64). Nachdem die beiden in der Messe das Evangelium mit der Heilung der Blutflüssigen durch Christus hören und Lucia vor dem Grabmal das Gelübde ablegt, nicht zu heiraten und ihre Mitgift an die Armen zu verteilen, wird Euticia geheilt. Lotto hat die verschiedenen Szenen der Erzählung in einer Kirche und ihren verschiedenen Nebenräumen dargestellt. Links im dunklen Bereich findet die Messe statt, in der Mitte kniet Euticia im Gebet vor dem Grabmal, daneben haben sich Mutter und Tochter auf den Weg gemacht, um dann ganz rechts Almosen an die Armen zu verteilen. Lotto ist vor allem an einer klaren Erzählstruktur und leichten Verständlichkeit der einzelnen Szenen gelegen, seine kleinen beweglichen Figuren agieren lebhaft in einer für sie geschaffenen Umgebung. Der vielfach gegliederte Kirchensaal jedoch zeigt sich im räumlichen Vor und Zurück, in der Blockbildung der Mauern, mit deren Öffnung zur Tiefe durch Nischen und Durchbrüche, vor allem aber durch die sprunghafte Chromatik des Lichteinfalls als ein geistreich strukturiertes Gebilde. Zu dessen Betonung tragen auch die kahlen schmucklosen Wände des Raums sowie das Verhältnis seiner Größe zu den Figuren bei. Zentralperspektivisch aufgebaut, bildet das Grabdenkmal mit der Statue der Agathe das Zentrum.

Kurz nach seinem 1533 erfolgten Umzug aus Venedig in die Marken führte Lotto mehrere Aufträge aus, unter anderem eine *Verkündigung* als Hauptaltar für das Oratorium der »Confraternità de' mercanti« in Recanati. Für das so oft dargestellte Thema fand er eine sehr individuelle Form (Abb. 65). Das Geschehen ist in einen wenig wohnlichen Raum der Frührenaissance verlegt, die steile, mit flachen Pilastern und Bogenprofilen instrumentierte Arkade und die Konstruktion der Loggia sind ein Rückgriff ins Historische. Durch den Bogen wird ein Garten sichtbar, der als eine Allusion auf den *hortus conclusus* als Symbol der Unberührtheit Mariens verstanden werden will. Durch das große Himmelbett an der linken Seite wird der Raum als *thalamus Virginis*, als Hochzeitsgemach der Jungfrau Maria gekennzeichnet. Der Hintergrund mit dem Gesims, auf dem sich ein Stilleben mit Büchern, Kerzenleuchter und Schreibzeug befindet, verrät den Einfluß der niederländischen Malerei. Lotto beschränkt die Darstellung nicht auf Maria und den Engel, sondern läßt Gottvater selbst in einer Wolke hoch oben im Torbogen unter der offenen, mit einer Balustrade abgeschlossenen Vorhalle erscheinen. Schon durch sein rotes Gewand mit einem blauen Gürtel ist eine Beziehung über die gesamte Diagonale des Bilds zu der gleichartig gekleideten Madonna links im Vordergrund hergestellt, die sich in demütig gebeugter Haltung wie in einer somnambulen Geste innerer Schau von ihrem Betpult weg dem Betrachter zuwendet. Damit besteht auch keine unmittelbare Blickverbindung zu dem knienden Engel rechts, der mit seiner Rechten Gottvater ankündigt, während eine Katze von seiner Erscheinung erschreckt die Flucht ergreift. In diesem wie in anderen religiösen Bildern Lottos hat man in der direkten, von der Tradition unbelasteten, frischen Sicht des Künstlers auf das biblische Geschehen eine Sympathie für die religiöse Reformbewegung, die auch Italien erfaßt hatte, herausgelesen.

Eine höchst originelle Raumidee bietet als nahezu beispielhafte manieristische Komposition auch das fast gleichzeitig entstandene Bild eines rätselhaften französischen Malers, der früher fälschlicherweise als Félix Chretien bezeichnet wurde (Abb. 66). Der Künstler war für den Bischof Dinteville von Auxerre tätig – dieses und andere Bilder tragen sein Wappen – der schon als einer der Gesandten Holbeins bekannt ist. Zwar könnte das Einkellern des Weins darauf hindeuten, daß dieses Phantasiestück einmal als »Herbst« Bestandteil eines Jahreszeitenzyklus war, doch ist das eigentliche Thema das aparte Spiel mit der räumlichen Suggestion. Beeinflußt von geometrischen Studien ist hier ein kahler Raum konstruiert, der die Erdgeschoßhalle eines Palastes darstellt, mit Wänden aus sorgfältig behauenen Steinquadern, monumentalen Türumrahmungen, einem Plattenboden, einer Balkendecke, die von Konsolen getragen wird. Hauptmotiv ist aber die geöffnete hölzerne Falltür, die in den Keller führt. Drei Männer, in ihren Haltungen mehr an anatomische Studien erinnernd, sind damit beschäftigt Weinfässer in den Keller zu schaffen oder heraufzuholen. Charakteristisch für den Manierismus ist das Konstruierte der Raumsituation, aber auch die Künstlichkeit der Figuren. Diesen hybriden Charakter der französischen Malerei des 16. Jahrhunderts zeigen auch die Werke von Clouet, die italienische und niederländische Anregungen miteinander verbinden.

François Clouet (Tours um 1520 – Paris 1572) stammte aus einer ursprünglich niederländischen Malerfamilie, sein Vater Jean war

67 François Clouet, **Dame im Bad**, um 1560/70
Öl auf Holz, 92,3 x 81,2 cm
Washington, National Gallery of Art

als Hofmaler für König Franz I. von Frankreich tätig, François diente drei Generationen französischer Könige, nach Franz I. dessen Sohn Heinrich II. und schließlich Karl IX. In seiner Funktion als Hofmaler war er vor allem Portraitist, lieferte aber auch Genrebilder, die italienische Elemente der Schule von Fontainebleau mit inhaltlichen Motiven der niederländischen Malerei verbanden, die vor allem dem Werk Jan Hemessens und Jan Massys' entlehnt waren. Die *Dame im Bad* ist ein charakteristisches Werk dieser Stilmischung (Abb. 67). Als Interieur folgt es in der Anordnung des Raums und der stillebenhaften Details den niederländischen Vorbildern. Der Vordergrund bietet hinter zurückgezogenen Vorhängen das Brustbild einer attraktiven jungen Dame in der Badewanne; Juwelen schmücken Haupt und Hand, ein Silbertablett mit Früchten ist vor ihr über der Wanne gelegt, von dem ein kleiner Bub eine Traube zu naschen versucht. In einer dämmrigen Zwischenzone des Raums wird weiter hinten eine Amme sichtbar, der Ausblick zeigt eine Magd, die vom Kamin heißes Wasser in einem Kessel herbeibringt. Das auffällig neben der Feuerstelle plazierte Bild eines Einhorns auf einer Stuhllehne oder einem Kaminschirm führte zu einer vermuteten Bestimmung der Dargestellten als Diane de Poitiers, der Geliebten König Heinrichs II., von der berichtet wird, daß sie Pulver vom Einhorn (in Wirklichkeit der Zahn des Narwals) als Medizin benutzte. Auch andere Deutungen der Szene und vor allem die Identifizierungen der jungen Frau zielen stets auf das höfische Milieu und die Mätressen der französischen Könige. Vielleicht ist aber auch eine satirische Darstellung Maria Stuarts gemeint, die als Witwe des nur kurz regierenden Königs Franz II. 1560 nach Schottland zurückkehrte und den Hugenotten als Symbol des korrupten Katholizismus galt. Das charmante Interieur Clouets allerdings diente gegen Ende des 16. Jahrhunderts als Vorlage für eine viel berühmter gewordene Komposition, die zwei Damen in einer Badewanne darstellt, die als Gabrielle d'Estrées und ihre Schwester, die Duchesse de Villars identifiziert wurden.

Pieter Bruegel d.Ä. (um 1525/30 – Brüssel 1569), der wohl bedeutendste niederländische Maler des 16. Jahrhunderts, entzieht sich jeder stilistischen Einordnung. Das erkannten bereits seine Zeitgenossen: Abraham Ortelius, Humanist, Naturforscher und Geograph, mit Bruegel befreundet und eng vertraut, bemühte im Nachruf auf Bruegel ein Zitat aus der antiken Kunsttheorie: auf die Frage, welchen Meister man nachahmen solle, habe der Maler Eupompos geantwortet, allein die Natur selbst sei vorbildlich, nicht die Schaffensweise eines einzelnen – und so habe es auch Bruegel gehalten. Tatsächlich unternahm er wie viele niederländische und deutsche Maler eine Reise nach Italien, wurde aber nicht zum Romanisten, sondern behielt einen ganz persönlichen Stil bei.

Das kleine Bild mit der Darstellung des *Marientodes* ist eine nächtliche Innenraumszene, gemalt als Grisaille, das heißt nur in Schwarz-, Weiß- und Grautönen, zusätzlich mit einigen sparsamen warmen Ocker- und Brauntönen versehen (Abb. 68). Ihre künstlerische Qualität hat die religiöse Szene besonders als Lichtstudie: unterschiedlich helle Lichtquellen sind im Raum verteilt, ihre Valenzen genau beobachtet und subtil als Medium zur Beschreibung räumlicher Distanzen genutzt. Allerdings ist den natürlichen Lichtquellen, den Kerzen und dem Kaminfeuer, ein in seiner Helligkeit alles überstrahlendes übernatürliches Licht gegenübergestellt, das von der sterbenden Maria ausgeht. Durch die Darstellung des Übernatürlichen als etwas ganz Realen entsteht in dem dunklen Raum eine unheimliche geisterhafte Stimmung. Das Ereignis ist nach der »Legenda aurea« des Jacobus de Voragine geschildert; die zentrale Figurengruppe zeigt Anverwandlungen eines Kupferstichs von Martin Schongauer (1470/73). Maria ist mit aufgerichtetem Oberkörper in einem Himmelbett liegend dargestellt, umgeben von den Aposteln und heiligen Frauen. Im Augenblick des Todes wird ihr eine brennende Kerze gereicht, während ihr Blick auf ein Kruzifix gerichtet ist, das ihr als letztes irdisches Gegenüber ans Fußende des Bettes gelegt worden ist. Einer der Apostel, wahrscheinlich der Evangelist Johannes, ist abseits der Gruppe erschöpft vom Wachen am Bett der Sterbenden neben dem Kaminfeuer eingeschlafen. Bruegel malte das Bild für seinen Freund Abraham Ortelius, der es nach dem Tod des Malers von Philipp Galle als Kupferstich (1574) vervielfältigen ließ. Aus Ortelius' Nachlaß ging es in den Besitz von Isabella Brant über und gehörte damit in den Haushalt des Peter Paul Rubens.

Während Bruegel das Hochartifizielle seines *Marientodes* durch die Grisaille-Technik betont, findet bei Tintoretto (Venedig 1518 – Venedig 1594) der erkennbar gewollte Kunstcharakter über Widersprüche in der Gegenständlichkeit und eigenwillige Kompositionsmomente ins Bild. Er war nicht nur Nachfolger Tizians, sondern sein Gegenpol, auch wenn er in der Behandlung von Licht und Farbe an die Spätwerke Tizians anknüpfte. Schon die zeitgenössischen Kunstkenner maßen seine Werke an denen Tizians und fanden damit Anlaß zu Kritik, wenn Tintoretto vom Stil seines Vorgängers abwich. Für die Scuola di San Rocco, eine der großen religiösen Bruderschaften Venedigs, war er durch

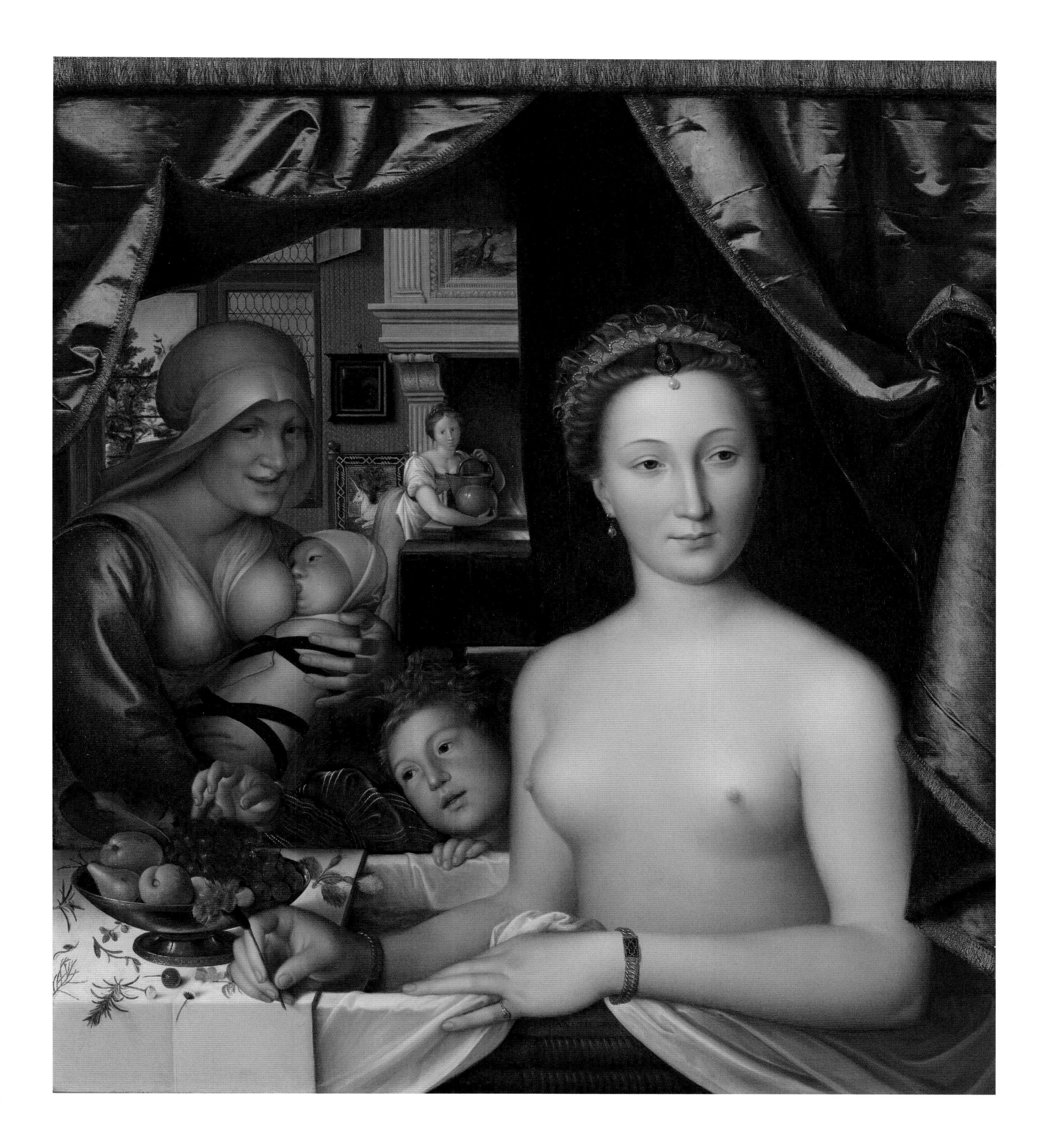

68 Pieter Bruegel d.Ä., **Marientod**, 1564/65
Öl auf Holz, 36 x 55 cm
Banbury, Upton House

69 Jacopo Tintoretto, **Verkündigung an Maria**, um 1581/82
Öl auf Leinwand, 422 x 545 cm
Venedig, Scuola Grande di San Rocco

viele Jahre hindurch tätig und bedeckte Decken und Wände mit großen Gemälden, die bis heute in ihrer Bildfülle einen unvergeßlichen Eindruck bereiten. Die riesenhaften Leinwände einer Folge des Marienlebens für die Sala Terrena im Erdgeschoß stammen aus der Zeit gegen Ende seines Lebens. Die Szene mit der *Verkündigung* ist mit einem scharfen vertikalen Schnitt, den ein hier hart beleuchteter, dort verschatteter ruinöser Pfeiler markiert, in zwei Hälften geschieden (Abb. 69). Links ein Streifen Außenwelt mit der Umgebung des Hauses, einem Hinterhof mit Brettern und Latten, die heruntergekommene Tischlerwerkstatt Josefs darstellend, rechts das Gemach Mariens. Durch die Türöffnung – eine Tür ist nicht vorhanden – stürmt der Verkündigungsengel im waaegrechten Flug herein, begleitet von einem Schwall von Engelputten, die durch die Oberlichter in den Raum drängen. Das prunkvolle Himmelbett im Hintergrund – wie bei Lotto (Abb. 65) ein deutlicher Hinweis auf das Hochzeitsgemach – steht wie die kostbare Vertäfelung der Decke in scharfem Kontrast zur Einfachheit der übrigen Ausstattung des Raums wie dem ramponierten geflochtenen Stuhl und dem Korb daneben. Das zwittrige Ambiente dieses Interieurs zwischen Baufälligkeit, Luxus und der vergangenen Pracht eines Palazzo in der Umgebung des chaotischen Handwerksbetriebs zeigt ein Bild von wundersam verklärter Armut. Das Eingreifen göttlicher Macht in das harte, einfache Leben der Heiligen Familie bekommt an diesem seltsamen Ort anschaulich so etwas wie Konsequenz, ein aus dem Widerspruch heraus nahezu realistischer Aspekt, der von nordischer Malerei nicht unbeeinflußt ist.

Genus humile: Bauern und Metzger, Wirtshäuser und Bordelle

Der dem Praktischen und Diesseitigen zugewandte Realitätssinn der Niederländer ließ im 16. Jahrhundert, nicht zuletzt befördert durch die Skepsis des Calvinismus gegenüber dem religiösen Bild, eine reiche Darstellungswelt des irdischen Lebens in Form von Genrebildern und Stilleben entstehen. Küchen- und Marktszenen bilden den Anfang, die Darstellung des niederen Genres nimmt breiten Raum ein. Wie der Schelmenroman in der Literatur stellen die Markt-, Küchen- und Wirtshausbilder den Gegenpart zur »hohen« Kunst der Historienmalerei dar, ihre Stärke liegt im ungeschminkten Realismus der Darstellung, der weit in die Zukunft weist und uns heute damit als besonders modern erscheint. Das *genus humile* geht bis auf die Kunst der Antike zurück, auf hellenistische Wand- und Fußbodendekorationen und die Beschreibungen der Bilder gewöhnlichen Lebens von Handwerkern und ihrer Werkstätten, Eseln und einfachen Speisen des griechischen Malers Pyreikos, der für diese Themen berühmt war und dafür den Beinamen »Rhyparographos«, das heißt Schmutzmaler, erhielt. Dennoch wurden seine Bilder von den Kunstkennern sehr geschätzt und erzielten hohe Preise. Der in der antiken Kunstliteratur nur einmal erwähnte Ausdruck wird von dem niederländischen Humanisten Junius benutzt, um damit die künstlerische Eigenart Pieter Aertsens (Amsterdam 1508 – 1575) zu charakterisieren. Der nämlich schuf zwischen 1535 und 1555 in Antwerpen Marktszenen und Stilleben mit Bibelszenen im Hintergrund, zu deren bekanntesten das Vanitas-Stillleben mit *Christus bei Maria und Marta* zählt. Den Vordergrund des Bildes nimmt ein üppiges Stilleben ein. Die mit Detailgenauigkeit wiedergegebenen Dinge, Butter auf einem Majolikateller, ein Zinnkrug, Brote, eine rohe Hammelkeule auf einem Teller in labilem Gleichgewicht, eine Blumenvase, ein Stapel gefalteten Linnens, ein großer Geldbeutel mit Griff, ein Korb mit Tongefäßen, sind nah an den Betrachter herangerückt, sie liegen auf einem Tisch ganz vorne und einem halb geöffneten Schränkchen daneben. Die räumliche Situation wird durch ein angeschnittenes Fenster mit Bleistabverglasung rechts oben angedeutet, bleibt aber im unklaren. Ein Durchgang führt in einen Saal, wo im Hintergrund vor dem Kamin die biblische Szene zu sehen ist: Auf den Vorwurf der im Haus schaffenden Marta gegenüber ihrer untätigen, nur den Worten Jesu lauschenden Schwester Maria gibt Christus die Antwort: »Marta, Marta, du machst dir viele Sorgen und Mühen. Aber nur eines ist notwendig. Maria hat das Bessere gewählt, das soll ihr nicht genommen werden.« (Lk 10, 38-42).

Das Auffälligste an diesem Bild ist die »inverse« Bildstruktur, die paradox erscheinenden Größenverhältnisse zwischen der groß in den Vordergrund gerückten Nebenszene und dem klein dargestellten eigentlichen Thema des Bildes im Hintergrund. Man hat darin ein Muster manieristischer Gestaltung erkannt. Auch ein Moduswechsel ist festzuhalten: Die Gegenstände im Vordergrund sind – alter niederländischer Tradition entsprechend – farblich dicht und präzise wiedergegeben, die zurückgesetzte Szene hingegen in helleren Farben in der Art des modernen Romanismus.

Ebenso ungewöhnlich und rätselhaft wie die Bildform ist die Bedeutung des Bildes; die Interpretation beschäftigt die kunsthistorische Forschung seit langem. Es zeigt zwar vor allem die dem Haushalt zugehörige Sphäre Martas, ist aber weder nur Vanitas-Stilleben noch reines Küchenstück; vielleicht diente es

70 Pieter Aertsen, **Christus bei Maria und Marta**, 1552
Öl auf Holz, 60 x 101,5 cm
Wien, Kunsthistorisches Museum, Gemäldegalerie

71 Joachim Beuckelaer, **Geschlachtetes Schwein**, 1563
Öl auf Holz, 114 x 83 cm
Köln, Wallraf-Richartz Museum – Fondation Corboud

als Schmuck für den Empfangsraum eines Antwerpener Hauses, um den Geist des christlichen Haushalts vorzustellen.

Joachim Beuckelaer (Antwerpen um 1533 – um 1574), nach Karel van Mander ein Neffe Pieter Aertsens und motivisch wie stilistisch dem älteren Künstler engstens verpflichtet, schuf mit dem *Geschlachteten Schwein* ein außergewöhnliches Bild, vor allem wegen des Realismus, mit dem die ausgeweidete Sau wiedergegeben ist (Abb. 71). Als Sujet weder Genrebild noch Stilleben, weder mit religiöser noch moralisierender Bedeutung versehen, läßt seine Modernität staunen. Es steht am Anfang einer langen Reihe von Bildern ähnlicher Motive, die über Rembrandt bis zu Liebermann, Corinth, Francis Bacon und schließlich den Aktionen von Hermann Nitsch reicht.

Wie bis in die Gegenwart bei bäuerlichen Schlachtungen üblich, hängt das Schwein im Nebenraum eines Bauernhauses, einer Scheune oder Tenne, eine einfache Holztür führt ins Freie. Auf den verschiedenen Ebenen des Hauses zwischen Keller und Wohnstube ist ein Bauernpaar mit Krügen geschäftig. Die Lebensbereiche von Arbeit und Wohnen sind durch die derben Hölzer hier und feinere Materialien dort, durch Dunkel und Licht voneinander geschieden. Die hintere Türöffnung gibt den Blick in eine helle Stube frei, man sieht ein Fenster, dessen Oberlicht mit Butzenscheiben verziert ist. Das alles aber wird durch den riesenhaft zwischen Balkendecke und Ziegelboden gespreiteten Korpus des Schweins nebensächlich gemacht, wenngleich es jedoch der Raumhintergrund ist, der den Betrachter in eine enigmatische Distanz zu diesem Interieur versetzt.

Neben der biblischen Episode von Maria und Marta war vor allem das Gleichnis vom Verlorenen Sohn (Lk 15, 11–32) als genrehaft breite Schilderung seines unmäßigen Lebens als Sittenbild und damit moralisches Exempel bei den niederländischen Malern des 16. Jahrhunderts beliebt. Die mit vielen Nebenszenen und allegorischen Begleitfiguren versehene Darstellung eines bis jetzt anonym gebliebenen Malers, der in Antwerpen um die Mitte des 16. Jahrhunderts tätig war und seinen Notnamen nach dem hier gezeigten Bild, seinem Hauptwerk, erhalten hat, macht die im Evangelium nur beiläufig erwähnte Verschwendung des Vermögens unter den Dirnen und beim Spiel zum Thema des Bildes (Abb. 72).

Die einzelnen Episoden sind teils im Freien, teils im Innenraum angesiedelt, der Übergang von außen nach innen bleibt fließend und räumlich nicht genau definiert oder durch ein signifikantes Element des Übergangs wie Tür oder Fenster markiert. Die Komposition ist vielmehr wie ein Bühnenbild aufgebaut, nach vorne offen, der Fußboden des Innenraums bricht in einer Stufe nach vorne ab und geht in eine Terrasse über. Hier sitzt unter einem liederlich aufgehängten Baldachin der Verlorene Sohn an einem Tisch und verpraßt sein Erbteil, zwei Mädchen im Hintergrund notieren die Zeche mit Kreide an einer Tafel. Die Hauptszene ist von Nebenfiguren umgeben, die nicht unmittelbar zur Handlung gehören, sondern allegorische Bedeutung tragen. So ist der Landstreicher im Vordergrund, der einen Würfel auf den Tisch legt, Sinnbild selbstverschuldeter Armut von Spielern; die Dirne, die dem Narren gestohlenes Geld zusteckt, während sich ein verkrüppelter Bettler am Boden kriechend nähert, steht für die Torheit der Verschwendung. Pfeifer und Trommler – so bereits auf Albrecht Dürers *Jabach-Altar* (Köln, Wallraf Richartz-Museum) – finden sich immer wieder in lockerer Gesellschaft zweifelhaften Rufs. Das Paar ganz links bedeutet wahrscheinlich »Frau Welt« und »Bequemlichkeit«, die den Verlorenen Sohn verlassen, sobald dieser sein Geld vertan haben wird. Breit und detailreich ausgemalt erscheint der Innenraum rechts. Der Vogelkäfig, der vor der Tür im Hintergrund hängt, weist die Schenke als Bordell aus – »hier wird gevögelt«. Der Durchblick ganz rechts läßt in eine Kammer sehen, in der sich ein Paar im Bett vergnügt. Vor einem großen Kamin haben sich ein Bewaffneter mit Schwert und Hellebarde und eine Gruppe von Mädchen zusammengefunden, die mit Spottgesten verfolgen, wie weiter hinten der Verlorene Sohn verarmt aus der Schenke hinausgeworfen wird. Die weiteren Episoden seiner Geschichte finden sich links im Hintergrund; hier hütet er die Schweine, ganz hinten wird der Reumütige vom Vater wieder aufgenommen.

Die kleinformatigen und detailreichen Genrebilder eines etwa gleichzeitig tätigen niederländischen Malers, dessen Identität ebenfalls nicht gesichert ist und der den Notnamen »Braunschweiger Monogrammist« nach einem nicht aufgelösten Monogramm auf einem seiner Bilder erhalten hat, das sich heute im Museum in Braunschweig befindet, schildern immer wieder Wirtshäuser, die zugleich Bordell sind und deren Besucher, wie sie essen und trinken, mit Karten spielen und würfeln, mit den Mädchen schäkern und sich mit ihnen in die Nebenräume zurückziehen. Allerdings fehlt ihnen, und das ist das für ihre Zeit ausgesprochen Moderne, die Rechtfertigung der profanen Szenen durch ein biblisches Thema. Die Bilder dieses Malers, der einmal mit Jan Sanders van Hemessen (Hemixem bei Antwerpen, um 1500– Haarlem, vor 1566) – für den allerdings nur großfigurige Bilder als gesichert gelten können – oder aber mit Jan van

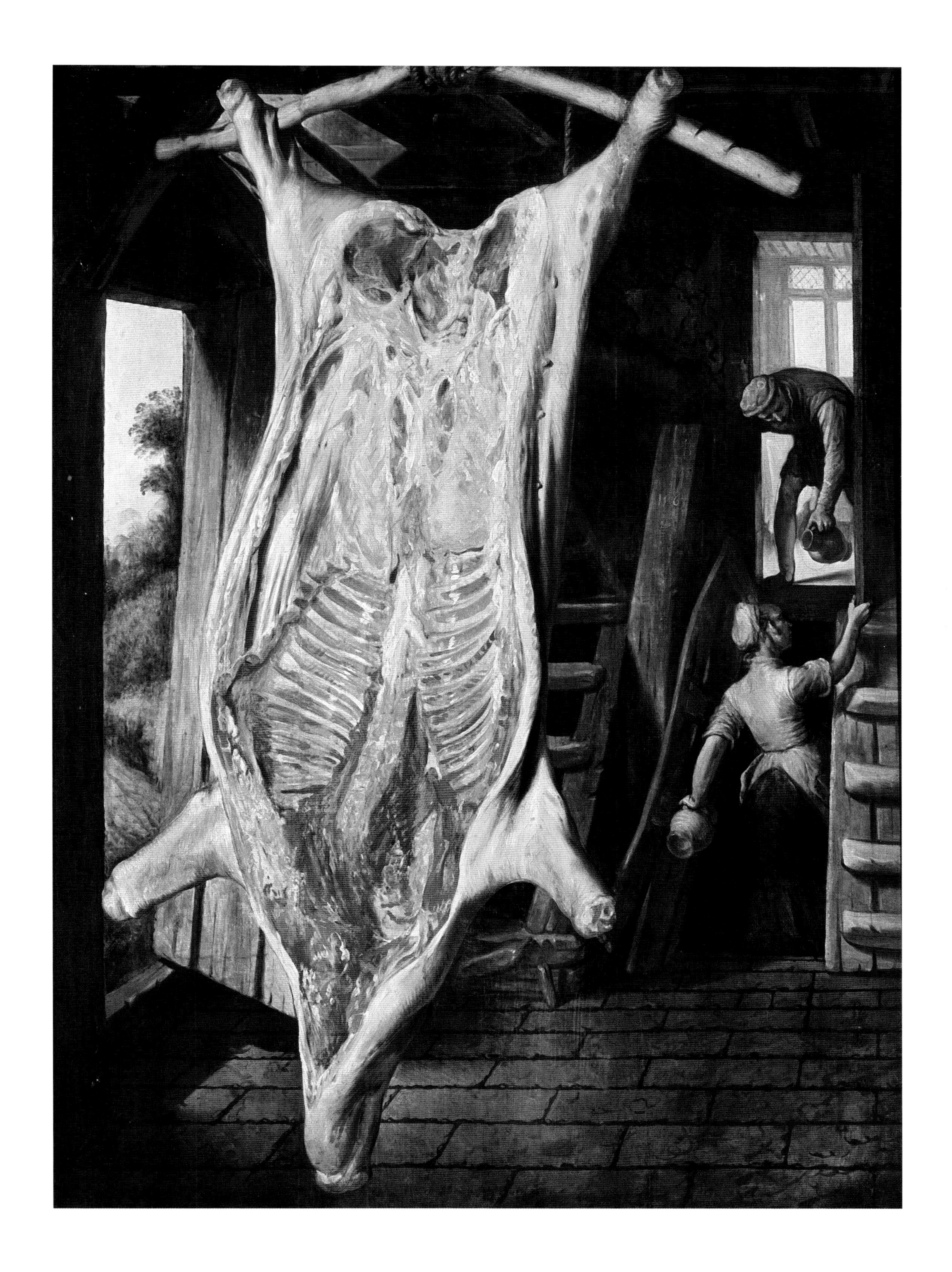

72 Meister des verlorenen Sohns, **Gleichnis vom verlorenen Sohn**, nach 1550
Öl auf Holz, 128,5 x 214,5 cm
Wien, Kunsthistorisches Museum, Gemäldegalerie

73 Braunschweiger Monogrammist, **Lockere Gesellschaft**, um 1540
Öl auf Holz, 29 x 45 cm
Berlin, Staatliche Museen, Gemäldegalerie

Amstel (Amsterdam, um 1500 – Antwerpen, um 1542) identifiziert wurde, sind die ersten rein profanen Genreszenen in der - Geschichte der niederländischen Malerei. Offenbar fehlt ihnen jegliche moralisierende oder belehrende Absicht, die Unmittelbarkeit der Beobachtung und Darstellung des gesellschaftlich Geächteten steht im Vordergrund von Bildern wie der *Lockeren Gesellschaft* (Abb. 73). Eine Wand trennt darin den Eingangsbereich des Wirtshauses von der Gaststube. Unmittelbar hinter der geöffneten Tür ins Freie, in der wieder deutlich sichtbar der Vogelkäfig hängt, ziehen zwei sich prügelnde Weiber am Boden die Aufmerksamkeit der Gäste auf sich. Eine dritte Frau beobachtet die beiden und hält in kalter Grausamkeit einen Mann zurück, die Streitenden zu trennen. Ein anderer übergießt sie mit Wasser. Im Hintergrund sind die gezimmerten Schlafkammern zu sehen, zu denen steile Holztreppen führen – all dies zeigt die menschliche Natur als eine unterhaltsame Momentaufnahme aus dem Leben in simplen Affekten.

Alle diese realistischen Schilderungen des Lebens der einfachen Menschen führen zum Werk eines Künstlers, der als der Größte in den Niederlanden des 16. Jahrhunderts gilt. An Bilder mit alltägliche Szenen aus dem Leben der niederländischen Bauern denkt man zuerst, wenn Pieter Bruegel d.Ä. genannt wird. Diese Szenen haben seinen Ruhm in der Nachwelt am nachhaltigsten geprägt, von hier rührt sein populärer, seit alters her gebräuchlicher Beiname »Bauernbruegel«.

Geburtsdatum und -ort des Künstlers sind nicht bekannt, aufgrund seiner 1551 erfolgten Aufnahme in die Künstlergilde von Antwerpen kann unter der Voraussetzung eines normal verlaufenen Bildungsganges ein Geburtsdatum zwischen 1525 und 1530 errechnet werden. Van Mander nennt in seinem Malerbuch (1604) als Geburtsort ein Dorf Bruegel in der Nähe von Breda. Hinter der Behauptung einer dörflichen Herkunft kann schon die damals entstehende Legende vom »Bauernmaler« stehen. Van Mander behauptet auch, der Künstler sei in die Dörfer gegangen und habe heimlich und unerkannt an den Festen seine Studien der ausgelassen feiernden, tölpelhaft tanzenden, sich im Trunk schweinisch benehmenden Dörfler gemacht und sie zum Amusement der Städter in seinen Bildern festgehalten. Seine Bilder sprechen eine andere Sprache. Nicht die Bauernsatire ist ihr Thema, sondern die sachliche Schilderung, weder herablassend noch humoristisch, aber auch nicht heroisierend.

Kurz nach seiner Aufnahme in die Antwerpener Gilde reiste er nach Italien, war längere Zeit in Rom und kam bis Messina. Spätestens 1555 war Bruegel zurück in Antwerpen und zunächst als Entwerfer von Kupferstichen für den Verlag von Hieronymus Cock tätig. Die ersten datierten Gemälde stammen aus den folgenden Jahren. Mit seiner Heirat 1563 übersiedelte der Künstler nach Brüssel, wo er 1569 starb.

Unter all seinen Bauernszenen in Zeichnung, Graphik und Malerei ist die *Bauernhochzeit* das wohl berühmteste Gemälde (Abb. 74). Das Bild schildert realitätsgetreu dem Brauch und Dekorum der Zeit entsprechend eine reiche flämische Bauernhochzeit. Die Hochzeitstafel ist in der Tenne, dem größten Raum, den ein Bauernhaus zu bieten hat, aufgeschlagen. Im Hintergrund ist eine Strohwand der eingebrachten Ernte aufgeschichtet. Der Tisch ist schräg in den Raum gestellt und führt den Blick des Betrachters in die Tiefe. In der Mitte der Tafel sitzt mit gefalteten Händen und niedergeschlagenem Blick vor dem grünen Behang die Braut, über ihr hängt eine Papierkrone. Sie trägt ein Kränzlein im aufgelösten Haar, der Sitte entsprechend darf sie weder sprechen noch essen. Der Bräutigam war nach flämischer Sitte bei der Hochzeitstafel nicht anwesend. Als einziger in einem hohen Lehnstuhl sitzt der Notar mit pelzverbrämtem Rock und schwarzem Barett, ein Franziskanermönch unterhält sich mit dem Gutsherrn, zu dem der Hund gehört. Die auf einer ausgehängten Türe hereingetragenen Breispeisen sind denkbar einfach; einprägsam wirkt die Haltung und das Schreitmotiv der Speisenträger wie der Dudelsackspieler. Die scheinbare Momentaufnahme ist jedoch sorgfältig komponiert.

Die niederländische Kunst begann im 16. Jahrhundert mit der Darstellung des alltäglichen Lebens, wie sie in den Werken Pieter Bruegels ihre klassische Form fand. Italien folgte mit den Bildern der Bassano, Vincenzo Campis, Bartolomeo Passerottis und Annibale Carraccis, Frankreich mit Le Nains Szenen aus dem Leben der einfachen Bauern und Handwerker. Die Würde und der Ernst, mit der die vier Fleischhauer in der Ladenszene von Annibale Carracci (Bologna 1560 – Rom 1609) ihrer Beschäftigung nachgehen, läßt das Bild wie eine Parallele zu Bruegels *Bauernhochzeit* erscheinen (Abb. 75). Thematisch hängt es mehr mit den Marktszenen Aertsens und Beuckelaers zusammen, vor allem in der nahsichtig detailreichen Darstellung der Fleischstücke und der gedrängten Figurenreihe. In einer derb gezimmerten Bude, deren oberer Abschluß durch einen massiven Balken mit Haken zum Aufhängen der Ware zugleich die Begrenzung des Bildes markiert, sind die Metzger tätig. Von ganz links beäugt – schon im Geldbeutel nestelnd – ein Schweizergardist als Kunde den Fleischer mit der weißen Schürze beim Auswiegen, dahinter bedient ein zweiter vom Ladentisch eine alte Frau. Der dritte

74 Pieter Bruegel d. Ä., **Bauernhochzeit**, um 1568
Öl auf Eichenholz, 114 x 164 cm,
Wien, Kunsthistorisches Museum, Gemäldegalerie

75 Annibale Carracci, **Metzgerladen (La grande macelleria)**, 1582/83
Öl auf Leinwand, 190 x 271 cm
Oxford, Christ Church Picture Gallery

76 Federico Zuccari, **Häusliche Szene**, 1579
Fresko, Florenz, Casa Zuccari

schlachtet vorne am Boden kniend ein Schaf, was den Hund unter der Holztheke offenbar an den Rand gierigen Wahnsinns bringt. Ein vierter Metzger wuchtet ein halbes Kalb an einen Haken in der niedrigen Decke. Vom Ladenraum selbst ist nicht viel zu sehen, zu dicht ist die Reihe der Figuren und Gegenstände, aber die urwüchsige Kraft in dieser Malerei macht die Atmosphäre einer robust und kundig geführten Fleischhauerei sinnlich spürbar, vielleicht auch deshalb, weil die Carracci aus Handwerkerfamilien stammten: Annibales Vater war Schneider, sein Cousin Ludovico kam aus einer Familie von Metzgern und Bäckern.

Aus dem Lebensbereich seiner unmittelbaren häuslichen Umgebung nahm auch Federico Zuccari (Sant'Angelo in Vado 1540 – Ancona 1609) eine Interieurszene von erstaunlicher Alltäglichkeit. Der in Italien zwischen Florenz und Rom, aber auch vom spanischen wie vom französischen und englischen Hof Vielbeschäftigte wurde 1578 nach Florenz gerufen, um das von Vasari unvollendet hinterlassene Deckenbild in der Kuppel des Doms zu vollenden. Er erwarb ein Haus, das einstmals im Besitz von Andrea del Sarto gewesen sein soll, und malte darin eine zum Garten geöffnete Sala terrena mit Wandbildern in einem reichen dekorativen Rahmenwerk aus. Neben den Feldern mit Jahreszeiten an der Decke ließ er in den Lünetten Landschaften entstehen, die Fischerei und Jagdszenen darstellen, und auch eine häusliche Szene gehört zu dem für Freskendekorationen seltenen Programm, die durch die Frische der Beobachtung und realistischen Detailwiedergabe besticht (Abb. 76). In dem durch die Bogenform vorgegebenen breitgelagerten Raum sind durch die ins Freie führende Tür getrennt zwei Figurengruppen zu sehen. Links ist eine Köchin beschäftigt, einen Braten am offenen Feuer zuzubereiten. Ein junger Mann leistet ihr Gesellschaft und wärmt sich am Feuer. Im rechten Teil des Bildes sitzt der Hausherr Federico mit seiner Gemahlin Francesca bei Tisch, während eine Dienerin und ein Page servieren. Im Hintergrund hocken drei Jungen mit Papierblättern an der Türschwelle, in denen man die Schüler des Malers sehen wollte. Die Szene gibt momenthaften Einblick in den wohlhabenden Haushalt des Künstlers, der seinen Reichtum eben durch den Kauf des Stadthauses unter Beweis gestellt hatte.

Das Interieur in den Niederlanden des 17. Jahrhunderts

Die niederländische Gesellschaft in Stadt und Land

In den bilderfreudigen Niederlanden des 17. Jahrhunderts inspirierte die Darstellung der unmittelbaren Lebensumgebung die Maler zu ihren höchsten künstlerischen Leistungen. Rembrandts sogenannte *Nachtwache*, der Aufmarsch einer Kompanie der Amsterdamer Bürgermiliz, Vermeers *Milchmädchen*, die Portraits von Frans Hals und die Dünenlandschaften Jacob van Ruisdaels gehören zu den besten und zugleich absolut charakteristischen Leistungen der holländischen Malerei. Während Landschaftsbilder, Portraits und Stilleben am Beginn des 17. Jahrhunderts bereits eigene Traditionen hatten, war die Genremalerei, der die meisten Interieurbilder zuzurechnen sind, noch nicht als eigene Gattung angenommen. Wenn die Holländer selbst ein Bild mit einer Szene aus dem täglichen Leben benannten, so beschrieben sie das Dargestellte, ohne dafür einen übergeordneten Sammelbegriff zu haben. So hieß es entweder *moderne beelden* oder *geselschapje*, wenn eine fröhliche Gesellschaft gezeigt war, eine *buitenpartij*, wenn sich die Gruppe im Freien vergnügte, oder ein *bordeeltje*, wenn eine Szene im Bordell dargestellt war. Heute bezeichnen wir die Bildgattung, die Szenen aus dem täglichen Leben wiedergibt, im allgemeinen mit dem Sammelbegriff der »Genremalerei«. Die Bezeichnung entstand in der französischen Kunsttheorie des 18. Jahrhunderts, der Begriff nahm erst in der Folge schärfere Konturen an. Die dargestellten Menschen bleiben dabei zumeist anonym, es werden anders als in der Historienmalerei keine Szenen aus Religion, Mythologie, Historie oder Literatur dargestellt, sondern das Alltägliche in seiner gewöhnlichen Umgebung. Damit ergeben sich zwei für die Genremalerei charakteristische Eigenschaften: ihr Realismus, der dem Bestreben der Maler geschuldet ist, das wahre Leben ungeschönt wiederzugeben, und die Wahl einer zeitgenössischen, modernen Umgebung im Gegensatz zu der in der Vergangenheit spielenden Historienmalerei. Die Genremalerei ist damit eine zutiefst bürgerliche Kunstform, die ihre Blütezeit in Epochen wie etwa dem »Goldenen Zeitalter« der holländischen Kultur des 17. Jahrhunderts fand, in denen der Markt für die Malerei von vorwiegend bürgerlichen und nicht von höfischen oder kirchlichen Auftraggebern bestimmt wurde.

Die häufig zitierten Definitionen der Genremalerei *ex negativo*, durch Ausschließung, wie etwa die von Max Friedländer: »Genre ist ein vager Begriff mit unsicheren Grenzen, der leichter negativ als positiv definiert werden kann. Was im Bild, aus dem Bereich des menschlichen Tuns und Treibens, als nicht historisch, religiös oder mythologisch bedeutsam auftritt, was nicht vom Wissen, Denken oder Glauben ausgezeichnet, emporgehoben oder geweiht ist, fällt in das Gebiet des Genres«, lassen in ihrer Betonung der Bedeutungslosigkeit der von der Genremalerei dargestellten Szenen außer acht, daß etwa die holländischen Maler des 17. Jahrhunderts sehr häufig ihren Darstellungen des alltäglichen Lebens tiefere symbolische oder moralische Bedeutung verliehen. Das beginnt damit, daß mit Vorliebe charakteristische Situationen dargestellt werden, etwa eine fleißige Hausfrau oder eine um ihre Kinder besorgte Mutter oder komische Szenen wie ein Streit unter Bauern im Wirtshaus, ein verliebter Alter, der sich um ein junges Mädchen bemüht. Was zufällig beobachtet wirkt, wie ein unmittelbarer Schnappschuß, ist genau überlegt und sorgfältig komponiert. Manchmal liegt die tiefere Bedeutung völlig offen, öfter ist sie verborgen und schwierig zu entschlüsseln, zuweilen bezieht sie sich auf Redensarten, auf die Erbauungsliteratur oder die Emblematik; Bezüge, die den zeitgenössischen Betrachtern vertraut waren, heute aber manchmal schwer zugänglich sind und oft unverständlich bleiben.

In der emblematischen Literatur wird ein Bild, meist einen Gegenstand oder eine einfache Handlung darstellend, mit einem prägnanten Motto und einem kurzen, die Moral erklärenden, zumeist gereimten Text versehen. So erklärt etwa die Schildkröte, die ihr Gehäuse mit sich herumträgt, daß es zu Hause, notabene in einem geordneten Hauswesen, am besten ist; ein Knabe mit Seifenblasen spielt auf die Vergänglichkeit unserer Gedanken, Hoffnungen und Taten an und in Kombination mit einem Totenkopf und der – zumeist lateinischen – Inschrift »Homo Bulla« darauf, daß unser ganzes Leben, unsere gesamte Existenz kurzlebig ist und alsbald wie eine Seifenblase zerplatzt. Das emblematische Verständnis war in den vom Calvinismus beherrschten nördlichen Niederlanden mit seiner strengen und vom Streben nach Erfolg geprägten Moral beträchtlich und durch die Bücher von Roemer Visscher (1547–1620) und vor allem Jacob Cats (1577–1660) einer breiten Schicht von Gebildeten wohl vertraut.

Antwerpen und Utrecht

Bis in die 70er Jahre des 16. Jahrhunderts war Antwerpen das wirtschaftliche und kulturelle Zentrum der Niederlande. Die blühende Handelsstadt litt wie alle niederländischen Provinzen unter den konfessionellen Auseinandersetzungen des insgesamt achtzigjährigen Krieges (1568–1648), der mit dem Aufstand des niederländischen Adels unter Wilhelm von Oranien begann.

77 Paul Vredeman de Vries und David Vinckboons
Palastinterieur mit Musizierenden, um 1610
Öl auf Holz, 76,5 x 106 cm
München, Bayerische Staatsgemäldesammlungen, Alte Pinakothek

Gegen ihn und die Bürger in den Städten, die sowohl ihre Religionsfreiheit wie ihre alten föderalistischen Rechte und Privilegien verteidigten, entsandte die spanische Zentralgewalt ein Heer unter der Führung des Herzogs von Alba. 1576 wurde Antwerpen in der mehrere Tage dauernden *Spaanse furie* durch seine Truppen geplündert, wobei 1000 Häuser zerstört und 8000 Menschen getötet wurden. Nach einer darauf folgenden Periode der Reaktion, in der Antwerpen zusammen mit Gent die Hochburg der Kalvinisten in den südlichen Provinzen bildete, wurde die Stadt 1585 nach mehrmonatiger Belagerung erneut eingenommen und rekatholisiert. Viele flämische Protestanten – im Falle Antwerpens fast die Hälfte der Einwohnerschaft – darunter die Vorfahren zahlreicher Künstler wie etwa die Eltern von Frans Hals, wanderten darauf nach Holland aus und trugen so zur beispiellosen wirtschaftlichen und kulturellen Blüte des Nordens in den folgenden Jahrzehnten bei.

Ein aus Holland stammender, bis 1586 in Antwerpen, dann in Danzig, Hamburg, am Hof Kaiser Rudolfs II. in Prag und in Amsterdam tätiger Künstler, Hans Vredeman de Vries (Leeuwarden 1527 – Hamburg 1609), spezialisierte sich auf die Darstellung von Architektur in Malerei und Graphik. Er war sowohl als Architekt, als Maler und Graphiker, aber auch als Theoretiker und Verfasser von Architektur- und Ornamentbüchern tätig. Die souveräne und virtuose Beherrschung aller Möglichkeiten der perspektivischen Konstruktion war die Voraussetzung seines Erfolgs als Maler und Autor. In den offenen Pfeilerhallen und gewölbten Sälen seiner Bilder gehen Außen- und Innenräume als luftige Gebäude ineinander über. Sie sind phantasievolle Erfindungen nie gebauter Architekturen, die in den Ornamentformen des Manierismus mit Rollwerk und Groteskenmalerei, aber auch mit spätgotischen Elementen reich dekoriert sind.

78 Joachim Wtewael, **Küchenszene mit dem Gleichnis vom großen Festmahl**, 1605
Öl auf Leinwand, 65 x 98 cm
Berlin, Staatliche Museen, Gemäldegalerie

Größten Einfluß hatte Vredeman durch seine Publikationen; am weitesten verbreitet waren seine *Architectura*, die 1577 zunächst in einer deutschen und französischen Ausgabe erschien, und sein 1604/5 gleichzeitig in Latein, Deutsch, Französisch und Niederländisch erschienenes Handbuch der Perspektive, das von vielen Künstlern als Anleitung benutzt wurde und zugleich den naturwissenschaftlichen und mathematischen Interessen jener Auftraggeber entgegenkam, die auch die gemalten Architekturen erwarben. Zu ihnen gehörte Kaiser Rudolf II. in Prag.

Paul Vredeman de Vries (Antwerpen 1567–1617) arbeitete eng mit seinem Vater Hans an mehreren Architekturbildern zusammen, der jeweilige Anteil der beiden ist kaum zu unterscheiden und zu trennen. In seinen selbständigen Werken widmete sich Paul vor allem dem um 1610 neu entstandenen Genre der *geselschapjes*, Gruppen elegant Gekleideter in reich dekorierten und luxuriös ausgestatteten Räumen. Diese Bilder kamen dem Repräsentationsbedürfnis reicher niederländischer Bürger entgegen, die damit das Ambiente und die Lebensführung des Adels nachahmen wollten. Zugleich sind sie voll von moralisierenden Hinweisen, die Verschwendung und Übermut kritisieren. Die Vredemans stellten die Räume dar, die dann von Figurenmalern wie etwa David Vinckboons (Mecheln 1576 – Amsterdam 1632 ?) mit Staffage versehen wurde. In der räumlichen Anlage perspektivisch einfach konstruiert, zeigen diese Bilder Einblicke in Palasträume mit großen Fenstern und reicher Innendekoration.

Mit einer Fülle an Details entsprechend reich instrumentiert zeigt sich das *Palastinterieur*, ein großer Raum mit hohen Fenstern und gemustertem Marmorboden, an dem sich die perspektivische Konstruktion demonstrieren läßt (Abb. 77). Goldgeprägte Ledertapeten, zahlreiche Gemälde und wertvolle chinesische Porzellangefäße zieren die Wände, rechts ist ein mit Skulpturen geschmückter Kamin zu sehen. Die Figuren von David Vinckboons illustrieren spielend, trinkend und schäkernd das Thema der Versuchung durch die Sinnenreize ebenso wie das Gemälde mit dem Sündenfall Adams und Evas über der Anrichte.

Haarlem und die alte Bischofsstadt Utrecht waren die Zentren der holländischen Malerei des späten Manierismus. Ihre Ver-

treter bedienten sich italienischer Vorbilder und strebten besondere Originalität bei der Bilderfindung an. Bevorzugt wurde die Darstellung der menschlichen Figur im Rahmen von Historien religiöser oder mythologischer Sujets. Joachim Wtewael (Utrecht 1566 – 1638) unternahm wie die meisten seiner Vorläufer und Zeitgenossen als junger Künstler eine Reise nach Italien, die ihn von 1588 bis 1590 nach Padua führte. Ab 1592 war er zurück in seiner Heimatstadt Utrecht. Hier malte er neben Portraits vor allem Historien und Küchenstücke. Seine religiösen oder allegorischen Bilder sind meist kleinformatig, auf Kupfer gemalt und technisch meisterhaft. Die Farben sind von intensiver Leuchtkraft, die Figuren oftmals in gesuchten und kapriziösen Posen dargestellt. Sein malerisches Œuvre blieb klein, weil er sich neben der Malerei in Handel und Geldgeschäften sowie in der Politik seiner Heimatstadt engagierte.

In der *Küchenszene* aus Berlin folgt Wtewael den ein halbes Jahrhundert älteren Markt- und Küchendarstellungen von Pieter Aertsen und Joachim Bueckelaer und verändert sie im Sinn des späten Manierismus mit seiner Vorliebe für extravagante Figuren und einer verunklärten, nicht sofort erfaßbaren räumlichen Situation (Abb. 78). In einer Küche von monumentalen Ausmaßen werden Vorbereitungen für ein Festmahl getroffen: Unmengen an Lebensmitteln sind ausgebreitet, links werden Fische zerteilt, eine Köchin bestückt in gefälliger Attitüde einen Bratpieß mit Hühnern; rechts wird ein Küchenmädchen, das sich am offenen Feuer wärmt, von einem Verehrer bedrängt. Im Hintergrund öffnet sich ein Tor ins Freie und wir blicken in einen Festsaal, in dem die eigentliche Hauptszene, das biblische Gleichnis vom großen Festmahl (Lk. 14, 15–24) dargestellt ist. Es gehört zu den manieristischen Stilprinzipien, die Hauptszene eines Bildes im Hintergrund zu verbergen und den Vordergrund mit Nebensächlichkeiten, hier den Vorbereitungen für das Mahl, zu füllen.

Abraham Bloemaert (Gorinchem 1566 – Utrecht 1651), unmittelbarer Zeitgenosse Wtewaels und der Haarlemer Manieristen,

79 Abraham Bloemaert, **Heilige Familie**, 1632
Öl auf Leinwand, 85 x 109,5 cm
Amsterdam, Rijksmuseum

war nach kurzen Aufenthalten in Frankreich und in Amsterdam ab 1593 in Utrecht tätig. Sein umfangreiches, in einer langen Tätigkeitsperiode entstandenes Werk umfaßt mehrere Stilrichtungen. Nach einer manieristischen Phase in den 90er Jahren wandte er sich dem Caravaggismus zu, den auch einige seiner Schüler wie Gerrit van Honthorst als neueste Entwicklung aus Rom mitgebracht hatten und der ab den 20er Jahren des 17. Jahrhunderts in ihrer Heimatstadt Schule machte. Den Einfluß dieser mit dramatischen Hell-Dunkel-Inszenierungen arbeitenden Ideen des römischen Frühbarocks zeigt ein Spätwerk wie die *Heilige Familie* mit seinem reichen Spiel des Lichts, das durch das offene Dach des weiträumigen Stalls einfällt (Abb. 79). Zugleich aber weist das Bild in der monumentalen Haltung der gesamten Komposition wie viele der späten Gemälde Bloemaerts einen Zug zum Klassizismus auf.

In der gemalten Darstellung von Kunstkammern und Galerien fand die neue Form des Gesellschaftsbildes in Antwerpen eine besondere Ausprägung, die programmatisch die gesellschaftliche Rolle der Kunst und das Verhältnis von Künstlern und Kunstsammlern in der wirtschaftlichen Metropole der südlichen Niederlande zum Ausdruck brachte. Das Interieurbild diente dabei als äußere Form eines komplexen inhaltlichen Programms, das Historienbild, Allegorie und Stilleben gleichermaßen umfaßte. Die 1628 gemalte Darstellung der *Kunstkammer des Cornelis van der Geest*, eines reichen Antwerpener Patriziers, von Willem van Haecht d.J. (Antwerpen 1593–1637) ist teils Tatsachenbericht und damit Historienbild, teils fiktiv und damit als Allegorie zu verstehen (Abb. 80). Das im Bild geschilderte Ereignis, der Besuch der Regenten der spanischen Niederlande, Erzherzog Albrechts und der Infantin Isabella Clara Eugenia im Haus des Kunstkenners fand tatsächlich am 23. August 1615 statt. Wenn auch Größe und Reichtum des dargestellten Raums annähernd den Tatsachen entsprechen dürften, so ist die Versammlung der Personen – darunter zahlreiche Antwerpener Künstler wie die Maler Rubens, van Dyck, van Balen, Snyders, Wildens, der Bildhauer Jörg Petel und schließlich der Maler des Bildes selbst – wohl kaum einer historischen Begebenheit zu verdanken. Nur zum Teil ist die Sammlung van der Geests zur Zeit des hohen Besuches wiedergegeben, denn es sind auch, wie sich für viele der Bilder nachweisen läßt, zahlreiche spätere Erwerbungen aufgenommen.

Das Galeriebild blieb fortan eine auf Antwerpen beschränkte Form der Interieurdarstellung. Der Typus fasziniert nicht nur durch die Fülle an minutiös aufgereihten Bildern an den Wänden, sondern interessiert auch die Provenienzforschung, weil die Wiedergabe in den meisten Fällen so genau ist, daß man bis heute bekannte Bilder genau identifizieren und in ihrer Geschichte damit zurückverfolgen kann. Die Entwicklung von etwa 1620 bis 1650 vollzieht sich von der Darstellung fiktiver Sammlungen mannigfaltigen Inhalts, bei denen neben Gemälden auch Skulpturen, kostbare Gefäße, Münzen, aber auch Muscheln und Exotika zu sehen sind, zum realen Abbild tatsächlich existierender Bildergalerien und zeichnet damit den Wandel nach, den das Sammeln von Kunstwerken in diesen Jahrzehnten durchmacht, von der enzyklopädischen Kunstkammer zur reinen Bildergalerie. Die von David Teniers d.J. (Antwerpen 1610 – Brüssel 1690), dem Hofmaler Erzherzog Leopold Wilhelms gemalten Darstellungen der Galerie des Prinzen bringen die Entwicklung dieses Bildtyps zum Höhepunkt und gleichzeitig bereits zum Abschluß (Abb. 81). Als Statthalter des spanischen Königs residierte der Habsburger von 1647 bis 1656 in Brüssel und ließ für sich eine umfängliche Bildersammlung anlegen. Teniers stellt verschiedene Räume der Residenz mit jeweils unterschiedlichen Ausschnitten aus der Sammlung dar, wobei er sowohl die Galeriesäle wie die Anordnung der Bilder mit großer Freiheit gestaltet. Er bildet jedoch ausschließlich wirklich existierende Bilder aus der Sammlung des Erzherzogs ab, der immer wieder selbst mit seiner Entourage dargestellt ist, was den dokumentarischen Charakter dieser Galerieansichten unterstreicht. Das große Galeriebild in Wien, das um 1651 unmittelbar nach dem Kauf der Bilder aus der Sammlung des Duke of Hamilton – und wahrscheinlich aus diesem Anlaß – entstanden sein dürfte, gibt Einblick in einen hohen, links von zwei Fenstern belichteten Raum, der mit Meisterwerken der italienischen Renaissancemalerei prunkt. In der Personengruppe links vorne finden sich der Erzherzog und Mitglieder des Hofstaats, so auch wieder der Maler des Bildes selbst. Die rechts davon am Boden stehenden, gegen Stühle gelehnten und solcherart für den Betrachter arrangierten Bilder heben Hauptstücke der Sammlung hervor. Bilder hängen auch an der Seitenwand eines hohen, zwischen den Fenstern einspringenden Türverbaus und auf der Rückwand vom Fußboden bis zur Decke in streng bildparalleler Anordnung in fünf dichten Reihen. Keinerlei räumliche Illusion wird dabei angestrebt, die Bilderrahmen schließen aneinander, ohne auch nur einen Fingerbreit Platz zu lassen. Nicht wie ein Teil des Innenraums, sondern wie ein Katalog wirkt diese Wand, wozu vor allem die formatangleichende Sortierung des Gemäldebestandes beiträgt.

80 Willem van Haecht d. J., Die Kunstkammer des Cornelis van der Geest, 1628
Öl auf Holz, 104 x 139 cm
Antwerpen, Rubenshaus

81 David Teniers d. J., **Erzherzog Leopold Wilhelm in seiner Galerie,**
um 1651, Öl auf Leinwand, 123 x 163 cm
Wien, Kunsthistorisches Museum, Gemäldegalerie

82 Pieter Codde, **Galante Gesellschaft**, 1633
Öl auf Holz, 54,2 x 68,4 cm
Amsterdam, Rijksmuseum

Das holländische Gesellschaftsbild

Die holländische Malerei ist in den ersten Jahrzehnten des 17. Jahrhunderts in vielen Bereichen durch einen völligen Neubeginn gekennzeichnet, der sich als eine Hinwendung zur Naturbeobachtung beschreiben ließe. Besonders deutlich wird dieser Aufbruch etwa in der Landschaftsmalerei, wenn wir die kunstvoll inszenierten Naturansichten des späten 16. Jahrhunderts in den Werken Jan Brueghels, Pieter Coninxloos oder Roelant Saverys mit den wenige Jahre später entstandenen Werken von Esaias van de Velde, Jan van Goyen oder Salomon Ruysdael vergleichen: das spezifisch »Holländische« wird an diesen jüngeren Bildern sofort sichtbar. Es äußert sich vor allem in einer wirklichen Naturnähe, einer Hinwendung zum Einfachen und Ungekünstelten, in der sich die holländische Flachlandschaft und ihr Wolkenhimmel unmittelbar wiederfinden lassen.

Aber auch in der Genremalerei ist ähnliches zu beobachten. Unabhängig von den detailreichen und architektonisch überladenen Interieurs des späten Manierismus fanden Genremalerei und damit Interieurdarstellungen neue Anfänge in den Bildern von Esaias van de Velde, der neben Landschaften auch fröhliche Gesellschaften malte, von Willem Buytewech, Dirck Hals und Pieter Codde. Sogenannte *geselschapjes* – Unterhaltungen elegant gekleideter Paare – bilden das Thema dieser Bilder, die dargestellten Räume selbst sind einfach gehalten und meist sparsam möbliert. Wenn auch die Demonstration von Reichtum im Vordergrund steht, wie sie die Käufer solcher für den freien Markt produzierter Bilder erfreute, schwingt fast immer eine moralisierende Bedeutung mit, die vor den Gefahren des Wohllebens oder des lockeren Lebenswandels warnt. Auch hier scheinen die aus Haarlem kommenden Künstler mit dem für die Stadt typischen Realismus den Anfang gemacht zu haben, auch wenn die Maler später in Amsterdam oder in Delft tätig waren, wie etwa Pieter Codde oder Anthonie Palamedesz.

Pieter Codde (Amsterdam 1599 – 1678) stellt eine *Galante Gesellschaft* von sechs Personen, extravagant gekleideten Männern und Frauen dar (Abb. 82). Besonderes Augenmerk schenkte er der Wiedergabe der Gewänder, dem kühlen silbrigen Kolorit der glänzenden Seidenstoffe und den kostbaren reichen Krägen und Manschetten aus feinster Spitze; die Darstellung des Innenraums ist hingegen vernachlässigt. Die sorgfältig modellierten Figuren heben sich in betonter Plastizität um so deutlicher von der völlig glatten Wand des schmucklosen Raums ab, dessen Dimensionen lediglich durch die Türbekrönung mit dem Bild im Hintergrund und das Bett angedeutet werden. Ein Mann ist eben zur Tür hereingekommen und hält triumphierend einen erlegten Hasen empor, den eine vom Rücken zu sehende Dame zu erhaschen versucht. Der zweite Jäger bringt mit demonstrativer Geste Fasane ins Haus. Einziges Möbelstück in dem Raum ist ein Himmelbett mit geöffneten Vorhängen. Für die Betrachter des 17. Jahrhunderts war das Bild damit voll von erotischen Anspielungen: die Jagd im allgemeinen ist im besonderen auch die Jagd nach Liebe, die Hasenjagd ein Synonym für den Liebesakt, die erotische Konnotation der Vögel kennt die Kunstgeschichte von alters her. Pieter Codde, der Maler des Bildes, war in Amsterdam tätig und malte neben den *Fröhlichen Gesellschaften* auch Gruppenbildnisse. Stets sind die Gesichter seiner Figuren, ebenso wie die Gewänder, so fein ausgeführt, daß der Eindruck von Bildnissen entsteht.

Anthonie Palamedesz (Delft 1601 – Amsterdam 1673), den größten Teil seines Lebens in Delft tätig, malte neben Portraits vor allem Interieurs und Gesellschaften in der Art des gleichaltrigen Pieter Codde. Die gedämpfte Farbigkeit seiner Bilder beruht vor allem auf Blau- und Gelbtönen. Während der Künstler mit malerischer Virtuosität die elegante Erscheinung seiner Figurengruppen festhält, beschränkt sich die Wiedergabe der Räume auf das Notwendigste, ist aber detailreicher als etwa bei Codde. Meist stellt Palamedesz in seinen Bildern außerdem ein Fenster als Lichtquelle dar, das der Szene Helligkeit verleiht. Seine *Musizierende Gesellschaft* hat sich um einige extravagant und teuer gekleidete Kavaliere und Damen mit Geige, Cello und Laute zusammengefunden, man tafelt und singt (Abb. 83). Ein Page sorgt für den Wein. Zentrales Motiv ist der in elegantes Schwarz gekleidete Stutzer, der uns in überheblicher Haltung über die Schulter hinweg anblickt. Wie auch bei anderen Bildern des Künstlers aus dieser Zeit sind die Figuren vor allem in der rechten Bildhälfte gruppiert, die isolierte Gestalt des rot gekleideten und damit auffallenden Pagen bildet ein Gegengewicht dazu. Von unserer heutigen Sicht unterscheidet sich das damalige Verständnis solcher Bilder durch den negativen Inhaltsaspekt: Musik galt den holländischen Moralisten des 17. Jahrhunderts als Ausdruck des Müßiggangs und der Faulheit – und daran nahm der rechtschaffene Bürger genüßlich Anstoß.

Eine besondere Form der fröhlichen Gesellschaft bilden die Darstellungen von Soldaten in ihren Unterkünften, die in Holland als *coortegaardjes* bezeichnet wurden, eine Verballhornung aus dem französischen *corps de garde*. Einer der Spezialisten auf diesem Gebiet war Willem Duyster (Amsterdam 1599 – 1635), dessen Bilder vor allem durch ihr Chiaroscuro bestechen,

besonders betonte Wirkungen von Licht- und Schatten, die auf den Beleuchtungseffekten von offenem Feuer in der Dunkelheit beruhen. Ob es sich nun um Soldaten an einem nächtlichen Lagerfeuer handelt oder eine Personengruppe, die sich um einen Kamin versammelt, immer stellt der Maler ungewöhnliche Lichteffekte dar wie etwa bei dem Bild in Philadelphia (Abb. 84). Hier geht das Licht vom Kaminfeuer aus und wird von den weiß gestrichenen Wangen des Kamins reflektiert. Die vier Männer, die sich um das Feuer versammelt haben, um sich zu wärmen, werden von unten und von vorne beleuchtet, die vorderste Figur auf dem Stuhl erscheint nur als Silhouette. Der Raum mit der hohen Tür und dem Fenster daneben – jedenfalls keine Wachstube, in der sich Soldaten aufhalten, sondern ein holländisches Bürgerhaus – ist in Dämmerlicht getaucht, eine zweite Lichtquelle bildet die Kerze am Tisch, die den beiden Kartenspielern leuchtet.

Die Kenntnis und der übermächtige Einfluß von Caravaggios epochemachenden Errungenschaften, sein Naturalismus einerseits und die Hell-Dunkel-Malerei andererseits, verbreiteten sich durch die in Utrecht ab etwa 1620 tätigen Nachahmer Caravaggios Hendrick ter Brugghen (Overjissel um 1588 – Utrecht 1629), Gerrit van Honthorst (Utrecht 1590/2–1656) und Dirck van Baburen (Utrecht um 1595–1624) in Holland. Mit dem italianisanten Repertoire ihrer Werke erreichten sie auch Künstler, die selbst nie in Italien waren und Bilder Caravaggios aus eigenem Augenschein kannten, so etwa Rembrandt und Vermeer. Dabei boten die Gemälde der Utrechter Maler nur einen schwachen Abglanz der suggestiven Wirkung Caravaggios selbst, aber sie weckten das Interesse für die Wirkung künstlicher Lichtquellen, von Fackeln und flackerndem Kerzenlicht als Beleuchtungsmöglichkeiten, für die Effekte von tiefen Schatten und Silhouetten, die den direkten Blick auf das Licht verdecken, für die

83 Anthonie Palamedesz, **Musizierende Gesellschaft**, 1632
Öl auf Holz, 47,4 x 72,6 cm
Den Haag, Mauritshuis

vielfältigen farbigen Übergängen vom Dunklen ins Helle. Auch deutsche Maler, die nur vorübergehend in den Niederlanden waren, faszinierte die neue Bildwirkung, die von der Kerzenlichtmalerei der Utrechter Caravaggisten ausging. Wolfgang Heimbach (Ovelgönne um 1615 – nach 1678) verwendete diese Lichteffekte in seinen Gesellschaftsszenen, die sich in Schlössern und fürstlichen Räumen abspielen und erreichte durch den Wechsel hellbeleuchteter Tische und langer Schatten unheimliche Wirkungen. Der aus dem Oldenburger Land stammende Künstler war – typisch für viele deutsche Maler des 17. Jahrhunderts – nach seiner Ausbildung in den Niederlanden als reisender Künstler in wechselnden Hofdiensten tätig. Ab 1640 reiste er in einem Zeitraum von zwölf Jahren durch Europa, ging über Wien nach Italien und kehrte über Prag, Nürnberg und Brüssel in seine Heimat zurück, um dort als Hofmaler für Graf Anton Günther von Oldenburg tätig zu werden. Später finden wir ihn als Hofmaler des dänischen Königs in Kopenhagen.

In seinem *Nächtlichen Bankett* zeigt Heimbach eine große Abendgesellschaft von über fünfzig Personen, die sich um einen langen, bildparallel aufgestellten Tisch versammelt haben (Abb. 85). Der Saal, in dem man einen Raum in der alten Wiener Hofburg vermutet hat, ist mit einer Kassettendecke versehen und mit prächtigen flämischen Tapisserien geschmückt, die an den fürstlichen Höfen nur zu besonderen Anlässen an die Wände gehängt wurden. Während am oberen Tischende die Höherstehenden der Gesellschaft sich auf bequemen Stühlen niedergelassen haben, herrscht auf den übrigen Plätzen ungezwungenes Treiben, einer der Festteilnehmer hat einen Stuhl bestiegen, um einen Trinkspruch auszubringen, andere gehen umher, führen Gespräche, prosten einander zu und trinken Wein. Eine Reihe nebeneinander auf dem Tisch aufgestellter Kerzen erhellt die Szene und läßt Licht zwischen die Silhouetten der Sitzenden fallen, um von dort Schattenmuster auf den Boden zu werfen. Die Darstellung ist nicht nur als Interieurdarstellung von Interesse, sondern auch in sozialgeschichtlicher Hinsicht als Dokument dafür, wie es auf höfischen Festen zuging.

84 Willem Duyster, **Gesellschaft am Kamin**, um 1632
Öl auf Holz, 41,9 x 47 cm
Philadelphia, Museum of Art, John G. Johnson Collection

Eine weitere, in holländischen Sammlerinventaren und anderen schriftlichen Aufzeichnungen über die Malerei des 17. Jahrhunderts immer wieder genannte Gruppe von Genrebildern, die als *bordeeltjes* bezeichnet werden, wird von der *Bordellszene* des Frans van Mieris in vollkommener Weise repräsentiert (Abb. 86). Die eigentliche Bedeutung der Szene ist dabei, wie immer in der holländischen Malerei, nur unmerklich oder durch Symbole verhüllt dargestellt. Während das Mädchen dem breitbeinig sitzenden Kavalier Wein eingießt, zieht er sie mit einer kaum sichtbaren Bewegung der Rechten an der Schürze zu sich heran. Der Spielraum für Hinweise auf die Pikanterie des Geschehens reicht von der versteckten Andeutung bis zu plumper Gleichsetzung: besonders drastisch sind die kopulierenden Hunde rechts (ein Detail, das ein prüder Besitzer des 19. Jahrhunderts übermalen ließ); aber auch das über die Holzbrüstung des Oberstocks geworfene Bettzeug, das auch koloristisch mit der Figurengruppe im Vordergrund korrespondiert, die Kupplerin in der Tür, der über dem Tisch eingeschlafene Zechkumpan im Hintergrund und schließlich die Laute an der Wand gehören dieser sinnbildlichen Gegenstandswelt an. Das Instrument verkörpert in der zeitgenössischen holländischen Emblematik die Musik als Attribut des losen Lebenswandels und steht seiner bauchigen Form gemäß für die weiblich Variante solchen Treibens.

Frans van Mieris d. Ä. (Leiden 1635 – 1681), Schüler und Nachfolger von Gerard Dou, begann seine Karriere in den späten 50er Jahren des 17. Jahrhunderts mit einer dichten Reihe kleinformatiger Genrebilder, die in ihrem brillanten Kolorismus, der virtuosen Feinheit der Malerei und der unmittelbaren Frische der dargestellten Sujets entscheidend zum Ruhm der Leidener Feinmalerei beitrugen und von Sammlern aller Zeiten seit ihrer Entstehung hochgeschätzt wurden.

85 Wolfgang Heimbach, **Nächtliches Bankett**, 1640
Öl auf Kupfer, 62 x 114 cm
Wien, Kunsthistorisches Museum, Gemäldegalerie

86 Frans van Mieris d.Ä., **Bordellszene**, 1658
Öl auf Holz, 42,8 x 33,3 cm
Den Haag, Mauritshuis

Bauerngenre

Die Tradition, das Leben und die Gebräuche der einfachen bäuerlichen Bevölkerung in den niederländischen Dörfern darzustellen, reicht weit ins 16. Jahrhundert zurück. Eine verbreitete, schon im frühen 17. Jahrhundert aufgekommene Ansicht schreibt dem größten flämischen Maler des 16. Jahrhunderts, Pieter Bruegel d.Ä., die Erfindung des bäuerlichen Genres zu und bedachte ihn mit dem populären Beinamen »Bauern-Bruegel«, obwohl er nicht der einzige und nicht der erste Maler war, der

87 Adriaen Brouwer, **Dorfbaderstube**, um 1630
Öl auf Holz, 31,4 x 39,6 cm
München, Bayerische Staatsgemäldesammlungen, Alte Pinakothek

sich Darstellungen des ländlichen Lebens und des einfachen Volkes widmete (vgl. Abb. 74). In seiner Nachfolge, zu der seine Söhne Jan Brueghel d.Ä. und vor allem Pieter Breughel d.J. beitrugen – die unterschiedliche Schreibung des Namens wurde von den einzelnen Mitgliedern der Familie in jeweils dieser Form vorwiegend gebraucht –, verbreitete sich das Genre in meist humoristischen Bildszenen, die ihren Spott auf Kosten der Dargestellten trieben und damit ein überwiegend städtisches Publikum ansprachen.

Adriaen Brouwer (Oudenaerde 1605/6 – Antwerpen 1638) setzte in seiner kurzen Karriere einen neuen Anfang im bäuerlichen Genre und errang mit seinem Werk die Position des bedeutendsten niederländischen Sittenbildmalers der ersten Hälfte des 17. Jahrhunderts. Er schilderte das ärmliche Leben der Bauern, die der niedersten Gesellschaftsschicht angehörten, in ihren primitiven Hütten und Wirtshäusern und stellte ihre derben Vergnügungen mit Trunk und Spiel und ihre ungezügelten Emotionen mit Streit und Schlägereien dar. Sein Interesse galt vor allem den Figuren, die er in äußerst dünn aufgetragenen, lasierend-transparenten Farben anlegte; die düsteren Räume wurden mit einfachsten Mitteln nur so weit gestaltet, als es für die Angabe der Örtlichkeit notwendig war. Brouwer fand einen neuen und unmittelbaren Zugang zu bäuerlichen Sujets, in dem er die hemmungslosen Gefühle der Leute, ihre Wut, Schmerz und Angst und die sich daraus ergebenden Handlungen zum Thema seiner Bilder machte. Der ungeschönte Realismus, mit dem er brutale Gewalt, Häßlichkeit und Schmutz zur höchsten Kunstform erhob, bildet etwas völlig Neues in der Geschichte der Malerei und ließ ihn auch durch die künstlerische Qualität seiner Werke zu einem Maler von großem Einfluß und weitreichender Wirkung werden.

Unsere Kenntnis des Lebens von Brouwer ist äußerst lückenhaft. Er wurde um 1605/6 wahrscheinlich in Oudenaerde in Flandern geboren, 1626 wird er in Amsterdam erwähnt und war in Haarlem ansässig. Einige Jahre später kehrte er in die südlichen Niederlande zurück und wurde 1631 als Meister in die Malergilde von Antwerpen eingeschrieben. Brouwer starb dort 1638 in jungen Jahren. Die wichtigsten inhaltlichen Anregungen bezog er von der Kunst Pieter Bruegels d.Ä., der das Bauerngenre in den 60er Jahren des 16. Jahrhunderts zu einem ersten Höhepunkt geführt hatte. Möglicherweise hatte Brouwer noch in seiner flämischen Heimat Werke Bruegels selbst oder Kopien der Söhne nach Werken des Vaters gesehen, sicherlich aber wußte er von diesen Kompositionen und Figurenerfindungen aus der Druckgraphik, die ihm überall zugänglich war. Der lebendige Pinselstrich seiner Malerei zeigt hingegen die technische Affinität zu Frans Hals und damit seine Haarlemer Schulung, auch wenn er nie im großen Format malte.

Von Brouwer sind nur wenige Werke erhalten, insgesamt nicht mehr als etwa sechzig; nach der Aussage seiner ersten Biographen wie etwa Houbraken (I., 1718) deswegen, weil er einen liederlicher Lebenswandel führte. »Seiner Neigung zu Possen folgend, hatte er nichts anderes im Sinn, als diese auch aufs Natürlichste mit dem Pinsel nachzumalen ... spaßig war seine Malkunst, spaßig war sein Leben.« Dabei handelt es sich um eine formelhafte Gleichsetzung von Leben und Werk, die von frühen Biographen gerne gebraucht wird und selten auf Realität beruht. So wurde bei Pieter Bruegel d.Ä. vermutet, er stamme aus einem Dorf, weil seine gemalten Bauernszenen nur durch bäuerliche Herkunft zu erklären wären, und Jan Steen wurde aufgrund seiner Bilder für einen Trunkenbold gehalten. Kein Gemälde Brouwers trägt ein Datum, nur eine allgemeine Datierung ist aufgrund einer groben Entwicklungslinie möglich, die annähernd von vielfarbigen und bunten Bildern der Frühzeit zu den eher monochromen späteren Werken der Antwerpener Zeit verläuft.

Entgegen seiner oft sparsamen Raumgestaltung hat Brouwer der Gegenständlichkeit des Interieurs in zwei heute in München aufbewahrten Bildern mehr Aufmerksamkeit zugewandt. Die *Dorfbaderstube* ist ein relativ großer Raum, der sich rechts nach hinten zu einem Nebengemach erweitert, das an der Rückwand von einem Fenster erhellt wird und einem großen Kamin Platz gibt (Abb. 87). Hauptmotiv des Bildes ist die Figurengruppe vorne: ein Bader kniet vor seinem Patienten und operiert an dessen Fuß. Während die angespannten Züge des Baders seine konzentrierte Arbeit zeigen, äußert sich der Schmerz des Patienten deutlich in seinem Gesichtsausdruck. Ikonographisch steht die Szene damit in der Tradition der Darstellung des Tastsinns im Rahmen von Bildfolgen der fünf Sinne. Die stehende Alte, die ein Messer an einem Kohlebecken erhitzt, dreht sich zur Tür, durch die eben ein neuer Besucher eintritt. Im Dunkel des Hintergrunds wird einem weiteren Kunden der Bart geschoren. Fußboden und Wände sind in Ocker- und Brauntönen gehalten und farblich nicht weiter differenziert. Starke Farbakzente gehen hingegen von den Figuren aus, der roten Kappe und der Jacke des Chirurgen, der hellen Hose des Patienten und dem Kopftuch der Alten. Dies spricht für eine Entstehung des Bildes um 1630 vielleicht noch in Haarlem kurz vor der Rückkehr des Künstlers nach

Antwerpen, wie ein Reflex der Malweise in den frühen Werken von Brouwers Nachfolger Adriaen van Ostade zeigt.

Dem friedlichen, besonnenen Miteinander beim Barbier antwortet in Brouwers Bildwelt das wüste Losbrechen der Affekte bei den Kartenspielern in der Kneipe (Abb. 88). Im niederen Inneren eines niederländischen Fachwerkbaus ist eine Gruppe von vier Raufenden zu sehen, die bei Trunk und Kartenspiel in Streit geraten sind. Einer der Streitenden packt sein Gegenüber bei den Haaren und holt weit aus, um ihm einen Tonkrug auf den Kopf zu schlagen. Der Angegriffene zieht laut schreiend sein Schwert, während ein Dritter ein Messer gezückt hält und drohend die geballte Faust gegen den Vierten ausstreckt, der ebenfalls mit der Faust droht. Im Hintergrund erscheint ein Mann als neugieriger Zuschauer gebückt in der Türluke, von der einige Stufen in die Wirtsstube hinabführen. Auch hier zeigt Brouwer gegen seine sonst oft zu beobachtende Praxis alle Einzelheiten des Raums, um mit ihrer Hilfe die räumliche Atmosphäre einer elenden Kaschemme entstehen zu lassen.

Peter Paul Rubens (Siegen 1577 – Antwerpen 1540), der große Meister des flämischen Barock, erkannte und würdigte die künstlerische Qualität der Werke seines jungen Malerkollegen Brouwer ebenso wie Rembrandt, der noch zu Lebzeiten Brouwers 1635 zwei Zeichnungen erwarb. 1656, bei seinem Konkurs, besaß Rembrandt neben einem Konvolut von Zeichnungen auch sieben Gemälde. Im Nachlaß von Rubens befanden sich 1640 nicht weniger als siebzehn Gemälde Brouwers.

Rubens selbst war in erster Linie ein Maler von Figuren und Handlungen, Interieurs spielen bei ihm nur eine Rolle, soweit er sie zur Verdeutlichung der Szene vonnöten hielt. Bei der Darstellung des *Gleichnisses vom Verlorenen Sohn* wählte Rubens für die Rückkehrszene die imposante hölzerne Konstruktion einer großen Scheune, die auf den Seiten offen ist und den Blick auf eine

88 Adriaen Brouwer, **Raufende Kartenspieler in einer Schenke**, um 1630
Öl auf Holz, 35 x 26 cm
München, Bayerische Staatsgemäldesammlungen, Alte Pinakothek

89 Peter Paul Rubens, **Rückkehr des Verlorenen Sohns**, um 1619
Öl auf Holz, 107 x 155 cm
Antwerpen, Koninklijk Museum voor Schone Kunsten

Landschaft mit Sonnenuntergang freigibt (Abb. 89). Die eigentliche Bilderzählung mit dem am Sautrog dankbar auf die Knie gesunken Bettler, auf den die Magd und eine hinter den Pfeilern verborgene männliche Person in zögerndem Erstaunen blicken, ist an die Seite gerückt zugunsten der Darstellung eines wohlhabenden, geordneten bäuerlichen Anwesens. Der Blick ins Innere der Scheune wird von den Horizontalen und Vertikalen der massiven Holzbalken der Scheune bestimmt, eine Kerze an der Wand beleuchtet den Innenraum mit ihrem schwachen Schein, in dem eine Futterraufe mit zwei Pferden, Knechte und eine Magd, Kühe und verschiedene Gerätschaften zu erkennen sind. Die Schilderung des Raums dient vor allem der Verdeutlichung des Gleichnisses: der Wahn des selbstverschuldeten Elends zeigt sich gegen den Eindruck eines blühenden Hauswesens nur um so stärker, die barmherzige Wiederaufnahme des Verlorenen Sohnes aber wird angesichts solcher Fülle zur christlichen Pflicht.

Von völlig anderem, nämlich wenig zugänglichem Charakter ist die Darstellung eines Pferdestalls des holländischen Malers Gerard ter Borch (Zwolle 1617 – Deventer 1681) (Abb. 90). In einem kleinen, fensterlosen, sauber aufgeräumten Stall steht ein Apfelschimmel, der von einem Pferdeknecht gestriegelt wird. Die Figur des Knechts ist bis auf die Beine und den Kopf völlig von dem Pferd, dem eigentlichen Hauptmotiv des Bildes, verdeckt. Durch eine Tür rechts tritt eben – an ihren Ohrringen und der goldenen Halskette als Dame zu erkennen – die Hausfrau ein. Das Bild läßt sich keinem bestimmten Bildtypus zuordnen, es besticht durch die kunstlose Schlichtheit der Raumdarstellung, die nur einem unbestechlichen Realismus verpflichtet ist und in Details wie der rohen Konstruktion des Futtertrogs oder dem auf einen Pfosten gehängten Zaumzeug brilliert sowie durch das Lichtspiel auf dem Fell des Pferdes und die fein abgewogene Farbigkeit, die auf warmen Braun- und Grautönen aufgebaut ist.

Durch das plötzliche Auftauchen der Hausfrau und die dadurch abgelenkte Aufmerksamkeit des Pferdeknechts entsteht eine erzählerische Spannung, die unaufgelöst bleibt.

Gerard ter Borch stammte aus einer der kleinen alten Städte im Osten Hollands, wo er den größten Teil seines Lebens verbrachte. Seine wohlhabende Familie erlaubte ihm eine solide Ausbildung und weite Reisen, die ihn nach London, Italien, Frankreich und in die südlichen Niederlande führten. Neben zahlreichen Portraits schuf er um 1660 eine Reihe von Genreszenen, in denen die genaue Darstellung der Interieurs gegenüber den sorgfältig gestalteten Figuren und den geschilderten Szenen zurücktrat.

Adriaen van Ostade (Haarlem 1610 – 1685) ist wohl der wichtigste holländische Maler in der Nachfolge von Brouwer und seinen bäuerlichen Genrebildern. Er stammte aus einer Haarlemer Handwerkerfamilie und war sein gesamtes langes Leben in seiner Heimatstadt tätig. Houbraken referiert die – vermutlich falsche – Überlieferung, daß Brouwer und Ostade gleichzeitig in der Werkstatt des Frans Hals ausgebildet wurden. Der Einfluß Brouwers vor allem auf die frühen Werke Ostades wird in der Malweise, besonders aber in der Themenwahl offenkundig. Die Schilderung von Saufgelagen und Schlägereien in düsteren Spelunken betont die Hell-Dunkel-Effekte, legt aber weniger Wert auf die Emotionen der Figuren als bei Brouwer. Um die Mitte des Jahrhunderts entwickelte Ostade einen neuen Stil, seine Bildräume wurden weiter und luftiger und im Kolorit erhielten die Lokalfarben gegenüber den früheren scharfen Kontrasten zwischen Hell und Dunkel stärkere Bedeutung. Vor allem aber änderten sich Ambiente und Personal, das Landleben wurde nun in seinen Bildern idyllisch verklärt, ordentlich gekleidete und gesittete Menschen amüsieren sich in detailreich geschilderten Räumen von biedermeierlicher Behaglichkeit.

90 Gerard ter Borch, **Pferdestall**, um 1654
Öl auf Holz, 43 x 49 cm
Los Angeles, The Paul J. Getty Museum

91 Adriaen van Ostade, **Bauern im Wirtshaus**, 1661
Öl auf Kupfer, 37 x 47 cm
Amsterdam, Rijksmuseum

92 David Teniers d.J., **Die Küche**, 1644
Öl auf Kupfer, 57 x 77,8 cm
Den Haag, Mauritshuis

93 Willem Kalf, **Bäuerliches Interieur**, um 1642/45
Öl auf Holz, 40 x 52 cm
Paris, Musée du Louvre

Ein Meisterwerk Ostades auf höchstem koloristischem Niveau ist die weitläufige Wirtshausszene von 1661, die den Stimmungsgehalt ihrer warmdurchglänzten Farben nicht zuletzt der Kupferplatte verdankt, auf die sie gemalt ist (Abb. 91). Die Bauern bilden unter der hohen Balkendecke des Wirtshauses Gruppen in mußevoller Konversation. Um einen stattlichen Kamin versammelt, lauschen mehrere rauchende Männer und eine Bäuerin den Erzählungen eines Stehenden mit einem Krug in der Hand; ein kleines Mädchen im Vordergrund löffelt aus einer Schüssel und wird dabei von einem Hund angebettelt. Im hinteren Teil der Wirtsstube hat sich unter den in köstlichen Farben erstrahlenden Fenstern eine andere Runde rauchend, plaudernd oder in Geschäften an einem Tisch zusammengefunden.

Trotz seines kurzen Lebens und der wenigen erhaltenen Bilder hat Adriaen Brouwer in der holländischen, mit David Teniers d.J. aber auch in der flämischen Malerei tiefe Spuren hinterlassen. Teniers (Antwerpen 1610 – Brüssel 1690) war sein wichtigster Nachfolger in Antwerpen. Er stammte aus einer Malerfamilie, sein Vater, bei dem er wohl auch seine Ausbildung erhielt, war in Antwerpen als Maler überwiegend kleinformatiger religiöser Historien und Landschaften tätig; durch seine Heirat mit Anna, einer Tochter von Jan Brueghel d.J., im Jahr 1637, wurde er mit dieser Malerdynastie verschwägert und schließlich zu ihrem Erben. Als Trauzeuge fungierte Peter Paul Rubens, der nach dem Tod Jan Brueghels die Vormundschaft über dessen unmündige Kinder übernommen hatte. Am Beginn seiner künstlerischen Tätigkeit in den 30er Jahren ahmte er die Werke Brouwers nach und schuf düstere Wirtshausinterieurs, in denen getrunken, gespielt und geprügelt wird. Seine spätere Entwicklung vollzog sich ähnlich (wenn auch unabhängig) wie die Adriaen Ostades:

Die Bauernszenen wandeln sich zum Idyllischen, die dargestellten Räume werden größer, heller und damit räumlich deutlicher definiert, die Vergnügungen der Bauern werden nicht als animalische Brutalitäten, sondern als harmlose und gesittete, ja bescheidene Freuden im Wirtshaus und beim Tanz auf der Kirmes geschildert. Die seit alters her als Meisterwerk des Künstlers gepriesene *Küche* – das Bild gelangte bereits im 18. Jahrhundert in die Sammlung der holländischen Königsfamilie – zeigt mit ihrem gediegenen Reichtum stärker flämischen Charakter als seine übrigen Interieurs und unterscheidet sich damit auch von holländischen Bildern (Abb. 92). Zu sehen ist eine große und wohlbestellte (jedenfalls nicht bäuerliche, sondern großbürgerliche) Küche. Im Mittelpunkt sitzt die Hausfrau mit roter Schürze und mit dem Schälen von Äpfeln beschäftigt. Neben ihr steht ein Knabe mit einer Schüssel für das geschälte Obst. Seit langem hat man in den Hauptfiguren Anna, die Frau des Malers, und seinen ältesten Sohn, den 6-jährigen David erkannt. Das Bild gehört zur Gattung der seit dem 16. Jahrhundert in Antwerpen besonders gepflegten Küchenstücke (vgl. Abb. 78). In stillebenhafter Anordnung ist eine üppige Fülle an verschiedenen Lebensmitteln am Boden, auf Tischen und Bänken liegend sowie von der Decke hängend dargestellt, Schinken, Wild, Geflügel, Obst und Gemüse, Brote sowie Kochkessel, Schüsseln und Flaschen. Am auffallendsten aber ist die mit einem ausgestopften Schwan bekrönte Hochzeitspastete, die zum Servieren vorbereitet auf dem Tisch steht. Im Hintergrund herrscht emsige Geschäftigkeit von zwei Köchen und einer Magd, über dem offenen Feuer wird auf drei Spießen Fleisch und Geflügel gebraten, Speisen werden hereingebracht und am Tisch zubereitet, ein großes Festmahl wird vorbereitet. Man hat das Bild als gemaltes Lob des Künstlers an seine Gemahlin verstanden, in dem ihre Tugenden als Hausfrau und Mutter gepriesen werden.

In völligem Gegensatz zur detailreichen Genauigkeit von Teniers steht das malerische Temperament des als Stillebenmaler

94 Rembrandt, **Lobpreisung Simeons**, 1627/28
Öl auf Holz, 55,5 x 44 cm
Hamburg, Kunsthalle

schon zu Lebzeiten über Holland hinaus berühmt gewordenen Willem Kalf (Rotterdam 1619 – Amsterdam 1693). Er malte in der Zeit seiner künstlerischen Anfänge, die er von 1642–45 in Paris verbrachte, auch bäuerliche Interieurs. Sie stehen in Zusammenhang mit der von mehreren holländischen Malern wie Cornelis und Herman Saftleven schon in den 30er Jahren kreierten Form des Stallinterieurs. Kalf stellte detailreiche Innenräume mit großer malerischer Verve dar, in der sich schon seine brillante Malweise andeutet, die später seine leuchtenden und funkelnden Stilleben zu begehrten Sammlerstücken machen sollte. Der Raum ist stets das Hauptmotiv dieser Bilder und nicht, wie bei anderen Malern des bäuerlichen Genres die Regel, nur die Hülle und Bühne für lebhaft agierende Figuren. Die Figuren, die nicht fehlen, bleiben bei Kalf ein Nebenmotiv und sind nur undeutlich im Hintergrund auszunehmen; wichtiger ist eine stillebenartige Anhäufung verschiedener Gebrauchsgegenstände und Werkzeuge. In seinem *Bäuerlichen Interieur*, das in Paris für ein großstädtisches Publikum gemalt wurde – prominente Vorbesitzer des Bildes im 18. Jahrhundert waren der Maler François Boucher und später König Ludwig XVI. – und sich noch heute dort befindet, stellt Kalf das düstere Innere eines Bauernhauses dar (Abb. 93). Das einfallende Licht beleuchtet den Vorraum, streift eine Wand und läßt aus halb zerfallenen Brettern roh zusammengezimmerte Möbel erkennen. Die hellste Stelle bildet ein Stück Fußboden im Vordergrund mit Krautköpfen, einem Stück Kürbis und einem Milchkessel, auf dem Tisch liegt ein großes Stück rohes Fleisch. Schemenhaft ist im Hintergrund ein Paar am Kamin zu erkennen, rechts wird in der geöffneten Tür, von der eine Stiege in den Vorraum herabführt, aus dem Dunklen eine weibliche Gestalt sichtbar. Kalf hat in einer Reihe von Interieurs, die während seines 3-jährigen Aufenthalts in Paris entstanden, verschiedene Motive in unterschiedlicher Kombination variiert. Die eigentliche Stärke und künstlerische Bedeutung dieser Bilder liegt neben dem pittoresken Charakter der Motive aber in der breit angelegten Malweise, die den einzelnen Pinselstrich sichtbar läßt und damit die Virtuosität in der Beherrschung der malerischen Mittel hervorhebt.

Die Modellierung des Raumes durch Licht und Schatten: Rembrandt

Das Werk Rembrandts ist so vielfältig und alle Gattungen umfassend wie das keines anderen holländischen Malers im 17. Jahrhundert. Trotz dieser Vielfalt, die Portraits ebenso wie Landschaften umfaßte, verstand sich Rembrandt (Leiden 1606 – Amsterdam 1669) selbst immer in erster Linie als Maler von Historien, der von der Kunsttheorie am höchsten eingeschätzten Gattung der Malerei. Nach seiner Ausbildung in seiner Heimatstadt Leiden ging er für ein halbes Jahr nach Amsterdam zu Pieter Lastman in die Lehre, der als Historienmaler großes Ansehen genoß. An den kleinfigurigen starkfarbigen Historienbildern Lastmans mit Szenen aus der Bibel und der Mythologie schulte Rembrandt sein Talent: hier lernte er Figuren in Beziehungen zueinander zu setzen und so mit Bildern Geschichten zu erzählen. Seine besondere, schon in jungen Jahren entwickelte Fähigkeit liegt in der überzeugenden Schilderung einer Handlung, der Darstellung von Interieurs ist dabei nur soweit Aufmerksamkeit geschenkt, als sie dazu dienen, das Thema durch einen passenden Ort zu verdichten oder es mit dramatischen Lichteffekten und Hell-Dunkel Wirkungen zu akzentuieren. Besonders in den ersten Jahren seiner Tätigkeit in Leiden wählte Rembrandt für seine Szenen aus der Bibel phantasievolle Architekturen und Raumwirkungen, in die er orientalisch gekleidete Figuren setzte, die ein fremdländisches Ambiente herstellen oder eine exotische Wirkung hervorrufen sollen.

Die biblische Geschichte der *Lobpreisung Simeons*, die sich nach dem Lukas-Evangelium (2, 22–39) im Tempel zu Jerusalem abspielt, hat Rembrandt in eine spätgotische Kirche seiner holländischen Heimat verlegt, wie der massive Rundpfeiler mit der hohen Basis andeutet, die durch einen ornamentierten Kranz vom Schaft abgesetzt ist (Abb. 94). Die Raumsituation ist darüber hinaus durch eine hell beleuchtete Wand bestimmt, die an den vom Licht modellierten Pfeiler anschließt. Schatten von Fenstersstegen strukturieren die Fläche und richten sie auf das Geschehen aus, während rechts der Blick ins Dunkel des Raums fällt, wo ein Leuchter mit erloschener Kerze zu sehen ist. Er bildet das symbolische Gegenstück zum hellen Licht der Offenbarung, das den übrigen Raum erfüllt. Im dunklen Hintergrund ist eine hölzerne Treppenverkleidung zu erkennen, die den Ort der Szene im Kirchengebäude andeutet: Es handelt sich um die erste Seitenkapelle rechts vom Kircheneingang, die traditionell als Taufkapelle benutzt wurde.

Die Art der Lichtbehandlung und der Raumdarstellung machen dieses Bild zu einem frühen Meisterwerk Rembrandts. Ebenso meisterhaft ist die Dramatik der Erzählung, für die der Raum die Folie abgibt. Im Evangelium wird beschrieben, wie Maria und Josef den neugeborenen Jesusknaben in den Tempel nach Jerusalem bringen, um ihn als Erstgeborenen, wie es der jüdische Brauch verlangte, durch eine Opfergabe auszulösen.

95 Rembrandt, **Christus in Emmaus**, 1629
Öl auf Papier auf Holz, 39 x 42 cm
Paris, Musée Jacquemart-André

96 Adam Elsheimer, **Jupiter und Merkur bei Philemon und Baucis**, 1608
Öl auf Kupfer, 16,5 x 22,5 cm
Dresden, Staatliche Kunstsammlungen, Gemäldegalerie Alte Meister

Hier begegnen sie dem alten Simeon, dem einst prophezeit worden war, nicht eher zu sterben, als bis er den Messias gesehen haben werde. Simeon erkennt ihn in Jesus, spricht ein Dankgebet und segnet die erstaunten Eltern. Auch die alte Prophetin Hanna, die oft in den Tempel kam, pries Gott beim Anblick des Erlösers. Rembrandt stellt diese fünf Figuren als kompakte Gruppe dar, die sich durch Licht- und Schattenkontraste von ihrer räumlichen Umgebung plastisch abhebt. Vor allem der Gegensatz zwischen den dunklen Silhouetten des knienden Joseph links sowie der hochaufgerichteten Figur der Prophetin und dem beleuchteten Simeon mit dem Jesusknaben bringt einen starken dramatischen Akzent. Im Vergleich zu seinen allerersten, durch ihr buntes Kolorit gekennzeichneten Gemälden, verwendet Rembrandt hier gedämpfte und gebrochene Farbtöne. Um so stärker ist der Kontrast zu den hell beleuchteten Partien, vor allem der Mauerfläche, die durch ihre differenzierte und unregelmäßige Oberfläche, dem Schatten des Fenstergitters und den helleren und dunkleren Flecken eine starke Raumillusion bewirkt. Nicht die starken Kontraste, sondern die feinen Übergänge, etwa ein schmaler Lichtsaum oder durch das Gegenlicht schwach aufgehellte Schattenpartien erbringen die suggestive Tiefenwirkung des Raums.

Das biblische Thema von der Erscheinung Christi vor den Pilgern in Emaus (Lk 24, 13–35) wurde von Rembrandt mehrfach dargestellt; es bot nicht nur die Gelegenheit zur Darstellung eines Innenraums, sondern auch die Möglichkeit, die Wirkung künstlicher oder sogar übernatürlicher Beleuchtung effektvoll ins Bild zu setzen (Abb. 95). Die 1629 entstandene Version im

97 Rembrandt, **Junger Maler im Atelier**, um 1628/29
Öl auf Holz, 25,1 x 31,9 cm
Boston, Museum of Fine Arts

98 Umkreis Rembrandts, **Interieur mit Wendeltreppe**, 1632
Öl auf Holz, 28 x 34 cm
Paris, Musée du Louvre

Musée Jacquemart in Paris steigert die Dramatik des Moments, in dem die Jünger Christus erkennen, durch die Wirkung des Lichts aufs äußerste. Während der eine Jünger mit erschrecktem Gesichtsausdruck fassungslos auf Christus blickt, stürzt der andere vor ihm auf die Knie. Die strahlend helle Lichtquelle bleibt für den Betrachter unsichtbar, sie ist von der majestätisch aufgerichteten Figur Christi, die im Profil als schwarze Silhouette erscheint, völlig verdeckt. Struktur und Ausmaß des Raums, in dem sich das Wunder abspielt, bleiben im Dunklen. Der hellste Schein fällt auf die mit Brettern verkleidete Wand sowie auf eine mächtige Säule. Im Hintergrund ist weit entfernt eine Frau beim schwachen Schein eines Herdfeuers zu erkennen.

Die Modellierung eines Innenraums durch künstliche Beleuchtung bei Nacht hatte vor Rembrandt schon Adam Elsheimer (Frankfurt 1578 – Rom 1610) in einer Reihe von kleinformatigen Historienbildern vorgeführt. In Frankfurt geboren und ausgebildet, ging Elsheimer 1600 nach Rom, wo er bis zu seinem frühen Tod 1610 tätig war. In diesem Jahrzehnt schuf er eine Reihe überwiegend kleinformatiger Bilder mit außergewöhnlichen Beleuchtungssituationen: entweder nächtliche Landschaften unter Mondschein und Sternenhimmel oder von künstlichen Lichtquellen erhellte Szenen. Seine virtuose Behandlung von Licht und Farbe wurde bereits von seinen Zeitgenossen bewundert. Rubens äußerte in einem Brief, nachdem er vom Tod Elsheimers

99 Rembrandt, **Heilige Familie mit gemaltem Rahmen und Vorhang**, 1646
Öl auf Holz, 46,5 x 68,8 cm
Kassel, Staatliche Museen, Gemäldegalerie

100 Domenico Fetti, **Das Gleichnis vom verlorenen Groschen**, um 1620
Öl auf Holz, 55 x 44 cm
Dresden, Staatliche Kunstsammlungen, Gemäldegelarie Alte Meister

erfahren hatte: »Nach einem solchen Verlust sollte sich unsere Zunft in Trauer hüllen. Man hätte von ihm Dinge erwarten können, die niemals existieren werden. Das Schicksal hat nur den Beginn gezeigt.«

In einem 1608 in Rom entstandenen Bild schildert Elsheimer eine Szene aus der griechischen Mythologie, wie sie Ovid in den Metamorphosen (8, 620ff.) beschreibt (Abb. 96). Jupiter, der Göttervater, zieht in Begleitung von Merkur, dem Götterboten, über die Erde, um die Menschen zu prüfen. Nur im Haus eines armen alten Ehepaares, Philemon und Baucis, finden sie Aufnahme, als es bereits Abend geworden ist. Die Götter haben es sich am Tisch bequem gemacht, ihre Überkleider, die zum Trocknen aufgehängt sind, und ihre Schuhe abgelegt. Hinten am Tisch brennt eine Öllampe und beleuchtet den Raum, wirft Schatten an die Wand und läßt den gesamten Vordergrund im Dunkeln. Baucis tritt aus dem Vorraum herzu und bringt Decken und Laken, um ein Bett zu bereiten. Ihre Öllampe hat sie am Boden abgestellt, die eine Schüssel mit Fischen und Gemüse und weiße Tücher beleuchtet. Philemon tritt, eine Kerze in der Hand, mit weiteren Gemüsen in der Schürze von draußen herein. Die Profilfigur Jupiters, nur sein Gesicht ist hell beleuchtet, wird von der schwach erhellten Wand wie von einem Nimbus hinterfangen. Im Blick der Baucis wird der Moment des Erkennens der wahren Natur der Gäste zur Darstellung gebracht. Auffallend in der einfachen, fensterlosen Hütte mit hölzerner Balkendecke, die nach Ovids Schilderung in einen Tempel verwandelt werden wird, ist das Bild an der Wand, das Merkur und Argus wiedergibt und damit das für Jupiter unrühmliche Ende einer seiner zahlreichen Liebesaffären, ein witziger Kommentar zu der Handlung im Raum davor.

Auch andere Maler des frühen 17. Jahrhunderts versuchten unter dem mehr oder minder starken Einfluß von Caravaggio – aber auch von Elsheimer – die Darstellung von Beleuchtungseffekten in Innenräumen, wie etwa Domenico Fetti (Rom um 1588/89 – 1623 Venedig), der ab 1613 als Hofmaler der Gonzaga in Mantua tätig war. Zwischen 1618 und 1622, in der letzten Phase seiner Beschäftigung in Mantua, malte er eine Serie von 14 gleich großen Bildern mit biblischen Gleichnissen, die in höchst realitätsnaher und gegenwärtiger Darstellung die alltäglichen Szenen schildern, die Christus zur Veranschaulichung seiner Lehren heranzieht. *Das Gleichnis vom verlorenen Groschen* (Lk. 15,8-10) schildert die arme Frau, die zehn Drachmen hat und eine davon verliert (Abb. 100). Sie zündet ein Licht an und fegt das ganze Haus und sucht unermüdlich, bis sie das Geldstück wiederfindet. Das will sagen, ebenso herrscht bei den Engeln Gottes Freude über einen einzigen Sünder, der umkehrt. Fetti zeigt in der für ihn charakteristischen breiten Malweise und körperhaften Modellierung einen kahlen Raum, dessen Boden die Frau mit einer Lampe absucht. Der verlorene Groschen steckt in einer Bodenritze, die übrigen Münzen liegen auf der umgestürzten Bank. Der riesenhafte Schatten der gebückten Figur an der Wand verleiht dem einfachen Motiv eine monumentale Dimension. Etwa gleichzeitig mit den durch ihre Lichtführung ungeheuer dramatisierten Erzählungen, die sich in Räumen von überzeugender Tiefenillusion abspielen, malte Rembrandt ein programmatisches Bild, das die Schilderung konkreter Arbeitssituation mit Kunsttheorie verknüpft. Es stellt nicht einen erfundenen oder konstruierten, sondern einen ganz einfachen Raum dar, der

101 Rembrandt-Schüler, **Hl. Familie am Abend**, 1642/48
Öl auf Holz, 66,5 x 78 cm
Amsterdam, Rijksmuseum

offenbar tatsächlich existierte: das Atelier eines Malers, wahrscheinlich sein eigenes, als Werkstatt sofort erkennbar an der bildbeherrschenden Staffelei, auf der eine große Holztafel steht (Abb. 97). Zu sehen ist nur die beschattete Rückseite von Tafel und Staffelei. Helles Licht fällt von oben durch eine nicht sichtbare Öffnung auf das Bild und den Fußboden, so daß die Stellage kräftige Schlagschatten wirft und den rechten Teil des Raums mit der einfachen Holztür in Schatten hüllt. In einigem Abstand von der Staffelei im dunklen Hintergrund steht bewegungslos der Maler in einem langen Überrock und schwarzem breitrandigen Hut, in der Linken eine Palette, ein Bündel Pinsel und den Malstock, in der Rechten einen Pinsel haltend, den Blick nachdenklich ins Leere gerichtet. Das Atelier ist fast leer, Fußboden und nackte Wandflächen nehmen den größten Teil des Bildes ein. An kleinen, aber entscheidenden Details wird deutlich, daß es sich bei den großen ungegliederten Wandflächen tatsächlich um eine Mauer handelt. Der Putz der kahlen Wand ist beschädigt, er zeigt Flecken, Risse und Sprünge, an einer hell beleuchteten Stelle am Übergang von Türpfosten und Fußboden ist ein Stück Verputz abgebröckelt und darunter kommen die nackten Ziegel zum Vorschein. Mit diesem und anderen sorgfältig gemalten Details gewinnt der Raum plötzlich Realität und Dimension, er wird faßlich und unverwechselbar.

Die Einrichtung beschränkt sich auf die zum Malen notwendigsten Gegenstände, auf einem rohen Holztisch eine Glasflasche, ein Tonkrug und ein Topf, daneben ein Baumstrunk mit einem Stein zum Farbenreiben, an einem Nagel an der Wand zwei Paletten. Der dargestellte Raum läßt sich in seiner Struktur daher leicht überschauen, ganz im Gegenteil zu den Raumillusionen von Rembrandts frühen Historienbildern.

Ob Rembrandt sich hier selbst dargestellt hat – ein Vergleich mit den jugendlichen Selbstbildnissen des Malers läßt das zumindest denkbar erscheinen – oder einen seiner Mitarbeiter oder frühen Schüler, diese Frage wurde lebhaft diskutiert und ist nicht mit Sicherheit zu beantworten. Auffallend ist der Überrock des Malers, der nicht nur alt aussieht, sondern in den 20er Jahren bereits völlig aus der Mode gekommen war. Da Rembrandt aber auch auf späteren Selbstbildnissen öfter einen Überrock mit um die Mitte gebundener Schärpe trägt, könnte es sein, daß er hier nicht nur sein Atelier darstellte, sondern auch die Kleidung, die er tatsächlich bei der Arbeit trug. Auffallend ist weiter das Fehlen eines Stuhls, denn die Maler arbeiteten damals an der Staffelei im Sitzen. Der Künstler ist nicht während, sondern entweder vor oder nach der Arbeit dargestellt, wie er sein Werk aus einiger Entfernung prüfend mustert oder sich vor der noch leeren Tafel sammelt. Dargestellt wäre somit der eigentlich kreative Prozeß, der dem Malen selbst vorangeht und der in der damaligen Kunsttheorie große Beachtung fand, denn das Arbeiten nach einem zuvor geformten Konzept war der vom Zufall oder der Routine gelenkten Tätigkeit bei weitem vorzuziehen.

Die durch ihre Beleuchtungssituation definierten Räume Rembrandts wurden in seinem unmittelbaren Umkreis, vielleicht in seiner Werkstatt selbst, nachgeahmt. Als Vorlage dienten Bilder Rembrandts, die seine Schüler kopierten oder variierten, aber auch Zeichnungen des Meisters, die als Grundlage für neue Kompositionen dienten. Das *Interieur mit Wendeltreppe* aus dem Louvre gehört in diesen Zusammenhang (Abb. 98). Hauptmotiv des Bildes ist nicht der am Fenster an einem Tisch mit Büchern sitzende Alte, der keinem bestimmten Erzählkontext zugeordnet werden kann, sondern der komplizierte Aufbau der hölzernen Wendeltreppe. Sie ist nach der Vorlage eines Stichs von Hans Vredeman de Vries gebildet; an ihr wollte der Maler seine Fähigkeiten in der perspektivischen und räumlichen Konstruktion sowie in der Meisterung der Beleuchtungssituation demonstrieren.

Rembrandt stellte mehrmals Szenen der Heiligen Familie in einer häuslichen Umgebung dar. Auf die großformatige Version von 1645 (St. Petersburg, Eremitage), in der Maria beim Feuer sitzt und das in einer Wiege liegende Jesuskind betrachtet, folgt ein Jahr später die kleine Fassung (Kassel), die vor allem das Motiv intimer Häuslichkeit thematisiert (Abb. 99). Das Bild wurde daher lange Zeit nicht als biblische Szene, sondern als profanes Genrebild betrachtet und führte die traditionelle volkstümliche Bezeichnung *Die Holzhackerfamilie*. Maria sitzt neben der Wiege und drückt den kleinen rot gekleideten Jesusknaben an sich. Im Hintergrund ist im Dunklen ein Himmelbett zu erkennen, vorne brennt ein Feuer und daneben steht ein Napf mit Brei. Licht fällt auf Kopf- und Halstuch Mariens, die Decke der Wiege und zeichnet einen hellen Streifen auf den Fußboden im Vordergrund. Alles übrige bleibt im Dämmer, auch die Figur Josefs, der rechts Holz hackend dargestellt ist.

Rembrandt malte die biblische Szene aber nicht um ihrer selbst willen, nicht nur um einfach eine weitere Darstellung der Heiligen Familie zu produzieren, sondern um ein Sammlerstück zu schaffen und damit zum einen seine Inventionskraft, seine spielerische Fähigkeit der Erfindung eines neuen privaten Andachtsbildes zu demonstrieren, zum anderen um das kunsttheoretische Thema des Illusionismus in Form des gemalten

102 Jacob Duck, **Die Büglerin**, 2. Viertel 17. Jahrhundert
Öl auf Holz, 42,5 x 33,5 cm
Utrecht, Centraal Museum

Vorhangs ins Bild zu setzen. Die teilweise beiseite gezogene Schabracke imitiert zusammen mit dem ebenfalls gemalten Bilderrahmen ein früher tatsächlich verwendetes Ausstattungsstück. In gemalter Form verdecken die Vorhänge meist Architekturbilder (vgl. Abb. 121, aber auch 107), um die illusionistische Raumwirkung noch beträchtlich zu steigern oder dem Blick in den Kirchenraum den räumlichen Effekt eines Guckkastens zu verleihen. Zugleich spielt der Vorhang auf die illusionistische Funktion der Malerei insgesamt und damit auf eine aus der Antike überlieferte Künstleranekdote an. In einem Wettstreit zwischen den beiden Malern Parrhasios und Zeuxis hatte ersterer seinen Rivalen mit einem gemalten Vorhang getäuscht, den dieser für echt hielt und beiseite ziehen wollte.

Für die Szene der *Heiligen Familie* hat man vermutet, daß der Vorhang auch eine inhaltliche Bedeutung habe. Danach gehört der abseits arbeitende Josef noch in die dunkle Sphäre des Alten Testamentes und damit in die Zeit bevor mit dem Heilsgeschehen, das mit Jesu Geburt beginnt, das Licht in die Welt kommt. Die von Rembrandt thematisch als beherrschende Kompositionselemente verwendeten Licht- und Beleuchtungseffekte machten auf seine Schüler, die in seiner Werkstatt tätig waren, sowie die weitere Umgebung des Künstlers einen so tiefen Eindruck, daß sie nicht nur häufig nachgeahmt, sondern in ihrer Wirkung noch verstärkt wurden. Ein charakteristisches Beispiel einer solchen, ganz auf einen einzigen Effekt abgestellten Komposition ist die *Heilige Familie am Abend*, ein Bild, das noch vor fünfzig Jahren als eigenhändige Arbeit galt, aufgrund der im Detail schwächeren Ausführung der Figuren heute jedoch einhellig als Werk eines Nachahmers von Rembrandt gilt (Abb. 101). Dem herkömmlichen ikonographischen Kanon folgend, handelt es sich um eine Darstellung der Hl. Anna Selbdritt, also der Großmutter Anna, der Mutter Maria und dem Jesuskind. Anna ist als alte Frau an die Rückwand gelehnt, vom Licht hell beleuchtet, mit geschlossenen Augen den Rosenkranz betend dargestellt; sie wirft einen ins Riesenhafte vergrößerten Schatten an die Wand, der damit zum bestimmenden Motiv des ganzen Bildes wird. Maria erscheint lesend, aber nur als dunkle Silhouette, die die einzige Lichtquelle verdeckt. Das hellste Licht des gesamten Bildes fällt auf die Seiten der Bibel. Das Kind ist friedlich schlafend in der Wiege und von einem Lichtstrahl hell beschienen zu sehen ist. Der Maler hat die Szene in ein holländisches Haus seiner Zeit versetzt, dessen Dimension und Ausstattung die Lebensverhältnisse wohlhabender Leute erkennen lassen.

Häusliche Interieurs

Tugenden und Untugenden der Hausfrauen

In Berichten zahlreicher Holland-Besucher wird bereits im 16. Jahrhundert übereinstimmend die besondere Reinlichkeit der Städte und Häuser hervorgehoben, die sich bedeutend von den Zuständen im übrigen Europa unterschied. Mit Erstaunen wird von den Reisenden die strahlende Sauberkeit der Häuser mit ihren blitzblanken Fußböden, aber auch der Straßen registriert. »Die Schönheit und Sauberkeit der Straßen ist so außerordentlich, daß sich die Menschen aller Stände nicht scheuen, ja anscheinend sogar Vergnügen daran finden, auf ihnen zu gehen«, heißt es etwa in einem englischen Reisebericht.

Der englische Historiker Simon Schama hat sich mit diesem Phänomen auseinandergesetzt. Nach seiner Interpretation ist der Grund dieser vielen Besuchern übertrieben erschienenen Reinlichkeit nicht in erster Linie sachlich gerechtfertigt, sondern moralisch und hing mit den kollektiven Vorstellungen der vom Calvinismus geprägten Holländer von Stolz und Scham zusammen. Jeder geringste Schmutz vor dem Haus hätte seinen Bewohnern Schande eingebracht, die Schamschwelle für die Verschmutzung der Nachbarschaft war sehr niedrig. In den Städten waren kleine Bezirke für die Reinhaltung der Straßen und Kanäle zuständig, die Überwachung war umfassend und es war entsprechend leicht, die Übeltäter festzustellen und zu bestrafen. Auf Sauberkeit zu achten, bedeutete moralisch zu sein, und zugleich patriotisch, um das Heimatland in seinen Werten zu verteidigen. Die Verschmutzung der Umgebung galt als Verrat an der Gemeinschaft, die Reinigungspflicht für die Straßen zu vernachlässigen oder illegale Einwanderer zu beherbergen, beides kam einem Verbrechen gleich. Der Befehlshaber der holländischen Flotte, Admiral Maarten Tromp ließ am Bug seines Flaggschiffs einen Besen anbringen, um damit zu zeigen, daß er die Absicht hatte, die Feinde Hollands, Papisten und Tyrannen »von den Meeren zu fegen«. Der Besen hat eine reiche volkskundliche und emblematische Tradition, die vom alten, populären Aberglauben des Hexenritts über seine häufige Präsenz in holländischen Genrebildern als politische Allegorie des Aufräumens bis in die Gegenwart reicht.

In den Häusern konnte die Sauberkeit nur durch die ununterbrochene und unermüdliche Arbeit der Hausfrauen und Mägde, die sie mit Kehren, Scheuern, Schrubben und Polieren leisteten, erzielt werden. In den volkstümlichen Handbüchern der ordentlichen Haushaltsführung werden die notwendigen Arbeiten peinlich genau aufgezählt, die Reinigung des Wegs und der

103 Gerrit Dou, **Junge Mutter**, 1658
Öl auf Holz, 73,5 x 55,5 cm
Den Haag, Mauritshuis

Stufen, die zur Haustüre führten, mußte an jedem Werktag am frühen Morgen durchexerziert werden, jeweils montags und dienstags waren die Empfangsräume des Hauses zu säubern, freitags Küche und Keller, jeden Tag war die Weißwäsche zu versorgen und das Küchengeschirr zu spülen. Besucher hatten beim Betreten eines Hauses ihre Straßenschuhe gegen Hausschuhe zu tauschen.

Der Bereich der Hausarbeit und häuslichen Sauberkeit wurde nicht nur von den populären Emblembüchern für moralische Sinnsprüche mit handfesten und leicht verständlichen Bildern genützt, sondern fand vor allem breite Darstellung in den holländischen Interieurs. Dabei wurde die Hausarbeit selbst Thema der Bilder, wie die Magd, die den Boden kehrt (Abb. 132) und die Hausfrau, die mit Hilfe ihres Hausmädchens frisch gewaschene und gebügelte Wäsche in einen Schrank schichtet (Abb. 129). Die Darstellung der *Büglerin* von Jacob Duck (Utrecht um 1600 – Utrecht 1667) zeigt eine einfache Frau beim Wächeplätten im Souterrain (Abb. 102). Der Einblick in den wenig tiefen Raum wird durch einen Rundbogen gerahmt – ein ungewöhnliches Motiv in der holländischen Malerei – und betont damit die Intimität des stillen, kleinen Lokals, die noch durch die dösende Katze und die zahlreichen, wie zum Stilleben arrangierten Gegenstände in den Regalen und am Boden gesteigert wird. Jacob Duck war der führende Maler von Genreszenen in Interieurs in Utrecht vor und um die Mitte des Jahrhunderts. Er stellte Soldaten in Schenken und Familien in häuslichem Beieinander dar. Den Kellerraum hat er auf einem anderen Bild ein zweites Mal gezeigt, was die Vermutung nahe legt, daß hier eine tatsächlich existierende Kammer abgebildet wird, die sich vielleicht im Haus des Künstlers an der Nieuwe Gracht in Utrecht befand, das er 1648 bezog. Der Büglerin sitzt ein kleines Mädchen auf den Stufen, die zur Fensternische führen, mit einem Windrad gegenüber. Die inhaltliche Bedeutung des Bildes liegt in der Zweisamkeit dieses Gegenübers von selbstvergessenem nutzlosen Spiel und hausfraulich ordentlicher Beschäftigung.

Das holländische Ideal der strahlend blank gesäuberten Wohnungen macht nicht zuletzt den besonderen Reiz der Interieurs aus, in denen sich auch heutige Betrachter anheimelnd wohl fühlen, weil sie den Eindruck einer abgeschlossenen Privatsphäre vermitteln, die vom stillen Glück ihrer Bewohner erfüllt ist. Der Glanz der blanken gebohnerten Fußbodenfliesen im Gegenlicht (Abb. 128), die Abfolge von sonnenbeschienenen und im Schatten liegenden Raumabschnitten (Abb. 133), der indiskrete Blick aus dem Vorhaus durch eine offen stehende Tür (Abb. 126), sie alle vermitteln auf verschiedene Weise den Eindruck traulicher Häuslichkeit, in der man sich leicht heimisch fühlen mag.

In ganz besonderer Weise zeigen die Bilder Gerrit Dous (Leiden 1613 – 1675) alle diese Merkmale. Schon von den Kunstliebhabern seiner Zeit wurden die Lebensnähe und der Ausdruck seiner Figuren, der meisterhafte Einsatz von Licht und Schatten und das Kolorit besonders geschätzt. Im Gegensatz zu einem Künstler wie Jan Vermeer, dem Prototyp des lange Zeit verkannten und schon bald in Vergessenheit geratenen Genies, galt Gerrit Dou seinen Zeitgenossen und der Nachwelt bis weit ins 19. Jahrhundert als einer der berühmtesten holländischen Maler. Er war, Rembrandt vielleicht ausgenommen, der Künstler, dessen Werke am meisten bewundert und am höchsten bezahlt wurden. Der Grund dafür lag in der Feinheit der Malweise und ihrer technischen Perfektion, die den Bildern eine emailglatte Oberflächenwirkung verlieh, die nichts mehr von Pinselstrichen und damit überhaupt von Malerei erkennen läßt. Dou war so berühmt, daß einer seiner Sammler gegenüber dem Leidener Rathaus einen Raum mietete, wo Besucher gegen Eintrittsgeld siebenundzwanzig Werke des Künstlers besichtigen konnten.

Dou hatte 1628 mit fünfzehn Jahren eine 3-jährige Ausbildung in der Werkstatt Rembrandts in Leiden begonnen. Er war der erste Lehrling des damals selbst erst 22-jährigen Rembrandt, der gerade begann, seinen eigenständigen Stil zu entwickeln. Während Rembrandt 1631 Leiden verließ und nach Amsterdam ging, blieb Dou am Ort und begründete die Tradition der Leidener Feinmaler (*fijnschilders*) mit kleinformatigen, minuziös ausgeführten Bildern. Er knüpfte damit an eine alte niederländische Tradition der bis in die Winzigkeiten genauen Maltechnik an, wie sie bereits im 15. Jahrhundert von Jan van Eyck kultiviert worden war.

Zahlreiche Anekdoten über die langsame und pedantische Arbeitsweise des Künstlers sind überliefert, der seine eigenen, besonders fein auf Glas gemahlenen Farben und seine Pinsel selbst erzeugte. Zum Schutz für seine Bilder konstruierte er Kassetten, deren Deckel er oftmals mit Stilleben bemalte. Es heißt, daß er nie zu arbeiten begann, bevor sich nicht der durch Bewegungen aufgewirbelte Staub in seinem Atelier gelegt hatte, den er zudem durch ein Zelt von seiner Staffelei abzuhalten versuchte. Es wird berichtet, daß er deswegen nicht heiratete, weil keine Frau seinen pedantischen Vorstellungen von Ordnung und Reinlichkeit entsprechen konnte. Dou erscheint damit als eine Verkörperung des holländischen Sinns für Sauberkeit, nicht nur in seinen Bildern, sondern auch in seiner Biographie.

104 Nicolaes Maes, **Das Dankgebet**, um 1655
Öl auf Leinwand, 134 x 113 cm, Amsterdam, Rijksmuseum

105 Gerard Dou, **Frau bei der Toilette**, 1667
Öl auf Holz, 75,5 x 58 cm, Rotterdam, Museum Boijmans Van Beuningen

106 Nicolas Maes, **Die heimliche Lauscherin**, 1657
Öl auf Leinwand auf Holz, 92,5 x 122 cm
Dordrechts Museum

In seinem Bild einer *Jungen Mutter* ist die Konstruktion des Raums rembrandtesk: Dou vereint Architekturmotive eines holländischen Bürgerhauses mit Versatzstücken einer weiträumigen monumentalen Phantasiearchitektur wie der Säule, um die eine Wendeltreppe gelegt ist, und der hohe, im Dunkel liegende Bogen, der im Dämmerlicht den Blick auf einen zweiten Raum im Hintergrund freigibt (Abb. 103). Eine junge Frau blickt aus dem Bild von ihrer Handarbeit auf, zu ihren Füßen kniet ein Hausmädchen vor der Wiege mit einem Säugling. Die Figurengruppe wird von einem Streifen hellen Lichts, das durch das offene Fenster fällt, beleuchtet. Eine Fülle stillebenhafter Details, oft überbetont und additiv aneinandergereiht, vereint durch allerlei Gerätschaften vorne, durch Gemüse und Wildbret Motive der Küche mit solchen des Wohnraums wie Lehnsessel, Bücher und Globus im Hintergrund. Die starken Beleuchtungskontraste lassen den Hintergrund mit dem Blick in einen Nebenraum, an dem sich Mägde am Kaminfeuer zu schaffen machen, im Dunkel verschwimmen und geben der Szene damit eine mysteriöse Tiefe. Das Bild wurde 1660 von den Generalstaaten an Karl II. von England anläßlich seiner Einsetzung als König geschenkt. John Evelyn beschrieb es bewundernd als »so fein gemalt, daß es nicht von Email unterschieden werden kann«.

Die *Frau bei der Toilette*, die eine Dame in einer Hausjacke vor einem Spiegel sitzend zeigt, die von einer Dienerin frisiert wird, entstand zehn Jahre später als die *Junge Mutter* aus dem Maurithuis (Abb. 105). Beide Bilder sind sich sehr ähnlich was ihren kompositionellen Aufbau betrifft, die Beleuchtung der Figuren im Vordergrund durch das Fenster links und das Dunkel, in dem sich der Raum im Hintergrund verliert, aber auch viele Motive im einzelnen wie den blauen Vorhang und die Form des Fensters. Zugleich ist der Raum enger, die Figuren näher beim Betrachter und die Perspektive dadurch forciert, was sich an der unnatürlich wirkenden Verzerrung der Dinge im Vordergrund wie dem roten Stuhl vorne links oder dem Weinkühler rechts vorne zeigt. Dou wendet die starke perspektivische Verkürzung in seinen Spätwerken öfter an. Zugleich ist der räumliche Effekt durch den Teppich, der wie ein Vorhang gerafft den Blick auf die Szene freigibt, gesteigert. Der Künstler unterscheidet die Materialität des Teppichs durch eine pointillistische Technik der Wiedergabe von den mit großer Feinheit gemalten Figuren. Der Blick der Dame ist über den Spiegel direkt auf den Betrachter gerichtet, der dadurch in die Szene einbezogen wird. Damit ist ein Spiel der Illusionen in Gang gesetzt, das sich mit dem gerafften Vorhang fortsetzt und in der perfekten Wiedergabe der Oberflächen, die Schein und Sein verschwimmen lassen, seine Vollendung findet.

Ebenso häufig wie junge Mütter und junge Frauen bei der Toilette wurden alte Frauen zum Thema der holländischen Genremalerei. Eine der bekanntesten Verkörperungen ist die fromme *Betende Alte* von Nicolaes Maes (Dordrecht 1634 – Amsterdam 1693). Für die fast lebensgroßen Darstellung aus dem Amsterdamer Rijksmuseum hat der Maler eine alte Frau zum Dankgebet vor einen gedeckten Tisch mit Brot, Brei, einem Hering und einem Krug gesetzt (Abb. 104). Das Bild erschien als eine derart eindringliche Verbildlichung persönlicher Frömmigkeit, daß es auch unter dem Titel *Das Gebet ohne Ende* populär wurde. Während die Alte mit geschlossenen Augen andächtig betet, versucht die Katze das Essen vom Tisch zu ziehen. Der ärmliche Innenraum ist in engem Ausschnitt zu sehen, der eine mit Stoff bespannte Wand und darüber eine Nische mit allerlei einfachen Gegenständen und den schmalen Tisch der Alten zeigt. Vorherrschend sind die vielen mit großer Genauigkeit in scharfer Beleuchtung wiedergegebenen stillebenhaften Motive, der gedeckte Tisch, die Wandnische, der an der Wand hängende Schlüsselbund.

Nicolaes Maes wurde in Dordrecht geboren und ausgebildet. Zur Abrundung seiner Ausbildung kam er in den frühen 50er Jahren in die Werkstatt Rembrandts und kehrte 1653 wieder zurück nach Dordrecht, wo er in den Jahren 1654 bis 1659 als innovativer Genremaler eine wichtige Rolle spielte. Fast immer stehen Frauen und ihre häuslichen Tätigkeiten im Mittelpunkt seiner Bilder. Deren Farbigkeit und Hell-Dunkel-Effekte orientieren sich an der Malerei Rembrandts, wobei Maes ein charakteristisches Kolorit mit sattem Schwarz und warmen Rottönen entwickelte. In den Themen seiner Bilder war er allerdings völlig eigenständig. Rembrandt malte zwar keine Genrebilder oder Interieurs dieser Art, es gibt aber viele Zeichnungen des Alltagslebens von ihm. Im Nachlaß des Marinemalers Jan van de Cappelle wird 1679 beispielsweise eine Sammlung von 135 Zeichnungen Rembrandts mit *vrouwenleven* erwähnt. Zeichnungen dieser Art, die Maes im Atelier Rembrandts kennenlernte, regten ihn zu seinen Bildern an, deren Inhalt moralisierend gemeint ist wie das der *Lauscherin* (Abb. 106). Es bietet den Blick in ein gemauertes, durch Arkaden geöffnetes Stiegenhaus, in einen Palast also, denn gewöhnliche holländische Wohnhäuser haben schmale und steile Holztreppen. Die linke Treppe führt aufwärts und öffnet den Blick in eine Stube, in der eine Gesellschaft bei Tisch zu sehen ist, der rechte Stiegenlauf führt abwärts, an der Tür zur Küche vorbei in den Garten. Der perspektivische Effekt der über

Treppenläufe organisierten Durchblicke ist wahrscheinlich von Pieter de Hooch und der Delfter Malerei angeregt. An den Mittelpfeiler des Stiegenpodests vorne drückt sich tändelnd und verstohlen eine junge Frau mit einem leeren Weinglas. Den erhobenen Zeigefinger der Rechten führt sie zum Mund, in einer Geste, die sowohl ein Schweigegebot bedeutet als auch den Betrachter des Bildes durch Hinweis zum Komplizen macht. Sie belauscht heimlich ein Liebespaar, das sich neben der Tür zur Küche umarmt. Offenbar glaubt sich die Hausmagd mit ihrem Verehrer unbeobachtet und vernachlässigt ihre Pflicht, während in der Küche die Katze sich über das vorbereitete Geflügel hermacht. Das Bild amüsiert seinen Betrachter mit verschiedenen Aspekten der moralisch zweifelhaften Rolle des weiblichen Hauspersonals und folgt damit einer nicht nur im Holland des Goldenen Zeitalters weit verbreiteten Klischeevorstellung.

Allerdings kennt die niederländische Malerei des 17. Jahrhunderts moralische Anfechtungen nicht nur in den Gesindestuben. So malte Gabriel Metsu (Leiden 1629 – Amsterdam 1667) einen Raum mit Figuren aus dem Geist Vermeers, in dem die wohlgesittete Bürgerlichkeit nur der äußere Teil der Wahrheit ist (Abb. 107). Eine junge Dame unterbricht ihre Handarbeit, um mit großer Aufmerksamkeit einen Brief zu lesen, den ihr das Hausmädchen gebracht hat. Die Dienerin steht mit dem Rücken zum Betrachter, in der Linken hält sie noch den Briefumschlag und einen Blecheimer, wie sie an Stelle von Körben in den holländischen Häusern verwendet wurden und sich immer wieder auf Bildern der Zeit dargestellt finden. Mit der Rechten zieht sie den grünen Seidenvorhang von einem Bild beiseite und gibt den Blick auf ein Seestück mit bewegtem Wellengang frei. Die Dame hat, was auch sonst, einen Liebesbrief erhalten – auf dem gleich großen, hier nicht abgebildeten Gegenstück ist ein elegant gekleideter junger Mann zu sehen, wie er eben den Brief schreibt. Die aufgewühlte See ist eine beliebte Metapher für die Liebe: beide sind gleichermaßen bewegt und bewegend und – unsicher. Bei dem Bild handelt es sich wohl um das unübertroffene Meisterwerk Metsus, der als Schüler Dous erwähnt wird, obwohl

107 Gabriel Metsu, **Brieflesende Dame**, 1662–65
Öl auf Holz, 52,5 x 40,2 cm
Dublin, National Gallery of Ireland

seine frühen, noch in Leiden entstandenen, breit gemalten Bilder keinen Zusammenhang mit der Leidener Feinmalerei zeigen. Er übersiedelte 1657 nach Amsterdam. Besonders schön ist hier der feine Kolorismus, die Abstimmung der verschiedenen Pastelltöne in den Kleidern der Frauen, den Vorhängen an den Fenstern und vor dem Bild und im komplizierten Verlauf der Valeurs des Fußbodenmusters. Der einfach konstruierte Raum erhält einen besonderen Akzent durch den in der Ecke hängenden Spiegel mit der ausschnitthaften Reflexion.

Jan Steen und das leichtsinnige Leben

Jan Steen (Leiden 1626 – 1679) stellte in seinen Bildern das Gegenteil des ordentlichen und sauberen holländischen Hauswesens in komischer Form dar. Keinem anderen gelang es in diesem Maß, erheiternde Begebenheiten überzeugend in Szene zu setzen und damit zugleich in moralisierender Absicht den Betrachter zu belehren. Von der Richtigkeit des Gemeinplatzes, daß das Werk eines jeden Malers sein eigenes Leben preisgebe, waren Steens Zeitgenossen und seine frühen Biographen aus dem 18. Jahrhundert tief überzeugt und sie hielten ihn daher für einen liederlichen Verschwender. Im Bewußtsein seiner Heimat hat sich dieses Vorurteil so verfestigt, daß seit dem 18. Jahrhundert das Wort vom »Jan-Steen-Haushalt« im Niederländischen bis heute eine unordentliche Lebensweise bezeichnet. Steen hat jedenfalls der Auffassung Vorschub geleistet, indem er sich selbst immer wieder als Protagonisten des leichtsinnigen Lebens in seinen Bildern dargestellt hat. Tatsächlich stammte Steen aus einer in Leiden alteingesessenen und wohlhabenden Familie, die Ölmühlen und Brauereien besaß, Getreidehandel betrieb und über ausgedehnten Haus- und Grundbesitz verfügte. Leiden war nach Amsterdam die zweitgrößte Stadt in Holland, ihr Reichtum beruhte auf der Textilindustrie, daneben war sie als Sitz der ältesten und bedeutendsten holländischen Universität ein kulturelles Zentrum. Jan Steen wurde hier 1626 geboren, besuchte die Lateinschule und schrieb sich 1646 an der Universität ein, jedoch schon zwei Jahre später wurde er als Meister Mitglied der Malergilde in Leiden. Vermutlich lernte er seine Profession bei dem Landschaftsmaler Jan van Goyen, dessen Tochter er später heiratete, jedoch zeigen seine frühen Bilder auch den Einfluß von Ostades weitläufigen und mit vielen unterschiedlichen Figuren reich instrumentierten Interieurs. Eine Zeitlang betrieb der Maler in Delft ohne großen Erfolg eine Brauerei; später war er in Leiden und Haarlem wieder in seinem alten Metier tätig. Bei seinem Tod 1679 war er so verschuldet, daß sein Nachlaß nur einen Bruchteil des Vermögens umfaßte, das er selbst geerbt hatte.

Steen wußte also aus eigener Erfahrung um die Bedeutung des Sprichwortes *Wie gewonnen, so zerronnen,* als er es zum Titel eines Bildes machte (Abb. 108). Ein sorgloser, heiterer Verschwender, für den der Maler sich selbst als Modell diente, sitzt Austern essend in einem reich dekorierten und luxuriös ausgestatteten Salon. Steen charakterisiert den Schauplatz mit der Ausstattung des Raums, den reichen Tapisserien an den Wänden, dem mit Bildhauerarbeit geschmückten Kamin. Alle übrigen Figuren um den Genießer sind damit beschäftigt, ihn zu bedienen. Eine alte Fischverkäuferin bringt weitere Austern, um sie zu öffnen, ein junges Mädchen reicht dem lachenden Gast ein Glas Wein, ein Junge im Vordergrund gießt Wein in eine Kanne. Nur die Figur mit der roten Mütze rechts bleibt unbeteiligter und skeptischer Beobachter. Die zentrale Dreiergruppe ruft die Assoziation mit dem in der Malerei oft dargestellten biblischen Gleichnis vom Verlorenen Sohn hervor, der im Bordell seine Erbschaft durchbringt. Für die zeitgenössischen Betrachter lag der Bezug auf der Hand, denn in der moralisierenden niederländischen Genremalerei verkörpern die Alte und das junge Mädchen als feststehende Typen regelmäßig Kupplerin und Freudenmädchen. Das allegorische Programm des Kamins verdeutlicht die Szene. Die Inschrift auf dem Sims lautet *Soo gewonne soo verteert* (»Wie gewonnen, so zerronnen«), das Bild darüber stellt Fortuna auf einer Kugel dar, die Verkörperung des unbeständigen Glücks. Ergänzt wird die Szene durch die kleine Figurengruppe zweier Tric-Trac-Spieler im Nebenzimmer, in das man durch die Tür hinter dem beiseitegeschlagenen Wandteppich blickt.

Das leichte Leben ist in sinnbildlicher Übertragung auch Thema des 1663 entstandenen Gemäldes einer *Jungen Frau bei der Toilette* (Abb. 109). Die Komposition mit der Schönen auf dem Bett, die eben ihre Strümpfe anzieht, läßt durch die räumliche Anordnung sofort erkennen, daß hier nicht eine realistisch gemeinte Genredarstellung, sondern eine Allegorie gemeint ist. Der Blick geht durch den monumentalen Torbogen eines Palastes, der von zwei massiven Säulen – sie tragen als illusionistische Inschrift die Signatur des Künstlers und das Datum – gerahmt und von üppiger Bauplastik aus schweren Blumenkränzen bekrönt wird, in ein Schlafzimmer und ein mit hellblauen Vorhängen versehenes Himmelbett. Eine junge Frau sitzt an der Bettkante und zieht einen Strumpf an; dabei ist ihr gelbes Seidenkleid hoch bis über die Knie geschürzt und das geöffnete Mieder gibt den Blick auf ihren Busen frei. Sie fühlt sich dabei

108 Jan Steen, **Wie gewonnen, so zerronnen**, 1661
Öl auf Leinwand, 79 x 104 cm
Rotterdam, Museum Boijmans Van Beuningen

109 Jan Steen, **Junge Frau bei der Toilette**, 1663
Öl auf Holz, 64,7 x 53 cm
London, Royal Collection

nicht unbeobachtet, sondern ist sich ihrer erotischen Anziehung sehr wohl bewußt, denn ihr Blick ist direkt auf den Betrachter gerichtet. Ihre Pantoffeln sind achtlos am Boden zerstreut, auf der Schwelle liegt eine Laute mit gerissener Saite, Noten und ein mit Weinreben bekränzter Totenschädel, beides überdeutliche Symbole der Vergänglichkeit. Dem zeitgenössischen Betrachter war die doppelte Bedeutung des Wortes *kous* für den Strumpf und das weibliche Geschlecht präsent: »Kaart, kous en kan makt menig arm man«, wußte ein Sprichwort zum Thema des allzu losen Lebenswandels. Das Bild ist wie eine Bühne komponiert, der Bogen gibt als Wechselzone den Blick durch die weit geöffnete Tür auf die hellbeleuchtete Szene frei. Damit ist ein Bruch zwischen den Realitätsebenen verbunden, die verführerische junge Frau erweist sich als Trugbild der Wunschvorstellungen des männlichen Betrachters. Die monumentale Rahmung bedeutet Beständigkeit und Festigkeit, die Sonnenblumen in den Kränzen symbolisieren die beständige Liebe (so wie die Blüte immer der Sonne folgt); durchschreiten wir sie, verlassen wir den festen Boden der ewigen Werte, wovor uns die Symbole der Vergänglichkeit eindringlich warnen.

Einen wahren Kosmos der Unordnung in den Lebensverhältnissen der Menschen schildert Steen allerdings erst gegen Ende seiner Laufbahn mit den anarchischen Verhältnissen in einer Dorfschule (Abb. 110). In diesem späten Bild zeigt der Künstler seine überragende Fähigkeit, eine Fülle von Figuren in abwechslungsreichen Gruppierungen darzustellen und dabei viele kleine

110 Jan Steen, **Die Schule**, um 1670
Öl auf Leinwand, 81,7 x 108,6 cm
Edinburgh, National Gallery of Scotland

Episoden zu schildern, die die Aufmerksamkeit des Betrachters, der seinen Blick über das Bild wandern läßt, für lange Zeit beschäftigen. Auch die Wände des Raums sind mit Motiven und Details versehen, die alle freien Flächen wie ein Streumuster ausfüllen und keinen Platz freilassen. In der scharfen, an die Karikatur grenzenden Charakterisierung der Personen weist der Maler weit über seine Zeit hinaus und erinnert damit etwa an die schrulligen Sonderlinge in den Bildern Spitzwegs. Das Schulmeisterpaar bildet als Hauptmotiv das Zentrum der Szene: die Frau des Schulmeisters mit weißem Kopftuch kontrolliert die schriftliche Arbeit des vor ihr stehenden Mädchens, während der Schulmeister selbst völlig unbeeindruckt von der Unordnung ringsum damit beschäftigt ist, eine Feder zu spitzen und damit den Typus des weltfremden und eigensinnigen Pedanten verkörpert. Das gibt den Kindern Gelegenheit, zu tun und zu lassen, was ihnen gefällt. Der durch den Schulbetrieb überforderte und als Folge eigenbrötlerisch in sich zurückgezogene Lehrer bildet in der holländischen Genremalerei einen feststehenden Charakter; unordentliche Schulen wurden von Adriaen und Isaak Ostade und anderen niederländischen Malern dargestellt. Wie so oft bei Jan Steen ist die Kernaussage des Bildes in ein Sprichwort verpackt, das als unscheinbares Detail im Bild dargestellt wird. Hier ist es die Eule, die auf einer Stange neben einem Kerzenleuchter an der Wand sitzt und unbeeindruckt bleibt von den Neckereien des Jungen, der ihr eine Brille entgegenstreckt. Damit ist das niederländische Sprichwort: »Was nützen Kerze und Brille, wenn die Eule nicht sehen will?« illustriert.

Werkstatt und Laden

Die Holländer des 17. Jahrhunderts legten Wert auf Trennung von Wohn- und Arbeitsräumen, auch wenn sich die im selben Haus befanden. So wie zahlreiche Interieurbilder ein lebendiges Bild vom Wohnen in den holländischen Häusern, ihren Einrichtungen und ihrem Schmuck vermitteln, überliefern gemalte Werkstätten und Verkaufsläden auch Informationen über die Arbeitsverhältnisse der Handwerker. Eine besondere Rolle nehmen die Darstellungen der Maler selbst in ihren Ateliers ein; hier ging es nicht allein darum, eine bestimmte Arbeitssituation festzuhalten, sondern es handelt sich um eine Form der Selbstdarstellung, bei der die Präsentation des eigenen Künstlertums den Realismus der Schilderung untergräbt. Während Rembrandt sich in einem Frühwerk (Abb. 97) – vermutlich – selbst in einem betont einfachen und sachlich geschilderten Atelier im Moment des kreativen Schaffensprozesses denkend und eben nicht malend darstellt, erhebt Vermeer in seiner *Malkunst* (Abb. 140) die Ateliersituation zu einer durchdachten Allegorie, die eine Inszenierung des Raums ebenso umfaßt wie die Haltung des Malers seinem Modell gegenüber. Bei Ostades Selbstdarstellung ist die Inszenierung nicht sofort erkennbar, handelt es sich doch um eine genrehaft aufgefaßte Ausformung des Themas, die detailreich und detailrichtig ein Maleratelier schildert (Abb. 111). Der Maler mit rotem Barett ist vor seiner Staffelei an einem Ölbild mit oben angehefteter Zeichnung tätig, mit Malutensilien, die in verstreuter Unordnung verteilt sind, vorbereitenden Zeichnungen am Boden, Flaschen mit Terpentingeist, Lappen, Pinsel und Farben auf einem kleinen Tischchen, eine Gliederpuppe, Gipsabgüsse, Künstlersammelsurium. Im Halbdunkel des Hintergrunds ist ein Gehilfe beim Farbenreiben zu sehen. Die Umgebung ist nicht städtisch, aber auch nicht eigentlich bäuerlich, sondern romantisch altertümlich, auf jeden Fall inszeniert und nicht der tatsächlichen urbanen Umgebung des Künstlers und seiner Klientel entsprechend.

Eine ähnlich romantische Inszenierung zeigt den sogenannten *Alchimisten* in einem großen, sich tief ins Halbdunkle nach hinten erstreckenden Raum voller Unordnung (Abb. 112). Er hat wie ein Handwerker die Schürze umgebunden und facht mit einem Blasebalg das Feuer unter einem Tiegel an. Rings herum, dem Vordergrund zu, dahinter, an den Wänden, über einem zweiten Kamin und am Fußboden verstreut ist ein wildes Durcheinander von Gegenstände zu sehen, Schüsseln, Töpfe, Flaschen, Mörser, ein zerfleddertes Buch, auf einem Hocker die abgelegte Pfeife und Brille des Alchimisten. Am anderen Ende der weitläufigen Werkstatt hat sich die Familie eingefunden, die Kinder spielend am Boden, die Frau bei häuslicher Arbeit. Es ist die Absicht des Malers, einen durch Licht und Schatten gegliederten Raum zu schaffen, der mit vielen Details erfüllt ist und damit das Auge des Betrachters lange zu unterhalten vermag.

Unter den holländischen Malern des Goldenen Zeitalters entwickelte sich Quiringh Brekelenkam (Zwammerdam, nach 1622 – Leiden, um 1668) zum eigentlichen Spezialisten der Werkstattbilder. Über Brekelenkams Leben ist wenig bekannt: er stammte aus einem kleinen Ort der Provinz Overijssel im Osten der Niederlande. 1648 trat er in die neu gegründete Malergilde von Leiden ein und verbrachte den Rest seines Lebens in dieser Stadt. Hier waren sowohl Jan Steen als auch Gerrit Dou und in seiner Nachfolge andere Feinmaler wie Gabriel Metsu und später Frans van Mieris tätig. Brekelenkam war von Steen wie von Metsu beeinflußt, er spielte die typische Rolle eines mittelmäßig begab-

111 Adriaen Ostade, **Der Maler in seiner Werkstatt**, 1663
Öl auf Holz, 38 x 35,5 cm
Dresden, Staatliche Museen, Gemäldegalerie Alte Meister

112 Adriaen Ostade, **Der Alchimist**, 1661
Öl auf Holz, 34 x 45,2 cm
London, The National Gallery

113 Quiringh Brekelenkam, **Schneiderwerkstatt**, 1653
Öl auf Holz, 60 x 85 cm,
Worcester, Massachusetts, Worcester Art Museum

114 Egbert van der Poel, **Werkstatt eines Silberschmieds**, Mitte 17. Jhd.
Öl auf Holz, 28,8 x 22,5 cm,
Frankfurt, Städelmuseum

ten Malers ohne große eigene Innovationskraft, der viele unterschiedliche Strömungen aufnimmt und sich geschickt auf einige wenige Themen spezialisiert, um damit zu Erfolg zu kommen. Einige besonders gelungene Kompositionen hat er daher in mehreren Versionen gemalt, etwa die Schuster- und Schneiderwerkstätten, aber auch Schulmeister, Barbiere, Fischhändler und Goldschmiede.

Von den in mehreren variierten Fassungen überlieferten Schneiderwerkstätten ist die Version im Worcester Art Museum die interessanteste im Hinblick auf die Darstellung des Interieurs (Abb. 113). Die übrigen zwölf Versionen beweisen, wie beliebt das Motiv gewesen sein muß. Der Raum ist einfach aufgebaut und von wenigen Horizontalen und Vertikalen gegliedert. Den linken Teil des Bildes nimmt ein Tisch ein, der drei Schneidern als Arbeitsfläche und zugleich als Sitzgelegenheit im sprichwörtlichen Schneidersitz dient. Licht fällt von links durch ein Fenster, das den Arbeitsplatz hell beleuchtet. Ein rot gekleideter Geselle wendet uns den Rücken zu, der alte Meister blickt von seiner Arbeit auf und fixiert melancholisch den Betrachter. Auf der hell beleuchteten Rückwand hängt ein gemaltes Stilleben (und damit ein weiterer Beweis, wie allgemein verbreitet und häufig der Besitz von Gemälden im holländischen 17. Jahrhundert war), ein Nadelkissen, verschiedene Bänder auf einer Schnur, ein Regalbrett mit Stoffen. Vor dem großen Kamin, in dem ein Feuer unter einem Wasserkessel brennt, bereitet eine alte Frau eine einfache Mahlzeit.

Von Egbert van der Poel (Delft 1621 – Rotterdam 1664), einem in seiner Heimatstadt Delft und im benachbarten Rotterdam tätigen Maler von Genreszenen, stammt die kleinformatige Darstellung der *Werkstatt eines Silberschmieds* (Abb. 114). Die ganze

115 Holländischer Maler, tätig um 1640/50, **Liqueurladen**
Öl auf Holz, 67,5 x 50,4 cm
Wien, Gemäldegalerie der Akademie der Bildenden Künste

116 Job Berckheyde, **Bäckerladen**
Öl auf Leinwand, 48 x 39,5 cm
Oberlin, Ohio, Allen Memorial Art Museum

117 Frans van Mieris, **Kavalier im Verkaufsladen**, 1660
Öl auf Holz, 54,5 x 42,7 cm,
Wien, Kunsthistorisches Museum, Gemäldegalerie

Aufmerksamkeit des Malers gilt der Beschreibung des einfachen Raums der Werkstatt, ihrer Einrichtung und Ausstattung mit Geräten und Werkzeugen. Die Figuren sind als Personen nebensächlich, ihre Rückenansichten als dunkle Umrisse gegen die helle Wand vermitteln den Eindruck selbstverständlicher Geschäftigkeit. Im Vordergrund bearbeitet ein vor der Esse am Boden kniender Gehilfe mit dem Hammer ein Metallteil, der Meister sitzt im Hintergrund an seinem Werktisch am Fenster. Die Wand ist mit Zeichnungen und Modellen bedeckt, neben dem großen Kamin an der Seitenwand ist eine Esse mit senkrecht darüber angeordnetem Blasebalg zu sehen.

Neben den Werkstätten verschiedener Handwerker haben die holländischen Maler auch Verkaufsläden dargestellt. *Der Liqueurladen* der Wiener Akademiegalerie wurde traditionell Brekelenkam zugeschrieben, einerseits aufgrund der Motivwahl und der sachlich nüchternen Schilderung eines Ladens, die für Brekelenkam typisch gehalten wurde, andererseits aufgrund der für diesen Maler charakteristischen dünnen Malerei und des Figurenstils sowie eines für echt gehaltenen Monogramms (Abb. 115). Das Bild befindet sich in einem problematischen Erhaltungszustand, die Holztafel ist aus zwei Brettern zusammengesetzt, das linke schmale Brett bildet offenbar eine spätere Ergänzung; die nach einer Restaurierung heute vorsichtig ergänzte Malerei – und damit auch die Signatur – sind daher ebenfalls nicht original. Die alte Zuschreibung an Brekelenkam ist unter diesen Gesichtspunkten unhaltbar, allerdings überzeugt auch der Vorschlag nicht, das Bild dem wenig bekannten, in Haarlem ab 1660 tätigen Cornelis Beelt zuzuschreiben. Interessant erscheint das Bild vor allem im Hinblick auf die in allen Einzelheiten genaue Darstellung eines Verkaufsladens, wodurch es zu einem kulturhistorisch wichtigen Zeugnis für die modern anmutenden Lebensverhältnisse des bürgerlichen Mittelstands der wohlhabenden holländischen Städte wird. Hinter der seitlichen Verkaufstheke erstreckt sich ein Regal, dicht gefüllt mit rechteckigen Glasflaschen, darüber hängen verschiedene gläserne Destillierkolben, die Rückwand wird von einer Reihe von Fäßchen und Glasschränken mit verschiedenen Gefäßen eingenommen. Der Ladeninhaber mit weißer Schürze bietet einem Kavalier eine Kostprobe an, seine portraithaft genau dargestellte Frau sitzt hinter der Theke mit Näharbeiten.

Einfacher ist der *Bäckerladen*, den Job Berckheyde (Haarlem 1630 – 1693) darstellte (Abb. 116). Job und sein jüngerer Bruder Gerrit waren genaue Chronisten ihrer Heimatstadt; während Gerrit sich fast ausschließlich auf Stadtansichten spezialisierte, malte der Ältere daneben auch Genreszenen und Kircheninterieurs. Die hochformatige Darstellung des Bäckerladens zeigt links Fenster und eine offene Tür, durch die helles Licht in den kleinen Verkaufsraum fällt. Hinter der Theke steht eine junge Frau, die Kindern ein Gebäck verkauft, während ein kleines Mädchen einen Hund mit Leckerbissen füttert. In den Regalen liegen einige Brotlaibe und geflochtene Striezel, ein großes Gebildebrot zieht als Schaustück auf einem senkrechten Brett auf der Theke die Blicke auf sich.

In eine andere Kategorie der holländischen Malerei gehört der *Kavalier im Verkaufsladen* von Frans van Mieris (Leiden 1635 – 1681) (Abb. 117). Das Bild entstand am Anfang der internationalen Karriere von Mieris (vgl. Abb. 86), als er sich von seinen ersten Jugendwerken mit Taverneninterieurs abwandte und dazu überging, Genreszenen aus der gehobenen Gesellschaft in perfekter Feinmalerei zu malen, wie er sie bei Gerrit Dou gelernt hatte. 1660 erhielt er von Erzherzog Leopold Wilhelm, dem ehemaligen Statthalter der südlichen Niederlande (vgl. Abb. 81), einen der lukrativsten Aufträge, der je für ein holländisches Genrebild vergeben und bezahlt wurde. Das Bild gelangte unmittelbar aus dem Atelier des Malers in die damals bereits in Wien befindliche Galerie des Erzherzogs und wurde sofort im Nachtrag des 1659 angelegten Inventars der Sammlung verzeichnet. Noch sechzig Jahre nach seiner Entstehung hob Houbraken das Bild in seiner Lebensbeschreibung des Künstlers besonders hervor, ohne es selbst je im Original gesehen zu haben:

> *een Konststukje ... waar in hy verbeeldde een schoon Vroutje, staande in en Zyde Stoffewinkel, en nevens de zelve een Ruiter, kwansuis om eenige stoffen te koopen, dog die meer op die schoonheit als op de Winkelwaren scheen te gluren.*

Houbraken bezeichnet das Bild als »Kunststück«, damit auf die besondere Qualität der sorgfältig ausgeführten Feinmalerei, aber auch die überzeugende Schilderung der Szene anspielend. In seiner Beschreibung bringt Houbraken das Geschehen auf den Punkt: ein vornehmer Kavalier will in einem Geschäft einige Stoffe kaufen, interessiert sich aber mehr für die hübsche Verkäuferin als für die angebotenen Waren. Der etwas zu auffallend gekleidete »Reiter« prüft mit der linken Hand den angebotenen Stoff, seine Aufmerksamkeit gilt aber der sichtlich beeindruckten jungen Frau, die er mit der Rechten am Kinn leicht berührt. Im Hintergrund sitzt ein griesgrämig blickender alter Mann vor einer prunkvollen, mit Marmorsäulen geschmückten Kaminarchitektur, deren Gebälk ein großes Bild mit der Darstellung des Brudermords von Kain an Abel trägt. Die luxuriöse

118 Pieter Saenredam, **Odulphus-Kirche in Assendelft**, 1649
Öl auf Holz, 49,6 x 75 cm
Amsterdam, Rijksmuseum

Ausstattung des Ladens mit einer kassetierten Decke, einem Kerzenleuchter aus glänzendem Messing und dem soliden Meublement entspricht der Kostbarkeit der hier gehandelten Stoffe. Der Schlüssel für die tiefere Bedeutung des Dargestellten liegt im Vordergrund auf dem Tisch: Auf einer Art Standarte ist das Wappen der Stadt Leiden erkennbar, seit alters her für die Textilproduktion berühmt, aber auch die Wirkungsstätte der Feinmaler Dou und seines Schülers Frans van Mieris. Die zum Wappen gehörige lateinische Inschrift ist teilweise durch die Falten des Stoffs verdeckt und nur in Partien leserlich: [LU]GDUNUM COMPARAT ... QUI VULT. Das kann frei übersetzt werden als »Leiden beliefert alle Interessenten«; zieht man hingegen »comparat« ergänzt zu »comparat(ur)« zum zweiten Teil der Inschrift, kann die Bedeutung auch lauten: »hier sind Vergleiche für alle Interessenten«, welche die drei im Bild sichtbaren Figuren in eine Beziehung zueinander setzt – und die darüber hinaus den Betrachter in ein komplexes Gedankenspiel verstrickt.

Kircheninterieurs

Pieter Saenredam

Die monumentale Architektur- und Interieurdarstellung begann in den Niederlanden mit Hans Vredeman de Vries (vgl. S. 120). Ausgehend von den Regeln antiker wie neuzeitlicher Architekturtraktate wie denen von Vitruv oder Serlio, stellte er in Malerei und Druckgraphik imaginäre Architekturen dar, die vor allem durch ihre virtuose und achsgenaue Konstruktion bestechen und daher auch als »Perspektiven« bezeichnet werden. Innen- und Außenarchitektur geht in diesen Bildern mit offenen Hallen und Säulengängen ineinander über. Erst der Wechsel von der Theorie des kanonischen Entwurfs zu Abbildungen tatsächlich existierender Bauten ließ neue Formen realistischer Innenraumbilder entstehen, so das Kircheninterieur als einen neuen Typus und großen Beitrag der holländischen Malerei zur Architekturdarstellung.

Die Werke des Haarlemer Malers Pieter Saenredam (Assendelft 1597 – Haarlem 1665) zeigen diese neue Phase der Architekturmalerei. Saenredam war der erste holländische Maler, der sich darauf spezialisierte, existierende Kirchen seiner Heimat so genau wiederzugeben, daß sie als »Kirchen-Portraits« verstanden werden können. Er führte für alle seine Bilder Vermessungen durch und fertigte sehr genaue perspektivische Konstruktionszeichnungen an. Saenredam war von äußerster Genauigkeit und seine Arbeitsweise war penibel; sie vollzog sich üblicherweise in

dit is de tombe, ofte begraef plaets van heeren tot assendelft
IOHANNIS SAENREDAM
SCVLPTORIS CELEBERRIMI.

119 Pieter Saenredam, **Blick in das nördliche Seitenschiff der Marienkirche in Utrecht**, 1651
Öl auf Holz, 48,6 x 35,9 cm
Los Angeles, Los Angeles County Museum of Art

drei Schritten. Zuerst notierte er sich an Ort und Stelle die generelle Raumsituation mit einer vorbereitenden freihändigen Zeichnung, die er selbst als »naar het leven« bezeichnete. Diese Skizze diente als Grundlage für eine exakt konstruierte Zeichnung, die er in seinem Atelier anfertigte, und für die er zusätzlich Pläne wie einen genau vermessenen Grundriß oder wenn möglich auch Aufrisse heranzog. Die Übertragungen zeigen ihn als versierten Zeichner perspektivischer Konstruktionen, und kein anderer Künstler hat derart präzise Ansichten zur Grundlage seines Werkes gemacht. Seine Genauigkeit ließ ihn den Horizont stets in Augenhöhe legen, so daß die dargestellten Räume ganz natürlich erscheinen. Durch die Wahl einer geringen Distanz gewinnen die Verkürzungen großes Tempo, der Blick wird in die Bilder hineingezogen. Dennoch veränderte er dabei manchmal die Realität, um bestimmte räumliche oder koloristische Effekte zu erzielen. Die solcherart weitgehend ins Detail gehenden und mit Aquarell farbig gehöhten Zeichnungen wurden von Saenredam auf Vorrat gehalten und als genaue Vorlagen für seine oft wesentlich später angefertigten Ölbilder verwendet. Er beschriftete diese Bauansichten mit pedantischer Genauigkeit und hielt – auch darin Realist – Ort, Datum und Zeit, die er zur Anfertigung benötigte, genau fest. Zur Vorbereitung eines Ölbildes übertrug der Künstler mit Hilfe von Pausen die Zeichnung auf den Malgrund. Der ganze Vorgang mutet sehr mechanisch an und wenig geeignet, große Kunstwerke entstehen zu lassen, die etwas von der Kreativität ihres Schöpfers spüren lassen, und dennoch sind gerade die Kircheninterieurs Saenredams durch die Weite und Helle der gleichmäßig beleuchteten, großen und leeren Räume von einer sehr eigenen charakteristischen Stimmung erfüllt und von hohem poetischen Reiz. Sie strömen durch ihre innere Monumentalität und ihr Kolorit eine erhabene Ruhe aus und versetzen den Betrachter in eine beschauliche oder melancholische Stimmung. Saenredam verwendete für seine Kircheninterieurs nur wenige, fein aufeinander abgestimmte Farben, von Weiß über eine weite Reihe von Elfenbeintönen, hellem Ocker und verschiedenen Grauwerten für die Mauern, Pfeiler und Gewölbe bis zu hellem Braun für die hölzernen Einbauten. Gleichzeitig fügte er nur ganz wenige, meist vom Betrachter weit entfernte Staffagefiguren ein, die zur Verdeutlichung der Größenverhältnisse dienen und die Kirchenräume um so leerer und größer erscheinen lassen.

Pieter Saenredam trat nach einer Ausbildung in Haarlem, einem der Zentren der jungen holländischen Kunstproduktion, 1623 dort 26-jährig als Meister in die Malergilde ein. Um 1628 begann er sich ausschließlich auf »Perspektiven«, also Architekturdarstellungen zu spezialisieren. Mit den genauen Beschriftungen seiner Zeichnungen, die immer auch eine Datierung enthalten, hat der Künstler seine Reisen dokumentiert, die ihn in verschiedene Orte in den Niederlanden führten. Zweimal reiste Saenredam in seinen Geburtsort Assendelft, einmal 1633/34, zum zweiten Mal zwanzig Jahre später 1654. Mehrere Zeichnungen und Bilder stellen die dortige Kirche St. Odulphus dar. Aus den Jahren 1633 und 1634 stammen mehrere Zeichnungen, ein Blick in den Chor, eine Ansicht des nördlichen Querschiffs und eine Blick vom Chor in Vierung und Mittelschiff. Die Skizze für den Blick in das Mittelschiff ist nicht signiert, aber auf den 31. Juli 1634 datiert (Amsterdam, Historisches Museum), eine genaue Konstruktionszeichnung (Zeist, Denkmalamt) für das ausgeführte Bild entstand mehrere Jahre später, 1643, während das Bild wieder einige Jahre später 1649 vollendet wurde, wie der Künstler in der ausführlichen Beschriftung der Zeichnung und der damit übereinstimmenden Datierung des Bildes festhielt (Abb. 118). Durch den im Boden der Kirche eingelassenen Grabstein im Vordergrund, dessen Inschrift auf den Vater des Künstlers hinweist, erhält das Bild einen sehr persönlichen Bezug. Damit in Zusammenhang steht möglicherweise die Tatsache, daß Saenredam einen Gottesdienst in der Kirche darstellt, was er nur hier und ein zweites Mal bei einer anderen Ansicht der gleichen Kirche (Turin, Galleria Sabauda) getan hat. Der Grabstein selbst – dessen Inschrift in Wirklichkeit anders lautet, als von Saenredam dargestellt, und die Herren von Assendelft nennt – blieb als einziges Zeugnis der im 19. Jahrhundert zerstörten Kirche im Museum der Gemeinde erhalten.

Die ruhige Präsenz des weiträumigen leeren und schmucklosen Kirchenschiffs macht das Bild nicht nur zu einem charakteristischen Werk des Künstlers, sondern zugleich zu einem seiner schönsten. Die Farbigkeit beschränkt sich auf die abgestuften Weißtöne der Wandflächen, die grauen regelmäßigen Steinplatten des Fußbodens und das Braun der hölzernen Einbauten. In seiner nüchternen Virtuosität ist dieses durch und durch rationale Interieur ein kühl temperiertes Anschauungsstück für den Geist des niederländischen Protestantismus.

Ein ähnlicher zeitlicher Abstand zwischen vorbereitender Zeichnung und ausgeführtem Bild besteht bei dem *Blick in das nördliche Seitenschiff der Marienkirche in Utrecht* (Abb. 119). Die Zeichnung entstand 1636 während eines Aufenthalts des Malers in Utrecht, das Bild wurde erst fünfzehn Jahre später, 1651, gemalt. Der Teilaspekt aus dem Inneren der im 19. Jahrhundert

120 Pieter Saenredam, Laurenskirche in Alkmaar, 1661
Öl auf Holz, 54,5 x 43,5 cm
Rotterdam, Museum Boijmans Van Beuningen

abgerissenen Kirche war seit langem durch eine Kopie bekannt, die Hendrik Tavernier, ein Haarlemer Künstler des späten 18. Jahrhunderts, zusammen mit einer Serie von Kopien nach Werken Saenredams gezeichnet hatte; das Bild selbst tauchte erst 1976 im Kunsthandel auf, damals noch mit später hinzugefügten Staffagefiguren, die in der Zwischenzeit entfernt wurden. In der Tat ist das Fehlen jeglicher Staffage besonders auffällig und verstärkt den Eindruck der völligen Leere in der mächtigen mittelalterlichen Architektur. Die subtile Abfolge von Licht und Schatten läßt die Monumentalität von Pfeilern und Säulen hervortreten, während das nach verschiedenen Konstellationen lesbare System angeschnittener Bögen ein eigenes, formal fast selbständiges Bildthema ergibt. In folgerichtiger Strenge gegenüber der Architektur konzipierte Saenredam ein minimalistisches Kunstwerk, das durch seine Zeitlosigkeit fasziniert.

Eines der spätesten Werke des Künstlers ist der auf 1661 datierte *Blick aus dem Schiff in den Kreuzgang der St. Laurenskirche in Alkmaar* (Abb. 120). Saenredam hatte Interieurs der Laurenskirche bereits bei früheren Gelegenheiten gemalt, nachdem er 1635 und 1637 dort gewesen war. Während seines Aufenthalts von 1661 zeichnete er zwischen dem 27. Mai und dem 1. Juni, wie er auf seinen Zeichnungen peinlich genau festhielt, in der Laurens- und einer anderen Kirche. Das Bild entstand unmittelbar darauf, nachdem er, wie immer, mit Hilfe eines Quadratnetzes die Zeichnung auf die Tafel übertragen hatte. Es handelt sich um eine komplexe Komposition, die von den mächtigen geöffneten Türflügeln beherrscht wird, die den Blick auf einen dunkleren Nebenraum freigeben, aus dem sich wieder eine große Tür in den hellen Kreuzgang öffnet. Der Durchblick weitet den Raum in die Tiefe, seine Dimensionen werden durch die zwei kleinen Figuren am rechten Bildrand überraschend erkennbar. Die karge Leere des Kircheraums und seine Rätselhaftigkeit sind durch einzelne Dekorationselemente wie die Orgelverkleidung über dem geöffneten Tor, die als Kopf des Goliath ausgebildete Konsole, die zwei große hölzerne Orgelpfeifen trägt, und das fragmentierte Kapitell des Rundpfeilers noch betont.

Das Kircheninterieur in Delft

Höhe- und zugleich Endpunkt fand das holländische Kircheninterieur im Zusammentreffen von drei Malern um die Mitte des 17. Jahrhunderts in Delft – von Gerrit Houckgeest, Hendrick van Vliet und Emanuel de Witte. Sie begannen ihre Tätigkeit anscheinend unabhängig von Saenredam und waren durch das von Karel Fabritius vorbereitete künstlerische Klima in Delft geprägt. Zusammen mit Pieter de Hooch und Johannes Vermeer sind sie die Protagonisten der kurzlebigen Delfter Malerschule um 1550, die Raumdarstellungen von zwingender Illusionskraft hervorgebracht hat.

Gerrit Houckgeest (Den Haag um 1600 – Bergen op Zoom 1661) ist der älteste von ihnen. Bis 1633 ist er in Den Haag nachweisbar, schloß aber 1635 einen Ehevertrag im benachbarten Delft und wurde 1639 Mitglied der dortigen Malergilde. Die Zahl der erhaltenen Werke ist nicht groß, es sind etwa dreißig Bilder; und doch ist Houckgeest in der Erfindung neuer Kompositionen unerschöpflich. Er wählt ungewöhnliche Standpunkte, durch geringfügige Veränderung ergeben sich vielfältige neue Perspektiven. Seine Invention war die Einführung der Schrägsicht. Gegenüber den zumeist orthogonalen Bildaufbauten Saenredams, bei denen der Blick des Betrachters im rechten Winkel auf eine gegenüberliegende Wand fällt oder sich symmetrisch entlang des Kirchenschiffs entwickelt und damit die Raumgrenzen erschließt, ergibt die nicht von den Gebäudeachsen bestimmte Blickausrichtung überraschende Momente und optische Effekte, die aber zugleich den Raum in seiner Ausdehnung verunklären und seine Grenzen nicht erkennen lassen.

Diese Kompositionsform ist bei der Darstellung des *Inneren der Oude Kerk in Delft* gut erkennbar (Abb. 121). Das Zentrum des Bildes wird von einer monumentalen Säule eingenommen, die den unmittelbaren Blick in die Tiefe hemmt und ihn zugleich einmal ins Hauptschiff, einmal ins Querschiff der Kirche lenkt und damit die Weiträumigkeit und Größe des Raums betont. Zudem akzentuiert der Maler den Raum durch das einfallende Sonnenlicht, das sich am Sockel der Säule und dem unteren Teil ihres Schaftes abzeichnet und die Staffagefiguren beleuchtet. Houckgeest hat die perspektivische Anlage genau konstruiert, der zentrale Fluchtpunkt liegt im Hut des am linken Bildrand eintretenden schwarzgekleideten Mannes. Tatsächlich läßt sich an dieser Stelle ein winziges Loch unter der Malschicht feststellen, wo der dünne Faden befestigt war, mit dessen Hilfe der Maler die Hilfslinien der perspektivischen Konstruktion auf die Tafel übertrug. Die räumliche Illusion des Bildes wird zusätzlich durch die innere Rahmung und den gemalten grünen und beiseite geschobenen Vorhang gesteigert, ein in den Delfter Kircheninterieurs von Houckgeest und de Witte häufiges Versatzstück, das die Augentäuschung als visuelles Moment der Architekturmalerei betont.

Es ist immer wieder hervorgehoben worden, daß es sich bei diesem relativ kleinen Bild um »Houckgeests Meisterwerk« han-

121 Gerrit Houckgeest, **Oude Kerk in Delft**, 1654
Öl auf Holz, 49 x 41 cm
Amsterdam, Rijksmuseum

dele. Tatsächlich erreicht der Maler in diesem späten, 1654 datierten Bild den Höhepunkt seines Könnens. Er war damals längst aus Delft weggezogen und lebte in Steenbergen, wo die Familie seiner Frau begütert war.

Besonders oft haben die Delfter Architekturmaler in den Jahren kurz nach 1650 die Nieuwe Kerk mit dem im Chor freistehend aufgestellten Grabmal Wilhelms von Oranien dargestellt, Houckgeest achtmal, Hendrick van Vliet und Emanuel de Witte je zwanzigmal. 1650 war es zu einer Auseinandersetzung zwischen dem jungen Statthalter Wilhelm II. von Oranien und den Regenten von Holland gekommen, die nach dem Ende des Achtzigjährigen Kriegs die Militärausgaben stark kürzen wollten, während der Statthalter aufgrund seiner dynastischen Interessen sich dem vehement widersetzte. Nach seinem plötzlichen Tod im November 1650 weigerten sich die holländischen Generalstaaten trotz der Bemühungen der Witwe Wilhelms, ihren unmündigen Sohn Wilhelm III. als Statthalter zu nominieren und verdrängten damit während der ersten statthalterlosen Zeit das Haus Oranien aus seiner führenden Rolle. Die Besteller oder Käufer der Bilder mit der Darstellung des Grabmals Wilhelms des Schweigers, des Helden des holländischen Freiheitskampfes und Staatsgründers, legten damit ein politisches Bekenntnis zum Haus Oranien ab.

Der *Blick aus dem Umgang in den Chor der Nieuwe Kerk* von Houckgeest stellt das Grabmal vom Betrachter weiter entfernt dar und läßt es kleiner erscheinen als auf den meisten anderen Bildern (Abb. 122). Bei diesem Gemälde handelt es sich um eines der außergewöhnlichsten holländischen Architekturbilder und eine besonders kühne perspektivische Konstruktion, die den Betrachter in einem weiten Blickwinkel den gesamten Chor erfassen läßt. Am linken Bildrand geht der Blick über die gesamte Länge der Kirche durch das südliche Seitenschiff, während der Chorumgang mit dem Scheiteljoch an den dem Betrachter nächsten Säulen ins nördliche Seitenschiff zurückläuft. Über dem Wald der runden Chorpfeiler breitet sich die verwirrende Vielfalt der Umgangsgewölbe wie aufgespannte Schirme aus, dahinter ragt in der Bildmitte der fahnengeschmückte Hochchor auf. Für die perspektivische Anlage dürfte sich Houckgeest die Abbildung einer Säulenhalle aus dem Architekturbuch des Hans Vredeman de Vries zum Vorbild genommen haben, was die weitreichende Wirkung dieses bereits 1604 erschienenen Traktats über die Jahrzehnte hinweg deutlich macht.

Emanuel de Witte ist der jüngste aus der Gruppe der Delfter Architekturmaler, der es aber zur größten Bekanntheit brachte und von Anfang an schon die Bewunderung seiner Zeitgenossen fand. 1616 in Alkmaar geboren, erlernte er nach den Angaben seines frühen Biographen Arnold Houbraken die Malerei in Delft bei einem Stillebenmaler. 1636 wurde er Mitglied der Malergilde in seiner Heimatstadt Alkmaar, drei Jahre später lebte er in Rotterdam und ab 1641 wird er in Delft erwähnt, wo er bis 1652 blieb, um dann nach Amsterdam zu übersiedeln, wo er den Rest seines Lebens verbrachte, an dessen Ende er in Depressionen verfiel und im Winter 1691/92 vermutlich durch Selbstmord endete. Houbraken betont seinen schwierigen Charakter, streitsüchtig, schroff und ungeheuer von sich selbst eingenommen sei er gewesen. Zahlreiche Streitigkeiten und Rechtsfälle, in die er verwickelt war, scheinen das zu bestätigen. Der frühreife Künstler begann als Historienmaler und spezialisierte sich erst ab etwa 1650 auf Kircheninterieurs, in dem die Staffagefiguren immer eine prominente Rolle spielen. Daneben malte er aber auch Genrebilder, Marktszenen und einige Portraits. Die anfängliche Abhängigkeit in der Wahl der Blickwinkel, der Anordnung der Pfeiler und der malerischen Behandlung des Lichts von Houckgeest überwand er bald mit dramatischen Hell-Dunkel-Wirkungen, die neuartige Beleuchtungseffekte in das Kircheninterieur brachten. Auch nach seiner Übersiedlung von Delft nach Amsterdam malte er immer wieder die Delfter Kirchen und vor allem das Grabmal Wilhelms von Oranien.

Der *Blick in den Chor der Nieuwe Kerk in Delft* ist ein reifes und typisches Werk aus dem Jahr 1656, das die Charakteristika der Malerei de Wittes deutlich zeigt (Abb. 123). Der Kirchenraum ist weniger durch die perspektivische Anlage, sondern durch die Lichtführung definiert, die beiden hell beleuchteten, bewußt schmal gehaltenen Chorsäulen fangen den Blick auf das im dunklen Hochchor liegende Grabmal ein. Während Houckgeest in seiner ungewöhnlichen Sicht aus dem Chorumgang (Abb. 122) die Szene im Weitwinkel erfaßt, richtet de Witte den Blick wie durch ein Teleobjektiv, Grabmal und gegenüberliegende Chorwand sind an den Betrachter herangerückt, die zahlreichen Staffagefiguren fesseln durch ihre Größe und kleine Handlungszusammenhänge die Aufmerksamkeit. Während die auffallende Rückenfigur des Soldaten mit rotem Mantel – er begegnet uns als Repoussoirfigur, die den Betrachter ins Bild hineinführt, in mehreren Bildern de Wittes wieder – seine Begleiterin auf das Grabmal hinweist, wird ihre Aufmerksamkeit von bettelnden Kindern abgelenkt. Damit zieht eine deutlich anekdotische Erzählhaltung in das holländische Kircheninterieur ein. De Wittes mit herrschaftlichem Habitus, festlicher Stimmung und

122 Gerrit Houckgeest, **Umgang der Nieuwe Kerk**, Delft, 1651
Öl auf Holz, 65,5 x 77,5 cm
Den Haag, Mauritshuis

123 Emanuel de Witte, **Nieuwe Kerk in Delft**, 1656
Öl auf Leinwand, 97 x 85 cm
Lille, Palais des Beaux-Arts

links und rechts
124 Samuel van Hoogstraten, **Guckkasten**, um 1655/60
London, The National Gallery

kostbarer Materialität aufwartendes Bild einer politisch bedeutsamen Raumsituation zeigt ein Pathos, das die Internationalität der barocken Formensprache für sich beansprucht. Der calvinistischen Strenge Saendrams antwortet nun der selbstbewußte Auftritt einer glanzvoll konsolidierten holländischen Nation.

Einblicke und Durchblicke: der Reiz der Perspektive

Einen besonderen Rang in der Interieurmalerei nehmen jene holländischen Bilder ein, die mehrere Räume gleichzeitig abbilden, indem sich Durchblicke durch geöffnete Türen in anschließende Räume ergeben oder auf denen gar eine Flucht von mehreren Räumen dargestellt ist. In der zeitgenössischen Terminologie, die keinen übergeordneten Sammelbegriff für das Interieur kennt, sondern diese Bilder allgemein als Perspektiven oder *Kamerzichten* (Raumansichten) benennt, werden diese Durchblicke als *doorkijkje* bezeichnet. Der Ausdruck taucht im Zusammenhang mit Bildern von Nicolaes Maes und Pieter de Hooch sowie mit einem Hinweis auf ein verlorenes Bild von Vermeer auf. Bilder dieser Art zeichnen sich durch starken Illusionismus aus. Samuel van Hoogstraten, der auch theoretisches Interesse an den Gesetzen der Perspektive hatte, spezialisierte sich auf diese Darstellungen, wie auch die in Delft tätigen Künstler wie Pieter de Hooch und Emanuel de Witte, der die Effekte der räumlichen Illusion nicht nur in seinen bekannten Kircheninterieurs, sondern auch im häuslichen Interieur verfolgte.

Samuel van Hoogstraten

Samuel van Hoogstraten (Dordrecht 1627 – 1678) wurde im Süden Hollands geboren und erhielt seine erste Ausbildung in der Werkstatt seines Vaters, eines Malers und Silberschmieds. Nach dessen Tod 1640 trat er als Lehrling in die Werkstatt Rembrandts in Amsterdam ein, kehrte aber acht Jahre später nach Dordrecht zurück und stieg bald zum führenden Maler seiner Heimatstadt auf. Er unternahm zahlreiche Reisen durch ganz Europa, die erste führte ihn 1651 nach Wien an den Hof Kaiser Ferdinands III. Er beeindruckte den Kaiser mit seinen *Trompe l'oeil*-Bildern und erhielt eine goldene Ehrenkette. Hoogstratens Schüler Houbraken verfaßte einen Bericht über die Audienz. Dort werden die Worte des Kaisers zitiert, den der Künstler mit seinen Werken optisch getäuscht hatte, so daß er Kunst und Realität verwechselte: »Das ist der erste Maler, der mich betrogen hat. Zur Strafe werde ich das Bild nicht zurückgeben, sondern allzeit bewahren und wert halten«. 1653 war Hoogstraten in Rom, er kehrte über Wien 1654 in seine Heimatstadt zurück. 1662 bis 1667 führte ihn eine Reise nach England, wo er vornehmlich Portraits schuf.

Neben seiner Malerei erlangte er als Kunstschriftsteller Bedeutung, seine *Inleyding tot de hooge schoole der schilderkonst* erschien mit Jahr seines Todes 1678; sie ist der erste nach van Manders *Schilderboek* von 1604 in den Niederlanden erschienene Malereitraktat. Vor allem die Nachrichten über Rembrandt und seine Schüler, die Hoogstraten liefert, sind wertvoll. Als Schriftsteller verkörpert er den Typ des gelehrten Kunsttheoretikers, dessen eigene Werke den theoretischen Ansprüchen aber nicht immer standhalten konnten, wie Houbraken ironisch preisgibt: »insbesondere verstand er die Grundregeln der Kunst so vollkommen in allen Teilen, daß nach meiner Meinung niemand nach ihm dieselben besser verstanden hätte: aber er war darum noch nicht ein *Hochflieger* in der Anwendung dieser Regeln« (zit. nach Sumowski III, 1983, 1286).

Als Maler spezialisierte sich Hoogstraten schon früh auf illusionistische Darstellungen, die als augentäuschende *Trompe l'oeil*-Kunststücke ebenso auftreten wie als komplizierte perspektivische Raumdarstellungen mit überraschenden Durchblicken. Die theoretischen Überlegungen des Künstlers in seinem Malereitraktat über perspektivische Wirkungen und räumliche Illusion finden in diesen Bildern ihre unmittelbare Entsprechung.

Den höchsten Grad an räumlicher Illusion erreichten die Guckkästen, *wonderlijke perspektyfkas*, wie sie Hoogstraten selbst bezeichnete. Schon im Italien des 15. und 16. Jahrhunderts be-

kannt, erlebten die Guckkästen im Holland des 17. Jahrhunderts in drei-, vier- und sogar fünfeckiger Form ihre Blüte. Nur sechs von ihnen blieben erhalten, wahrscheinlich weil spätere Jahrhunderte die durchaus ernsthaften künstlerischen Absichten dieser Demonstrationsobjekte des gemalten Illusionismus verkannten und sie für Kinderspielzeug hielten. Ein rechteckiger Guckkasten von Hoogstraten, um 1655/60 entstanden, befindet sich heute in der National Gallery in London (Abbn. 124). Innen- und Außenseiten des auf einer Seite offenen hölzernen Kastens sind bemalt: während die Außenseiten allegorische Darstellungen aus der antiken Mythologie tragen, die Hauptanreize des Künstlers – Liebe zur Kunst, Reichtum und Ruhm – darstellend, sind die Innenseiten, nämlich eine Längsseite, die beiden Schmalseiten, sowie Boden und Decke mit den Ansichten des Inneren eines Hauses bemalt. Die zweite Längsseite war mit transparentem Papier abgedeckt, davor befand sich eine Lichtquelle, ein Fenster oder eine Kerze, die das Innere des Kastens beleuchtete. (In der heutigen musealen Präsentation ist diese Seite mit einer völlig durchsichtigen Glasscheibe abgedeckt.) Die Schmalseiten sind mit je einem Guckloch versehen, durch das man in das Innere des Kastens blicken konnte. Dabei wird der Betrachter über die wahre Größe des Gesehenen getäuscht, es stellt sich die vollkommene Illusion ein, in einen wirklichen Raum zu blicken, wie schon Hoogstraten selbst bemerkte: »durch die Kenntnis der Wissenschaft der Perspektive kann man wunderbare Perspektivkästen machen, die, wenn sie richtig und mit Geschick gemalt sind, eine fingergroße Figur in Lebensgröße erscheinen lassen«.

Während bei den Guckkästen die Täuschung des Betrachters sich durch die völlige Verschiebung des Maßstabs beim Blick ins Innere vollzieht, ergibt sich der *Trompe-l'oeil* Effekt bei gemalten Wanddekorationen durch genaue Lebensgröße (Abb. 125). Als Teil einer Serie von ursprünglich mehreren Bildern, von denen drei erhalten sind, war das Bild mit dem *Blick durch einen Korridor*, vermutlich wandfüllend und ohne Rahmen so angebracht, daß sich der tatsächliche Raum fugenlos im Bild fortsetzte und ein Besucher des Hauses – der sich nun sozusagen als Betrachter im Inneren des Guckkastens wiederfand – einer vollkommenen

links und rechts
124 Samuel van Hoogstraten, **Guckkasten**, um 1655/60
London, The National Gallery

126 Samuel van Hoogstraten, **Die Pantoffeln**
Öl auf Leinwand, 103 x 70 cm
Paris, Musée du Louvre

125 Samuel van Hoogstraten, **Blick durch einen Korridor**
Öl auf Leinwand, 264 x 136 cm
Dyrham Park, Glocestershire

Täuschung unterliegen mußte. Der Blick des Betrachters wird mit zwingender Macht durch die rahmende Säulenstellung zunächst in den Vorraum, am erwartungsvoll den Besucher anblickenden Hund und am Treppenaufgang vorbei durch eine offenstehende Tür in die Tiefe geführt, zunächst in den benachbarten Raum, wo als bloße Silhouette ein Mann mit Hut und ihm gegenüber eine Dame an einem Tisch sitzend zu erkennen sind, und weiter durch eine zweite Tür in einen dritten Raum weit im Hintergrund. So perfekt die Erfindung und Konstruktion der Perspektive und die sich daraus ergebende Illusion auch erscheint, so zeigen sich doch zugleich im trocken ausgeführten malerischen Detail die Grenzen der künstlerischen Fähigkeiten Hoogstratens.

Während in dem augentäuschenden Raumdurchblick lebende Kreaturen nicht fehlen, Menschen, der Hund, die Katze an der Treppe und der Papagei in seinem Käfig an der Decke, bezieht das Bild im Louvre mit dem Blick aus dem Vorraum eines holländischen Hauses durch die geöffnete Tür ins Innere, das unter dem Titel *Die Pantoffeln* berühmt ist, seinen besonderen Reiz aus der Abwesenheit von Hausbewohnern (Abb. 126). Nur deren Spuren sind zu sehen, der abgestellte Besen neben der Tür, die Pantoffeln, die erloschene Kerze und das aufgeschlagene Buch auf dem Tisch im Zimmer und schließlich der überdeutlich hervorgehobene Schlüsselbund, der in der offenstehenden Tür steckt. Der Betrachter des Bildes dringt neugierig und unbeobachtet in ein fremdes Haus ein, fühlt sich als Voyeur ein wenig unbehaglich und zugleich animiert. Neben dieser psychologisierend zu beschreibenden Bildwirkung gibt es die allegorische Bedeutung einzelner Details, so wie sie auch in anderen zeitgenössischen Bildern eingesetzt werden und im Einklang mit der moralisierenden Literatur und damit der Denkweise der Zeit stehen. Der Besen, die Pantoffeln und die Schlüssel sind Zeichen der hausfraulichen Tugenden, der Reinlichkeit, der Häuslichkeit und der pfleglichen Obhut des Besitzes. Aber die Hausfrau hat ihre Lektüre unterbrochen, den Besen beiseitegestellt, die Pantoffeln schnell abgestreift und achtlos liegen gelassen, um zu einem amourösen Abenteuer zu eilen. Sogar die Hausschlüssel ließ sie an der weit offenstehenden Haustür stecken. Die Erklärung zu all dem liefert das Bild an der Wand. Es stellt eine elegant in Atlas gekleidete Dame dar, deren auffälliger Luxus als ein Zeichen lockeren und unmoralischen Lebenswandels gilt. Das in der Art Gerard ter Borchs gemalte Bild im Bild gehört damit in die Kategorie der *bordeeltjes*. Genau dieses 1655 entstandene Bild von ter Borchs Schüler Caspar Netscher gibt es im Museum in Gotha.

Pieter de Hooch und die Interieurmalerei in Delft

Ähnliches Interesse an illusionistischen Wirkungen wie Hoogstraten hatte der wenig ältere Carel Fabritius (Midden Beemster 1622 – Delft 1654), der ebenfalls in den frühen 40er Jahren als Schüler bei Rembrandt lernte. Er war der mit Abstand begabteste unter Rembrandts Nachfolgern. 1650 ließ er sich in Delft nieder

und trug entscheidend zum Aufschwung von Delft als künstlerischem Zentrum bei. Er kam als erst 32-Jähriger 1654 bei der katastrophalen Pulverexplosion in Delft ums Leben, bei der ein Teil der Stadt zerstört wurde. Fabritius beeinflußte sowohl Pieter de Hooch (Rotterdam 1629 – Amsterdam 1684) als auch Johannes Vermeer (Delft 1632 – 1675), der fälschlicherweise für seinen Schüler angesehen wurde, sowie den Delfter Architekturmaler de Witte. Es ist auffallend, daß sich alle diese Künstler im besonderen der genauen und darin auch überzeugenden Darstellung des Raums verschrieben haben und Perspektiven von überaus illusionistischer Wirkung schufen.

Es hat sich eingebürgert, diese Künstlergruppe als »Delfter Malerschule« zu bezeichnen oder von »Vermeer und der Delfter Malerschule« zu sprechen, so als sei er als ihr berühmtester Vertreter zugleich ihr Begründer gewesen. Vermeer trat 1653 mit einundzwanzig Jahren der Malergilde seiner Heimatstadt Delft bei, der drei Jahre ältere Pieter de Hooch kam 1652 aus seiner Heimatstadt Rotterdam, wo seine ersten Bilder entstanden, nach Delft, wo er bis 1660 blieb und dann nach Amsterdam zog. Dorthin war der wesentlich ältere Emanuel de Witte (s. S. 178) bereits 1652 übersiedelt, malte aber weiterhin Interieurs der Delfter Kirchen. Wesentliche Werke der Delfter Malerschule entstanden also in Amsterdam, der wirtschaftlich blühenden und stark wachsenden holländischen Metropole, deren Bevölkerung sich zwischen 1590 und 1640 vervierfacht hatte und die auch die Künstler aus allen anderen Städten anzog. Amsterdam war um die Mitte des 17. Jahrhunderts eine Großstadt mit 140.000 Einwohnern, während in Delft etwa 30.000 Menschen lebten.

127 Pieter de Hooch, **Im Schlafzimmer**, um 1658/60
Öl auf Leinwand, 51,8 x 60,6 cm
Karlsruhe, Staatliche Kunsthalle

Delft galt als konservativ, es verdankte seinen Ruf als Zentrum der Produktion verfeinerten und qualitätvollen Handwerks der berühmten Delfter Keramik und der Möbelherstellung. Als Kunstzentrum war es weniger hervorgetreten als andere holländische Städte wie etwa Amsterdam, Haarlem oder Utrecht. Allerdings genoß die Stadt in Holland als Residenz Wilhelms von Oranien, der den Aufstand der Holländer gegen die Spanier anführte und der auch in Delft begraben ist, besonderes Ansehen, wenn auch der Hof und der Sitz der Regierung Ende des 16. Jahrhunderts nach Den Haag, dem alten Sitz der Grafen von Holland, verlegt wurde. Gegen die allzu dezidierte Ausgrenzung einer Delfter Lokalschule der Malerei spricht außerdem die geringe Entfernung Delfts zu den Nachbarstädten, besonders zu Den Haag, das nur etwa fünf Kilometer entfernt und mit Kanälen verbunden ist, auf denen regelmäßig mehrmals am Tag Schiffe verkehrten, was die Mobilität nicht nur der Künstler förderte.

Die Bilder Pieter de Hoochs sind nicht nur illusionistische Raumwiedergaben in höchster Vollendung, sondern Schilderungen des täglichen Lebens, die als anschauliche Verkörperungen der Lebensatmosphäre des Delfter Bürgertums gelten können. Arnold Houbraken hebt ihn 1721 in seinem Buch über die holländischen Künstler als ausgezeichneten Maler von Interieurs (im holländischen Originaltext als *Kamerzichten* bezeichnet) hervor. Pieter de Hooch begann um 1650 Genrebilder vor allem mit Soldaten- und Wirtshausszenen zu malen. Die Malweise dieser in Rotterdam entstandenen Frühwerke erscheint oft flüchtig, die Figuren sind manchmal unbeholfen dargestellt. Erst mit den Bildern, die zwischen etwa 1655 und 1665 in Delft und Amsterdam entstanden, erreichte der Maler die Höhe seiner künstlerischen Fähigkeiten. Er nahm sich nun der Sujets häuslicher Szenen an und stellte das Leben der wohlhabenden bürgerlichen Mittelklasse dar, mit Hausfrauen bei der Arbeit mit ihren Mägden, spielenden kleinen Kindern und Personengruppen in stillen, abgeschiedenen Hinterhöfen, mit schmalen Durchgängen, die den Blick auf hellbeleuchtete Häuser der gegenüberliegenden Straßenseite oder einen Kanal freigeben. De Hooch legte großen Wert auf die genaue und stimmungsvolle Schilderung der Umgebung. Der Schauplatz weitete sich, der Maler stellte nicht nur, wie es seine Vorgänger taten, die Figurengruppen in einfach gehaltene Räume vor kahle Wände, sondern ließ den Blick durch behagliche Zimmer bis in die angrenzenden Räume schweifen. In diesen stark illusionistischen Bildern wird die Darstellung der räumlichen Situation mit ihren Durch- und Ausblicken und den unterschiedlichen Beleuchtungen mit wechselnder Helligkeit ebenso wichtig wie die der handelnden Personen. Seine Bilder unterscheiden sich damit von den Werken Vermeers, denn de Hooch gibt komplexe Raumsituationen wieder, während sich Vermeer meist auf kleine Raumausschnitte beschränkt, die er durchgehend von links durch ein manchmal auch dargestelltes Fenster erhellt. De Hooch setzt das Licht in vielfältiger Weise ein und kombiniert oft mehrere Lichtquellen, so etwa Türen im Hintergrund und seitliche Fenster.

Ein Bild wie das in mehreren Exemplaren erhaltene *Schlafzimmer* ist sowohl von seinem formalen Aufbau wie vom Thema ein überaus charakteristisches Werk Pieter de Hoochs aus seiner besten Zeit (Abb. 127). Das Alltägliche der Darstellung – ein kleines Mädchen öffnet die Tür, die vom Vorhaus in ein Zimmer führt, in dem eine Frau an einem eingebauten Bett beschäftigt ist – bringt der Maler in eine strenggeformte, von Orthogonalen bestimmte Komposition, die durch die Wirkung des Lichts, das durch das Fenster links und als Gegenlicht durch die geöffnete Tür des Vorhauses einfällt, überzeugende Illusion erhält. Das Zusammenspiel der durch das Gegenlicht entstehenden Reflexe auf den Steinplatten und der durch das Seitenlicht gebildeten Schatten an der Wand ergibt die lebendige Wirkung der Szene. Dennoch bildet de Hooch, wie der Vergleich seiner Bilder zeigt, nicht jedes Mal eine einmalige und so beobachtete Realität ab, sondern er geht additiv vor, indem er aus einem Vorrat von Motiven verschiedene Elemente in seinen Bildern immer wieder neu kombiniert. Das kleine Mädchen etwa kehrt mit Abwandlungen in anderen Bildern wieder, ebenso wird ein Repertoire an verschiedenen Räumen und Raumsituationen variiert. Der übliche Titel des Bildes *Im Schlafzimmer* ist nicht ganz zutreffend, weil es in den holländischen Wohnhäusern des 17. Jahrhunderts noch keine deutliche Trennung von Funktionen der Zimmer gab, in denen sowohl gewohnt wie gegessen und geschlafen wurde. Vielmehr konnte der Alkoven mit dem Bett durch Vorhänge vom Wohnraum abgetrennt werden.

Der Vergleich des Karlsruher Bildes mit der intimen häuslichen Szene einer Mutter an der Wiege zeigt, wie de Hooch einzelne Bildelemente immer wieder aufs Neue verwendet und durch unterschiedliche Kombinationen variiert (Abb. 128). In dem behaglichen Raum begegnet man erneut dem Alkoven mit dem eingebauten Bett, dem Blick aus dem Zimmer durch die geöffnete Tür in das hell beleuchtete Vorhaus, dem kleinen Mädchen an der Tür, dem Widerschein der Bodenfliesen im Gegenlicht. Eine junge Frau sitzt neben einer Korbwiege, auf die sie lächelnd blickt, während sie sich das Mieder schnürt. Dessen leuchtendes

128 Pieter de Hooch, **Die Mutter**, um 1660
Öl auf Leinwand, 92 x 100 cm
Berlin, Staatliche Museen, Gemäldegalerie

129 Pieter de Hooch, **Am Wäscheschrank**, 1663
Öl auf Leinwand, 70 x 75,5 cm
Amsterdam, Rijksmuseum

130 Pieter de Hooch, **Die Frau mit dem Tablett**, um 1667–70
Öl auf Leinwand, 61,5 x 52,1 cm
New York, Metropolitan Museum

Rot wiederholt sich in der Decke der Wiege und dem Mantel am Kleiderhaken als prominent gesetzte Farbakzente in dem von gedämpften Farbtönen erfüllten Interieur. Andere Details werden durch das Licht hervorgehoben, so das glänzende Messing der Wärmepfanne oder die spiegelblanken Steinplatten. Die Sorge der Mutter um Betreuung und Pflege ihres Kindes ist ein immer wiederkehrendes Thema, nicht nur in den Bildern de Hoochs und anderer holländischer Maler, sondern auch der Literatur des 17. Jahrhunderts. Sowohl moralisierende Dichter wie Jacob Cats, aber auch Ärzte rieten ganz im Geiste des vorherrschenden Calvinismus den Müttern, auf Ammen zu verzichten und ihre Kinder selbst zu stillen.

Calvinistische Ideale prägen auch diejenigen Bilder, die dem Thema des familiären Besitzes gewidmet sind. Ein solches Interieur sprichwörtlicher Betuchtheit entstand kurz nach der Übersiedlung des Künstlers nach Amsterdam, aber in der Wahl der dargestellten Umgebung und der Figuren ist gegenüber den früheren Bildern kein unmittelbarer Wandel zu beobachten (Abb. 129). Bei den späteren Amsterdamer Bildern wird das geometrische Schema des Bildaufbaus rigider, die Farben kühler und teilweise leuchtender bei stärkeren Hell-Dunkel-Kontrasten. Hier ordnet die Hausfrau frisch gewaschene und gebügelte Wäsche, die ein Hausmädchen bereit hält, in einen geöffneten Wäscheschrank. Ein kleines Mädchen spielt im Hintergrund an der geöffneten Tür *kolf* mit Ball und Schläger. Die Kleidung der Frauen wie die Details der Einrichtung, die Gemälde an den Wänden, die Skulptur des Perseus über der Tür weisen auf einen wohlhabenden Hausstand hin. Wiederum ist die Komposition von dominanten Horizontalen und Vertikalen bestimmt, die durch die vergoldeten Pilaster der Tür- und Fensterpfeiler, die Rahmen der Bilder an den Wänden, die Einlegearbeit in Ebenholz am Schrank und das Muster der Bodenplatten verstärkt wird.

131 Hendrick van der Burgh, **Interieur mit Jacke**
Öl auf Leinwand, 45,2 x 37,5 cm
Berlin, Staatliche Museen, Gemäldegalerie

Neben dem Interesse an der Wiedergabe der stofflichen Qualitäten der Dinge steht bei de Hooch ein feines malerisches Sensorium für die Erscheinungen des Lichtes. So ist das Thema des in seinem ursprünglichen Zustand veränderten Bildes einer morgendlichen Szene mit dem Eintreffen der Dienerin im herrschaftlichen Schlafgemach vor allem die Beleuchtungssituation (Abb. 130). Frühes Morgenlicht fällt waagerecht durch das Fenster und zeichnet ein helles Lichtmuster an die Wand; eine junge Frau bringt ein Waschbecken, Wasserkrug und Handtuch, während sich rechts ein Mann ankleidet und eben die Strümpfe und Schuhe anzieht. Das Bild war ursprünglich rechteckig, wie aus

132 Pieter Janssens Elinga, **Interieur mit einem Maler, einer lesenden Frau und einer kehrenden Magd**, um 1665/70
Öl auf Leinwand, 83,7 x 100 cm
Frankfurt, Städelmuseum

133 Emanuel de Witte, **Interieur mit einer Dame am Virginal**, um 1665/70
Öl auf Leinwand, 77,5 x 104,5 cm
Rotterdam, Museum Boijmans Van Beuningen

134 Esaias Boursse, Frau am Spinnrad, 1661
Öl auf Leinwand, 60 x 49 cm
Amsterdam, Rijksmuseum

einem Auktionskatalog von 1785 zu erfahren ist. Rechts war eine noch im Bett liegende Frau dargestellt, mit der sich der Mann unterhielt. Weil man den Bildvorwurf offenbar für unschicklich hielt (und weniger wegen einer möglichen Beschädigung), wurde die Leinwand im frühen 19. Jahrhundert um etwa 18 cm beschnitten. Das Thema von Liebes- oder Ehepaaren am Morgen nach einer gemeinsam verbrachten Nacht hat de Hooch mehrfach dargestellt, wobei sich Übereinstimmungen zur zeitgenössischen holländischen Literatur, im besonderen der Lyrik, finden, in der das Thema der Morgendämmerung öfter behandelt wird. Die Morgendämmerung steht für den Abschied, aber auch die Ernüchterung und die Erinnerung an die alltäglichen Pflichten, die mit dem beginnenden Tag erfüllt werden sollen. Das Gedicht *Vrouwe* des bekannten holländischen Dichters und Moralisten Jacob Cats beginnt mit dem Aufwachen der jungen Ehefrau, die am frühen Morgen an ihre hausfraulichen Pflichten erinnert wird.

Das *Interieur mit Jacke auf einem Stuhl*, dem Delfter Maler Hendrick van der Burgh (Naaldwijk 1627 – nach 1668), einem Schwager Pieter de Hoochs, zugeschrieben, ist eines der seltenen menschenleeren Interieurs und damit den berühmten *Pantoffeln* Samuel van Hoogstratens (Abb. 126) vergleichbar (Abb. 131). Zwar ist der räumliche Aufbau bei weitem nicht so raffiniert durchdacht wie bei Hoogstraten mit dessen Abfolge von hellen und dunklen Flächen, doch weckt das Arrangement der Gegenstände zusammen mit der deutlich vorgeführten Fragmentierung des Raumes ein nicht zu befriedigendes Interesse an der hier erzählten Geschichte. Der Großteil des Bildes wird von der weißen Wand eines Hausflurs eingenommen. Die auffallendsten Motive sind der Stuhl mit der abgelegten Hausjacke aus dunklem Samt mit weißem Pelzbesatz, wie sie auf zahlreichen holländischen Bildern des 17. Jahrhunderts zu finden ist, und das Bild mit breitem Goldrahmen darüber, auf dem ein Stilleben mit Hummer zu sehen ist. Wieder finden sich zierliche Pantoffeln, die die unsichtbar bleibende Hausfrau ebenso wie ihre Jacke abgelegt hat, und selbst wenn sich am linken Bildrand eine einfache Holztür öffnet und den schmalen Blick auf ein Zimmer freigibt, so erlaubt doch auch diese Indiskretion keinen Aufschluß auf das, was vielleicht im Gange ist.

Die in Amsterdam entstandenen Interieurs von Pieter de Hooch regten einige Künstler zur Nachahmung an, so Esaias Boursse (Amsterdam 1631 – auf See 1672) oder den aus Brügge stammenden Pieter Janssens Elinga (Brügge 1623 – Amsterdam 1682). Zu seinen bekanntesten Werken zählt das *Interieur mit einem Maler* in Frankfurt (Abb. 132). Das eigentliche Thema dieses Bildes sind die vielgestaltigen Erscheinungsformen des beleuchtenden und reflektierten Lichtes. Es flutet durch zwei hochliegende Fenster in den Raum und eröffnet ein launiges Spiel und Widerspiel der Materialien und Gegenstände mit ihren Oberflächen und Schatten. Die gleißend hellen Lichtflecken auf dem Boden und an der Wand erzeugen einen schattenwerfenden Widerschein an der Wand und beleuchten – nun von unten – die an einem Tisch lesende Dame des Hauses, während die den Boden kehrende Magd im dunklen Vordergrund bleibt. Der an einer Staffelei arbeitende Maler wird zur kleinen Nebenfigur im anschließenden, ebenfalls hell beleuchteten Zimmer. Elingas Schwäche liegt in der Darstellung der menschlichen Figur, deshalb vermied er es, das menschliche Antlitz zu malen. Die meisten seiner Figuren kehren dem Betrachter den Rücken zu oder wenden sich von ihm ab.

Ein mit ähnlichen Effekten arbeitendes Bild Emanuel de Wittes ist in dessen Werk eher eine Ausnahme, da er sich sonst ausschließlich auf Kircheninterieurs mit erfindungsreicher Lichtführung und starken Kontrasten zwischen den beleuchteten und beschatteten Teilen spezialisiert hatte (Abb. 133). Es entstand in Amsterdam ganz offenkundig unter dem Einfluß der bürgerlichen Interieurs von Pieter de Hooch. Der Blick durch vier hintereinander liegende Räume beweist – wie schon seine Kircheninterieurs – nicht nur eine souveräne Beherrschung der räumlichen und perspektivischen Konstruktion, sondern zeigt auch einen gekonnten Einsatz von Licht- und Schattenwirkungen. Die Schilderung der räumlichen Situation mit dem suggestiven Blick in die Tiefe scheint der eigentliche Zweck des Bildes zu sein, die Figuren treten demgegenüber ganz zurück; trotzdem hat ihre Deutung Rätsel aufgegeben. Zu sehen ist als Rückenfigur eine Dame am Virginal, vergleichbar der wenige Jahre vorher entstandenen *Virginalspielerin* von Vermeer und weit im Hintergrund im dritten Raum eine den Boden fegende Magd. Die dritte Figur ist erst bei näherem Zusehen zu erkennen, ein links im Bett liegender Mann, seine Kleider sind auf dem Stuhl daneben abgelegt. Die Beziehung des Mannes zu der Musizierenden ist weder durch Blick, Gesten oder andere verweisende Bildmotive näher definiert; vielleicht ist sie amouröser Natur, wahrscheinlich aber handelt es sich um einen Kranken, der durch die Kraft der Musik Heilung oder zumindest Linderung seiner Leiden erhofft. Die Melotherapie, derzufolge Musik bei Gemütskrankheiten, Melancholie und besonders Liebeskummer heilend wirkt, war geläufig, wie die biblische Geschichte vom

135 Jacobus Vrel, Frau am Fenster, 1654
Öl auf Holz, 66 x 47,5 cm
Wien, Kunsthistorisches Museum, Gemäldegalerie

jungen musizierenden David zu beweisen hatte, der König Saul mit seinem Harfenspiel tröstete.

Auch Esaias Boursse aus Amsterdam malte in der Art von Pieter de Hooch als einer seiner Nachahmer. Was an dem Interieur mit einer *Frau am Spinnrad* sofort ins Auge springt, ist das große Fenster, das beinahe die ganze Rückwand einnimmt und von dem der Raum sein Licht bezieht (Abb. 134). Durch die Fensterscheiben wird undeutlich verschwommen die nahe Fassade des gegenüberliegenden Hauses sichtbar. Im Inneren bleiben Personen und Einrichtung durch das Gegenlicht nur als Schemen erkennbar, eine Frau neben dem Tisch, die konzentriert in ihre Arbeit am Spinnrad versunken ist, und ihr zugewandt, vom Rücken gesehen, ein Mann auf dem Stuhl am Kamin. Die Körperformen sind durch die Kleidung, durch Hut und Haube völlig verdeckt. Das Spinnen war weit über die Niederlande hinaus sprichwörtlich als häusliche Tätigkeit mit weiblichem Fleiß verbunden.

Jacobus Vrel gehört zu den weniger bekannten holländischen Künstlern aus der Blütezeit des 17. Jahrhunderts. Etwas mehr als dreißig Bilder sind von ihm erhalten, die Straßenszenen oder Interieurs darstellen. Wir wissen nicht in welcher niederländischen Stadt er tätig war, aber zumeist werden seine Bilder mit der Schule von Delft und dem Künstlerkreis um Pieter de Hooch in Verbindung gebracht. Im 19. Jahrhundert, als die Kenntnis der Werke Johannes Vermeers sich erst entwickelte, wurden seine Bilder oft für Werke seines berühmten Kollegen gehalten. Das brachte ihm den Beinamen »un Vermeer du Pauvre« (ein Vermeer der Armen) ein. Bei mehr als der Hälfte seiner Bilder wurden die Signaturen nachträglich zu Vermeer oder de Hooch verändert. Anders als Pieter de Hooch, der überwiegend die Häuser des gehobenen holländischen Bürgertums darstellte, Interieurs, die solide Wohlhabenheit zeigen, malte Vrel vor allem Szenen aus dem einfachen häuslichen Milieu (Abb. 135). Auffallend sind nicht nur die Einfachheit der dargestellten Räume, sondern auch die gedämpfte Farbigkeit mit vorherrschenden Grau- und Brauntönen und die Zurückhaltung in der Schilderung der Figuren. Eine Frau wendet uns den Rücken zu und blickt durch das geöffnete Fenster auf eine enge Straße.

Johannes Vermeer

Johannes Vermeers besondere Fähigkeit, die ihn von anderen holländischen Malern seiner Zeit unterscheidet, liegt in der völligen Beherrschung der räumlichen Illusion, die eine schier überwältigende Überzeugungskraft seiner Bilder bewirkt. Die Effekte der meist einfachen perspektivischen Konstruktion seiner Räume werden durch die Verteilung von Licht und Schatten und eine pointillistische Maltechnik, dem Auftrag der Farbe in pastosen kleinen Punkten oder Tupfen, zu ungeahnten Valeurs gesteigert. Erstaunlich sind die Vielfalt und der farbige und malerische Reichtum bei einer ganz begrenzten Themenwahl mit immer wiederkehrenden Motiven. Die meisten Interieurdarstellungen Vermeers sind ganz ähnlich aufgebaut, oft nur mit einer oder zwei Figuren, vornehme Damen und ihre Begleiter vor weißen bildparallelen Wänden, an denen ein Bild, ein Spiegel oder eine Landkarte hängt, beleuchtet von einem immer links plazierten, zuweilen gar nicht sichtbaren Fenster, beschäftigt mit beschaulicher Tätigkeit, dem Lesen oder Schreiben eines Briefs, Konversation und Musizieren. Über allem schwebt die Stimmung stiller Melancholie, die auch ohne Kenntnis der symbolischen Bedeutung, die sich aus mangelnder Vertrautheit mit den Darstellungskonventionen dem heutigen Betrachter schwerer erschließt als den Zeitgenossen des Künstlers, sofort spürbar wird. Die Symbole weisen auf die Kraft der Liebe, aber auch die Vergänglichkeit der irdischen Schönheit und der weltlichen Güter hin.

In Anbetracht des Nachruhms, den Johannes Vermeer heute als einer der bedeutendsten holländischen Maler des 17. Jahrhunderts und zugleich als eines der größten Genies in der Geschichte der Malerei überhaupt genießt, ist es erstaunlich, wie wenig wir über ihn wissen, obwohl wie bei kaum einem anderen holländischen Maler seiner Zeit, mit Ausnahme von Rembrandt, der Bestand an erhaltenen Dokumenten und schriftlichen Quellen zu den Lebensumständen und dem sozialen Umfeld so genau erforscht worden ist wie bei Vermeer. Der amerikanische Wirtschafts- und Kulturhistoriker Michael Montias hat in jahrelanger Forschung alle verfügbaren Quellen aufgearbeitet, die Informationen miteinander verknüpft und in einer beispielhaften und für ähnliche Forschungen vorbildlichen Weise 1989 publiziert. Daraus ist vieles über die Verwandtschaft des Künstlers und seiner Familie, über ihre wirtschaftlichen Verhältnisse sowie über die Käufer und Sammler seiner Bilder zu erfahren und es entsteht ein lebendiges Bild des Lebens in einer holländischen Stadt des 17. Jahrhunderts. Die Dokumente sagen aber nichts über Vermeers Kunst selbst. Zu seinen Lebzeiten war der Künstler eine lokale Berühmtheit in Delft und Kennern und Sammlern wie Constantijn Huygens bekannt. Daß er allerdings von Arnold Houbraken in seiner »Enzyklopädie der holländischen Maler« (erschienen 1718–1721) nur kursorisch aufgelistet

136 Johannes Vermeer, **Brieflesendes Mädchen am offenen Fenster**, um 1657
Öl auf Leinwand, 83 x 64,5 cm
Dresden, Staatliche Museen, Gemäldegalerie Alte Meister

wurde, besiegelte das Schicksal seines Nachruhms. Im 18. Jahrhundert in Vergessenheit geraten, wurde Vermeer erst 1866 wiederentdeckt, als »Sphinx von Delft« mit einer romantischen Aura umgeben und im 20. Jahrhundert neben Rembrandt zur bewunderten Ausnahmeerscheinung unter den Malern.

Johannes Vermeer wurde am 31. Oktober 1632 als ältester Sohn von Reynier Jansz und Digna Baltens in der Nieuwe Kerk in Delft getauft Anders als viele andere niederländische Maler des 16. und 17. Jahrhunderts stammte er nicht aus einer Familie von Malern. Sein Vater war Weber, der sich auf die Herstellung eines feinen Satinstoffes, genannt »Caffa«, spezialisiert hatte. Er gehörte damit zu den für die verfeinerte Qualität ihrer Produkte bekannten Kunsthandwerkern, die den besonderen Ruhm Delfts ausmachten. Außerdem wurde er 1631 in der Delfter Lukasgilde und somit in der Malerzunft als Kunsthändler registriert. 1641 war er wohlhabend genug, um am Marktplatz von Delft ein großes Haus mit einem Wirtshaus zu erwerben, das nach der flämischen Stadt »Mechelen« hieß, von dem aus er seinen Handel betrieb. Johannes Vermeer erbte das Geschäft seines Vaters 1652. Er hatte seine Ausbildung als Maler – wir wissen nicht, ob in Delft oder in einer anderen Stadt und bei welchem Meister – damals bereits abgeschlossen und ließ sich im Dezember 1653 als Meister in der Delfter Lukasgilde einschreiben.

Im April 1653 heiratete Vermeer die aus einer wohlhabenden und katholischen Delfter Familie stammende Catharina Bolnes, nachdem auch er auf Betreiben seiner zukünftigen Schwiegermutter Maria Thins katholisch geworden war. Diese Maria Thins unterstützte das junge Paar finanziell und nahm es in ihrem Haus auf, wo Vermeer sein Atelier einrichtete. Sie war entfernt mit dem Utrechter Maler Abraham Bloemaert verwandt und besaß eine Sammlung von Bildern der überwiegend katholischen Utrechter Maler, die sich vor allem Caravaggio zum Vorbild genommen hatten, was die künstlerischen Anfänge Vermeers mit großformatigen religiösen Historien erklären mag.

Das künstlerische Klima in Delft in den Jahren ab 1650 wurde durch eine Reihe hier tätiger Maler geprägt, die einerseits besondere malerische Effekte pflegten wie der schon 1654 verunglückte Rembrandtschüler Carel Fabritius, der ab 1650 Genrebilder mit Darstellungen von Szenen des täglichen Lebens sowie Portraits und Stilleben schuf; die andererseits aber auch neuartige Wege in der Darstellung von Innenräumen gingen. Houckgeest und de Witte machten mit dynamischen, von starken Hell-Dunkel-Kontrasten bestimmten Innenansichten der Delfter Kirchen die Stadt zu einem Zentrum der Architekturmalerei (vgl. S. 178). Zwei Genremaler, die Szenen aus dem Leben der bürgerlichen Mittelklasse in ihren geordneten Haushalten darstellten, gewannen mit ihren Raumschöpfungen Bedeutung für Vermeer: Pieter de Hooch aus Rotterdam, der ab 1654 für einige Jahre in Delft tätig war, und Gerard ter Borch (vgl. S. 134). Vermeer stand in persönlichem Kontakt zu einigen von ihnen, ohne daß sich aber ein direkter künstlerischer Einfluß nachweisen ließe. Vor allem mit dem um dreißig Jahre älteren Leonard Bramer, dem führenden Delfter Maler des zweiten Jahrhundertviertels, bestanden in den 50er Jahren vielfältige Beziehungen; zusammen mit Gerard ter Borch signierte Vermeer ein Dokument kurz nach seiner Hochzeit 1653. In einem von Arnold Bon 1667 verfaßten Lobgedicht wird er als meisterlicher Nachfolger von Carel Fabritius erwähnt, ohne daß sich eine direkte Beziehung nachweisen ließe; ebensowenig sind Kontakte mit den in den 50er Jahren in Delft tätigen Malern Jan Steen und Pieter de Hooch bezeugt.

In den 60er Jahren gewann Vermeer ein solches Ansehen, daß er 1662/63 und wiederum 1671/72 als einer der Vorsteher der Delfter Lukasgilde fungierte. Gleichzeitig interessierten sich Kunstkenner und Sammler für seine Bilder. 1663 berichtet ein französischer Sammler, Balthasar de Monconys, von einem Besuch bei Vermeer, hält aber nur die seiner Meinung nach überhöhten Bilderpreise fest, während 1669 ein junger holländischer Kenner die räumliche Wirkung der Bilder als höchst außergewöhnlich lobt. Allerdings sind keine größeren Aufträge an Vermeer bekannt, es scheint, als seien seine Bilder von einer kleinen Gruppe von Liebhabern und Sammlern gekauft worden, von denen der wohlhabende Pieter van Ruijven der wichtigste war, dessen Sammlung von 21 Bildern Vermeers – etwa zwei Drittel des gesamten Œuvres – 1696 versteigert wurde. Der wirtschaftliche Erfolg Vermeers aus seiner Malerei – wie aus dem Kunsthandel, den er nebenher betrieb – verschlechterte sich dramatisch gegen sein Lebensende, hauptsächlich aufgrund der katastrophalen Lage in Holland nach der Invasion französischer Truppen im Jahr 1672. Als Vermeer 1675 mit 43 Jahren starb, hinterließ er eine Witwe, acht unmündige Kinder und riesige Schulden. Er wurde am 15. Dezember 1675 in der Oude Kerk in Delft begraben. Sein gleichaltriger Landsmann, der Naturforscher Antoni van Leeuwenhoek, der als erster systematisch das neu erfundene Mikroskop benützte und unter anderem die Einzeller und die Blutkörperchen entdeckte, wurde zum Nachlaßverwalter bestellt. Dabei mag es sich um einen Zufall handeln, denn frühere Kontakte Vermeers mit Leeuwenhoek lassen sich nicht

137 Johannes Vermeer, **Magd mit Milchkrug**, um 1658
Öl auf Leinwand, 45,5 x 41 cm
Amsterdam, Rijksmuseum

belegen. Es zeigt aber gut die geistige Atmosphäre Delfts zu jener Zeit, die Faszination, die vom Schauen als Möglichkeit der Weltaneignung ausging, sei es durch optische Geräte, durch die Beobachtung optischer Phänomene oder wie sie ganz allgemein aus der Freude am Entdecken hervorging.

Mit seinen Bildern der Jahre 1657 bis 1660 erreichte der noch nicht 30-jährige Vermeer erste Meisterschaft. Er wandte sich nun ausschließlich dem modernen Gesellschaftsbild zu. Der besondere Reiz dieser Bilder wie der *Briefleserin* liegt in der dichten Atmosphäre der Darstellung der in ihre stille Tätigkeit versunkenen Personen, gleichzeitig in ihrem außerordentlichen Realismus, der weniger der Konstruktion des Bildraums als vielmehr der perfekten Illusion der Details zu verdanken ist (Abb. 136). Der Aufbau der Komposition ist denkbar einfach: die große leere Wand im Hintergrund – sie füllt beinahe zur Gänze die obere Bildhälfte – und der beiseite geschobene Vorhang im Vordergrund definieren einen nicht sehr tiefen Raum, der durch den Tisch nochmals eingeengt wird und der im strengen Profil gesehenen jungen Dame nur einen schmalen Bereich zwischen dem geöffneten Fenster und der im Dunklen angedeuteten Stuhllehne läßt. Das malerische Genie Vermeers zeigt sich im Detail, in der Verteilung von Licht und Schatten, wie sich das hell beleuchtete Profil der jungen Frau, die ihren Blick im Lesen auf den Brief gesenkt hält, von der beschatteten Wand und umgekehrt die Profillinie ihres Haarknotens gegen die helle Wand abhebt, wie ihr Gesicht schemenhaft als Reflex in den Fensterscheiben erscheint. Der Blick wird besonders von dem Teppich und dem Stilleben der Fruchtschale auf dem Tisch angezogen, die einen starken farbigen Akzent setzen, aber auch das Luxuriöse des Ambientes hervorheben.

Das in der holländischen Interieurmalerei mehrmals wiederkehrende Motiv des beiseite gezogenen Vorhangs (vgl. Abb. 99 und 121) hat die Wirkung einer gesteigerten räumlichen Illusion und ist im Kontext der Künstleranekdote zugleich ein Motiv künstlerischer Selbstdarstellung (vgl. S. 150). Röntgenaufnahmen des Bildes zeigen, daß Vermeer den Vorhang ursprünglich nicht vorgesehen hatte. Dafür war an der Wand ein Bild mit einem Cupido vorgesehen, das auch auf anderen Gemälden des Künstlers als Versatzstück vorkommt. Die Gegenwart Amors im Bild hätte den Betrachter in den Inhalt des Briefes eingeweiht.

Das etwa gleichzeitig oder wenig später als die *Briefleserin* entstandene Bild mit dem berühmten *Milchmädchen* stellt aus dem alltäglichen Leben in gewisser Weise das Gegenstück zu der vornehmen jungen Dame dar (Abb. 137). Wieder konstituiert sich der Raum um eine Frauenfigur vor einer glatten Wand und einem, diesmal geschlossenen, Fenster links. Die Darstellung ist von rustikaler Einfachheit und damit ungewöhnlich und einmalig unter Vermeers Genrebildern. Die ungeschönte ländliche Erscheinung des Mädchens, ihre Konzentration auf das Eingießen der Milch aus einem Steingutkrug in einen Topf, die Gegenstände auf dem Tisch, die Keramik, der Korb und das Brot im Vordergrund sind von elementarer Präsenz. Vermeer schildert alle Details, zu denen auch Nebensächliches wie Flecken, Löcher und Nägel in der Wand gehört, mit virtuoser Überzeugungskraft und verhilft dem Bild damit zu einem überwältigenden Realitätsgrad in der Gegenwärtigkeit, die es weit über andere Bilder heraushebt und zu einer einmaligen künstlerischen Schöpfung macht. Die Materialität der Gegenstände auf dem Tisch ist durch einen besonders pastosen Farbauftrag hervorgehoben, wobei den Farben noch ein sandiger Zuschlagstoff beigemengt ist. Zugleich ist alles dem reduzierten Farbkonzept untergeordnet, das sich auf Blau in Schürze, Tischtuch und Steingutkrug sowie verschiedene Gelb- und rötliche Ockertöne beschränkt, so als wären alle Gegenstände um die Figur herum nach ihren Farben ausgewählt, vom hellen Gelb des Marktkorbs an der Wand und des glänzenden Messingeimers daneben bis zum rötlichen Steingut von Milchkrug und brauner Schüssel. Man hat mit Recht betont, daß im Gegensatz zu der in den meisten Bildern Vermeers vorherrschenden Melancholie hier eher von heroischer Stimmung die Rede sein kann. Dazu trägt auch die Untersicht bei, denn der zentrale Fluchtpunkt liegt knapp über der rechten Hand des Mädchens, wodurch Oberkörper und Gesicht der Magd zu einer monumentalen Erscheinung erhoben sind. Wie bei anderen Bildern Vermeers ist auch hier ein kleiner Einstich in der Leinwand an der Stelle des Fluchtpunkts festzustellen. Mit Hilfe einer Nadel und einem eingefärbten Faden hat der Künstler die Achsen seiner Raumkonstruktion festgelegt und mit Bedacht dabei die Seitenkante des Tisches diesem Schema nicht untergeordnet.

Viele Bilder holländischer Maler, auf denen weibliches Hauspersonal dargestellt ist, weisen offen oder versteckt auf die lockeren Sitten hin, die den Hausmädchen in der Volksmeinung allgemein zugeschrieben wurden. Es scheint, als habe Vermeer auf Hinweise dieser Art verzichtet, und zwar in einem solchen Maß, daß die Darstellung des Milchmädchens zur Verkörperung des holländischen Charakters schlechthin werden konnte und in zahlreichen bildlichen Paraphrasen auch so verwendet wurde. Dennoch hat der Maler zwei kleine Details angebracht, die das

Tugendideal konterkarieren. In der Reihe der Delfter Kacheln, die den unteren Abschluß der Wand zum Fußboden bilden, ist Cupido, der kleine Liebesgott, dargestellt (wie es auf diesen Kacheln auch tatsächlich häufig vorkommt). Davor steht ein kleiner mit glühenden Kohlen gefüllter Wärmeofen, der in der kalten Jahreszeit bei den Damen als Wärmequelle unter ihren Röcken beliebt war und die scherzhafte Bezeichnung »mignon des dames« trug. In Bildern und Texten des 17. Jahrhunderts wird dieser »stoof« gern als Symbol der Galanterie verwendet, hier allerdings wendet die Hausmagd ihrem Liebling den Rücken zu und geht völlig in ihrer häuslichen Beschäftigung auf. Röntgenaufnahmen zeigen, daß Vermeer an der Stelle ursprünglich einen Wäschekorb vorgesehen hatte, der später in das Stövchen geändert wurde.

Mit den *Weintrinkern* von 1658/59 wandte sich Vermeer einem neuen Kompositionstyp zu, den kurz vorher Pieter de Hooch aufgebracht hatte (Abb. 138). Dargestellt ist diesmal ein weiterer Raumausschnitt, die Figuren und die Einrichtung befinden sich in größerer Entfernung vom Betrachter und nehmen den Mittelgrund des tiefer gewordenen Raums ein, dessen Dimensionen im wesentlichen durch die Verkürzung der Fußbodenkacheln definiert werden. Vermeer befolgt die Regeln der Linearperspektive mit großer Genauigkeit; durch den nah angesetzten Augenpunkt ergibt sich zu den Ecken im Vordergrund und am rechten Bildrand eine etwas unnatürliche, ein allzu weites Sehfeld voraussetzende Verzerrung, die jedoch zur Verdichtung der szenischen Suggestion in der Tiefe erheblich beiträgt.

Der wesentliche Unterschied zu den Bildern Pieter de Hoochs besteht im eleganteren Ambiente bei Vermeer (vgl. Abb. 128 und 130). Nicht nur die Ausstattung der Räume mit luxuriösen Einrichtungsgegenständen, kostbaren Glasfenstern und Gemälden, auch die Erscheinung, Haltung und Kleidung der Personen ist von erlesener Eleganz. Vermeer kalkuliert die Verteilung von Licht und Schatten wie auch die Farbigkeit so, als wäre Dezenz in der natürlichen Erscheinung der Dinge und höchste malerische Kultiviertheit der einzig mögliche adaequate Ausdruck einer mondänen Welt. Die vorherrschenden Farben grün und rot, die in der Kleidung der beiden Figuren vorgegeben sind, wiederholen sich bis zum Muster der Bodenplatten. Die zurückhaltenden Gesten und die gesammelte Haltung der beiden hat Vermeer genau beobachtet und subtil dargestellt. Im Gegensatz zu den meisten anderen holländischen Genrebildern, in denen die Beziehungen der Figuren zueinander deutlicher geschildert sind, läßt Vermeer die Verhältnisse im Unbestimmten und begnügt sich mit leichten Andeutungen, die das Bild zu einer psychologischen Studie machen. Mit der unbewegten Haltung der Personen wird jeder Anschein, der auf eine intime Beziehung des Paares hindeuten würde, vermieden, wenn auch die äußeren Anzeichen wie das Weintrinken mit nur einem einzigen Glas darauf hindeuten. Die Bewegungslosigkeit der Figuren wirkt wie eine plötzliche Unterbrechung der Konversation, es scheint eine verlegene Pause eingetreten zu sein, in der sich im Verhältnis der beiden eine neue Wendung ergibt und die Spannung unerträglich wird. Der stehende Mann nimmt die beherrschende Rolle ein: mit dem schwungvoll umgeworfenen Mantel und einem mächtigen dunklen Hut wirkt er wie eben von draußen hereingekommen. Sein bestimmter Griff zum Weinkrug ist eine dominante Geste, die Vermeer im Zentrum des Bildes präzise inszeniert, indem er den Krug in das pointierte Weiß der Hemdmanschette stellt. Diese Bestimmtheit des Auftretens steht in vielfältigem Kontrast zu dem unter leichter Haube verdeckten Gesicht der Dame, die sich hinter ihrem Weinglas wie zum Schutz zurückzieht. Mögliche symbolische Hinweise jenseits von kompositorischer und psychologischer Bilderzählung hat der Maler wie bei anderen Gemälden in Details versteckt, so hier im Glasfenster, das eine weibliche Figur mit Zügel darstellt, also eine Personifikation der Temperantia, der Tugend der Mäßigkeit.

Bei dem einige Jahre später entstandenen Bild, das traditionell den Titel *Die Musikstunde* führt, hat Vermeer einen ähnlichen Raum konstruiert, bei dem die beiden Figuren nahe der bildparallelen Rückwand des Raums stehen (Abb. 139). Eine Dame, die uns den Rücken zukehrt, spielt das Virginal, daneben lehnt bewegungslos ein Zuhörer. Die Konstruktion des Raums ist von Orthogonalen bestimmt, unter denen vor allem die rechteckigen, schwarz gerahmten Felder des Instruments hervorstechen, wobei aber auch Bild und Spiegel an der Wand, die Unterteilung der Fenster und der durchgehende Fensterpfeiler am linken Bildrand, die oben abschließenden Deckenbalken, schließlich das schwarz-weiße Muster des Marmorfußbodens eine wichtige Rolle spielen. Aus ähnlich sorgfältig komponierten rechteckigen Flächen mit schwarzen Umrahmungen hat der holländische Maler Piet Mondrian im 20. Jahrhundert die Struktur seiner Bilder aufgebaut.

Der Betrachter befindet sich nicht auf gleicher Augenhöhe mit den stehenden Figuren, sondern etwas darunter, so als würde er sie sitzend betrachten, der Horizont liegt nur ein wenig über der Tischplatte und genau in der Höhe der Tastatur des Musikinstruments. Wiederum ist der Augenpunkt sehr nah gewählt, so

138 Johannes Vermeer, **Weintrinker**, um 1658/59 Berlin
Öl auf Leinwand, 66,3 x 76,5 cm
Berlin, Staatliche Museen, Gemäldegalerie

139 Johannes Vermeer, **Die Musikstunde**, um 1662
Öl auf Leinwand, 73,5 x 64 cm
London, Royal Collection

daß die forcierte Verkürzung vor allem im vorderen Teil des Fußbodens deutlich sichtbar wird.

Es wurde immer wieder vermutet, daß Vermeer zum Aufbau seiner Bilder eine Camera obscura benutzte, ein optisches Gerät, das das Abbild eines Raumes auf eine transparente Fläche projiziert. Vor allem die starke Verkürzung, die Dinge im Vordergrund übermäßig groß und nah erscheinen läßt, und der außerordentliche Realismus legen die Verwendung eines solchen Instrumentes nahe, das im Holland des 17. Jahrhunderts von Malern oft verwendet wurde und dessen Gebrauch von Samuel van Hoogstraten in seinem Malereitraktat von 1678 jungen Künstlern ausdrücklich empfohlen wurde, um in ihren Bildern einen höheren Grad von Lebensechtheit zu erzielen. Schon 1622 begeisterte sich Constantijn Huygens für die so erzeugten Bilder: »Es ist unmöglich die Schönheit in Worten zu beschreiben. Alle Malerei ist tot im Vergleich dazu, denn hier haben wir das Leben selbst, oder sogar etwas Höheres, wenn es einen Ausdruck dafür gäbe.«

In der Tat konnte die Camera obscura eine bedeutende Hilfe für Maler sein, indem sie den dreidimensionalen Raum in ein zweidimensionales Bild umsetzte, ohne daß komplizierte perspektivische Konstruktionen notwendig waren. Genaue geometrische Analysen haben ergeben, daß Vermeer bei einigen Bildern ein solches Gerät benutzt haben könnte, um die Komposition anzulegen. Man hat vermutet, daß er dafür einen kleinen Teil eines Raums in seinem Haus abteilte und das durch ein Loch projizierte Bild direkt auf die Leinwand übertrug. Nur eine solche Vorrichtung hätte beispielsweise die exakte Darstellung des Raums und der Figur in dem geneigten Spiegel an der Rückwand der *Musikstunde* ermöglicht. Vermeer geht in seinem Realismus sogar so weit, in diesem Spiegel den unteren Teil der Staffelei sichtbar werden zu lassen, auf der er während des Malens seine Leinwand stehen hatte: Schlagartig erweitert sich damit die inhaltliche Dimension des Bildes, vergleichbar jenem hochkomplexen Kunstgriff, mit dem einst Jan van Eyck seine *Arnolfini-Hochzeit* thematisch erweiterte (siehe S. 63).

Man hat die fleckige Malweise Vermeers, die sich aus kleinen Farbkreisen zusammensetzt, als Nachahmung der von der Camera obscura erzeugten Projektion und der Zerstreuung des Lichts erklärt, das einen Punkt in einem kleinen Kreis darstellt und so zu einer gewissen Unschärfe führt. Ob Vermeer die perfekte Meisterung der Raumwiedergabe durch genaue perspektivische Konstruktionen erreicht hat – in manchen Bildern ist ja noch der Einstich des Zirkels im Fluchtpunkt sichtbar – oder durch die Verwendung einer Camera obscura und anderer optischer Hilfsmittel, darüber wird unter den Vermeerforschern ein erbitterter Streit geführt.

Bei dem dargestellten Virginal handelt es sich um ein Instrument des berühmten Antwerpener Instrumentenbauers Andreas Ruckers (1579–1654). Cembali wie dieses, die sich durch die hervorragende Qualität ihrer Ausführung, vor allem auch der Dekoration des Corpus auszeichnen, sind bis heute erhalten geblieben. Ein so kostbares Musikinstrument fand sich nur in sehr wohlhabenden Häusern und es mag sein, daß eine vornehme junge Dame aus einem solchen Haus musikalischen Privatunterricht erhielt, wie der traditionelle Bildtitel *Die Musikstunde* suggeriert. Thema des Bildes ist allerdings das Ideal der Liebe, wie aus verschiedenen Motiven und Detailvergleichen mit der zeitgenössischen holländischen emblematischen Literatur hervorgeht. In einem Emblem wird eine klavierspielende Dame, der ein danebenstehender Mann zuhört, mit einem Amorknaben kombiniert, der Sonnenstrahlen in einem Spiegel reflektiert. Der dazugehörige Text vergleicht den Spiegel, der die Sonne zurückwirft, mit der Liebe, die sich im Geliebten widerspiegelt. Eine Baßgeige symbolisiert, der *Iconologia* von Cesare Ripa, dem Handbuch der Personifikationen und ihrer Attribute folgend, Harmonie. Vermeer hat sie im Lauf der Entstehung des Bildes aus formalen wie aus inhaltlichen Gründen erst später hinzugefügt. Eine Untersuchung mit Infrarotreflektographie hat gezeigt, daß unter dem Musikinstrument sowohl der Fußboden wie das rote Kleid der Dame angelegt sind. Da sind zudem die lateinische Inschrift auf der Innenseite des Instrumentendeckels: MVSICA LAETITIAE CO[ME]S MEDICINA DOLOR[VM]: »Musik ist die Gefährtin der Freude, Heilmittel der Schmerzen«, sowie das – nur teilweise sichtbare – Bild an der Wand. Es stellt die Geschichte von Cimon und Pero dar, eine öfter zu findende, auch als *Caritas Romana* bezeichnete altrömische Szene der Kindesliebe. Eine junge Mutter besucht ihren unschuldig im Gefängnis sitzenden Vater und ernährt ihn mit ihrer Muttermilch. Das Bild zeigt den Stil der Utrechter Caravaggisten; wahrscheinlich hat Vermeer hier eines der Bilder aus der Sammlung seiner Schwiegermutter Maria Thins dargestellt.

Eine Sonderstellung innerhalb der Interieurbilder Vermeers nimmt das große Gemälde der *Malkunst* ein, nicht nur wegen seines Formates, sondern vor allem wegen des programmatischen Anspruchs, den Vermeer mit dem allegorischen Charakter der Darstellung verband und der sich in der besonderen Wertschätzung des Bildes durch den Künstler selbst und seiner Familie äußerte (Abb. 140). Die Aufmerksamkeit des Betrachters

MVSICA LETITIÆ CO
MEDICINA DOLO

140 Johannes Vermeer, **Die Malkunst**, um 1666–68
Öl auf Leinwand, 120 x 100 cm
Wien, Kunsthistorisches Museum, Gemäldegalerie

wird in erster Linie von den beiden Figuren angezogen, dem Maler als großer dunkler Silhouette, der an der Staffelei arbeitend uns den Rücken zuwendet und sich nicht zu erkennen gibt, sowie dem hellbeleuchteten Modell, einer jungen Frau, die mit Lorbeer bekränzt ist und die mit einer Trompete in ihrer Rechten und einem großen Buch in der Linken posiert. Trompete und Lorbeer sind als Attribute von Ruhm und Ehre aus zahlreichen ähnlichen Allegorien wohlvertraut. Das Buch, in dem der Ruhm aufgezeichnet und für alle Zeiten festgehalten wird, spielt auf die allegorische Figur der Klio, der antiken griechischen Muse der Geschichte an. Lorbeerkranz, Trompete und Buch der Geschichte sind seit der *Iconologia* von Cesare Ripa, dem allgemein verbreiteten illustrierten Handbuch für Allegorien, das von allen Künstlern der Renaissance- und Barockzeit benutzt wurde, als Attribute der Muse verbindlich. Nach Ripa ist Klio die Muse der Ehrsucht, des Strebens nach Ruhm.

Der Maler, in dem sich Vermeer wohl selbst dargestellt hat, trägt ein auffallendes Kostüm, in dem man historisierende Anklänge an die alten, burgundischen Niederlande des 15. Jahrhunderts erkennen wollte. Tatsächlich handelt sich um ein zwar modisch extravagantes, jedoch durchaus zeitgenössisches Kostüm, das, wie Vergleiche mit ähnlichen Darstellungen anderer Maler zeigen, als Stereotyp zur Charakterisierung des Künstlers diente. Vermeer hat die Umrisse der Gestalt als Zeichnung in weißer Farbe auf grau grundiertem Grund angelegt. Damit folgt er der üblichen Praxis der niederländischen Maler und es wird klar, daß es sich bei ihm nicht um eine erfundene allegorische Figur handelt. Wenn er allerdings zuerst den Lorbeerkranz in Malerei ausführt, so widerspricht dies allen Gepflogenheiten, mag aber den Ruhm der Malerei als Thema des Bildes hervorheben.

Die auf dem Tisch liegenden Gegenstände, ein Bildhauermodell und ein Skizzenbuch, verweisen zusammen mit dem entstehenden Bild auf der Staffelei auf die Einheit der Künste; die Landkarte aber mit den 17 Provinzen der Niederlande vor ihrer Trennung in Nord und Süd auf die Einheit der Nation, deren Ruhm von alters her die Malkunst ausmacht. Vermeer hat eine bestimmte Landkarte wiedergegeben, die von Claes Jansz. Visscher geschaffen wurde. Bei dieser Karte ist nicht – wie heute allgemein üblich – der Norden oben, sondern der Westen, die Küstenlinie verläuft daher von links nach rechts. In der Bordüre links und rechts sind kleine Veduten niederländischer Städte wiedergegeben. Zur Zeit der Entstehung des Bildes war die Karte bereits veraltet, die Grenzen nicht mehr zutreffend und die Trennung in die nördlichen und südlichen Niederlande durch den Friedensvertrag von Münster 1648 endgültig fixiert. Vermeer zeigt die historische Veränderung durch das Alter der Karte mit ihren Falten und Brüchen. Unmittelbar vor der Landkarte hängt ein schön gestalteter Messingleuchter, sein oberster Teil ist mit einem kaiserlichen Doppeladler geschmückt, der auf die frühere Zugehörigkeit eines Teils der niederländischen Provinzen, vor allem Hollands selbst, zum Deutschen Reich hinweist.

Die symbolischen Assoziationen zu Geschichte und Ruhm sind aber nur ein Teil der Allegorie. In programmatischer Weise verbindet Vermeer ein für die holländische Malerei ungewöhnliches ideales inhaltliches Programm mit genauer Wiedergabe des Gesehenen, die auf der Überzeugung des Künstlers beruht, daß nur die Kenntnis der Naturgesetze, auf der die Anwendung der Regeln der perspektivischen Konstruktion und der genauen Beobachtung von Lichtwirkung basiert, es dem Maler ermöglicht, eine perfekte Illusion im Bild zu schaffen. Im Bildaufbau entspricht die *Malkunst* mit einem von links beleuchteten Raum mit heller Rückwand den meisten übrigen Interieurs des Künstlers, wobei hier das Fenster verdeckt ist. Das kleine Stück weißer Mauer zwischen dem dunklen Vorhang und der Landkarte ist der hellste Teil des ganzen Bildes. Vermeer hat es nach den Regeln der Linearperspektive konstruiert; er positionierte den zentralen Fluchtpunkt genau vor der Figur der Klio. Daß er darüber hinaus eine Camera obscura als optisches Hilfsmittel benutzte, wurde immer wieder vermutet. Die Camera obscura erzeugt ein Flächenbild mit Diskrepanzen im Maßstab der Objekte zueinander abhängig von ihrer Entfernung und Unschärfen. Vermeer ahmt dieses Phänomen durch einen oft pointillistisch erscheinenden Einsatz des Pinsels nach. Er benutzte für den großgemusterten Vorhang im Vordergrund eine breite Maltechnik, die vom Farbauftrag der Szene dahinter abweicht und so optische Distanzwerte herstellt. Als raumschaffendes Motiv nimmt der Vorhang einen breiten Streifen in der linken Bildhälfte ein und verdeckt das Fenster und einen Teil des Zimmers. Zusammen mit dem Stuhl vorne bleibt er im Dunklen und erscheint unscharf. Zugleich hat der Vorhang auch hier die Aufgabe, die Künstleranekdote des Plinius zu rekapitulieren, nach der er täuschend echt zum Schutz des dahinter befindlichen Bildes aufgezogen ist.

Vermeer hat das Gemälde offenbar für sich selbst gemalt, um es in seinem Atelier als Meisterstück zu behalten und Besuchern und potentiellen Käufern vorführen zu können. Ein kenntnisreicher Sammler wie Balthasar de Monconys berichtete noch 1663

141 Johannes Vermeer, Der Liebesbrief, um 1669
Öl auf Leinwand, 44 x 38,5 cm
Amsterdam, Rijksmuseum

enttäuscht, daß ihm Vermeer bei seinem Besuch im Atelier nicht ein einziges Bild zeigen konnte. Mit der um 1666 bis 1668 entstandenen *Malkunst* sollte sich das ändern. Vielleicht war es das Bild, das Pieter Teding van Berckhout bei seinem Besuch bei Vermeer 1669 als Meisterwerk der Perspektive bewunderte. Auch nach dem Tod des Künstlers 1675 versuchten die Witwe und deren Mutter das Bild – damals zum ersten Mal als *schilderkonst* (Malkunst) bezeichnet – im Besitz der Familie zu halten: Am 24. Februar 1676 wollte Catharina Bolnes, die Witwe des Malers, das Bild ihrer Mutter Maria Thins übertragen, um es so vor dem Zugriff der Gläubiger zu retten.

Mit dem komplizierten Verschachteln von Teilräumen und -flächen findet Vermeer schließlich in den Möglichkeiten des Interieurs einen hochartifiziellen Weg, um das Kunstvolle seiner Malerei und damit ihren Bildwitz und ihre einzigartige Qualität herauszustellen. In dem um 1669/70 entstandenen *Liebesbrief* stellt er die eigentliche Handlung im Durchblick aus einem dunklen Vorraum dar und wählt damit ein Motiv, das häufig von Pieter de Hooch verwendet wurde (Abb. 128). Ein 1668 datiertes und damit kurz zuvor gemaltes Bild dieses Malers mit exakt übereinstimmender perspektivischer Konstruktion (*Paar mit Papagei*, Köln, Wallraf-Richartz Museum) könnte die unmittelbare Anregung für Vermeer gebildet haben. Auffallend ist im Durchblick der Kontrast zwischen dem hell beleuchteten Raum hinten und dem dunklen unordentlichen Vorraum mit seiner fleckigen Wand und den zerknüllten Notenblättern auf dem Stuhl. Lichtverteilung und Größenunterschied der Einrichtung, sowie der drapierte Vorhang dienen in erster Linie zur Betonung der räumlichen Tiefe. Vermeer benutzte das Motiv des Durchblicks nicht nur, um eine besonders kunstvolle »Perspektive« zu schaffen, wie sie etwa von dem jungen Sammler Pieter Teding van Berckhout in seinem Atelier gesehen und als außergewöhnlich bewundert wurde, sondern vor allem um für die dargestellte Szene das adaequate Ambiente zu finden. Der Betrachter bleibt außen und beobachtet einen sehr privaten Moment: die Hausfrau wird von ihrer Magd, die ihr einen Liebesbrief überbringt, im einsamen Lautenspiel unterbrochen. Sie blickt überrascht und ängstlich fragend zu ihr auf, während die Magd mit zuversichtlichem Lächeln auf sie hinunterblickt. Allein die Blickverbindung der beiden Frauen zeigt die Meisterschaft Vermeers in der Figurendarstellung, mit welcher Sicherheit er mit kleinsten Andeutungen Gefühle und Seelenregungen seiner Figuren zum Ausdruck zu bringen vermag. Die selbstzufriedene Haltung der Magd korrespondiert mit der ruhigen Meereslandschaft des Bildes an der Wand. In der niederländischen emblematischen Literatur bedeutet ruhige See ein gutes Vorzeichen in Liebesangelegenheiten.

Das Interieur im 18. Jahrhundert

Die französische Gesellschaft im 18. Jahrhundert – Salon, Boudoir und bürgerliche Tugend

Mit dem 18. Jahrhundert wird die künstlerische Spannweite, über die eine Epoche verfügt, breit. Neben dem Weiterleben der spätbarocken Formensprache entwickelt sich gleichzeitig eine individuell geprägte, von stilistischen Konventionen unabhängige Kunstform, die nur der Phantasie und der Erfindungskraft einzelner Künstler zu verdanken ist. Die normative Kraft des Herkömmlichen und Gewohnten verliert ihre Bedeutung für den einzelnen Künstler, auch wenn die Kunstakademien als Hüter der Tradition an den Regeln festhalten. Der Verstoß gegen die Regeln wird zur neuen Regel erhoben; Werke, die nicht nur Esprit und Invention, sondern darüber hinaus künstlerische Laune und die Lust am Artifiziellen als treibende Kraft erkennen lassen, gelten als fortschrittlich. Das Denken in solchen zwischen Verspieltheit und haltloser Melancholie angesiedelten Erscheinungsformen der Kunst bedient sich des Prinzips der »Realitätsmischungen« und findet im *Capriccio* seine Extreme. Dieser Sammelbegriff kennzeichnet etwas als freien Einfall kritischer Intellektualität, der realisiert wird ohne Rücksicht auf traditionelle Bildaufgaben oder formale Konventionen. Das Althergebrachte tritt als Parodie auf, um mit ihm eben jene Grenzen ins Bild zu bringen, die es zu überschreiten gilt. Die neue Ungebundenheit und Freiheit der Rokokokunst wird von den Künstlern selbst und ihren aufgeschlossenen Auftraggebern und Sammlern geschätzt, in der Sphäre der Akademien jedoch verdammt; diese Ablehnung erhielt mit dem Aufkommen des Klassizismus und einer neuen, rigiden normativen Ästhetik, die zu einem strengen Regelwerk zurückkehrte, neue Schubkraft. Von daher rührt die durchgängig negative Belegung des Begriffs *Capriccio* oder *Caprice*, in seiner ästhetischen Bedeutung als synonym mit schlechtem Geschmack, in moralischer Hinsicht als Launenhaftigkeit.

Antoine Watteau (Valenciennes 1684 – Nogent-sur-Marne 1721) galt schon den Zeitgenossen nicht zuletzt wegen seiner Lebensführung, die feste Regeln ablehnte, als *homme capricieux*. Aufgrund der nur spärlich bekannt gewordenen Daten seines Lebens beschäftigte er die Phantasie der Nachwelt. Seine Liebe zu persönlicher Freiheit und künstlerischer Ungebundenheit trieb ihn zu dauernder Veränderung, um nicht von der Gastfreundschaft seiner Freunde abhängig zu werden, wie sein Mäzen und Biograph, der Kunsthändler Edme-François Gersaint festhielt. Man könnte es für bittere Ironie halten, daß das letzte Hauptwerk dieses großen Künstlers, sozusagen sein künstlerisches Vermächtnis und zugleich eines der wichtigsten Bilder des 18. Jahrhunderts überhaupt, dem vermeintlich niederen Genre der reinen Gebrauchskunst und Dekorationsmalerei, wie sie sonst von untergeordneten künstlerischen Kräften ausgeführt wurde, angehört. Einem plötzlichen Einfall, einer Laune der Phantasie folgend, schuf Watteau innerhalb von acht Tagen für seinen Freund und Gönner Gersaint ein drei Meter breites Ladenschild für dessen Kunsthandlung auf dem Pont Notre Dame, der auf beiden Seiten von Geschäften gesäumt war (Abb. 142). Das Bild sollte, einem Einfall des Künstlers im Gespräch mit seinem Kunsthändler zufolge, draußen auf der Straße am Laden hängen, wurde aber sogleich von einem Sammler gekauft, der allerdings das ursprüngliche korbbogig geschlossene Format verändern ließ. Erst als der Preußenkönig Friedrich II. das Bild 1754 für sein Konzertzimmer in Charlottenburg kaufte, wurde es seinem wahren künstlerischen Rang entsprechend zum Galeriebild eines Schlosses.

Ohne daß Watteau sich explizit auf diese Vorbilder berief, baut die Darstellung der Kunsthandlung auf dem niederländischen Galerie- und Atelierbild des 17. Jahrhunderts auf. Watteau kannte vielleicht derartige Bilder, schließlich stammte er aus dem ursprünglich flämischen Valenciennes, das erst eine Generation vor seiner Geburt durch die Eroberungskriege Ludwigs XIV. an Frankreich gefallen war, und erhielt dort seine erste künstlerische Ausbildung. Raumkonstituierend ist die wandfüllende Anordnung von Gemälden. Während bei den Bildern des 17. Jahrhunderts (Abb. 115) der Blick des Betrachters innerhalb des Ladens verweilt und in eine Raumecke führt, kombiniert Watteau Innen- und Außenraum. Was auf den ersten Blick an einen Rückgriff auf die Anfänge der Interieurdarstellung in der Malerei des italienischen Trecento denken läßt, entpuppt sich als raffinierte Verbindung, die sich durch die Figurengruppe links vorne an der Raumgrenze wie selbstverständlich ergibt, aber auch ganz rechts wie mit einer Schlußvignette durch den Straßenköter aufgenommen wird.

Ein Bildnis König Ludwigs XIV., eine Replik von Rigauds berühmtem Repräsentationsportrait, wird in eine Kiste gepackt und zum Abtransport vorbereitet. Das ist einerseits eine Anspielung auf den Namen der Kunsthandlung »Au Grand Monarque«, aber auch ein kritischer Kommentar der Künstlers. 1715 war der König gestorben, sein überall aufgehängtes Portrait hat nun seine Funktion verloren und wird wie in einen Sarg in die Kiste gelegt. Daneben betritt eine hochelegante Dame den Laden – als Rückenfigur hat sie die kompositorische Funktion, den

142 Antoine Watteau, Das Ladenschild des Kunsthändlers Gersaint, 1721
Öl auf Leinwand, 166 x 306 cm
Berlin, Staatliche Schlösser und Gärten, Schloß Charlottenburg

143 François Boucher, **Le déjeuner**, 1739
Öl auf Leinwand, 81,5 x 65,5 cm
Paris, Musée du Louvre

Blick des Betrachters ins Innere zu geleiten – und wird von einem jungen Mann in Empfang genommen, während ihre Aufmerksamkeit wie mit einem Abschiedsblick ganz dem Verpacken des Portraits gilt.

Als das Bild noch in seiner ursprünglichen Position hing, war über dem Laden im gemalten Ladenschild das dargestellt, was sich darunter realiter abspielte oder in der Vorstellung des Malers und als Wunsch des Ladeninhabers abspielen sollte. Die zweigeteilte Figurengruppe rechts, die sich intensiv der Betrachtung von Kunstwerken widmet, nimmt damit noch einmal das Thema des flämischen Kunstkammerbildes auf. Mit leichtfüßigem Spott verbindet Watteau die Kundschaft Gersaints mit den Sujets der zum Kauf angebotenen Bilder – allesamt seine eigenen Erfindungen und keine Kopien bekannter Werke anderer Maler (lediglich die bei der Umarbeitung des Bildes, vermutlich durch Watteaus Schüler Jean-Baptiste Pater, hinzugefügten waren Kopien von Bildern flämischer Meister). Das ältere Paar, das uns den Rücken zuwendet, betrachtet eine Landschaft mit mythologischem Thema, vielleicht Diana und Callisto; während die Dame das Laubwerk studiert, ist ihr Begleiter vor den nackten Nymphen ins Knie gesunken. Darüber hängt das Bild eines betenden Karmelitermönchs – und auch er kniet: religiöse Inbrunst wird durch Verehrung für die Kunst und Sinnengenuß ersetzt. Das üppige Früchtestilleben symbolisiert das Wohlleben der Pariser Gesellschaft, der Narr daneben rückt ihr Verhalten in die Nähe der Lächerlichkeit.

Trotz der führenden Rolle Watteaus als ältestem der großen französischen Maler des 18. Jahrhunderts verkörpert kein anderer Künstler so sehr den Geist dieser Epoche wie François Boucher (Paris 1703 – 1770) aufgrund seiner langen und fruchtbaren Tätigkeit und der Vielfalt seines Œuvres von mythologischen Szenen, Genredarstellungen und Landschaften bis hin zu Tapisserien und Porzellanmalerei. Sein Stil, auch durch Druckgraphik verbreitet, wurde damit maßgebend für die Geschmacksbildung in ganz Europa.

Das *Déjeuner* ist ein Genrebild von gelöster, harmonischer Stimmung: Zwei Damen sitzen beim Kaffee an einem kleinen Tischchen vor einem Kamin einander gegenüber, begleitet von zwei kleinen Mädchen, denen kleine Leckerbissen angeboten werden; ein junger Mann serviert Kaffee (Abb. 143). Als das Bild zehn Jahre nach seiner Entstehung in Paris versteigert wurde, war es als *sujet galante et agréable* bezeichnet. Man hat in der Szene Boucher und seine Familie erkennen wollen, seine junge Frau, die er 1733 geheiratet hatte, und seine beiden Kinder, von denen die ältere Tochter 1735 geboren wurde, ein Sohn 1736, eine zweite Tochter allerdings erst 1740. Auffallend ist jedenfalls die beinahe fotografische Treue, mit der alle Einzelheiten und winzigen Details des modern ausgestatteten Raums, aber auch der Figuren bis zu dem Spielzeugpferd und der Puppe des kleinen Mädchens wiedergegeben sind. Architektur und Dekoration entsprechen völlig dem Zeitgeschmack. Hauptmotiv des Raums ist der Kamin mit einem hohen Spiegel darüber, der den Teil des Raums sichtbar macht, der dem Betrachter sonst verborgen bleibt, weil er sich hinter seinem Rücken befindet. Durch diesen Kunstgriff erscheint der dargestellte Salon jedenfalls groß und weit. Kein anderes Bild vermittelt ein derart getreues und überzeugendes Bild vom Pariser Lebensstil des zweiten Jahrhundertviertels in einem nach der letzten Mode eingerichteten Interieur.

Noch mehr als das *Déjeuner* verströmt die wenige Jahre später entstandene *Toilette* den Geist des galanten Zeitalters (Abb. 144). Ein erotisches Flair bestimmt den Charakter des Bildes, das eine elegante junge Dame beim Ankleiden darstellt. Sie hat ihren Unterrock hochgeschoben, um das Strumpfband zu knüpfen, ein schmaler Streifen nackter Haut des Schenkels wird dabei zur frivolen Attraktion des Bildes. Den Gegenpol zu der sitzenden Dame bildet die reizvolle Rückenfigur der Zofe, die ihrer Herrin einen Hut präsentiert; ihr in reichen Falten fallendes Kleid macht der Maler zur duftigen Draperie eines grazilen Körpers. Zahlreiche Details geben die Nonchalance im Luxus dieses Boudoirs preis, so die allgemeine Unordnung und das kleine Tischchen mit vorbereitetem Tee, das an erwarteten Besuch denken läßt. Sie verleihen der Szene auch ihre realistische Glaubwürdigkeit, die von höchst malerischer und koloristischer Delikatesse erfüllt ist, so in der Art, wie dem Kaminfeuer der rote Mantel ganz rechts gegenübergestellt ist und die aus verschieden abgestuften Blau-, Grau und Weißtönen gebildeten Kleider von Herrin und Dienerin einander entsprechen. Die Enge des Raums mit einer dichten Abfolge von Kaminschirm, Kamin mit brennendem Feuer, Glastür und Paravent betont das Erborgte der höfischen Attitüde und die Abgeschlossenheit der intimen Szene, der wir als geheime Beobachter beiwohnen. Die Ausstattung mit rocaillegerahmten Spiegeln, schweren Tapeten, der Chinoiserie des Paravent und das damit verdeckte Damenportrait an der Wand, das an ein Pastellbildnis von Rosalba Carriera erinnert, prägen den modischen Charakter des Raums.

Auch hier hat man in der Dame ein Bildnis von Bouchers Frau vermutet, für die der Besteller des Bildes, Graf Karl Gustav Tessin, von 1735 bis 1742 schwedischer Botschafter in Paris und einer der

144 François Boucher, **La toilette**, 1742
Öl auf Leinwand, 52,5 x 66,5 cm
Madrid, Museo Thyssen-Bornemisza

145 Jean Baptiste Siméon Chardin, **Die Wäscherin**, 1733/35
Öl auf Leinwand, 37 x 42,5 cm
St. Petersburg, Eremitage

146 Jean Baptiste Siméon Chardin, »La pourvoyeuse« (Die Einkäuferin), 1739
Öl auf Leinwand, 47 x 38 cm
Paris, Musée du Louvre

wichtigsten Mäzene des Künstlers, angeblich eine geheime Schwäche pflegte. Allerdings fehlt dem stark geschminkten puppenhaften Gesicht jeglicher individuelle Zug. Tessin nahm das Bild mit sich nach Schweden und behielt es bis zu seinem Tod. Er beauftragte Boucher unter anderem mit einer Serie von Bildern der vier Tageszeiten, die den Tagesablauf einer jungen modischen Dame illustrieren sollten. Ausgeführt wurde von der Serie offenbar nur der Morgen. Der Abend sollte darstellen, wie eine Zofe ihrer Herrin beim Ankleiden hilft, die sich zum Ausgehen vorbereitet. Die Beschreibung entspricht in vielen Details dem vorliegenden Bild, bei dem es sich um eine Variation des Themas handeln könnte.

Den Kontrapunkt zu Bouchers Stilisierungen einer auf den schönen Schein bedachten Gesellschaft bietet Jean Siméon Chardin (Paris 1699 – 1779). Er ist mit seinen Stilleben und Genreszenen nicht nur der bedeutendste Darsteller der unmittelbaren Realität der Lebensumgebung des französischen 18. Jahrhunderts, sondern zugleich einer der größten Maler der Wirklichkeit in der gesamten Geschichte der europäischen Kunst. Nachdem Chardin seine Karriere als Stillebenmaler begonnen hatte, tauchen um 1732 auch Genreszenen in seinem Werk auf, die er einer Anekdote zufolge aufgrund einer spöttischen Bemerkung seines Malerfreundes Aved, der sich über die Leblosigkeit der Stilleben Chardins mokierte, zu malen begann. 1735 stellte er in der Akademie vier kleine Bilder mit Darstellungen von Frauen bei ihrer häuslichen Beschäftigung aus, die von der Kritik vor allem ihrer Naturwahrheit wegen gelobt wurden. Eines dieser Bilder, die hier abgebildete *Blanchisseuse* (Abb. 145), wurde zwei Jahre später aus dem Salon von 1737 von Chevalier de la Roque erworben und Chardin malte ihm ein Gegenstück von ähnlicher Komposition, *La fontaine*, mit einer Frau beim Wasserzapfen; beide Bilder wurden 1745 von Graf Tessin für den schwedischen Kronprinzen gekauft und gelangten so nach Stockholm. Eine Reihe von Kopien zeigt ebenso die Beliebtheit der Komposition wie die Reproduktionsstiche, von denen einer bezeichnenderweise die Unterschrift »dans le goût de Teniers« trägt. Das verweist auf die Art der zeitgenössischen Rezeption dieser Bilder: Chardin wurde vor allem als Nachfolger der niederländischen Maler des 17. Jahrhunderts und der von ihnen vertretenen, nach den Regeln der Akademie »niederen« Gattungen der Malerei wie Genre und Stilleben gesehen. Erst mit seiner Wiederentdeckung um die Mitte des 19. Jahrhunderts wurden auch seine überragenden malerischen Qualitäten erkannt, die das einfachste Sujet und den gewöhnlichsten Gegenstand zur höchsten Kunst erheben. Wie in seinen zartfarbigen Pastellen entfaltete Chardin auch in seinen Ölbildern einen weichen Schmelz des Farbauftrags, der in sanfter körniger Unschärfe zur koloristischen Wirkung des Bildganzen der Oberfläche einen skizzenhaften Charakter gibt. Der Künstler war bekannt für seine langsame Arbeitsweise, was immer wieder die Ungeduld seiner Auftraggeber provozierte.

Chardin stellt die Menschen seiner Genrebilder bei den gewöhnlichsten Beschäftigungen ihres Alltags dar, die ohne Dramatik Tag für Tag immer und immer wieder wiederholt werden, Bilder aus einer einfachen, beschränkten Welt, die um so stärker die Intensität der malerischen Umformung einer genauen Beobachtung hervortreten lassen.

Die Wirkung der Genrebilder Chardins beruht nicht zuletzt auf der Konzentration des Künstlers auf eine oder zwei dargestellte Figuren. In der durch zwei Fassungen in Berlin und Paris berühmten *Pourvoyeuse* ist es eine Frau mit blauer Schürze, die einen großen Haushalt zu versorgen hat und die gerade vom Einkauf am Markt zurückkehrt (Abb. 146). Mit der Rechten trägt sie schwer an einem großen Stück Fleisch, das in ein Tuch geschlagen ist, die herbeigebrachten Brote schiebt sie mit der Hüfte nachhelfend eben auf einem Buffet zurecht; ihr Blick ist in den Raum gerichtet, der Gegenstand ihrer Aufmerksamkeit bleibt verborgen. Die Durchsicht in den Hausflur, in dem schemenhaft eine zweite Magd vor einem Wasserbehälter zu erkennen ist, erinnert an die holländische Malerei des 17. Jahrhunderts. In der Tat wurde die Komposition schon von den Zeitgenossen des Künstlers bei der ersten öffentlichen Präsentation des Bildes im Salon von 1739 hervorgehoben: »Das, was in diesem Jahr den Vorzug zu haben scheint, ist eine Köchin, die aus der Fleischerei und mit Brot vom Markt zurückkehrt. Das ist bestimmt der rechtschaffendste Charakter, den ich kenne.« (*... ce qui semble avoir la préference cette année est une cuisinière revenant de la boucherie et du marché au pain. C'est bien le caractère le plus correcte que je connaisse.*)

In seinem *Les amusements de la vie privée* betitelten Bild stellt Chardin die stille Freude behaglicher Häuslichkeit dar und schafft damit das diametrale Gegenteil zur bitteren Ironie der gleichzeitig entstandenen Bilderfolge von William Hogarth (Abb. 151); das von Chardin vorgeführte häusliche Glück ist allerdings in seiner betonten Schlichtheit ebenso moralisierend (Abb. 147). Der Raum verschwimmt im Dunkel, hell beleuchtet ist nur die in ihrem bequemen rot bezogenen Lehnstuhl, einer »Bergère« zurückgelehnte Dame mit einem Buch in der Hand

147 Jean Baptiste Siméon Chardin, **Les amusements de la vie privée**, 1746
Öl auf Leinwand, 42,5 x 35 cm
Stockholm, Nationalmuseum

148 Nicolas-Bernard Lépicié, **Le lever de Fanchon**, 1773
Öl auf Leinwand, 74 x 93 cm
Saint-Omer, Musée de l'Hotel Sandelin

und zur stillen ungestörten Lektüre bereit. Im Hintergrund sind einige Einrichtungsgegenstände, ein Tischchen mit einem Spinnrad, ein Bücherschrank und eine Terrine zu sehen, die bescheidene, doch behagliche Häuslichkeit erkennen lassen.

Chardin malte das Bild zusammen mit einem Gegenstück, das eine Hausfrau bei der Haushaltsabrechnung zeigt, für die schwedische Königin Louise Ulrike, die ursprünglich das Thema der sanften und der strengen Erziehung dargestellt sehen wollte. Anstelle des ursprünglich gewünschten Themas trat eine Illustration der *vita activa* und *vita contemplativa*.

Auch Nicolas-Bernard Lépicié (Paris 1735 – 1784), Sohn und Schüler des Kupferstechers und Kunstschriftstellers Bernard Lépicié, der die meisten Gemälde Chardins im Kupferstich vervielfältigte, hat mit dem Bild des Kämmerchens einer aufstehenden Dienstmagd ein prononciert soziales Gegenstück zu Bouchers Szenen der aristokratischen und großbürgerlichen Salons geschaffen (Abb. 148). Die winzigen Dachstube bietet kaum Raum für das spärliche Mobiliar mit dem Bett, auf dem sich das Mädchen die Strümpfe anzieht. Das Stilleben links vorne mit Besen, Schüssel und Wasserkrug war schon ein Jahrhundert zuvor in der holländischen Genremalerei das Begleitmotiv häuslichen Daseins – in der hier gezeigten Konstellation von Besen und Henkel des Kruges, der erloschenen Kerze, dem offenliegenden Schuh und den unordentlich verstreuten Kleidern allerdings erzählen diese Dinge dem Kundigen von einer Liebesnacht, die der Bewohnerin der Kammer kein dauerhaftes Glück gebracht hat. Die sozialen Spannungen in der französischen Gesellschaft des 18. Jahrhunderts, die in der Revolution einen gewaltsamen Ausbruch fanden, wurden in der Kunst schon in den Jahrzehnten zuvor thematisiert, vor allem in der Literatur mit dem »Tollen Tag« von Beaumarchais als prominentestem Beispiel und der größten künstlerischen wie gesellschaftspolitischen Wirkung. Die Figur des selbstbewußten, seinem Herrn oft an Klugheit überlegenen Dieners oder der gewitzten und in allen Intrigen erfahrenen Magd wurden in Schauspiel und Oper zu stehenden, die Handlung bestimmenden Rollen.

Tatsächlich vom Theater inspiriert erscheint die dramatische Genreszene von Jean-Honoré Fragonard (Grasse 1732 – Paris 1806), die unter dem Titel *Le verrou* (Der Riegel) bekannt wurde (Abb. 149). Bei Chardin und Boucher ausgebildet, war Fragonard von 1756 bis 1761 als Stipendiat der Akademie in Rom, arbeitete aber nach seiner Rückkehr hauptsächlich für private Auftraggeber in Paris. Seine offene und schnelle Malweise mit ihrer schwungvollen Pinselführung ist von großer Virtuosität, und mit ebensolcher Leichtigkeit wählte er seine Themen, wobei er seit 1770 vor allem das amouröse Genre pflegte, etwa mit der Serie *Progrès de l'amour,* geschaffen ab 1771 im Auftrag von Madame du Barry für Schloß Louveciennes. Für einen seiner wichtigen Auftraggeber, den Marquis de Veri, malte er um 1780 eine *Anbetung der Hirten* in der Art Rembrandts. Als Veri ein Gegenstück wünschte, lieferte Fragonard in einem Geniestreich die freie Komposition mit dem Kampf um den Türriegel, die, durch mehrere Reproduktionsstiche verbreitet, große Popularität erlangte und zu einem der bekanntesten Werke des Künstlers wurde. Das Original, lange Zeit verschollen und verloren geglaubt, tauchte 1969 aus einer Privatsammlung im Kunsthandel auf und konnte 1974 vom Louvre erworben werden. Ein wie mit Bühnenrequisiten zusammengeschobenes Interieur, von dem eine leere Wand, eine Tür und ein üppiges Bett mit schweren roten Vorhängen und schwellenden Kissen zu sehen sind, bildet den Schauplatz für einen jungen Mann in Hemd und Unterhosen, der eine junge Frau leidenschaftlich mit dem einen Arm an sich reißt, während sie ihn widerstrebend abwehrt, nicht ohne dabei seine Reaktion durchaus abschätzend im Blick zu behalten. Beide strecken einen Arm aus, um an den Türriegel zu gelangen, er um ihn zu schließen, sie um es dazu nicht kommen zu lassen. Das Bild ist eine freie Farb- und Formstudie mit dem dominierenden plastisch gegliederten Rot des Vorhangs, der einen starken Kontrast zu der gleichmäßig glatten Wand bildet. Das Licht fällt wie ein Scheinwerferkegel auf die Fläche und modelliert die Gewänder der Figuren davor, um einmal die Körper nachzuformen, dann wieder bauschige Volumina anzunehmen, wobei sie in eine feine Abfolge von leuchtenden und glänzenden Gelbtönen und strahlendem Weiß gebracht sind. Das Stück ist aber auch ein Historienbild, das einen über das Genre hinausweisenden Anspruch erhebt, sowohl durch die große theatralische Geste, aber auch durch so winzige Details wie den Apfel links, der eine Verbindung zum biblischen Thema des Sündenfalls herstellt. Stilistisch leitet das Bild eine Trendwende ein, die von der leichten, duftigen Rokokomalerei mit ihrer hellen Pastellfarbigkeit wegführt hin zu einer neuen Hell-Dunkel-Malerei mit kräftiger Körperlichkeit und schließlich mit dem Klassizismus Davids einen völlig neuen Weg einschlägt.

Satire und Moral

Die Kunst des 18. Jahrhunderts kommentiert mit gesellschaftskritischen und satirischen Darstellungen ihre Gegenwart in einer Weise, wie das die Malerei vorangehender Jahrhunderte

149 Jean-Honoré Fragonard, Le verrou, um 1780
Öl auf Leinwand, 73 x 93 cm
Paris, Musée du Louvre

150 William Hogarth, **Der arme Poet**, um 1735
Öl auf Leinwand, 63,5 x 78,5 cm
Birmingham, City Museum and Art Gallery

nicht tat. Wohl hat eine tiefergehende Analyse der holländischen Genre- und Stillebenmalerei des 17. Jahrhunderts und der Vergleich mit zeitgenössischen schriftlichen Quellen die moralisierende Bedeutung vieler Szenen, deren Kenntnis im Lauf der Zeit verloren ging, ans Licht geholt, der tiefere Sinn ist aber oft genug in einer zweiten Ebene verborgen und nicht immer eindeutig. Aus verborgener Kritik wird im 18. Jahrhundert offene Polemik. Das liegt zum Teil an der sich verschärfenden wirtschaftlichen Lage, der zunehmenden Urbanisierung in Westeuropa, dem Streben des städtischen Bürgertums nach mehr politischem Einfluß, aber auch an der Idealvorstellung von einem natürlichen Leben, wie sie Rousseau vertrat.

Der Engländer William Hogarth (London 1697 – 1764) ist mit seinen satirischen Kupferstichen und Gemälden der vielleicht wichtigste Vertreter dieser gesellschaftskritischen und moralisierenden Kunst. Darin spiegeln sich einerseits die englischen Verhältnissen mit der für das übrige Europa einmaligen Existenz eines Parlaments und politischer Parteien, zum anderen die persönlichen Erfahrungen Hogarths, der einen Teil seiner Jugend zusammen mit seinen Eltern in Schuldhaft verbrachte. Er begann seine künstlerische Tätigkeit mit Buchillustrationen, Karikaturen und satirischen Blättern, die das Tagesgeschehen aufgriffen. Erfolgreich wurden seine Bilderfolgen oder *modern moral subjects*, wie er sie nannte, die im Gewand der hehren Historienmalerei mit beißendem Spott die Auswüchse der modernen englischen Gesellschaft geißelten. Am Anfang standen Szenenbilder der ersten Aufführung (1728) der ungemein populären »Beggar's Opera« von John Gay. Die Kritik, die er mit seinen Bildern übte, war den Schriften von Jonathan Swift und Henry Fielding, mit dem Hogarth befreundet war, kongenial. In dem großen deutschen Aufklärer Georg Christoph Lichtenberg (1742 – 1799), der die geistige Freiheit Englands gegen den engstirnigen und überlebten Absolutismus der kleinen deutschen Fürstenhöfe in Stellung brachte, fand Hogarth einen großen Verehrer und Kommentator seiner Kupferstiche für das deutsche Publikum (Ausführliche Erklärung der Hogarthischen Kupferstiche, 5 Bde., 1794–99).

Ein großer Teil der gesellschaftskritischen Szenen Hogarths sind in Innenräumen angesiedelt. Die mit vielen Figuren erfüllten engen Räume knüpfen an holländische Vorbilder des 17. Jahrhunderts an, die dem Künstler wohl durch Reproduktionsgraphiken bekannt waren, sie erinnern sowohl an die Werke Jan Steens wie Adriaen van Ostades. *Der arme Poet* illustriert mit seinem Gegenstück, dem wütenden Musiker, der über den Lärm vor seinem Fenster verzweifelt, das Scheitern der Kunst an ungünstigen äußeren Umständen (Abb. 150). Wie sein 100 Jahre jüngerer Nachfahre, der *Arme Poet* von Spitzweg (vgl. Abb. 201), haust der erfolglose Dichter in einer ärmlichen Dachkammer. Während er sich von der Realität abwendet, die durch die geöffnete Tür in Form einer triumphierenden Milchfrau hereinbricht, und weiter seine Verse vor sich hin memoriert, wird die nähende Ehefrau mit der Rechnung konfrontiert. Indessen macht sich der mit dieser Heimsuchung ins Zimmer gekommene Hund unbemerkt über das letzte Stück Fleisch her. Die lebensnahe Darstellung des Interieurs wie die der Figuren hält sich eng an niederländische Vorbilder des 17. Jahrhunderts.

Nach mehreren satirischen Bilderserien der dreißiger Jahre nahm Hogarth mit der besonders ambitionierten sechsteiligen Sequenz der *Marriage à la Mode* zum ersten Mal ein Thema aus dem Bereich der höheren Stände in Angriff. Im Gegensatz zu den früheren Folgen, bei denen er die Kupferstiche nach den Bildern selbst anfertigte, suchte er diesmal nach französischen Stechern, um den von ihm angestrebten typischen Stil zu erlangen und unternahm aus diesem Grund eine Reise nach Paris, wohl auch um sich über die aktuellen künstlerischen Entwicklungen zu informieren.

Die Bilderfolge illustriert die traurige Geschichte einer unglücklichen, aus wirtschaftlichen Gründen geschlossenen Ehe; ein reicher Kaufmann verheiratet seine Tochter an den Sohn eines verarmten Grafen. Das erste Bild der Serie zeigt den Abschluß des Heiratskontrakts, das zweite Bild das junge Paar kurz nach der Hochzeit – die Ehe ist bereits zerrüttet (Abb. 151). Hogarth kombiniert erzählende mit emblematischen Elementen. Am Mittag trifft das Paar »morgendlich« im prunkvoll eingerichteten, palladianisch instrumentierten Salon seines Hauses aufeinander – als Vorbild diente der Londoner Palast, den der Schriftsteller Horace Walpole 1742 bezogen hatte. Die Viscountess gähnt und streckt sich nach durchwachter, mit Kartenspiel verbrachter Nacht, der Viscount ist von seiner Geliebten heimgekehrt, ihr Häubchen in der Tasche, an dem der Hund neugierig schnuppert. Der Verwalter, an seiner Kleidung und dem Buch »Regeneration« in seiner Tasche als gläubiger Methodist kenntlich, verläßt den Raum mit einem Stoß unbezahlter Rechnungen. Die noble Bildergalerie ist reine Farce, eine läppische Adelsattitüde, und dient nurmehr den Domestiken als Refugium für ein Nickerchen.

Cornelis Troost (Amsterdam 1696 – 1750) schuf mit seiner Serie von fünf Bildern, die den Ablauf eines angeregten Abends schil-

dern und nach den Anfangsbuchstaben der lateinischen Bezeichnungen der einzelnen Szenen als *NELRI* bekannt wurde, eine holländische Parallele zu den Bilderfolgen Hogarths. Sie wurden zu den bekanntesten Werken des Malers, den seine holländischen Zeitgenossen für den bedeutendsten lebenden Künstler ihrer Heimat hielten.

Ein Salon in einem Amsterdamer Patrizierhaus, sieben Herren haben sich eingefunden, im großen Kamin brennt Feuer, die Uhr über dem Kamin zeigt die fünfte Stunde des Nachmittags, schweigend sitzen die Herren um das Kaminfeuer, lange Pfeifen rauchend, im Hintergrund werden die ersten Flaschen entkorkt – *nemo loquebatur* (Niemand sprach) (Abb. 152). Der gleiche Raum im zweiten Bild, ein Flügel der vorher geschlossenen Tür im Hintergrund ist geöffnet, die Uhr zeigt in der Zwischenzeit acht, die Unterhaltung ist angeregt – *erat sermo inter fratres* (Ein Gespräch unter Brüdern). In der dritten Szene hat sich über einem Globus eine lebhafte geographische oder astronomische Diskussion entwickelt, es ist neun Uhr geworden, im Nebenzimmer wird der Tisch für das Diner vorbereitet, während einer der Gäste sich am weiblichen Hauspersonal vergreift – *loquebantur omnes* (Alle sprachen durcheinander). Mit der vierten Episode strebt der Abend dem Höhepunkt zu, das Diner ist vorbei, alle sind betrunken und schreien durcheinander – *erat rumor in casa* (Es war Lärm im Haus); den Abschluß macht die fünfte Szene vor dem Haus mit dem Abschied der Betrunkenen – *ibant qui poterant qui non potuere cadebant* (Die konnten gingen, die nicht konnten fielen). Durch den stationären Blick des Künstlers in den Salon trägt das Interieur dazu bei, daß durch die Diskrepanz zwischen der Dauerhaftigkeit des Ortes und der wüsten Entwicklung des Abends der Betrachter den rasanten Verlust kultivierter Um-

151 William Hogarth, **Shortly after the Marriage**, um 1743
Öl auf Leinwand, 68,5 x 89 cm
London, The National Gallery

152 Cornelis Troost, **Nemo loquebatur**, 1740
Pastell und Deckfarbe, 56,5 x 72,5 cm
Den Haag, Mauritshuis

153 Cornelis Troost, **Loquebantur omnes**, 1740
Pastell und Deckfarbe, 56,5 x 72,5 cm
Den Haag, Mauritshuis

154 Cornelis Troost, **Rumor erat in casa**, 1740
Pastell und Deckfarbe, 57 x 73 cm
Den Haag, Mauritshuis

155 Joseph Wright of Derby, **Der Alchimist**, 1771
Öl auf Leinwand, 127 x 101,5 cm
Derby Museum

gangsformen anschaulich leicht ermessen kann. Das nächtliche Treiben wird dabei durch die verdeckten Lichtquellen in ein beträchtliches Moment erzählerischer Spannung versetzt.

Wright »of Derby« (Derby 1734–1797), zu Lebzeiten vor allem als Portraitist des lokalen Bürgertums erfolgreich, das seinen Reichtum den Erfolgen der beginnenden Industrialisierung verdankte, blieb der Nachwelt als Maler einiger brillanter Nachtszenen mit virtuous eingesetzten Effekten künstlicher Beleuchtung in Erinnerung (Abb. 155). Die in feinsten Nuancen aus dem Dunkel entwickelten Interieurs konzentrieren sich ganz auf den Effekt der Lichtquelle im Raum, auf die in ihm agierenden Figuren und das tiefengebende Wechselverhältnis von Schattenwurf und Lichtreflex. Bei dem *Alchimisten* ist ein großer Raum mit gotischem Gewölbe dargestellt, wie es als altertümliche Umgebung zum Thema des Bildes paßt, das man im Englischen als »gothic« bezeichnen würde. Lichtquelle ist hier der chemische Kolben, in dem sich durch das durchgeführte Experiment eine stark leuchtende Substanz gebildet hat. Viele Entdeckungen wurden als Nebenprodukte bei der vergeblichen Suche nach dem Stein des Weisen gemacht, so die Entdeckung von selbstleuchtendem Phosphor durch Henning Brand in Hamburg (1669).

Unter den französischen Malern des 18. Jahrhunderts war Jean-Baptiste Greuze (1725 Tournus – Paris 1805) der große Moralist. Zu seinen Lebzeiten wurde er wegen seines heute eher befremdlich wirkenden Pathos besonders geschätzt; der einflußreiche Aufklärer Diderot sah in den Bildern die geradezu ideale Verkörperung seines Kunstideals. Obwohl sie außerordentlich hohe Preise erzielten, litt der Künstler unter der seiner Meinung nach ungenügenden Anerkennung. Man verstand ihn als Nachfolger der Niederländer des 17. Jahrhunderts, seine gezeichneten Figurenstudien, mit denen er figürliche Kompositionen genau vorbereitete, zeigen aber auch die genaue Kenntnis der antiken Skulptur.

Während viele der Genreszenen von Greuze dramatische Ereignisse in der Familie mit brisanten Emotionen wie Zorn und Schmerz darstellen, schildert das figurenreiche *Hochzeitsversprechen* eine eher sentimentale Zeremonie (Abb. 156). In einem wohlbestallten Bauernhaus werden Braut und Bräutigam einander verlobt, wobei der Vater der Braut einen Geldbeutel mit der Mitgift überreicht und der Notar den Heiratskontrakt unterfertigt. Jeder der Anwesenden zeigt seine persönliche Anteilnahme, der Vater preist die Vorzüge seiner Tochter, bei der Mutter mischt sich zur Freude der Schmerz, die Tochter zu verlieren, die kleine Schwester ist untröstlich, während die ältere, hinter dem Vater, mit ernster Miene zusieht, wie die jüngere vor ihr verheiratet wird, die kleineren Kinder aber unbeteiligt spielen. Nicht nur die Figuren repräsentieren moralische Charaktere, Tugenden und Lebensalter: das Interieur selbst steht in seinem einfachen Aufbau und dem geöffneten, die Wahrheit der Verhältnisse offenbarenden Schrank für das rousseausche Ideal des auf Schlichtheit, Natürlichkeit und unverbildete Menschlichkeit gerichteten Gesellschaftsentwurfs. Greuze zeigte das Gemälde im Salon von 1761, allerdings erst, als die Ausstellung bereits seit einem Monat eröffnet war; es erregte Aufsehen und der Marquis de Marigny bezahlte für das von Diderot hochgelobte Bild die riesige Summe von 39.000 Livres.

Genremalerei in Italien

Die Darstellung alltäglicher Szenen in der Genremalerei war im 17. Jahrhundert in Italien auf Randbereiche beschränkt, in denen weniger bedeutendere Meister ihre Nischen fanden; oder sie blieb eine Domäne der Niederländer wie der »Bamboccianti« in Rom, deren Sujets des Alltäglichen und Vulgären von den Historienmalern und Kunstschriftstellern scharf bekämpft wurden.

Als Wanderer zwischen verschiedenen stilistischen Welten nimmt der aus Oberschwaben stammende Johann Heinrich Schönfeld (Biberach 1609 – Augsburg 1684) eine besondere Stel-

156 Jean-Baptiste Greuze, **Das Hochzeitsversprechen**, 1761
Öl auf Leinwand, 92 x 118 cm
Paris, Musée du Louvre

2670

157 Johann Heinrich Schönfeld, **Musikalische Unterhaltung am Spinett**
um 1665/70, Leinwand, 124 x 92,5 cm
Dresden, Staatliche Kunstsammlungen, Gemäldegalerie Alte Meister

lung ein. Er hielt sich von etwa 1635 für zehn Jahre in Italien auf, vor allem in Neapel, und war seit 1652 bis zu seinem Tod in Augsburg tätig. Mit der leichten, in gebrochenen Tönen gehaltenen Farbigkeit und den grazilen, zarten Figuren wirken viele Bilder Schönfelds wie Werke des 18. Jahrhunderts (Abb. 157). Mit dem Raum voller Poesie zeigt die Darstellung wahrscheinlich keine real existierende Bildergalerie, sondern eine freie Invention des Malers, wenn auch einige der dargestellten Bilder Werke von Schönfeld selbst sind, die sich im Besitz seines Förderers, des Augsburger Bürgermeisters Marx Anton Jenisch befanden. Das Aufschwingen des Instrumentendeckels über dem Spinett und die eklatanten Größenverhältnisse zwischen dem kleinen Orchester und dem hohen leeren Saal sind es, die den Eindruck des Erfülltseins des Raums mit Musik hervorrufen. Die fließenden Bewegungen in den Vorhängen über den Türen und das sich über die Wände ergießende Licht tragen zu der Anmutung eines mehreren Sinnen zugedachten Interieurs auf harmonische Weise bei.

Mit dem Bolognesen Giuseppe Crespi (Bologna 1665 – 1747), einem universellen Maler, der sowohl in der Genremalerei wie in der traditionellen Historienmalerei mit Darstellungen religiösen und mythologischen Inhalts versiert war, gewann die Darstellung des Alltäglichen künstlerische Anerkennung in Italien. Crespi knüpfte an die Frühwerke Annibale Carraccis (vgl. Abb. 75) an und wurde zum Meister jüngerer Maler wie Piazzetta oder Pietro Longhi, der die Darstellung der venezianischen Gesellschaft zum Hauptthema seiner Kunst machte. Nach den lebhaften Szenen alltäglichen Lebens aus dem ersten Jahrzehnt des 18. Jahrhunderts und der Zeit um 1710 wurden seine Genredarstellungen aus den 20er Jahren ernster, mit einem melancholischen Unterton, der aber die Würde, die auch einfache Handarbeit umgeben kann, um so deutlicher hervortreten läßt. Crespis Bilder schlagen thematische Brücken zu den etwa gleichzeitig entstehenden Genrebildern des viel jüngeren Chardin. Allerdings folgen sie der italienischen Tradition der Hell-Dunkel-Malerei wie etwa eines seiner bekanntesten Genrebilder, das eine *Spülmagd* zeigt (Abb. 158). Das Bild ist als Darstellung aus dem alltäglichen Leben und als besonders reizvolle Beleuchtungsstudie bemerkenswert. Die Küche, in die wir blicken, befindet sich im Souterrain, das Licht fällt also höchst ungewöhnlich senkrecht von oben in das Reich der Köchin, wird aber durch den hochgeklappten Kaminladen gegen den Vordergrund abgedeckt. Das Raumgefüge mit seinen vielen Utensilien und die tüchtig darin wirtschaftende Frau gewähren also weit mehr einen Blick auf das Sichtbarwerden der Dinge im Licht als auf die unspektakuläre Tätigkeit des an sich keineswegs bildwürdigen Abwaschs.

Venedig

Als ein besonders fruchtbarer Boden für Genreszenen erwies sich Venedig. Das lag einerseits an der besonderen historischen Situation der Stadt als Adelsrepublik mit altem Reichtum, deren wirtschaftliche Macht allerdings in der Vergangenheit lag, andererseits am Auftreten von Künstlern wie Pietro Longhi oder den Brüdern Giovanni Antonio und Francesco Guardi, die sich besonders der Schilderung alltäglicher Szenen widmeten.

Pietro Longhi (Venedig 1701–1785) erhielt seine malerische Ausbildung in Verona und in Bologna bei Giuseppe Maria Crespi. Ab etwa 1740 fand er unter dem Eindruck der Werke seines Lehrers Crespi mit eigenwilligen Genrebildern aus dem Leben der venezianischen Gesellschaft seine persönliche Richtung, mit der er bekannt wurde und auf der sein Ruhm als ironischer Maler der Realität beruht, als der er schon von Carlo Goldoni goutiert wurde. Die alt gewordenen Gesellschaft Venedigs scharte sich immer noch um die eingewurzelten aristokratischen Familien, aus denen sich auch die Auftraggeberschaft Longhis rekrutierte. Ihnen stand eine große Zahl von Dienern, Abhängigen und Armen gegenüber; ein unternehmungsfreudiges und erfolgreiches Bürgertum fehlte. Longhi malte Geschichten und schilderte die Verhältnisse in seiner Stadt; immer stehen daher die Figuren im Zentrum seiner Darstellung, das Interieur mit sparsamen Angaben zur räumlichen Situation liefert nur die notwendige Hülle.

In der Darstellung des *Künstlerateliers* ist der Innenraum kaum zu erkennen, doch die Figuren zeichnen sich deutlich vom dunklen Hintergrund ab, eine glatte Wand, die sich rechts in einen Nebenraum weitet; hier sind als schemenhafte Umrisse eine Baßgeige, eine Palette an der Wand und ein Regal zu erkennen (Abb. 159). Hauptperson ist die hell beleuchtete Dame in einem zitronengelben Kleid, die für ein Portrait sitzt; ihr Gesicht wiederholt sich in dem Ovalbildnis auf der Staffelei, an dem der Maler, der uns den Rücken zuwendet, arbeitet. So wie der Dame in Wirklichkeit ein vornehmer Begleiter in venezianischer Gewandung mit beiseitegeschobener Maske zugesellt ist, hat ihr Kopf im Bildnis den Maler zum Begleiter. Die wundersame Verdoppelung der Gestalt läßt an die antike Künstleranekdote von Apelles und Kampaspe denken, die Plinius überliefert: Alexander der Große beauftragte Apelles, den größten Maler seiner Zeit,

158 Giuseppe Maria Crespi, **Spülmagd**, um 1720/30
Öl auf Leinwand, 57 x 43 cm
Florenz, Palazzo Pitti, Sammlung Contini Bonacossi

seine schöne Geliebte Kampaspe als Venus zu malen. Während der Arbeit an dem Bild verliebte sich der Künstler in sein Modell. Alexander überließ die schöne Frau großzügig dem Maler. Das häufig in der Malerei dargestellte Thema klingt hier im zeitgenössischen Ambiente durch. Der Raum aber, in dem Longhi seine Figuren auftreten läßt, ist ein seltsam finsterer und unbestimmter Ort, in dem der elegante und gezierte Habitus der Personen deplaciert wirkt: Für das Repräsentative bietet Venedig keinen gebührenden Platz mehr und die Hoffnung auf das Anhalten der Zeit im Portrait wird im Dunkel zur Chimäre.

Der Karneval mit seinen Masken gehört zu den beliebtesten Themen Longhis (Abb. 161). *Die Redoute* in der Ca' Giustiniani in Venedig hat der Künstler mehrfach in verschiedenen Variationen dargestellt, der Salon im venezianischen Palazzo ist nur durch wenige Andeutungen gegeben, einen Türrahmen, ein Bild an der Wand, einen Luster: Aus der Dezenz des Vornehmen ist in diesem Interieur geschäftliche Zweckmäßigkeit geworden. Das maskierte Paar im Vordergrund hampelt mit puppenhafter Attitüde vor einer Szene, deren illusionslose Umgangsformen das Inkognito am Spieltisch gar nicht mehr verlangt.

Eine anderer Zeitvertreib ist exotischer Natur (Abb. 162): In einer einfachen Holzbude mit drei wie in einem Zirkus ansteigenden Bankreihen hat sich eine bunt maskierte Karnevalsgesellschaft – vermutlich die Familie des Giovanni Grimani, wie der Anschlag an der Wand nahelegt – zusammengefunden, um ihren Besuch bei einem Nashorn bildlich dokumentieren zu lassen. Alljährlich zur Karnevalszeit wurden den Venezianern exotische Tiere vorgeführt; 1751 war es ein Nashorn, dem allerdings bei seiner 10-jährigen Tournee durch Europa das Horn abhanden gekommen war und von seinem Pfleger als gesondertes Schaustück präsentiert wurde. Vorher hatte es in verschiedenen deutschen Städten gastiert, in Augsburg wurde es von J. Ridinger gemalt, in Verona von F. Lorenzi und in Paris von Oudry. In dem ordinären Interieur wirken die Menschen wie gespenstische Marionetten auf einer Jahrmarktsbühne, allein der melancholische Pfeifenraucher abseits der Figurenpyramide zeigt lebendiges Interesse und Sympathie für den traurigen Koloß.

Neben Pietro Longhi widmeten sich in Venedig vor allem die Brüder Giovanni Antonio (Wien 1699 – 1760) und Francesco Guardi (Venedig 1712 – Venedig 1793) der Genre- und damit der Interieurmalerei. Francesco konzentrierte sich in seiner Jugend vor allem auf die Vedutenmalerei, mit der er seinen internationalen Ruhm begründete. Erst nach dem Tod seines älteren Bruders übernahm er die Leitung der Werkstatt und entwickelte seinen typischen in farbige Flecken aufgelösten Malstil, der die festen Formen in flüchtige Licht- und Farbeindrücke übergehen ließ.

Die Kultur des europäischen 18. Jahrhunderts war fasziniert vom Fremdartigen und Exotischen, besonders die Hochkulturen Asiens weckten das Interesse des Westens, China und der Orient, am Ende des 18. Jahrhunderts auch das Alte Ägypten erschienen als ferne Märchenländer, ihre Kunstwerke wurden – zum Teil allein für den europäischen Geschmack erzeugt – in den Westen gebracht und zu beliebten Sammlerobjekten. Aber nicht nur die Formen des Fremden und ihre Ästhetik fanden Bewunderung, auch Luxus und Bequemlichkeit der orientalischen Lebensform erschienen vielen den europäischen Gebräuchen überlegen. Den absolutistischen Kleinfürsten des Deutschen Reichs dürfte auch die tatsächlich unumschränkte Macht der osmanischen Sultane, des persischen Schah oder der Moghulherrscher Verlockung gewesen sein, wie die prunkvollen Goldschmiedearbeiten zeigen, die Dinglinger für den sächsischen Kurfürsten August den Starken anfertigte.

Nur wenige Menschen des 18. Jahrhunderts kannten die Länder Asiens aus eigener Anschauung, die Zahl der Künstler, die den Orient bereisten, war noch geringer. Jean Etienne Liotard (Genf 1702 – 1789) gehörte zu ihnen, er hielt sich mehrere Jahre in der Türkei auf und blieb in seiner exzentrischen Kleidung den Rest seines Lebens dieser Erfahrung verpflichtet. Jean Baptiste Vanmour (Valenciennes 1671 – Konstantinopel 1737) malte in der Türkei eine große Zahl von Bildern, in denen er Räume und Ausstattungen türkischer Häuser, aber auch Sitten und Gebräuche ihrer Bewohner festhielt. Im Auftrag des französischen Botschafters Marquis Charles de Ferriol wurden diese Bilder in einer Folge von 100 Stichen vervielfältigt. Der *Recueil Ferriol* fand als Vorlagenwerk weite Verbreitung und wurde bis weit ins 19. Jahrhundert hinein als Quelle und Motivvorlage von europäischen Künstlern eifrig benutzt.

Giovanni Antonio Guardi erhielt von Graf von der Schulenburg den Auftrag, eine Serie von Genrebildern mit Szenen aus dem türkischen Alltagsleben in vornehmen Privathäusern zu malen und hat daraufhin die größte existierende Folge von Gemälden zu diesem Thema geschaffen (Abb. 160). Allerdings sind von ursprünglich 43 Bildern mit Szenen aus dem Leben im Harem bis heute nur 13 als erhalten bekannt. Der Auftraggeber war dem Thema durch seine Biographie verbunden. Als Feldmarschall und militärischer Oberbefehlshaber im Dienst der Republik Venedig führte er von 1715 bis 1718 einen erfolgreichen

159 Pietro Longhi, **Der Künstler im Atelier**, um 1741
Öl auf Leinwand, 44 x 53 cm
Venedig, Civici Musei Veneziani d'Arte e di Storia

160 Giovanni Antonio und Francesco Guardi, **Haremszene**, 1742/43
Öl auf Leinwand, 46 x 64 cm
Düsseldorf, Museum kunst palast

Krieg um den Besitz von Korfu mit der Türkei, wodurch die Vormachtstellung Venedigs in der Adria gesichert blieb.

Guardi hielt sich an die Vorlagen des *Recueil Ferriol*; sowohl die dargestellten Räume und ihre Ausstattung, die mit Kacheln verzierten Wände, die ornamentierte Umrahmung der vergitterten Fenster, die üppige Ausstattung mit Teppichen und an der Wand umlaufenden Diwanen mit Polstern anstelle anderer Möbel entsprechen wie die Figuren, ihre Kleidung und ihre Beschäftigungen genau den Vorlagenblättern, deren Motive Guardi immer wieder neu kombinierte. Lediglich der mächtige beiseite geraffte Vorhang als raumschaffendes Motiv im Vordergrund hat seinen Ursprung in der zeitgenössischen Malerei des Spätbarock. Er verleiht den Szenen die Aura des Theaters, eine fremdartige Welt enthüllt sich dem Betrachter wie ein Theaterstück auf einer Bühne.

Um die Mitte des Jahrhunderts schuf Francesco Guardi zwei großformatige Szenen aus dem Leben der venezianischen Gesellschaft, in dem die »Parlatorien«, die Sprechzimmer in den Nonnenklöstern eine nicht unerhebliche Rolle spielten (Abb. 163). Am Besuchstag durften die Novizinnen hinter großen Gittern Eltern und Verwandte empfangen. In dem Doppelraum, der bei San Zaccaria dafür vorgesehen war, trennen nicht nur Wände und Gitter das klösterliche vom weltlichen Leben, sondern auch der unterschiedliche Lichteinfall sowie Weite hier und Enge dort bezeichnen hüben und drüben. Im Vordergrund ist zur Unterhaltung der kleinen Gäste eine Puppentheaterbühne aufgebaut. In der möglicherweise auf Pietro Longhi zurückgehenden Komposition ist allerdings eine elegante junge Dame das Hauptstück, deren Gehabe ihren Stolz darüber verrät, dem Schicksal klösterlicher Verwandtenfürsorge entgangen zu sein.

161 Pietro Longhi, **Il Ridotto**, um 1757
Öl auf Leinwand, 61 x 49 cm
Bergamo, Accademia Carrara

162 Pietro Longhi, **Das Rhinozeros**, 1751
Öl auf Leinwand, 62 x 50 cm
Venedig, Ca' Rezzonico

163 Francesco Guardi, **Parlatorio im Nonnenkloster von San Zaccaria,** um 1740/50, Öl auf Leinwand, 108 x 208 cm
Venedig, Ca' Rezzonico

Der große Auftritt, die Stilisierung der »bella figura« ist denn auch die treibende gesellschaftliche Kraft in Guardis *Venezianischem Galakonzert* (Abb. 164). In der unkonkreten Farbsetzung seiner späten Jahre zeigt er ein historisches Ereignis unter den tatsächlichen Bedingungen der dabei üblichen zeremoniellen Strenge – und liefert zugleich mit der auf der Bildfläche vibrierenden Licht- und Farbdarstellung ein Meisterwerk malerischer Souveränität. Am 20. Januar 1782 fand im »Casino dei Filarmonici« in Venedig zu Ehren des Großfürsten Paul von Rußland und der Großfürstin Maria Feodorowna eine *cantata* von 80 Waisenmädchen statt. Links auf der Tribüne sind in drei Reihen übereinander die Sängerinnen postiert, das Publikum verteilt sich im Saal. Auf dem erhöhten Podium in der Mitte des Raumes sitzen die Damen der venezianischen Gesellschaft, die übrigen Zuhörer stehen entlang der Wände. Unter der zentralperspektivischen Klammer des mächtigen Deckengewölbes konstituiert sich das Räumliche mit der nach hinten größer werdenden Zahl irisierender Farbtupfer bei gleichzeitig schwindender Größe des Einzelnen. Um das Festliche auch atmosphärisch spürbar zu machen, spielt Guardi die geordnete Steifheit des Protokollarischen gegen das Glitzern seiner malerische Freiheit aus.

Experiment und Vision: Die Geburt der Moderne aus den Formen der phantastischen Architektur

Rationalität der Aufklärung und hemmungslose Phantastik sind die beiden Pole des theoretischen Architekturentwurfs und der Architekturinvention des 18. Jahrhunderts, wie sie sich vor allem in Zeichnung und Druckgraphik präsentieren. Von den Bauten der Antike, vor allem den Ruinen der monumentalen römischen Amphitheater und Thermen ausgehend, entwickelte sich mit den Veduten und getreuen Ansichten städtischer Ereignisse über die Architektur-Capricci Panninis und die phantastischen Entwürfe Piranesis bis hin zur schneidenden Kälte der Abstraktion in den niemals zu realisierenden Entwürfen der Revolutionsarchitektur ein breites Spektrum realer und imaginärer Raumbilder.

164 Francesco Guardi, **Venezianisches Galakonzert**, 1782
Öl auf Leinwand, 67,7 x 90,5 cm
München, Alte Pinakothek

DOMINVM IN SANCTIS EIVS
LAVS EIVS IN ECC

165 Giovanni Paolo Pannini, **Inneres des Pantheon**, um 1740
Öl auf Leinwand, 128 x 99 cm
Washington, National Gallery of Art

166 Giovanni Battista Piranesi, **Carceri**, Tafel III
Radierung, 1. Zustand

Italien

Bei den Architekturdarstellungen unterschied das 18. Jahrhundert zwischen frei erfundenen Architekturen (*vedute ideate*) und naturgetreuen Ansichten (*vedute prese dal luogo*). Giovanni Paolo Pannini (Piacenza 1691 – Rom 1765) fand bei seinen Veduten eine Mischform, indem er tatsächlich vorhandene und exakt wiedergegebene römische Monumente wie den Konstantinsbogen, die Trajanssäule und immer wieder das Pantheon in wechselnder räumlicher Anordnung mit erfundenen imaginären antiken Baudenkmälern kombinierte. Die *Innenansicht des Pantheons* betont durch die Lichtführung vor allem die überwältigende Weite der Hohlform des Raums mit der Projektion der Sonne durch die Scheitelöffnung der Kuppel auf die Seitenwand (Abb. 165). Das Bild feiert damit die antike Riesenrotunde als ein Wunderwerk der Baukunst und man kann es gleichermaßen als Dokument wie als Hommage lesen.

Sowohl Pannini wie der eine Generation jüngere Giovanni Battista Piranesi (Mogliano im Veneto 1720 – Rom 1778) kamen aus ihrer oberitalienischen Heimat nach Rom, wo sie in den architektonischen Resten der Antike die Inspiration für ihre Werke fanden. Pannini spezialisierte sich unter dem Einfluß des Bühnenmalers Ferdinando Galli Bibiena mit großem Erfolg auf das Architektur-Capriccio und die arkadische Landschaft. Zu seinen Auftraggebern zählten sowohl die Kardinäle der päpstlichen Kurie wie die meisten europäischen Herrscherhäuser, wodurch seine Kunst internationale Verbreitung und Nachahmung fand. Auch mit der französischen Kolonie in Rom unterhielt er gute Kontakte und unterrichtete deren Künstler in der Perspektivlehre. Kardinal Polignac und der Duc de Choiseul gehörten zu seinen Kunden. Für den Herzog malte Pannini zwei große Bilder als Gegenstücke, die Kunstdenkmäler des antiken und des modernen Rom darstellen. In einer monumentalen Architektur, die mit der Abfolge von hohen Tonnengewölben und Kuppeln an einen Kirchraum erinnert, sind die Wände dicht mit Gemälden behängt; wie in einem Kaleidoskop sind bedeutende antike Monumente versammelt (Abb. 167). Das Gemälde vereint die Merkmale eines Architektur-Capriccios mit der niederländischen Tradition des Galeriebildes und erlaubt dem Betrachter einen erfundenen Gang durch die sehenswürdigen Altertümer der Stadt.

Die Beschäftigung mit den antiken Denkmälern Roms hatte seit Brunelleschis und Donatellos Zeiten Tradition und gehörte im 18. Jahrhundert zur Domäne Piranesis. Er war ausgebildeter Architekt und kam 1740 an den Tiber. Aus Mangel an Aufträgen

verlegte er sich auf die Druckgraphik. Hier verwirklichte er seine Architekturphantasien in einer Reihe von Radierungsfolgen, deren Titel das Programm angeben; von den archäologischen Serien der *Magnificenze di Roma* und der *Antichità Romane* bis zu den *Invenzioni capricciose di carceri sotterranei*, denen er seine eigentliche künstlerische Bedeutung verdankt. Diese Blätter, die uns heute prophetisch auf die Moderne vorauszuweisen scheinen, zeigen schwindelerregende Kerkervisionen mit labyrinthischen Raumfluchten, endlosen Treppen, düsteren Gewölben und übereinandergetürmten Pfeilern (Abb. 166). Ihre formalen Grundlagen liegen in der Theaterarchitektur und dem Entwurf von Bühnenbildern. Plötzliche Sprünge und Brüche im Raumgefüge erzeugen Verunsicherung und lassen damit den Betrachter nicht unbeteiligt, sondern saugen ihn förmlich in eine fremde Welt, die den »Schauer des Erhabenen« hervorrufen und damit unterhalten soll.

167 Giovanni Paolo Pannini, **Vedute di Roma antica**, 1754
Öl auf Leinwand, 169,5 x 227 cm
Staatsgalerie Stuttgart

168 Hubert Robert, **Galerie des antiken Rom (Phantasieansicht der Grande Galerie)**, nach 1800
Öl auf Leinwand, 65 x 81 cm
Paris, Musée du Louvre

169 Hubert Robert, **Stiegenhaus im Gefängnis Saint Lazare**, 1793
Öl auf Leinwand, 40,5 x 32,5 cm
Paris, Musée Carnavalet

Frankreich

Hubert Robert (Paris 1733 – 1808) kam 1754 als Stipendiat der französischen Akademie nach Rom und blieb für elf Jahre. Als Landschafts- und Architekturmaler entwickelte er unter dem Einfluß von Pannini und Piranesi seinen persönlichen Stil, mit dem er später in Frankreich als *ruiniste*, als Spezialist für Architektur- und Ruinenlandschaften mit sentimentalem und dekorativem Charakter berühmt wurde.

Nachdem Ludwig XIV. 1678 den königlichen Hof aus Paris nach Versailles verlegt hatte, verlor der Louvre seine Funktion im höfischen Zeremoniell; ab 1692 beherbergte er unter anderem die »Académie de Peinture et de Sculpture«, einige Akademiemitglieder hatten hier ihre Ateliers und alle zwei Jahre fanden die großen öffentlichen Kunstausstellungen der Akademie im Salon Carré statt. Kurz vor 1750 tauchte zum ersten Mal der Plan auf, die Grande Galerie – ab 1595 als damals 432 Meter langer Korridor zwischen dem Louvre und dem Tuilerienpalast errichtet – für die Aufstellung der königlichen Bildersammlung zu verwenden. 1777 begann die Realisierung des Plans und 1784 wurde Robert als »Garde du Museum« verantwortlich für die Galerie, ein Posten, den er bis 1792 beibehielt. Tatsächlich eröffnet wurde die Gemäldegalerie im Louvre erst während der Revolution im August 1793. Robert wurde seines Amtes enthoben und im Oktober 1793 als vermeintlicher Royalist verhaftet. Er blieb acht Monate im Gefängnis und kam erst nach dem Sturz Robespierres frei. Von 1795 bis 1802 war er Mitglied des neuen, aus fünf Mitgliedern bestehenden »Conservatoire«, dem die Leitung des Museums anvertraut war.

In den 80er Jahren wurde die *Grande Galerie* zu einem zentralen Thema in Roberts Malerei, dessen Möglichkeiten er in zahlreichen Varianten bis hin zu imaginierten Ruinen auslotete. Die Idee, moderne Bauten als Ruinen darzustellen, hatte vor ihm bereits Mercier, der 1770 ein Versailles *en ruines* als Mahnmal für zukünftige Gewaltherrscher entwarf. Im Salon von 1796 stellte Hubert Robert eine Ansicht der *Grande Galerie* als Ruine (Paris, Musée du Louvre) einer Idealplanung – *Projet pour éclairer la Gallerie du Musée par la voûte et pour diviser sans ôter la vue de la prolongation du local*, so lautet der vom Künstler selbst gewählte erklärende Titel – gegenüber (Paris, Musée du Louvre). Anregung war wohl das 1756 von Panini gemalte Bildpaar *Ansicht des antiken Rom* und *Ansicht des modernen Rom* (heute in Edinburgh bzw. Boston). Als eines der letzten Bilder dieser Reihe entstand eine Ansicht, die die bedeutendsten Kunstwerke des antiken Rom in einem von der Grande Galerie inspirierten Raum vereint (Abb. 168). Nicht der Realität entspricht vor allem die Form der Oberlichter und die Unterteilung der Galerie durch eine doppelte dreiachsige Säulenkolonnade. Die architektonischen Formen und Dekorationselemente gehören in die Zeit um 1800. Skulpturen sind mit Architekturansichten kombiniert. Diese Bilder sehen alle wie Werke des Künstlers aus – die sie als Bilder im Bild ja auch sind – die Übereinstimmungen mit tatsächlich von ihm stammenden Gemälden ist aber gering.

Neben den dekorativen *Grande-Galerie*-Bildern schuf Robert unter dem Eindruck seiner mehrmonatigen Haft realistische Darstellungen aus dem Pariser Gefängnis Saint Lazare, die unmittelbare Eindrücke abseits aller Bildkonventionen wiedergeben. Eines dieser Bilder stellt ein Stiegenhaus dar, dessen Treppenlauf sich auf der einen Seite gegen eine gewaltige Mauer mit einer verschlossenen Tür totläuft und daher ohne Verbindung zur weiterführenden Stiege bleibt (Abb. 169). Auf der einen Seite befinden sich zwei Frauen, die Körbe mit Essen und Milchkannen bringen, auf der anderen Seite eine Menschenmenge, deren Köpfe über der Stiegenbrüstung erscheinen. Über den Schacht des Stiegenhauses hinweg strecken sich der Milchfrau, die als Sensation im Gefängnisalltag ihren Auftritt hat, die Arme der Gefangenen entgegen. Im Zentrum dieses von Steinschwere geprägten Interieurs steht somit als Inszenierung voller Pathos ein Akt der Barmherzigkeit.

Licht und Farbe

Das 18. Jahrhundert war eine Zeit variabler künstlerischer Möglichkeiten. In der ganzen europäischen Malerei gab es voneinander unabhängig Tendenzen der Formauflösung durch eine Zerlegung der Umrisse in farbige Flecken mit Hilfe offener Malweisen, die virtuose Beherrschung der malerischen Mittel und Schnelligkeit erkennen lassen. In Italien waren die peripheren künstlerischen Zentren, Venedig, Neapel und Genua Ausgangspunkte dieser Entwicklung, ausstrahlend bis Süddeutschland, Österreich und Böhmen; in Frankreich manifestiert sich diese Tendenz vor allem als Widerstand gegen den normativen Anspruch der Kunstakademie.

Jean-Honoré Fragonard kultivierte bereits während seiner frühen Tätigkeit in Rom den offenen und skizzenhaften Duktus, für den er entsprechende Sujets suchte. Die in mehreren Versionen erhaltene Komposition der *Wäscherinnen* ergab die Gelegenheit für eine derartige Licht- und Farbstudie (Abb. 170). Aus dem Dunkel des umgebenden Raums hell hervorgehoben erscheinen im Dunst einer Waschküche schemenhaft einige Figuren, deut-

H. ROBERT

170 Jean-Honoré Fragonard, **Wäscherinnen**, ca. 1759/60
Öl auf Leinwand, 61,5 x 73,1 cm
St. Louis Art Museum

171 Hubert Robert, **Atelier des Künstlers**, um 1763
Öl auf Leinwand, 37 x 46 cm
Rotterdam, Museum Boijmans Van Beuningen

172 Louis Jacques Durameau, **Salpetersiederei**, 1766
Gouache auf Papier, 52 x 40,2 cm
Paris, Musée du Louvre, Cabinet des Dessins

licher hervorgehoben eine Frau, die ein großes weißes Laken hochhebt. Die Szene spielt auf einer erhöhten Plattform, im Dunkel des Vordergrunds davor sind zwei Figuren mit einem Hund zu erkennen. Es geht Fragonard gar nicht um Lesbarkeit der Szene mit ihrem monumental instrumentierten Handlungsort und den Tätigkeiten der Menschen, um genau umschriebene Formen, sondern um das Festhalten eines flüchtigen Stimmungsmomentes, eine vielleicht in den Straßen Roms schnell vorbeiziehende Beobachtung, die als Bildidee aufgegriffen und als virtuose Farbstudie fixiert wurde.

Auch Hubert Robert war in Rom auf die Möglichkeiten der selbstdarstellerischen Vorführung des Künstlerischen gestoßen. Wahrscheinlich um 1763 entstand dort sein kleines Bild mit dem Künstler bei der Arbeit (Abb. 171). Zeichnend sieht man ihn in seinem Atelier, so als hielte er Zwiesprache mit der Büste vor sich auf dem Pult, der seine ganze Aufmerksamkeit gilt. In diesem Tun, so zeigt es Robert in dem scheinbar rasant hingewischten Bild, geht das ganze Leben des Künstlers auf. Der Raum ist daher ein einziges Chaos wild herumliegender Dinge und selbst das Gegenständliche verliert sich im malerischen Furor: Pinselduktus und Sujet machen den genialischen schöpferischen Akt zum Bildthema dieses brisanten Interieurs. Wenn Armut in der Inkarnation des mageren Hündchens darin eine Rolle spielt, so deutet sich mit ihm bereits der Topos des verkannten Genies an, der für das 19. Jahrhundert so symptomatisch werden wird.

Die Freizügigkeiten der nicht allein vom Gegenstand bestimmten Bildgestaltung lassen die Künstler nach Sujets suchen, die ihre formalen Ideen in der Wirklichkeit rechtfertigen. Ein prachtvolles Beispiel dafür ist Louis Durameaus (Paris 1733 – 1796) *Salpetersiederei* aus dem Jahr 1766 (Abb. 172). Die gewaltige Balkenkonstruktion der Werkhalle verliert sich im brodelnden Dampf der Kesselanlage; dem nur in stets unbestimmbarer Veränderung erfahrbaren Gewölk fällt die bildkonstituierende Rolle zu, es wird zum Medium von Licht, Raum und Atmosphäre gemacht. Der Reiz solcher malerischer Effekte liegt darin, daß der Künstler wie in musikalischen Harmonien mit Farbklängen komponieren kann, ohne von einem erzählerischen Inhalt in die Pflicht genommen zu werden.

England und das Interieur der Gesellschaft

In der faszinierenden Komplexität der Architekturentwicklung des 18. Jahrhunderts in England, die in vielem einen von Europa unabhängigen und eigenen Weg nimmt, stehen Tendenzen der Beharrung neben ganz modernen Strömungen, die letzten Ausläufer der Nachgotik treffen auf die Vorboten des Historismus. Der bedeutendste Beitrag Englands zur Baukunst im weiteren Sinn war die Schöpfung des natürlichen Landschaftsgartens und des stilistisch entsprechenden Baustils, des Palladianismus, ein eleganter und schmuckloser Klassizismus, der sich mit einer nüchtern zeitlosen Zweckarchitektur verband.

173 Joseph Mallord William Turner, **Interior of St. John's Palace, Eltham**
um 1793, Aquarell, 33,3 x 27,1 cm
Yale Center for British Art

Die *Ansicht der Malerwerkstatt im Londoner Haymarket Theatre* von Michael Angelo Rooker (London 1743 – 1801) ist ein schönes Beispiel für die sachliche Darstellung eines Zweckraums (Abb. 174). Der Dachboden des Theaters wurde mit großen Fenstern versehen und als Kulissenmalerwerkstatt eingerichtet. Die massiven Holzbalken der Dachkonstruktion verleihen dem Raum eine gewisse Dramatik, die im Gegensatz zur Ausstattung mit Galerien, Regalen, Leitern und allerlei Gerätschaften steht. Rooker, vor allem als Architektur- und Landschaftsmaler in der bevorzugten Aquarelltechnik versiert, war als Bühnenmaler unter dem Pseudonym Signor Rookerini am Haymarket Theater in London tätig und hat hier seine eigene Arbeitsstätte festgehalten.

Joseph Mallord William Turner (London 1775 – 1851) gehört zu den eigenwilligsten malerischen Begabungen Englands der Zeit

174 Michael Angelo Rooker, **Malerwerkstatt am Haymarket Theater**
Aquarell, 37,6 x 30,3 cm
London British Museum

175 George Jones, **Turners Sarg in seiner Galerie**, um 1852
Öl auf Pappe, 14 x 23 cm
Oxford, Ashmolean Museum

um 1800 und des frühen 19. Jahrhunderts. Durch seine Werke, in denen die atmosphärische Wirkung der Farbe, die sich vom linear begrenzten Gegenstand löst, zentrales Darstellungsthema wird, erlangte er internationale Bedeutung und gilt als einer der großen Propheten der impressionistischen und nachimpressionistischen Malerei. Er begann als Aquarellmaler und auf seinen Reisen durch England und Schottland hielt er seine Eindrücke in vielen Skizzenbüchern und lavierten Federzeichnungen fest. Eines dieser Blätter zeigt ein verlassenes Landhaus, die große Halle mit einem Holzgewölbe aus elisabethinischer Zeit wird als Scheune und Viehstall genutzt (Abb. 173). Turner gelingt es, topographisch genau den Raum festzuhalten und durch die Staffagefiguren eine dichte, elegische Stimmung zu erzeugen.

Die Bedeutung Turners im Bewußtsein seiner Zeitgenossen ist in einem gespenstisch anmutenden Interieur von George Jones (London 1786 – 1869) dokumentiert, das die Aufbahrung des bewunderten Malers in seiner eigenen Galerie in der Queen Anne Street zeigt (Abb. 175). Alles Licht im Raum und auf die Bilder an den Wänden geht von dem offenen Sarg aus, eine Hommage, die das Wesen der Kunst mit der Existenz des verstorbenen Künstlers in eins setzt. Allein die finstere Parze links im Bild bleibt von dem Phänomen unberührt. Dem romantischen Aspekt der Vergänglichkeit bei Turner geht noch wenige Jahre zuvor die Beschäftigung mit den ewigen Werten voraus. Die *Ansicht der Tribuna der Uffizien* von Johann Zoffany (Frankfurt 1734 – London 1810) zeigt das historische Zentrum dieses florentinischen Galeriepalastes architektonisch leicht verändert und kombiniert es mit einem Gruppenportrait englischer Besucher (Abb. 176); das Bild steht damit in der Tradition der niederländischen Galeriebilder des 17. Jahrhunderts, das fiktive oder wirklich existierende Sammlungen und deren Besitzer und ihren Hofstaat oder ihre Gäste abbildet. Zoffany stellte den Raum mit der heute nicht mehr erhaltenen originalen Dekoration aus dem 16. Jahrhundert dar, die Anordnung der Bilder veränderte er allerdings, in dem er anstelle einiger ihm weniger wichtig erscheinender Bildnisse Hauptwerke aus dem Palazzo Pitti einfügte. Erst 1778 vollendete er das Bild. Als Staffagefiguren fügte er nicht nur den englischen Botschafter, Sir Horace Mann, sondern eine ganze Reihe von Engländern ein, die auf ihrer Grand Tour nach Florenz gekommen waren. Die Besucher haben sich zu drei Gruppen formiert, eine schart sich um Tizians *Venus von Urbino*, eine andere um die antike Skulptur der *Venus Medici*. Das auftraggebende Königspaar allerdings war »not amused« – die verwirrende Vielfalt von Kunstwerken und die Indiskretion erkennbarer Zeitgenossen erschienen ihm »improper«: Erst 1788 fand das Bild in die königlichen Sammlungen.

»Improper« sind wohl auch die Verhältnisse in Louis-Léopold Boillys (La Bassée bei Lille 1761 – Paris 1845) Interieur eines *Billardzimmers* (Abb. 177). Darin dringt allein durch ein knapp bemessenes Deckenfenster fahles Licht über eine figuren- und beziehungsreiche Gesellschaftsszene und versetzt den Raum in eine Atmosphäre des Klandestinen. Auch ist nicht nur der Zeitvertreib des Billards an sich etwas anrüchig, sondern all das Flirten, Blicke wechseln, Tuscheln und die Verfänglichkeit erotischer Reize beim Spiel haben zweifelhaften Charakter. Boilly, ein wichtiger Chronist dieser bewegten Zeit, bedient sich mit dem Oberlicht einer sehr gewählten, sozusagen ins Souterrain verlagerten Interieursituation, um die gesellschaftlichen Sitten als Vorwand für eher vulgäre Gelüste bloßzustellen.

Francisco Goya

Wie kein anderer Künstler verkörpert Francisco de Goya (Fuendetodos bei Zaragoza 1746 – Bordeaux 1828) in seinem Werk den Übergang vom eleganten, rokokohaften, fröhlichen höfischen Stil des 18. zum Individuellen, auch Irrationalen, Verstörenden des »langen« 19. Jahrhunderts, das mit der Französischen Revolution beginnt, dessen Vorboten sich aber schon in den Jahrzehnten davor ankündigen.

Goya erhielt seine Ausbildung bei einem lokalen Maler in seiner Heimatstadt Zaragoza. 1763 und 1766 nahm er vergeblich an den Wettbewerben der Kunstakademie in Madrid teil. Nach einem Italienaufenthalt ließ er sich 1773 in Madrid nieder und kämpfte um seine künstlerische Anerkennung. Er fand Beschäftigung als Entwurfsmaler in der Königlichen Teppichmanufaktur, 1789 ernannte ihn König Karl IV. zum Hofmaler. In dieser Eigenschaft malte er Bildnisse der königlichen Familie und Standesportraits des Hofadels. Als Goya nach einer schweren Krankheit 1792 taub blieb, begann er sich mehr und mehr zurückzuziehen. Es entstanden in der Folge einerseits die großen Graphikzyklen,

176 Johann Zoffany, **Die Tribuna der Uffizien in Florenz**, 1772 bis 1778
Öl auf Leinwand, 123,5 x 155 cm
London, The Royal Collection

177 Louis-Léopold Boilly, **Billardspiel**, 1807
Öl auf Leinwand, 56 x 81 cm
St. Petersburg, Eremitage

178 Francisco Goya, **Irrenhaus**, um 1815–1819
Öl auf Holz, 45 x 72 cm
Madrid, Museo de la Real Academia

zugleich aber kleinformatige Bilder, die ungewöhnliche Sujets in ungewohnter Form darstellen. Goya schrieb darüber an den Protektor der Akademie: »... habe ich damit begonnen, eine Gruppe von Kabinettstücken zu malen, in denen es mir gelungen ist, Beobachtungen anzustellen, die in Auftragsarbeiten gewöhnlich keinen Platz finden, da bei diesen Laune und Erfindung nicht frei schalten und walten können«. Gefängnis und Irrenhaus sind die prototypischen Orte dieser Auseinandersetzung.

Die Darstellung des *Irrenhauses*, ein Bild aus einer Serie von elf Darstellungen, die ähnliche düstere Themen zeigen, bringt mehr noch als andere Werke Goyas die zutiefst pessimistische Weltsicht des Künstlers zum Ausdruck (Abb. 178). In dem finsteren Gewölbe, in das durch ein einziges Fenster im Hintergrund gleißendes Tageslicht fällt, wird eine in verstörten Aktionen befangene Horde von Gestalten erkennbar, die auf nacktem Boden unbarmherzig eingekerkert sind. Das Licht symbolisiert hier zugleich eine unerreichbare Außenwelt – der Kontrast zwischen Innen und Außen, das in immer neuen Variationen wiederkehrende Hauptmotiv der Interieurdarstellung, wird hier ins beinahe Unerträgliche gesteigert.

Eine ähnliche raumschaffende Magie der Lichtführung zeigt die *Junta der Philippinen*, Schilderung eines historischen Ereignisses und nicht Erfindung Goyas, doch weder Gruppenportrait noch Genre- oder Historienbild (Abb. 179). Dargestellt ist eine Aktionärsversammlung der Handelsgesellschaft, die das Monopol des Warenverkehrs mit den Philippinen innehatte, die erste, die unter dem Vorsitz des Königs Ferdinand VII. nach seiner Rückkehr aus dem Exil nach Madrid (1814) stattfand. Lastende Stille liegt über der öden Leere des Raums, die sich auf die regungslosen, schemenhaften Gestalten überträgt und wie eine Metapher für ihren inneren Zustand wirkt. Der Apathie der drei um den König versammelten Gruppen von Herren entspricht die Anonymität der Einzelnen. Allein das von rechts hereinbrechende Licht erhellt wenn schon nicht in den Köpfen, so doch wenigstens im Saal den Dämmerzustand, in dem das höfische Zeremoniell erstarrt ist. Mit dieser zu äußerster malerischer Radikalität gebrachten Skizze für ein riesiges, inhaltlich allerdings modifiziertes Bild, das heute in Castres hängt, wird das Interieur zum Ausdrucksträger der geistigen Verfassung der spätfeudalen Gesellschaft.

179 Francisco Goya, **Junta der Philippinen**, 1815
Öl auf Leinwand, 54 x 70 cm
Berlin, Staatliche Museen, Gemäldegalerie

Das Interieur im 19. Jahrhundert

Romantik und Biedermeier in Deutschland und Österreich

Der Klassizismus des späten 18. Jahrhunderts brachte eine Wendung ins Große und Einfache. Von hier aus nahm die Kunst der Romantik mit ihrer Sehnsucht nach der unverdorbenen Reinheit des Anfangs, aber auch des Biedermeier ihren Ausgang. Ursprünglich als Spottfigur in der Zeit nach der Revolution von 1848 erfunden, in der die vorrevolutionären Verhältnisse der provinziellen Enge und Selbstbescheidung auf irdische Glückseligkeit im engen Kreis des Hauses und der Familie als resignatives Symptom nach dem Wiener Kongress aufs Korn genommen wurden, entwickelte sich der Begriff bald zur positiv gemeinten Stilcharakteristik. Im Rückzug ins Private wurde eine genuin bürgerliche Eigenheit gesehen – in der Tat wurden die erlesensten Objekte der Möbelkunst und des Kunstgewerbes aber für aristokratische Auftraggeber und fürstliche Höfe geschaffen. Einfachheit der Form muß nicht aus Selbstbeschränkung entstehen, sondern kann höchste Verfeinerung des Geschmacks bedeuten.

Das Wohnen erlangte eine neue Bedeutung, Wohnkultur und Raumausstattung erlebten einen bis dahin unerreichten Höhepunkt während der ersten Jahrzehnte des 19. Jahrhunderts. Damit erlangten auch Interieurdarstellungen einen neuen Stellenwert. »Das Interieur ist nicht nur das Universum, sondern auch das Etui des Privatmanns. Wohnen heißt Spuren hinterlassen. Im Interieur werden sie betont.« (Walter Benjamin, Illuminationen, 1935)

Caspar David Friedrich und Georg Friedrich Kersting

Caspar David Friedrich (Greifswald 1774 – Dresden 1840) gilt durch sein Werk, vor allem seine Landschaftsbilder, als der Vertreter der deutschen Romantik in der Malerei schlechthin. Bereits 1808 entstand nach einer Reise nach Nordböhmen als Auftrag von Graf Thun und Hohenstein das Bild *Kreuz im Gebirge*, der sogenannte *Tetschener Altar*, das Friedrich schlagartig berühmt machte und seinen Ruf als Maler der Romantik begründete. Schon die Zeitgenossen des Künstlers verkannten allerdings im Sinn einer die Gefühlswelt ansprechenden Aussage den ursprünglich von Friedrich selbst intendierten religiösen Symbolgehalt der Bilder.

Friedrich stammte aus Greifswald in Pommern, das damals zu Schweden gehörte, und erhielt seine Ausbildung an der Kunstakademie in Kopenhagen. 1798 übersiedelte er nach Dresden, um an der dortigen Akademie sein Studium abzuschließen. Von mehreren Reisen an die Ostsee und Wanderungen im Riesengebirge abgesehen, verbrachte er dort den Rest seines Lebens.

Während der ersten Dresdener Jahre schuf Caspar David Friedrich vor allem Sepiazeichnungen auf Papier, bevor er zur Ölmalerei überging. Auf zwei – mit einer anderen Adresse falsch beschrifteten – Blättern hielt er den Blick aus seinem Atelier in Dresden in der Pirnaer Vorstadt, An der Elbe 26, durch die Fenster des Raums fest (Abb. 180). Freunde des Künstlers wie Carl Gustav Carus berichten von der Genauigkeit und vom Ordnungssinn des Künstlers. Diese asketische Einstellung kommt in der Darstellung der kahlen Wände des Ateliers und der abstrahierenden, auf das Wesentliche der Form konzentrierten Darstellung des Fensters zum Ausdruck, die in den präzise geschilderten Details zugleich die betonte Genauigkeit Friedrichs zeigen. Im Gegensatz zu den geraden und strengen Linien und Flächen der Fensternische, des Fensterrahmens und der geöffneten Flügel steht die zart angedeutete Flußlandschaft mit dem gegenüberliegenden Elbufer und den Schiffen auf dem Fluß. Der Gegensatz zwischen dem nahen verdunkelten Raum und der lichterfüllten Fernsicht kann auch allegorisch gelesen werden, wobei der Fluß und die Pappeln als Todessymbole zu deuten sind. Entsprechend wäre die auffällig an der nackten Wand hängende Schere ein Attribut der Parze Atropos, die den Lebensfaden abschneidet. In diesem Zusammenhang ist auch das fragmentarisch in dem angeschnittenen Spiegel am Bildrand erscheinende Gesicht des Malers zu deuten. Ein zeitgenössischer Ausstellungsbericht wußte allerdings auch Friedrichs gegenständliche Auffassung zu würdigen: »Der einfache glücklich gewählte Gegenstand, die Gewandtheit der Ausführung und besonders die zur Täuschung getriebene Wahrheit, womit unser Künstler den Unterschied zwischen der Aussicht in die freye Luft und kaum merklichen trüberen Durchsichtigkeit des Glases darzustellen gewusst hat, verschafften dieser Zeichnung den ungetheilten Beyfall aller, denen sie zu Gesicht gekommen ist.« (Jenaische Allgemeine Literatur-Zeitung, 1809)

Auf der in mehreren Versionen erhaltenen Darstellung von *Caspar David Friedrichs Atelier* von Georg Friedrich Kersting (Güstrow 1785 – Meißen 1847), dem Künstlerfreund und engen Vertrauten Friedrichs, können wir mehr von dem Arbeitszimmer sehen als in den Atelierbildern von Friedrich selbst (Abb. 181). Wie ein Vergleich mit den beiden früheren Sepiabildern zeigt, waren in der Zwischenzeit hölzerne Läden angebracht worden, die den unteren Fensterteil verdecken und nur das Himmelslicht einfallen lassen. Die Kahlheit und Leere des Ateliers wird damit vielleicht noch deutlicher. Wilhelm von Kügelgen hielt seine Jugendeindrücke des Ateliers in seinen viele Jahrzehnte später

180 Caspar David Friedrich, **Blick aus dem Atelier des Künstlers,** 1805/1806
Sepia auf Papier, 31,2 x 23,7 cm
Wien, Belvedere

Caspar David Friedrich, **Blick aus dem Atelier des Künstlers**, 1805/1806
Sepia auf Papier, 31,4 x 23,5 cm
Wien, Belvedere

181 Georg Friedrich Kersting, **Caspar David Friedrich in seinem Atelier**, 1811
Öl auf Leinwand, 54 x 42 cm
Hamburger Kunsthalle

182 Georg Friedrich Kersting, **Junge Frau beim Schein einer Lampe nähend**, 1825
Öl auf Leinwand, 40,3 x 34,2 cm
München, Bayerische Staatgemäldesammlungen, Neue Pinakothek

erschienenen Lebenserinnerungen fest: »Es war von so absoluter Leerheit, daß Jean Paul es dem ausgeweideten Leichnam eines todten Fürsten hätte vergleichen können. Es fand sich nichts darin als die Staffelei, ein Stuhl und ein Tisch, über welchem als einzigster Wandschmuck eine einsame Reißschiene hing, von der Niemand begreifen konnte, wie sie zu der Ehre kam. Sogar der so wohlberechtigte Malkasten neben Oelflaschen und Farbenlappen war in's Nebenzimmer verwiesen, denn Friedrich war der Meinung, daß alle äußeren Gegenstände die Bilderwelt im Inneren stören.« Der letzte Satz dieser Beschreibung birgt die wichtigste Aussage, denn die Evokation der inneren Bilderwelt auf der Leinwand war das zentrale künstlerische Anliegen Caspar David Friedrichs.

Kersting hatte in diesem wie in anderen seiner Zimmerbilder die Kunstauffassung Friedrichs übernommen, wonach Malerei weniger aus Anschauung und Naturnachahmung, sondern aus der Welt der Vorstellung und Imagination entsteht. Er hatte ebenso wie Caspar David Friedrich an der Kopenhagener Kunstakademie studiert und kam 1808 nach Dresden. Hier fand er die Freundschaft Friedrichs, die sich auch in einer 1810 gemeinsam ins Riesengebirge unternommenen Wanderung äußerte. Künstlerisch geriet Kersting in den Bann des älteren Freundes und begann ab 1810 unter dem Eindruck von dessen formenstrengen Atelierbildern ebenfalls Interieurs zu malen – als erstes Darstellungen der Ateliers seiner Dresdener Malerfreunde. 1811 entstand eine erste Version des Ateliers Caspar David Friedrichs.

Friedrich selbst wiederholte das Motiv des Interieurs mit Atelierfenster mehrere Jahre nach seinen Sepiabildern von 1805 in einem intimen und persönlichen Bild, in dem er seine Frau Caroline, die er erst 1818 geheiratet hatte, als Rückenfigur aus dem Fenster blickend darstellte (Abb. 183). Die Übereinstimmung des Fensters mit dem Atelierbild Kerstings ist vermutlich so zu erklären, daß die von Caspar David Friedrich zur Regulierung des Lichteinfalls konstruierten Holzläden in die neue, 1820 nach der Geburt einer Tochter bezogene und nur wenig weiter elbaufwärts gelegene Wohnung des Künstlers übernommen wurden. Friedrich verknüpfte die strenge Form der Architektur des Raumes mit ihren Vertikalen und Horizontalen der Fensternische und des Fensters mit den weichen fließenden Falten des farblich changierenden Seidenkleides der Frauengestalt. Der Blick aus dem Fenster auf die Pappeln des gegenüberliegenden Elbufers und der Schiffsmast werden zusammen mit der von Friedrich immer wieder eingesetzten Rückenfigur zu einem romantischen Sehnsuchtsmotiv. Die Darstellung kann aber auch als religiöse Allegorie gedeutet werden. Der Innenraum steht dabei als Gleichnis für die Begrenztheit des irdischen Daseins, das durch Christus, symbolisiert im Fensterkreuz, das Licht zum ewigen Leben erhält. Das jenseitige Ufer versinnbildlicht dabei das Dasein nach dem Tod, die Schiffe auf dem Fluß sind Zeichen der individuellen Lebensreise und der Bereitschaft, zum anderen Ufer aufzubrechen.

Kersting blieb mit seinen späteren Bildern bei der Interieurdarstellung als Hauptthema. Die ausschließliche Darstellung von Innenräumen wurde auch als ein Rückzug in die Innenwelt als patriotische Haltung unter dem Eindruck der politischen Umstände gedeutet. Das malerische Werk Kerstings blieb schmal, da seine künstlerische Tätigkeit bereits ab 1818 als Malereivorsteher der Meißener Porzellanmanufaktur auf ein völlig anderes Gebiet gelenkt wurde. In der Darstellung einer beim Schein einer Lampe nähenden Frau verbindet er die Formenstrenge seines Vorbilds Caspar David Friedrich mit der traulichen Stimmung holländischer Interieurs des 17. Jahrhunderts, die tugendhafte Hausfrauen bei nützlicher häuslicher Tätigkeit zeigen (Abb. 182). Auffallend ist die Leere des bildparallel konstruierten

183 Caspar David Friedrich, **Frau am Fenster**, 1822
Öl auf Leinwand, 44 x 37 cm
Berlin, Staatliche Museen, Nationalgalerie

184 Unbekannter Künstler, **Maleratelier**, 1835
Öl auf Leinwand, 46,4 x 46,8 cm
Biberach a.d. Riß, Städtische Sammlungen, Braith-Mali-Museum

185 Martin Drölling, **Kücheninterieur**, 1815
Öl auf Leinwand, 65 x 80 cm
Paris, Musée du Louvre

Raums, der in wenigen Farben gehalten ist, unter denen verschiedene Grüntöne dominieren. Theatralisch wirkt die Drapierung des Vorhangs, ebenso bühnenhaft die Beleuchtung mit dem Schatten des Lampenschirms in der Mitte des Bildes und den dunklen Zonen im Vordergrund. Im Kontrast dazu steht die konzentrierte Arbeit der Näherin, in der Kersting seine junge Frau Agnes abbildet. Tisch, Lampe, Nähkorb und Schere sowie die dicke, auf dem Bord liegende, in grünes Leder gebundene Bibel bilden ein karges und damit um so bedeutungsvolleres Stilleben, das häuslicher Arbeit die Dimension von glaubensfester Sittenstrenge verleiht.

Der Grad der Abstraktion, der die im Zeichen der Romantik geschaffenen Interieurs von Friedrich und seinem Nachahmer Kersting verbindet, wird hier so weit getrieben, daß der Realitätscharakter, der etwa die Atelierbilder auszeichnet und sie zu »Interieurportraits« macht, in eine verallgemeinernde Bedeutung überführt wird.

Einen anderen, uns klischeehaft vertrauten Aspekt des Biedermeierlichen, die kleinbürgerliche Beschränkung, verbildlicht in raffinierter Weise das wohl von Karl Friedrich Göser (Biberach 1803 – Rimpach 1858) stammende *Selbstbildnis im Atelier* (Abb. 184). Die Wohnstube dient als Atelier, es herrscht drangvolle Enge, wir sehen den Künstler an der Staffelei an einem Bild malend, das zwar nicht zu sehen ist, in dem wir uns aber ein Bildnis seiner Frau vorstellen mögen, die uns den Rücken zuwendet und deren Gesicht in einem kleinen, ans Fenster gelehnten Spiegel sichtbar wird. Dem Künstler gegenüber sitzt die kleine Tochter, ihr Profil wird ebenfalls im Spiegelbild verdoppelt. Auch der Maler selbst

186 Martin Drölling, **Speisezimmer**, 1816
Öl auf Leinwand, 64 x 81 cm
Paris, Privatsammlung

kehrt in seinem im Hintergrund aufgestellten Selbstportrait wieder. Symmetrisch drapierte Vorhänge geben den Blick aus dem Fenster wie eine Theaterszene frei. Aus dem gegenüberliegenden Haus in der engen Straße spähen die Nachbarn aus ihren Fenstern. Bleibt noch als irritierendes Detail die über dem Kopf des Malers gleichsam in der Luft schwebende Kopie eines antikischen Motivs: Sehen wir vielleicht gar die Szene in einem Spiegel, auf den das gemalte Blatt geheftet wurde, und finden uns damit selbst in den Gaffern von gegenüber wieder?

Der aus dem Elsaß stammende und in Paris als Genremaler tätige Martin Drölling (Oberbergheim 1752 – Paris 1817) nimmt sich in seinen wegen der Präzision der Zeichnung und den malerischen Effekten der Oberflächengestaltung viel bewunderten Bildern die niederländische Feinmalerei des 17. Jahrhunderts zum Vorbild (vgl. Abb. 103). Von den Zeitgenossen wurde vor allem die *trompe-l'oeil*-artige Qualität der Darstellung hervorgehoben. Sein Blick in ein *Kücheninterieur* gegen das geöffnete Fenster, durch das helles sommerliches Licht hereinströmt, besticht durch die vielen Details an den Wänden, die im Gegenlicht glänzenden Töpfe und Pfannen und den stimmungsvollen Frieden der nähenden Frauen und des spielenden kleinen Mädchens am Boden (Abb. 185). Zugleich wird die Verwandtschaft mit der deutschen Malerei, den Werken Caspar David Friedrichs und Georg Friedrich Kerstings hervorgehoben, von denen sie sich aber durch den virtuosen Illusionismus, den Drölling besonders kultivierte, unterscheiden.

Das Bild hat ein Gegenstück, das den Einblick in ein Speisezimmer bietet (Abb. 186). Der Durchblick aus dem düsteren

187 Johann Erdmann Hummel, **Interieur mit drei Spiegeln**, um 1820
Feder grau und schwarz laviert, 22,5 x 32,5 m
Berlin, Stiftung Stadtmuseum Berlin

188 Stephanie von Fahnenberg, **Wohnzimmer Alexander von Fahnenbergs in der Wilhelmstraße 69 in Berlin**, 1837/38
Feder in Schwarz, Aquarell, Deckfarben, 28,6 x 24,1 cm
Nürnberg, Germanisches Nationalmuseum

189 Rudolf von Alt, **Interieur im Wohnhaus des Fürsten Liechtenstein an der Jägerzeile in Wien**, 1841
Aquarell, 29,3 x 37,6 cm
Vaduz, Sammlungen des Fürsten von und zu Liechtenstein

Vorraum in das von einem Fenster erhellte Nebenzimmer erinnert an Werke Pieter de Hoochs. Beide Bilder waren im Pariser Salon von 1817 zusammen ausgestellt. Während das Küchenbild direkt aus dem Salon vom Louvre angekauft wurde, gelangte das Gegenstück in Privatbesitz.

Zimmerbilder des Biedermeier

Es läßt sich kein größerer Gegensatz denken zwischen den betont schlichten, stillen und kargen, vom Geist der Romantik getragenen Interieurs Friedrichs und Kerstings und den seit den 30er Jahren in Mode gekommenen aristokratischen Raumportraits, die luxuriös und bequem ausgestattete Wohn- und Repräsentationsräume des Adels und des zu Reichtum gekommenen Bürgertums zeigen. Von Frankreich ausgehend, verbreitete sich der neue Bildtyp ab 1815 nach München, Berlin und Wien. Der dokumentarische Aspekt stand dabei im Vordergrund, bevorzugt wurde daher eine einfache Art der Interieurdarstellung in Guckkastenform, bei der drei Wände eines Raums gleichzeitig abgebildet werden konnten. Um Aussehen und Einrichtung eines Raums vollständig zu dokumentieren, wurden aber oft mehrere Ansichten aus gegensätzlicher Blickrichtung geschaffen, um damit die Gesamtheit des Interieurs festhalten zu können. Um so wichtiger war die Wiedergabe aller Einzelheiten der Staffierung und Möblierung der Räume. Genauigkeit und Detail-

190 Rudolf von Alt, **Interieur im Palais Harrach auf der Freyung in Wien**, 1844
Aquarell, 26,7 x 36,2 cm
Wien, Albertina

reichtum wurden von den Auftraggebern unbedingt gefordert, er entsprach dem dokumentarischen Charakter dieser Bilder, die oft als Erinnerungen bei Neueinrichtungen und Modernisierungen von Innenräumen dienten. Die bevorzugte Technik dafür war das Aquarell, das die Aufbewahrung ganzer Serien in Mappen oder Alben erlaubte, die leicht zu transportieren waren und im besonderen den Adel auf seinen jahreszeitlich bedingten Reisen zu unterschiedlichen Aufenthaltsorten begleiteten oder als Geschenke weitergegeben wurden.

Sowohl virtuose Beherrscher der Aquarelltechnik als auch liebenswürdige Dilettanten der Malerei widmeten sich dem plötzlich so populär gewordenen Genre. Johann Erdmann Hummel, (Kassel 1769 – Berlin 1852) der als Maler und Architekt seit 1809 als Professor an der Berliner Kunstakademie für die Ausbildung in Perspektive und Optik zuständig war, nutzte das Interieur nicht nur als ein Medium zur Demonstration, sondern erwies sich auch als ein nahezu verspielter Enthusiast in seinem Metier. In Blättern wie dem *Interieur mit den drei Spiegeln* warf er nicht nur komplizierteste Probleme der perspektivischen Konstruktion auf, sondern löste sie auch sogleich mit wissenschaftlicher Akribie (Abb. 187). Bei Stephanie von Fahnenberg (München 1817 – 1907) zeigt sich hingegen die verfeinerte Korrespondenzkultur der Zeit als charmanter Dilettantismus: Sie hielt die Wohnung ihres Bruders in Berlin, wo der junge Diplomat lebte, in einem Bild fest, zu dem ihr der Bewohner eine humorvolle Beschreibung mit Skizze geliefert hatte: »Wir spazieren also durch die

191 Karl Blechen, Das Innere des Palmenhauses, 1832
Öl auf Papier, 64 x 56 cm
Berlin, Staatliche Museen, Nationalgalerie

Thüre herein, machen sie, weil es sehr kalt ist u. hereinzieht, sorgfältig zu u. sehen dann zunächst in dem Wohnzimmer 4 Wände, das heißt auf dem Bilde kann das verehrte Publicum nur drei sehen, weil die vierte sich hinter dem Mahler befand.« (Abb. 188)

In besonders souveräner Manier stellte der in Wien tätige Rudolf von Alt (Wien 1812 – 1905) Biedermeiereinrichtungen dar. Er wurde in Wien als ältester Sohn des Malers Jakob Alt geboren, der sich auf Entwürfe für druckgraphische Serien mit Veduten, Stadtansichten und Landschaften spezialisiert hatte. Rudolf Alt lernte die Aquarelltechnik von seinem Vater, wobei er sehr früh eine präzise Pinselführung entwickelte und es bald zu profunder handwerklichen Perfektion brachte. Nach kurzer Ausbildung an der Kunstakademie erwies er sich bereits mit den Werken aus den 30er und 40er Jahren als einer der europäischen Hauptmeister der Aquarellmalerei des 19. Jahrhunderts. Allerdings gelang es ihm weder zu Lebzeiten noch später, die internationale Anerkennung zu finden, die er verdient hätte, sondern blieb auf den Ruhm eines Lokalmeisters beschränkt.

Neben Landschaftsaquarellen und Stadtansichten, in denen er seine eigentliche Meisterschaft zeigen konnte, malte er ab etwa 1835 für den Wiener Hochadel, zuerst vor allem die Fürsten Liechtenstein, seine ersten Zimmerbilder, die der Künstler selbst in erster Linie als Sicherung des Unterhalts und weniger als künstlerische Herausforderung sah. »Unzählige moderne Zimmer, hunderte kleine Ansichten von Wien ... waren meine Erwerbsquelle, mit der ich eine zahlreiche Familie zu ernähren hatte«, hielt Alt in seiner Lebensdarstellung von 1869 fest. Am Ende seines Lebens setzte er die Anfänge seiner Interieurdarstellung einem Journalisten gegenüber freilich weit früher an: »Als vierzehn-, fünfzehnjähriger Bursch bekam ich auch schon meine ersten Aufträge. Wissen Sie, was ich damals war? Ein Stubenmaler. Die hohen Herrschaften ließen mich auf ihre Schlösser kommen und ich malte Bilder von ihren Zimmern. Noblig nennt man das Interieur.«

Die Fürsten Liechtenstein besaßen mehrere Paläste und Wohnhäuser in Wien, die im damals modernen Stil ausgestattet und eingerichtet waren und die verfeinerte aristokratische und großbürgerliche Wohnkultur des Biedermeier in vollkommener Form repräsentierten. An der einheitlichen Ausstattung der Räume in höchster Qualität der Ausführung mit Tafelparketten und Glastüren, textiler Wanddekoration und Vorhängen, Lustern, Möbeln und Einrichtungsgegenständen sowie Kunstwerken in Vitrinen und an den Wänden wirkten zahlreiche Kunsthandwerker zusammen, um ein Arrangement zu schaffen, das den Ansprüchen fürstlicher Repräsentation entsprach, zugleich aber bequeme Wohnlichkeit vermittelte.

Vermutlich im Palais an der Jägerzeile malte Alt die Schrägansicht auf das Fenster in einer Raumecke mit einem Blick durch die geöffnete Flügeltür in einen Nebenraum, um in der Darstellung des Gegenlichts mit seinen vielfältigen Reflexen auf dem Fußboden und in den Glasflächen von Vitrinen und Fenstern einen lebendigen Eindruck zu erzielen, den ihm die virtuose Beherrschung der Aquarelltechnik ermöglichte (Abb. 189). Das Faszinosum solcher Blätter besteht aber nicht nur in ihrer Brillanz, sondern auch in der Sorgfalt des minutiösen Naturalismus, mit der Alt den luxuriösen Lebenstil der Liechtensteins protokolliert.

Zu schätzen wußten ein so geduldiges Talent auch die Grafen Harrach, die als Bauherrn, Mäzene und Sammler in Wien traditionell eine ähnlich führende Rolle einnahmen. Sie besaßen in Wien neben dem ab 1690 erbauten Stadtpalais auf der Freyung ein Gartenpalais in der Ungargasse sowie Schlösser und Ländereien auf dem Gebiet der österreichischen Monarchie. Das Stadtpalais wurde im Inneren im Lauf der Jahrzehnte mehrmals dem aktuellen Zeitgeschmack entsprechend umgestaltet, besonders tiefgreifend 1852, als es von dem Berliner Innendekorateur Franz Schönthaler im Stil des zweiten Blondel ausgestattet wurde. Das Aquarell Alts aus dem Jahr 1844 hält einen früheren Zustand mit einer luxuriösen Biedermeierausstattung fest (Abb. 190). Die Möblierung des Zimmers mit Schreibtisch und Staffelei weist auf die Doppelfunktion des Raums als Schreib- und Malzimmer hin. Alt wählte einen Standpunkt mit Blick zur Fensterfront, der die Darstellung des Gegenlichts mit seinen lebhaften Beleuchtungseffekten erlaubt, Lichtflecken auf dem roten Teppich, das Durchscheinen des Sonnenlichts durch die groß gemusterten Vorhänge, die aus dem gleichen Stoff wie die Wandbespannung und die Möbelbezüge bestehen. Große Aufmerksamkeit verwendet er auf alle Details, das Blumenfenster und die blühenden Topfpflanzen, die Bilder an den Wänden und auf dem Regal, die Vitrine mit kleinen Porzellanfiguren, um damit den Wunsch seiner Auftraggeber nach einer genauen Dokumentation der Räume zu erfüllen.

Adolph Menzel und der Realismus in Deutschland

Aus der genauen und unbestechlichen Beobachtung der Natur und ihrer Erscheinungswelt, die schon Grundlage der Malerei der Romantik und des Biedermeier war, entwickelte sich eine

192 Carl Spitzweg, Der arme Poet, 1839
Öl auf Leinwand, 36,2 x 44,6 cm
München, Bayerische Staatsgemäldesammlungen, Neue Pinakothek

ausschließlich der Wiedergabe der Gegenständlichkeit verpflichtete realistische Malerei, die man nicht als Stil im eigentlichen Sinn bezeichnen kann, weil sie sich in verschiedenen, je nach Künstlerpersönlichkeit individuellen Ausformungen äußert und keinem Programm folgt, aber immer durch ihre Natürlichkeit und Frische überzeugt.

Einer der frühesten Vertreter dieser neuen, nur der Realität verpflichteten Strömung war Carl Blechen (Cottbus 1798 – Berlin 1840), der seine Ausbildung als Maler an der Berliner Akademie erhielt und sich durch seine Tätigkeit als Theatermaler eine rasche, skizzenhafte und temperamentvolle Arbeitsweise aneignete. Dazu kam eine ausgeprägte Begabung, neue, bisher nicht dargestellte Motive zu finden. Die schnell hingeworfene aphoristische Ölskizze, die einen momentanen Eindruck als Licht- und Farbstudie festhielt, wurde zu Blechens charakteristischer Ausdrucksform.

1832 erhielt Blechen von König Friedrich Wilhelm III. von Preußen den Auftrag, das neue Palmenhaus in zwei als Pendants gedachten Bildern festzuhalten. Der König hatte 1830 auf Empfehlung Alexander von Humboldts in Paris eine Sammlung von Palmen erworben und ließ für sie nach dem Entwurf Karl Friedrich Schinkels auf der Pfaueninsel in Potsdam ein Palmenhaus als moderne Konstruktion aus Glas und Eisen errichten. Das 1831 fertiggestellte Bauwerk blieb nicht erhalten, es ist 1880 durch Feuer zerstört worden. Blechen bereitete den Auftrag durch zahlreiche detaillierte Zeichnungen und in Öl auf Papier

193 Moritz von Schwind, **Die Morgenstunde**, um 1852
Öl auf Leinwand, 34,8 x 41,9 cm
München, Bayerische Staatsgemäldesammlungen, Schack-Galerie

gemalte Vorstudien vor (Abb. 191), die er mit einer Figurenstaffage versah, die von der orientalisierenden und mit indischen Dekorationsmotiven angereicherten Architektur inspiriert wurde. Die dunstige Atmosphäre des feuchtwarmen und lichtdurchfluteten Innenraums kommt in den Vorstudien (Berlin, Nationalgalerie und Hamburger Kunsthalle) besonders zur Geltung. Die Endfassung der beiden Ansichten (Stiftung Preußische Schlösser und Gärten Berlin-Brandenburg) wurde 1834 vollendet und auf der Berliner Akademieausstellung gezeigt, wo sie wegen der atmosphärischen Besonderheit des Palmenhauses Bewunderung erregte. Den von Blechen verlangten hohen Preis für die beiden Bilder bezahlte der König allerdings erst nach einem positiven Gutachten Schinkels.

Neben Berlin war München durch die Kunstförderung durch König Ludwig I. sowie seine Akademie, deren künstlerische Ausrichtung durch den Historienmaler Peter Cornelius vorgegeben wurde, wichtigstes Zentrum der Malerei in Deutschland. Auch dort gab es eine Reihe jüngerer Künstler, die in ihren Landschafts- und Genredarstellungen eine wirklichkeitsnahe bürgerliche Kunst schufen. Zu ihnen zählte Carl Spitzweg (München 1808 – 1885), der sich nach einer Ausbildung zum Apotheker und dem Studium der Pharmazie der Malerei zuwandte. Sein Frühwerk mit der Dachkammer des armen Poeten (Abb. 201) wurde zu einem der bekanntesten und am meisten reproduzierten Bilder der deutschen Malerei des 19. Jahrhunderts. Bei der ersten Präsentation 1839 im Münchner Kunstverein war es aller-

194 Adolph Menzel, **Das Balkonzimmer**, 1845
Öl auf Leinwand, 58 x 47 cm
Berlin, Staatliche Museen, Nationalgalerie

dings beim Publikum durchgefallen. Seine spätere ungeheure Popularität gründete vor allem auf dem humorvollen Spott der Darstellung, der sich in den meisten der Bilder Spitzwegs findet und ihn zum Liebling des Publikums werden ließ. Damit ist aber nur ein Aspekt des vielschichtigen Bildes – wie seiner Malerei überhaupt – berührt: Es ist zugleich eine Kampfansage an die klassizistisch orientierte Kunst der Akademie. Zuerst ins Auge fällt die detailreiche und präzise Schilderung des Raums und der vielen Einzelheiten, die mit malerischer Finesse und fein abgestimmtem Kolorit wiedergegeben sind. In der kahlen Dachkammer gibt es außer einem ungeheizten Kachelofen keine Möbel; ein Fensterchen läßt draußen über dem verschneiten Dach einen eiskalten Wintertag sehen. Das einfallende Licht beleuchtet die Seitenwand, die hölzerne Decke und spiegelt sich in dem schmalen grünen Kachelofen, der Flasche, die als Kerzenhalter dient und der irdenen Waschschüssel. Mantel, Stiefel, Zylinder und ein naß gewordenes, zum Trocken aufgehängtes Schnupftuch zeugen von einem Ausgang ins Freie. Der arme Poet lagert am Boden, im grünseidenen Biedermeierschlafrock, der früheren Glanz zeigt, in eine Decke gehüllt, mit erhobener Rechten, die Schreibfeder zwischen die Lippen gepresst, Verse auszählend, umgeben von Folianten. Der aufgespannte grüne Schirm und der in Rot- und Brauntönen differenzierte Buchrücken, eine mit blau gemustertem Papier bezogene Schachtel setzen zahlreiche farbige Akzente. Vor dem Kachelofen lagern hingeworfen mehrere Bündel mit Manuskripten, ein Packen Papier ragt gerade noch aus dem Ofenloch. Vom Erhabenen zum Lächerlichen ist nur ein kleiner Schritt. Der Überlieferung nach hat Spitzweg den Dichter Matthias Ettenhuber, der von 1720 bis 1782 in München lebte, dargestellt.

Eine zu Spitzweg künstlerisch gegensätzliche Position nahm Moritz von Schwind (Wien 1804 – München 1871) ein. Nach einem Studium der Philosophie und seiner künstlerischen Ausbildung an der Wiener Akademie ging er als 23-Jähriger nach München, wo ihn Cornelius stark beeinflußte. Nach Freskenaufträgen für die Residenz und Hohenschwangau war er in Karlsruhe und Frankfurt tätig, übernahm 1847 eine Professur an der Akademie in München und schuf ab 1853 Wandmalereien für die Wartburg. 1863 bis 1867 kehrte er für die Ausmalung von Foyer und Loggia der neu erbauten Staatsoper mit Szenen aus der »Zauberflöte« nach Wien zurück. Dieser Auftrag entsprach völlig seinen künstlerischen Intentionen, der Illustration von Märchen und Balladen, wobei die Musik immer eine wichtige Rolle spielte. Sowohl an die italienische Frührenaissance wie an die deutsche Kunst der Dürerzeit angelehnt, ist seine Kunst vor allem von der linearen Form bestimmt.

Die in mehreren Versionen ausgeführte Komposition *Die Morgenstunde* bildet als realistisch genrehafte Szene eine Ausnahme in Schwinds Werk, stellt aber zugleich eines seiner populärsten Werke dar (Abb. 193). Der Künstler zeigt einen großen Ausschnitt eines bürgerlichen Schlafzimmers in ländlicher Umgebung, detailfreudig sind alle Einzelheiten der Einrichtung wiedergegeben, das zurückgeschlagene Bett, aus dem sich die Bewohnerin eben erhoben hat, das Nachtkästchen mit Kerzenleuchter und Waschschüssel, die Kommode zwischen den beiden Fenstern mit einer Uhr unter einem Glassturz und Porzellangeschirr, darüber ein leerer Spiegel. Ein Fenster ist geschlossen, der Vorhang zugezogen, das andere Fenster ist geöffnet und gibt den Blick auf eine Berglandschaft frei. Eine junge Frau im Unterkleid steht, uns den Rücken zuwendend, im offenen Fenster.

Schon Caspar David Friedrich hatte das Motiv der weiblichen Rückenfigur am offenen Fenster zum Thema eines Bildes gemacht (siehe Abb. 183) und in ihrer kontemplativen Haltung einer nicht näher definierten romantischen Sehnsucht Ausdruck verliehen. Schwind faßt das Motiv hingegen anekdotisch auf. Die junge Frau ist in unruhiger Schrittstellung eben ans Fenster getreten und hält ungeduldig Ausschau. Durch den durchscheinenden Vorhang des geschlossenen Fensters sehen wir den Umriß einer Figur – ob es sich um die sehnsüchtig erwartete Person handelt, bleibt der Phantasie des Betrachters überlassen.

Adolph Menzel

Wie kein anderer Maler setzt sich Adolph Menzel (Breslau 1815 – Berlin 1905) in seinem Werk mit allen Dingen, auch den nebensächlichen und unscheinbaren, auseinander, so daß er mit Recht als der bedeutendste Realist seiner Zeit bezeichnet wurde. Seine künstlerische Anverwandlung der sichtbaren Welt kennt kaum ein Tabu, die Vielfalt seiner Themen gleicht einer Beschreibung des Jahrhunderts. Er wurde damit zum getreuen Chronisten der bürgerlichen Gesellschaft und ihrer Veränderungen, so wie er auch den Wandel seiner Wahlheimat Berlin von einer biedermeierlichen Residenz zur modernen Großstadt innerhalb von 75 Jahren, von 1830 bis 1905, festhielt.

Menzel wurde 1815 in Breslau geboren, sein Vater führte eine Steindruckerei und übersiedelte mit seiner Familie 1830 nach Berlin, nicht zuletzt um dem Sohn eine solide künstlerische

A. M.
45.

195 Adolph Menzel, **Wohnzimmer mit der Schwester des Künstlers**, 1847
Öl auf Leinwand, 46,1 x 31,6 cm
München, Staatliche Gemäldesammlungen, Neue Pinakothek

Ausbildung zu ermöglichen. Als der Vater 1832 plötzlich starb, hatte der 15-Jährige als freier, für Druckereien und Verlage tätiger Lithograph für den Unterhalt von Mutter und Geschwistern zu sorgen. Menzel begann seine künstlerische Laufbahn als Zeichner und zeit seines langen Lebens blieb die Zeichnung sein bevorzugtes Medium, das ihm zum raschen Notat seiner sezierenden Beobachtungen diente. Machten ihn die großen Holzschnittfolgen zur preußischen Geschichte rasch – und dauerhaft – populär, so blieb ein anderer, uns heute viel interessanter erscheinender Aspekt der künstlerischen Tätigkeit Menzels den Zeitgenossen weitgehend verborgen. Ab etwa 1840 schuf er seine ersten Ölbilder, Szenen aus dem Alltag und dem engsten Lebensbereich seiner Familie, die durch ihren unmittelbaren und direkten Realismus ansprechen und ihrer Zeit weit voraus sind. Das schnelle Festhalten einer Beobachtung kennzeichnet diese Werke, die uns als unvergleichlich frische und freie Licht- und Farbmalerei begegnen. Viele wurden der Öffentlichkeit erst Jahrzehnte nach ihrer Entstehung bekannt, als der Künstler sie zum ersten Mal ausstellte oder sich von ihnen trennte.

Das Balkonzimmer von 1845 ist das vielleicht schönste und wahrscheinlich bekannteste Beispiel dafür (Abb. 194). Alles ist Licht und Farbe. Wir sehen nur eine Ecke des Zimmers, zentrales Motiv ist die geöffnete Balkontür, durch die Licht und Luft ins Zimmer hereinströmt und die zugezogenen weißen Vorhänge bauscht. Die Außenwelt dringt in den Innenraum in Form von Licht, das Licht ist in diesem Bild nicht nur die Quelle der Beleuchtung, das die Dinge sichtbar macht, sondern der eigentliche Gegenstand der Darstellung selbst. Die Komposition des ganzen Bildes ist von der Verteilung von Licht und Schatten bestimmt, Streifen von hellen und dunklen Partien unterteilen die Bildfläche und geben ihr Halt. Hinter dem Eindruck des Zufälligen und Momentanen der Bildanlage steht allerdings eine wohldurchdachte und gegliederte Komposition. Die vom Sonnenschein strahlend beleuchteten Vorhänge bilden die hellste Stelle des Bildes, sie wirken wie ein Lampenschirm, der die Lichtquelle selbst verdeckt und die Helligkeit im Raum verteilt. Sie setzt sich in einem Sonnenfleck am gleichmäßig braunen Boden nach vorne fort. Die linke, hellere Hälfte des Bildes ist leer, auf der großen freien Fläche der weißen Wand, die aber neben den Vorhängen grau erscheint, zeichnen sich die Lichtreflexe der Glasscheibe des geöffneten Türflügels ab und gliedern die einfarbige Fläche lebendig. Sie wird zum Rand hin von einer dunklen unscharfen Form, dem beschnittenen Umriß eines Sofas und einem Stück roten Teppichs mit schwarzer Borte abgeschlossen. Die Fragmentierung von Sofa und Teppich betont den wie zufällig gewählten Bildausschnitt, der deutlich macht, daß sich der Raum darüber hinaus fortsetzt. Im Kontrast dazu steht die rechte, im Schatten liegende und damit dunklere Hälfte des Bildes, in der sich die Dinge drängen. Ein großer dunkel gerahmter Bodenspiegel gibt Einblick in den sonst unsichtbaren Teil des Zimmers, das sich links fortsetzt und dem direkten Blick verborgen bleibt. Nur der Kunstgriff der Spiegelung ergänzt die Anschauung. Das Spiegelbild ist heller als die umgebende Wand und läßt erkennen, daß es sich bei der dunklen Form am Bildrand tatsächlich um ein Sofa handelt, über dem ein goldgerahmtes Bild hängt. Vor dem Spiegel stehen voneinander abgekehrt zwei Stühle, die mit unruhigem Schwung die Balkontür einerseits, das Spiegelbild andererseits überschneiden. Die Zimmerdecke ist mit einem vergoldeten Ornamentfries von der leeren Wand abgesetzt, der Plafond, von dem ebenfalls ausschnitthaft nur ein schmaler Streifen sichtbar wird, ist bemalt oder mit farbigem Stuck geziert.

196 Adolph Menzel, **Schlafzimmer des Künstlers in der Ritterstraße**, 1847
Öl auf Pappe, 56 x 46 cm
Berlin, Staatliche Museen, Nationalgalerie

197 Adolph Menzel, **Treppenflur bei Nachtbeleuchtung**, 1848
Öl auf Papier, 36 x 21,5 cm
Essen, Folkwang Museum

Dargestellt ist ein Zimmer in der 1845 bezogenen Wohnung des Künstlers im zweiten Stock der Schöneberger Straße 18, damals am äußersten Südrand von Berlin gelegen, die er gemeinsam mit seiner Mutter und seinen Geschwistern bewohnte. Ob sich dort auch das Atelier des Künstlers befand, wissen wir nicht, jedenfalls hat er vom Balkon der Wohnung wahrscheinlich gezeichnet und vielleicht auch gemalt.

Ein familiäres Dokument aus der gleichen Zeit ist das *Wohnzimmer mit der Schwester des Künstlers* von 1847 (Abb. 195). Mit seinen Illustrationen zu Kuglers »Leben Friedrichs des Großen« erlangte der Künstler öffentliche Anerkennung, in seiner Familie fand er zur gleichen Zeit die Motive für seine außergewöhnlichen und kühnen Bilder; es scheint, als habe der Künstler seinen fortschrittlichen Stil an Themen der vertrauten Umgebung erprobt und hier entsprechenden Rückhalt gefunden. Ein besonders enges Verhältnis verband ihn mit seiner acht Jahre jüngeren Schwester Emilie, für deren Unterhalt er ebenso sorgte wie für den der Mutter und der übrigen Geschwister und die ihm mehrfach als Modell diente. Carl Johann Arnhold, den Menzel einige Monate 1846/47 im Zeichnen unterrichtete, berichtet etwa, daß Menzels Schwester Emilie, als sie abends »zu wiederholten Malen zu Tisch aufforderte, zuletzt in einer interessanten Beleuchtung stand, so wurde erst nach ihr noch eine Studie gemacht, was wieder lange Zeit dauerte«. Hier schmiegt sie sich an den Rahmen der geöffneten Tür, die den Blick auf das Wohnzimmer der Familie Menzel freigibt. Im Schein einer Tischlampe ist dort eine Frau mit Näharbeiten beschäftigt – vielleicht eine Erinnerung an Menzels im Jahr zuvor verstorbene Mutter. Während im *Balkonzimmer* das strahlend helle Sonnenlicht zum Hauptmotiv wird, bestimmt nun künstliches Licht die Szene. Die nächtliche Darstellung mit mehreren Lichtquellen erinnert an Bilder des 17. Jahrhunderts. Das Motiv des von unten beleuchteten Gesichts kommt sehr häufig in den Werken der Utrechter Caravaggisten, etwa bei Gerard von Honthorst vor, die Menzel vielleicht gekannt hat. Auch die Komposition mit der inneren Rahmung der Tür und dem Durchblick in den nächsten Raum gehört schon zum Erfindungsreichtum der niederländischen Malerei.

Wie im zwei Jahre früher entstandene *Balkonzimmer* ist die Farbe mit sparsamen Strichen schnell aufgetragen, die den Malgrund durchscheinen läßt, wie an der Decke und der Rückwand des Raums oder der Türrahmung rechts. Ebenso spontan sind die wenigen kräftigen Weißhöhungen gesetzt, der Lampe auf dem Tisch und den Gegenständen daneben, der Kerze in der Hand des Mädchens und ihrem weißen Hemd, den Glanzlichtern auf der stark verkürzten offenen Tür.

In der Zwischenzeit war die Familie Menzel in eine neue Wohnung in der Ritterstraße in Berlin umgezogen. Hier stellte Menzel sein *Schlafzimmer* dar (Abb. 196), ein düsteres und beunruhigendes Bild im Vergleich zur sonnigen Heiterkeit des *Balkonzimmers*. Trotz des Abstands von zwei Jahren und des dazwischen liegenden Umzugs wurde das Bild aufgrund des übereinstimmenden Formats für ein Gegenstück zum *Balkonzimmer* angesehen. Der Vordergrund wird in beinahe aufdringlicher Form vom Bett des Künstlers eingenommen, eine dünne Decke verbirgt die Unordnung des Lagers, auf dem die unregelmäßige Form des Lakens über dem Federbett den Eindruck erweckt, als sei jemand unter dem fahlen Tuch verborgen. Die Lichtschwelle des Fensters

198 Adolph Menzel, Das Théâtre du Gymnase in Paris, 1856
Öl auf Leinwand, 46 x 62 cm
Berlin, Staatliche Museen, Nationalgalerie

in der Achse des Bildes, teilweise von den beiseite gezogenen Vorhängen verdeckt, entläßt den Blick in die Hinterhöfe Berlins. Zwischen Bettkante hier und Kirchturmspitze dort ereignet sich der Raum mit zunehmender gegenständlicher Präzision wie das Entrinnen aus einer beklemmenden Situation. Neben dem Fenster steht mit finsterem Spalt von der Wand klaffend ein Möbel, das Sekretär mit Bücherbord vereint, die Schreibplatte ist heruntergeklappt und trägt Papiere und Bücher. Dahinter erwartet den Betrachter erneute Beunruhigung: Eine dunkle Silhouette ragt ins Fenster, ist es ein menschliches Wesen, das sich in die Ecke zwischen Bücherschrank und Fenster drückt, oder vielleicht doch nur eine Büste, mit der Menzel seinen jüngeren Bruder Richard ins Bild bringt? Durch seine abrupten Wechsel in der Maltechnik von der detaillierten Sicht der Außenwelt vor dem Fenster bis zu der rasch hingeworfenen seitlichen Wand und seinen Irritationen der Mehrdeutigkeit von Formen wirkt das Bild wie eine Vorwegnahme der *Nacht in St. Cloud*, dem mehr als vierzig Jahre später entstandenen Jugendwerk Edvard Munchs (vgl. Abb. 226), mit dem der Weg dieses Künstlers in die Moderne begann. Menzel selbst jedoch hat das Gespenstische mit seinem nächtlichen *Treppenflur* von 1848 um eine düstere metaphorische Dimension erweitert (Abb. 197).

Im September 1855 reiste Menzel in Begleitung des Freundes Eduard Magnus für zwei Wochen zur Weltausstellung nach Paris; im Salon war damals seine *Tafelrunde in Sanssouci* ausgestellt, wohl der eigentliche Anlaß für die Reise. Die Stadt, die er zum ersten Mal sah, erschien ihm als modernes Babylon. Für den Liebhaber von Schauspiel und Oper lag ein Besuch im Théâtre du Gymnase nahe. Die von Auguste Rougevin 1820 erbaute Bühne zeigte modernes bürgerliches Theater, zeitgenössische Komödien von Eugène Scribe etwa, keine Stücke aus vergangenen Jahrhunderten. In einem Skizzenblatt hielt Menzel die erste

199 Adolph Menzel, **Eisenwalzwerk (Moderne Cyclopen)**, 1872–1875
Öl auf Leinwand, 158 x 254 cm
Berlin, Staatliche Museen, Nationalgalerie

200 Rudolf von Alt, **Die Papierfabrik in Kleinneusiedl bei Fischamend**, 1873
Aquarell auf Papier, 16,9 x 41,1 cm
Wien, Albertina

Bildidee fest, im Berliner Atelier stellte er nach seiner Rückkehr inmitten der Arbeit an seinen historischen Bildern zum Leben Friedrichs des Großen die endgültige farbige Fassung fertig (Abb. 198). Als das Bild 1861 zum ersten Mal zusammen mit anderen Bildern aus dem privaten Umkreis des Malers ausgestellt war, nahm kaum jemand davon Notiz. Erst als Menzel sich 1903 entschloß, es erneut auszustellen, wurde das Bild im Licht der neueren Malerei des Impressionismus und seiner Folgen als Hauptwerk des Malers wahrgenommen, ebenso wie die kurze Reise des Künstlers nach Paris, eine Episode in seinem Leben, die bis dahin nicht bekannt gewesen war.

In der unbedingten Freiheit der Bildgestalt knüpft der Künstler an seine zehn Jahre früher entstandenen ersten Ölskizzen an. Kein anderes Werk zeigt so deutlich den Einfluß der französischen Malerei auf den Künstler, nicht nur wegen des dargestellten Orts, seiner Atmosphäre und der besonderen Stimmung, in der sich der Künstler während des Aufenthalts befand. Er sah Werke von Delacroix und Corot auf der Weltausstellung, gleichzeitig fand in Paris eine monographische Ausstellung Courbets statt; zugleich deutet sich die von Daumier, Degas und Toulouse-Lautrec kultivierte Sensibilität für Bühnenszenen bereits an. Menzel stellt nicht den Raum selbst, sondern seine farbige Erscheinung und die vom Bühnenlicht bestimmte intime Atmosphäre des kleinen Theaters dar. Wir blicken seitlich gegen Bühne und gegenüberliegende Logenwand, zwei Drittel des Bildes sind vom Proszenium selbst eingenommen. Alles Licht geht von der Rampenbeleuchtung aus. Ein modernes Konversationsstück oder eine Operette wird gegeben, zu erkennen sind drei Schauspieler in zeitgenössischer Kleidung und ein Polstersessel als Andeutung eines (Bühnen-)Interieurs. Orchester und Zuschauerraum im Vordergrund bleiben im Halbdunkel. Nur der Dirigent am Notenpult und der Wirbel einer Baßgeige überragen als dunkle Silhouetten die Bühnenkante. Drei große Farbflächen bestimmen den Eindruck des Bildes, ein Dreiklang aus dunklem Braun, leuchtendem Rot und Weiß an den Logenwänden; dünne Goldfäden der Dekoration überspinnen mit ihren Glanzlichtern die Wände.

Nachdem Menzel seine Arbeit an der Reihe großer Bilder mit Szenen aus dem Leben Friedrichs des Großen abgeschlossen hatte, schuf er mit seinem großformatigen, über zweieinhalb Meter breiten Bild des *Eisenwalzwerks* eine der ersten modernen Industriedarstellungen in der Malerei und zugleich ein erstes Interieur, das eine Fabrikhalle darstellt (Abb. 199). Das Bild entstand ursprünglich ohne Auftrag, vielleicht angeregt von einer Gelegenheitsarbeit, die Menzel 1869 für den Industriellen Heckmann zum Jubiläum von dessen Metallfabrik anfertigte und die im Rahmen einer allegorischen Komposition auch zwei von Glut und Rauch erfüllte Darstellungen einer Gießerei enthielt. Erst als das Bild schon im Entstehen war, trat mit dem Bankier Adolph von Liebermann ein Käufer auf. Bald nach der Fertigstellung des Bildes im Jahr 1875 wurde von Max Jordan der pathetische Titel *Moderne Cyclopen* vorgeschlagen, der das moderne Industriethema mit dem antiken Mythos der Riesen, die für Zeus die Donnerkeile schmieden, verband und den Menzel billigte, wenn er auch nicht seinen künstlerischen Intentionen entspricht, weil er nicht eine Mythologisierung anstrebte, sondern mit der für ihn charakteristischen nüchternen Genauigkeit an das Thema heranging.

Menzel reiste im Spätsommer 1872 nach Königshütte in Oberschlesien, um im damals bedeutendsten deutschen Hüttenwerk Studien zu treiben, Zeichnungen anzufertigen und sich von der Atmosphäre eines großen Industriebetriebs anregen zu lassen. Systematisch studierte er die Architektur der Hallen, die einzelnen Maschinen und die verschiedenen Arbeitsgänge sowie das Leben der Industriearbeiter. Er ergänzte diese Studien durch Besuche in den großen Berliner Maschinenfabriken. Die meisten Studien konnten in dem Gemälde verwendet werden. Menzel schien schon sehr früh eine genaue Vorstellung der ganzen Komposition gehabt zu haben, obwohl es keinen Gesamtentwurf gab.

Aufgrund seiner Beobachtungen und vorbereitenden Studien wählte Menzel einen dramatischen Moment des Produktionsprozesses. Der Künstler selbst hat das Bildgeschehen in einem Textentwurf für den Katalog der Nationalgalerie von 1879 kommentiert. Die Luppe, ein im Schmelzofen weißglühend gemachter Eisenblock, wird von mehreren Arbeitern mit einem Wagen zur Eisenwalze gebracht und mit Stangen und Zangen in die richtige Position gerückt, damit in mehreren Arbeitsgängen aus dem rechteckigen Block eine Eisenbahnschiene entstehen kann. Drei weitere Arbeiter, hinter denen sich als dunkle Silhouette eine mächtige Hebevorrichtung mit Zahnrädern erhebt, erwarten den Block hinter der Walze. Das glühende Ungetüm ist zugleich die einzige Lichtquelle der Hauptszene im Vordergrund; so wie einst in Darstellungen der Geburt Christi alles Licht von dem Neugeborenen ausging, wird nun der Rüststoff der Industrialisierung zur Lichtquelle und Zukunftsverheißung. Ihm gilt die gesamte Konzentration der planmäßig zusammenwirkenden Arbeiter. Die jähen Effekte auf den seitlich oder von

201 Rudolf von Alt, **Atelier des Malers Hans Makart**, 1885
Aquarell auf Papier, 69,5 x 100,4 cm
Wien, Wien Museum

202 Etienne Bouhot (zugeschr.), Dachstuhl eines Museums
Öl auf Leinwand, 46 x 56 cm
Paris, Musée du Louvre

unten bestrahlten Gesichtern und die nur als schwarze Schemen erscheinenden Figuren erinnern an Szenen der Caravaggisten mit ihrem künstlichen Kerzen- und Feuerschein, wenngleich das *Eisenwalzwerk* sich heute nicht ganz originalgetreu in einem stark nachgedunkelten Zustand präsentiert. Typisch für Menzels Ausarbeitung des Räumlichen ist die Regie verschiedener Beleuchtungsrichtungen: Dämmriges Licht dringt durch Dampf, Ruß und Rauch in die Halle und läßt mit anderen hell leuchtenden Feuern im Hintergrund und dem Gewimmel der Arbeiter einen Eindruck vom gigantischen Organismus der Fabrik entstehen. Ein mächtiges Schwungrad zieht die Aufmerksamkeit auf sich, daneben die winzige Figur eines Ingenieurs oder Bewunderers, der prüfend, den Blick nach oben gerichtet, die Szene durchwandert. Unmittelbar neben die alles beherrschende Maschine hat der Maler aber Szenen der Rast gesetzt – in ihnen tritt die ganze Tristesse des von der Arbeit vereinnahmten Lebens in Armut, Knechtschaft und totaler Erschöpfung als Preis des Fortschritts schlagartig vor Augen.

Rudolf von Alt

Die Vielseitigkeit Menzels blieb Rudolf von Alt verwehrt, dennoch ähneln sich die Karrieren der beiden Künstler und ihre Rezeption. Beide wurden ungewöhnlich alt, ihre Lebenszeit erstreckt sich fast durch das gesamte 19. Jahrhundert; sie begannen ihre Laufbahnen mit Arbeiten aus dem Bereich der Gebrauchskünste, doch die Frische und Modernität ihres Jugendwerks wurde erst am Ende des Jahrhunderts erkannt und gewürdigt. Während Menzel zum führenden Künstler Preußens, ja ganz Deutschlands aufstieg, wurde Rudolf von Alt von den jungen Künstlern der Wiener Secession zu ihrem Präsidenten bestimmt.

Zur gleichen Zeit, als Menzel der wirtschaftlichen Hochkonjunktur in Deutschland nach dem Krieg mit Frankreich von 1871 und der Arbeitswelt mit seinem *Eisenwalzwerk* ein Denkmal setzte, schuf Alt mit dem Einblick in die *Papierfabrik von Kleinneusiedl* eine ähnlich nüchtern beobachtete Industrie-Darstellung aus den Werkhallen des führenden Papierproduzenten der österreichisch-ungarischen Monarchie. Während Menzel den Raum als Eindruck von Licht und Farbe bildete, war Alt vor allem an der komplizierten Form des Gewölbes und der feinen Abstimmung von Helligkeiten und Schatten in den Wölbungen des Raums interessiert. Die technische Ausstattung mit den Transmissionen, dem Dampfdruckrohr an der Decke und den Gestellen der Maschinen legt ein lineares Muster aus Orthogonalen über die weichen Formen der Wölbungen, in denen die mit dem Aquarellpinsel gezeichneten Figuren der Arbeitenden in skizzenhafter Andeutung bleiben. Das Blatt zeigt den sogenannten »Satinir-Saal«, in dem die Oberflächenveredelung der Papiere durchgeführt wurde. Ein zweites Aquarell läßt als Gegenstück den »Hollandir-Saal« sehen, in dem die Papiermasse vorbereitet wurde (Abb. 200).

Eine der Nüchternheit des frühen Industriezeitalters gegensätzliche Welt hielt Rudolf von Alt in einem Auftragswerk von 1885 fest, der genauen Schilderung des Ateliers des verstorbenen Malers Hans Makart (Abb. 201). Seit dessen Tod 1884 nicht verändert, sollte der eindrucksvolle Raum samt seiner üppigen Ausstattung mit diesem Aquarell als Dokument einer Epoche überliefert werden, bevor er als Gesamtkunstwerk verloren ging. Verglichen mit den vierzig Jahre früher entstandenen wohnlichen aristokratischen Biedermeierinterieurs (vgl. Abb. 190) hatte Alt im Einklang mit seinem Jahrhundert einen weiten Weg zurückgelegt, der in einer Traumwelt des Eskapismus endete. Hans Makart (1840–1884) war ihr Protagonist, der einer gesamten Epoche des späten Historismus in der Erinnerung der Nachwelt die Bezeichnung »Makartzeit« aufprägte. In Salzburg geboren und in München bei dem Historienmaler Carl Piloty ausgebildet, machte er mit großen Dekorationsmalereien als Salonschmuck rasch Furore. In Wien schuf er sich in seinem Atelier, dem ehemaligen Arbeitsplatz des Bildhauers Fernkorn in der Gußhausstraße und nach dem bewunderten Vorbild von Rubens, eine Malerresidenz, die einen neuen Wohnstil propagierte, der die Räume mit üppigen Draperien, Teppichen, Palmen und riesigen Trockensträußen, den sogenannten »Makart-Bouquets«, und dunklen, reich verzierten nachgeahmten antiken Möbeln vollräumte.

Realismus und Impressionismus in Frankreich, von Delacroix bis Toulouse-Lautrec

Die große Stärke der französischen Kunst des 19. Jahrhunderts liegt in der unerschöpflichen Fülle ihrer zu höchster künstlerischer Qualität gelangter Begabungen. Neben den großen Meistern von Romantik und Realismus, neben Delacroix und Courbet gibt es eine große Zahl von heute kaum noch bekannten Malern, die Werke von außerordentlichem Rang schufen oder sich auf einzelne Gebiete spezialisierten.

Vorwiegend mit Architekturdarstellungen wurde zu seiner Zeit Etienne Bouhot (Bard-les-Epoisses 1780 – Semur 1862) be-

kannt, der mit seinem *Dachstuhl eines Museums* eine ungewöhnliche Raumdarstellung schuf. Unter dem mächtigen Gebälk öffnen sich seitlich Mansarden, die den Dachbodenraum beleuchten, in dem ein Maler ein deponiertes Gemälde des *Letzten Abendmahls* kopiert. Das Bild ist vor allem als Beleuchtungsstudie von Interesse, den lebendigen Wechsel von hellen und dunklen Partien, der die besondere Atmosphäre des Raums entstehen läßt (Abb. 202).

Eugéne Delacroix (St. Maurice-Charenton 1798 – Paris 1863) gilt als der unangefochtene Hauptmeister der französischen Romantik zwischen 1820 und der Jahrhundertmitte. Mit seinen großen Bilderzählungen knüpfte er formal an die Malerei des Barock an und brachte malerische Motive des Orients von Reisen nach Marokko und Algerien mit. In der kleinen Studie der *Atelierecke* aber wählte der Künstler mit unpathetischem Realismus ein Motiv aus seinem unmittelbaren Lebenskreis (Abb. 203). Wahrscheinlich stellt das Bild das Atelier dar, das der Künstler seit 1823 mit seinem englischen Freund, dem Aquarellisten Thales Fielding in der Rue Jacob, 20 in Paris teilte. Nur eine Ecke des Raums ist zu sehen, die als Stilleben aufgefaßt wird. Vor dem großen, offensichtlich nicht geheizten Kachelofen steht höchst provisorisch auf übereinandergeschichteten Ziegeln ein kleiner Eisenofen, dessen Wand von der Hitze rotglühend geworden ist. Ein Ofenrohr zieht sich quer über die Wand; die halb offenstehende Tür suggeriert, daß eben jemand hindurch gegangen ist und bekräftigt damit das Momentane der Szene. Delacroix wollte offenbar vor allem den koloristischen Reiz des glühenden Ofens für ein Bild nutzbar machen.

Delacroix begründete mit diesem Bild eine in der französischen Malerei bis ins 20. Jahrhundert lebendige Tradition der Atelierdarstellung mit einem Ofen, bei der zwar immer die prekären Lebensumstände der Boheme mitschwangen, in der

203 Eugéne Delacroix, Atelierecke mit Ofen, 1825
Öl auf Leinwand, 51 x 44 cm
Paris, Musée du Louvre

204 Gustave Courbet, **Das Atelier des Malers**, 1855
Öl auf Leinwand, 361 x 598 cm
Paris, Musée d'Orsay

205 Edouard Manet, **Das Frühstück im Atelier**, 1868
Öl auf Leinwand, 118 x 154 cm
München, Neue Pinakothek

jedoch die Reduktion auf das Unscheinbare auch für die ehrliche Auseinandersetzung des Malers mit seinem Bildvorwurf steht. Paul Cézanne, der selbst seinen Atelierofen malte, antwortete einem jungen Künstler auf die Frage, was er einem Anfänger zum Studium anrate: »Male Dein Ofenrohr!«

Gustave Courbet (Ornans 1819 – La-Tour-de-Peilz 1877) spielt als Realist und zugleich letzter Romantiker in der französischen Malerei der Jahrhundertmitte eine zentrale Rolle. Für die Pariser Weltausstellung 1855 malte er ein riesiges Bild, dem er selbst den programmatischen Titel gab: *Das Atelier des Malers. Reale Allegorie, die sieben Jahre meines künstlerischen und moralischen Lebens zusammenfaßt* (Abb. 204). Ende 1854 begann Courbet in seinem Atelier in Ornans mit den Vorbereitungen und bat seinen Mäzen, den Sammler Bruyas, ihm sein Selbstbildnis, die beiden Portraits des Mäzens, die er früher geschaffen hatte, und schließlich eine Aktfotografie zu schicken, die er als Vorlage für das Aktmodell benützen wollte. »Ich habe es geschafft, mein Gemälde zu skizzieren«, teilte er Bruyas später aus Paris mit, »und zu diesem Zeitpunkt ist es in Umrissen vollständig auf die 20 Fuß breite und 12 Fuß hohe Leinwand übertragen. Die überraschende Wirkung des Bildes kann man sich kaum vorstellen. Es sind 30 lebensgroße Figuren zu sehen. Gewissermaßen die moralische und physische Geschichte meines Ateliers. Es sind alle Leute dabei, die mich unterstützen und meine Arbeit verfolgen ... Ich hoffe, die Gesellschaft in meinem Atelier vorzuführen und auf diese Weise meine Vorlieben und meine Abneigungen deutlich zu machen«.

Courbet wählte eine Form ähnlich den monumentalen Historienbildern, wie sie David für die Szenen der napoleonischen Geschichte gefunden hatte, um in einem räumlichen Nebeneinander eine zeitliche und gedankliche Abfolge verschiedener Begegnungen von realen Personen und typenhaft geprägten Figuren zu inszenieren, die gleichermaßen Ideen wie Begebenheiten verkörpern. In der Mitte des großen, in seinen Abmessungen und Grenzen unbestimmt bleibenden Raums hat sich Courbet selbst an der Staffelei dargestellt, an einer Landschaft aus seiner Heimat malend, neben sich ein Aktmodell, das ihn bei der Arbeit beobachtet und ihm gleichzeitig als eine Art Muse und natürliche Gefährtin zur Seite steht. Darum sind wie in einem Triptychon Gruppen von Besuchern und Zuschauern gruppiert; auf der rechten Seite Freunde und Anhänger, auf der linken Vertreter der unterschiedlichen Klassen und Positionen innerhalb der französischen Gesellschaft, darunter auch Kaiser Napoleon III. Er ist der eigentliche Adressat des Bildes, an ihn appelliert Courbet, die Versöhnung der divergierenden gesellschaftlichen Gruppen voranzutreiben, für die er sich selbst mit seiner Kunst als Vermittler anbietet. Das träumerisch unrealistische Interieur der Arbeitsstätte eines Malers wird damit zur vielschichtigen Allegorie ganz realistischer Einsichten: hier ist der Ort, an dem die Konflikte zwischen Kunst und Wirklichkeit, Wahrheit und Verblendung, Natur und Zivilisation, Künstler und Gesellschaft, Macht und Ohnmacht zusammenfließen, erkannt und schließlich für alle zur Anschauung gebracht werden.

Edouard Manet

Edouard Manet (Paris 1832 –1883), aus einer großbürgerlichen Pariser Familie stammend, wurde zum prototypischen Maler der großstädtischen modernen Gesellschaft. Sein malerisches Werk ist mit der Ausnahme von einigen Reisen ins Ausland und sommerlichen Aufenthalten in der französischen Provinz auf Pariser Themen, die das Leben der Menschen in dieser Stadt schildern, konzentriert. Elegant gekleidet pflegte er als Flaneur die Boulevards zu durchstreifen, in den großen Cafés Freunde zu treffen und Menschen zu beobachten. Der Realismus in der Wahl zeitgenössischer Themen erschien dem Publikum vulgär, zuweilen sogar anstößig. Immer wieder wurden daher seine Bilder bei den Ausstellungen der offiziellen jährlichen Salons zurückgewiesen oder verursachten Skandale. Die Brillanz der malerischen Durchführung, die uns heute fasziniert, trat damals gegenüber den Inhalten völlig zurück. So wurde Manet wohl bekannt, zugleich aber zu einem großen Verkannten, der unter dem Unverstand von Publikum und Kritikern zu leiden hatte.

In den 60er Jahren entstanden die ersten großen programmatischen Hauptwerke Manets wie das *Déjeuner sur l'herbe* oder *Olympia*, die monumentale Form mit Realismus erfüllten. Die Gestaltung der Malerei »à plat«, in großen, von einfachen Umrissen begrenzten Farbflächen nimmt hier ihren Anfang. Dem entspricht der Aufbau der Bildräume aus rechtwinklig und bildparallel begrenzten Elementen wie im *Frühstück im Atelier* mit dem von rechts ins Bild ragenden weiß gedeckten Tisch, dem Fenster und der Landkarte im Hintergrund (Abb. 205). Sie bilden einen Raum, dessen Rückwand in verschwimmenden Grau- und Brauntönen gehalten ist. Mehrfach wurde auf die Rückbezüge Manets zur Malerei des 17. Jahrhunderts verwiesen, vor allem auf die spanische Kunst und hier im besonderen auf Velázquez und die malerische Wirkung der *Meninas* (vgl. Abb. 4), aber auch auf die Malerei der Holländer, vor allem Vermeer mit dem Zitat der Landkarte an der Wand. Historisierende Zitate sind auch das

206 Eduard Manet, **Bar aux Folies-Bergére**, 1881
Öl auf Leinwand, 96 x 130 cm
London, Courtauld Institute Galleries

207 Eduard Manet, **Nana**, 1877
Öl auf Leinwand, 154 x 115 cm
Hamburger Kunsthalle

Manet 77

Tafelstilleben am Tisch, das mit Austern und Zitronen typische Motive der holländischen Frühstücksstilleben aufgreift, sowie das Arrangement mit dem Helm und den beiden Säbeln links vorne.

Der Raum bildet aber nur die notwendige Hülle für die Figuren, die, wie immer bei Manet, die Hauptsache darstellen. Protagonist ist der lässig an den Tisch gelehnte junge Mann im Vordergrund. Seine schwarze Samtjacke bildet eine der für Manet so typischen großen und auf den ersten Blick undifferenziert erscheinenden Farbflächen, die mit winzig feinen Nuancen ihre Lebendigkeit und räumliche Wirkung entfalten. Beiläufig und lässig steht der Junge etwas aus der Bildmitte gerückt, sein blasierter und gleichzeitig melancholischer Blick geht am Betrachter vorbei ins Leere. Die nachlässige Inszenierung des Genrebildes lenkt davon ab, daß es sich um ein Portrait handelt. Dargestellt ist der 16-jährige Léon Koëlla Leenhoff, der uneheliche Sohn Manets mit seiner langjährigen Geliebten, der holländischen Pianistin Suzanne Leenhoff, die er schließlich 1863 geheiratet hatte. Die oftmals geäußerte Vermutung, bei den beiden Figuren im Hintergrund handle es sich um Suzanne und Edouard Manet selbst, ist allerdings falsch. Dargestellt sind vielmehr ein Hausmädchen, das zum Ende des Mahls Kaffee serviert, sowie Auguste Rousselin, mit Manet befreundeter Maler und ebenso wie er selbst Schüler von Couture. Das Bild wurde für den Pariser Salon von 1869 angenommen und zum ersten Mal der Öffentlichkeit präsentiert. Die meisten Kritiker mißverstanden damals die Fülle stilistischer Zitate und motivischer Bezüge und kritisierten das Waffenstilleben und die Austern auf dem Tisch als nicht konsistent mit dem Realismus der ganzen Szene.

Mit einem seiner frühen Werke, der *Olympia* von 1863, die in unverhüllter Nacktheit posiert, hatte Manet zum ersten Mal die Pariser Kurtisane zum Thema seiner Malerei gemacht. Fast fünfzehn Jahre später griff er mit dem Bild der *Nana* die Thematik erneut auf (Abb. 207). Der Titel erinnert an den berühmten gleichnamigen Roman von Emile Zola, der allerdings erst eineinhalb Jahre später erschien. Die Figur der Nana taucht allerdings schon in dem 1876 erschienenen Roman »L'assommoir« auf, einem früheren Band des großen, 20 Teile umfassenden Romanzyklus Zolas, mit dem er den literarischen Naturalismus in der Schilderung des zeitgenössischen Lebens begründete. Sowohl »L'assommoir« wie »Nana« erreichten innerhalb kürzester Zeit nach ihrem Erscheinen Auflagen von 300.000 Exemplaren. Das Thema traf also den Zeitgeist, auch wenn Manets Bild bei seiner ersten öffentlichen Präsentation in der Galerie Giroux in Paris für öffentliche Aufregung sorgte, die Huysmans beschrieb: »Morgens wie abends drängt man sich vor dem Bild, es verursacht indignierte Ausrufe und Gelächter der Menge, die durch die Betrachtung der Riesenleinwände, wie sie Cabanel und Bouguereau [typische Vertreter des Akademismus, einer glatten Malerei von süßlicher Thematik] vollschmieren und alljährlich ausstellen, vollkommen verblödet ist«. Die *Nana* wurde sowohl wegen der skizzenhaft lockeren Maltechnik als auch der naturalistisch geschilderten zeitgenössischen Thematik vom offiziellen Salon zurückgewiesen.

Die Gestaltung des Themas der in Unterrock und Korsett mit Puderquaste vor dem Spiegel stehenden jungen Frau und ihrem Liebhaber in Frack und Zylinder, der, vom rechten Bildrand großteils überschnitten, auf dem Sofa Platz genommen hat und sie erwartungsvoll beobachtet, greift das altes Thema der ungleichen Liebespaare auf, das sich als beständiges Motiv der Malerei seit dem frühen 16. Jahrhundert findet. Die Komposition folgt dem bekannten und für Manet typischen Schema, nach dem die zentrale Hauptfigur von einer Nebenfigur begleitet wird, deren Fragmentierung den zufälligen, aber dennoch wohlkalkulierten Bild- und Raumausschnitt betont. Das Interieur wirkt durch die orthogonalen Gliederungselemente statisch und beengt; die Nähe des Herrn im Zylinder zum Objekt seines Verlangens hat ihre Entsprechung in der Nähe des Betrachters zu der herausfordernd aus dem Bild kokettierenden Frau. Der kleine Luxus in Dekoration und Mobiliar beschreibt aber auch das Verhältnis der Menschen zueinander, die diesen Raum frequentieren.

Das letzte große Bild vor dem frühen Tod Manets gibt wie kaum ein anderes Werk den Charakter des »vie parisienne« wieder, indem es mit der *Bar in den Folies-Bergère* einen für die Zeit symptomatischen Ort dieser Vergnügungsmetropole Europas aufnimmt (Abb. 206). In den Cafè Concerts fanden nicht nur Varietévorstellungen statt, sie waren auch Treffpunkte der Prostitution und die Barmädchen wurden in der einschlägigen und oft sehr detaillierten Guidenliteratur als »marchandes de boissons et d'amour« bezeichnet. Manet fand dafür eine Bildform, die den Zuschauerraum nur als fernes, verschwommenes Spiegelbild sichtbar macht und das vor dem Spiegel stehende Barmädchen als isolierte, melancholische, ins Leere blickende Figur darstellt, in der sich Entfremdung von einem selbstbestimmten Leben abzeichnet. Aufgrund ihrer jugendlichen Frische engagiert, soll ihre attraktive blonde Erscheinung Gäste anziehen und den Umsatz an Getränken beleben, vielleicht aber auch ihre eigene Person in diese Transaktionen einbeziehen.

208 Edgar Degas, **Baumwollkontor in New Orleans**, 1873
Öl auf Leinwand, 74 x 92 cm
Pau, Musée des Beaux-Arts

210 Edgar Degas, **Miss La La im Zirkus Fernando**, 1879
Öl auf Leinwand, 117 x 77 cm
London, The National Gallery

209 Edgar Degas, **Die Tanzklasse**, um 1875
Öl auf Leinwand, 85 x 75 cm
Paris, Musée d'Orsay

Real ist nur das Mädchen hinter dem Marmortisch der Bar mit seinem prachtvoll bunten Stilleben von Champagner- und Likörflaschen, einer Blumenvase und einem gläsernen Tafelaufsatz mit Früchten. Das großflächige, aber malerisch differenzierte Schwarz ihres Kleides bildet den Kontrast zur leuchtenden Farbigkeit der Umgebung – die nicht in der schummrigen Beleuchtung der Bar, sondern im hellen Licht von Manets Atelier entstand. Der gesamte Hintergrund ist ein irritierendes Vexierbild, läßt doch der Spiegel mit optischen Verschiebungen das Treiben im Varieté zugleich vor wie hinter dem Betrachter ablaufen. Er zeigt den Rücken des Barmädchens weit rechts und den Gast, der vor ihr steht und in dem wir als Betrachter des Bildes uns wiedererkennen können, als angeschnittene Figur am Bildrand. Der weite Zuschauerraum mit zahlreichen Menschen ist als unscharfe Spiegelung in größerer Entfernung zu sehen, das Spiegelbild verdoppelt aber keineswegs den vorhandenen Raum, sondern er erscheint als ferne Imagination, als Bild im Bild, eine verschwommene Menschenmenge in einer durch zwei massive Pfeiler angedeuteten weiten Architektur, deren Ausschnitthaftigkeit durch die angeschnittenen Beine des Artisten in grünen Schuhen am Trapez links oben eine groteske Komik erhält.

Edgar Degas

Neben Manet wurde besonders Edgar Degas (Paris 1834 – 1917) zum Darsteller des großstädtischen Lebens, das er in den Lokalen und auf den Bühnen, in Ballettsälen, Cafés und im privaten Boudoir vorfand. Degas stammte aus einer bretonischen Adelsfamilie, die während der französischen Revolution nach Neapel geflüchtet war. Sein Vater, in Paris als Bankier tätig, hatte eine Kreolin aus New Orleans geheiratet. Durch seine Familie künstlerisch gefördert und vielseitig gebildet, kam er an der Ecole des Beaux-Arts zu akademischen Grundlagen für seine Malerei.

1872 unternahm Degas in Begleitung seines Bruders eine Reise nach New Orleans, der Heimatstadt seiner Mutter, um deren Verwandte zu besuchen, die dort eine Baumwollmanufaktur betrieben. Dabei entstand das Bild des Büros des Familienunternehmens mit zahlreichen Portraits von Angehörigen und Angestellten als Auftragsarbeit der englischen Kunsthandlung Agnew's (Abb. 208). Degas schrieb darüber an seinen Freund Tissot: »Ich arbeite an einem sehr wichtigen Bild, für Agnew bestimmt, der es für Manchester benötigt; nun, wenn schon ein Baumwollfabrikant seinen Maler finden will, mußte er ja auf mich stoßen. Es handelt sich um das Innere einer Baumwollfaktorei in New Orleans ... die Arbeit ist verpflichtend wie nie zuvor.« Degas bedient sich zur Raumillusion zwar grundlegender Prinzipien der holländischen Interieurmalerei des 17. Jahrhunderts, indem er das Kontor weit nach hinten verfolgt und die Verkürzung in den Fenstern der Seitenwand kommensurabel für das Auge zur Darstellung bringt; der perspektivische Effekt wird aber durch die Verschränkungen im achsialen Verhältnis der Figuren – beginnend mit dem alten, die Baumwolle prüfenden Herrn im Vordergrund – noch gesteigert. Modern sind die in ihrer momentanen Tätigkeit festgehaltenen Figuren und der wie zufällig gewählte Ausschnitt: beides erinnert an die Technik der Fotografie. 1876 auf der zweiten Ausstellung der Impressionisten zusammen mit mehr als zwanzig weiteren Werken des Künstlers ausgestellt, kam es noch im selben Jahr als erstes Bild von Degas in ein öffentliches Museum.

Die lebenslange Faszination, die Oper, Theater und ganz besonders das Ballett auf Degas ausübten, findet in einer großen Zahl von Darstellungen von Tänzerinnen auf der Bühne und im Übungssaal ihren Ausdruck. Diese Bilder gehören zu den bekanntesten des Künstlers und sie vor allem begründeten seinen Nachruhm. Degas arbeitete neben der Ölmalerei mit Pastellkreiden und mischte unbekümmert verschiedene Techniken; die meisten Bilder sind vor allem Beleuchtungs- und Farbstudien,

211 Claude Monet, **Das Frühstück**, 1868
Öl auf Leinwand, 232 x 151 cm
Frankfurt, Städelmuseum

212 Gustave Caillebotte, **Fußbodenschleifer**, 1875
Öl auf Leinwand, 102 x 146,5 cm
Paris, Musée d'Orsay

die Gestaltung des Raums beruht auf den perspektivischen Wirkungen der starken Verkürzung und dem Einsatz übergroßer Repoussoirfiguren, die den Vordergrund dominieren (Abb. 209). In der *Tanzklasse* von 1875 tritt zu diesen Motiven – das auf dem Klavier sitzende Mädchen wurde vom Künstler später hinzugefügt, um den räumlichen Effekt zu verstärken – noch ein anekdotisches Element durch den alten Tanzlehrer, der mit seinem Stock das Zentrum der Szene bildet und an dem die Ballettmädchen vorbeidefilieren.

Degas malte seine Szenen aus Ballett und Theater, aber auch die Studien sich waschender oder kämmender Frauen wie fotografische Schnappschüsse, die Figuren in momentanen Posen oder ungewöhnlichen, ja sogar häßlichen Haltungen festhalten. 1879 schuf er das große, in der 4. Ausstellung der Impressionisten erstmals gezeigte Ölbild der *Miss La La im Zirkus Fernando*, deren sensationelle Nummer darin bestand, sich an einem Seil, das sie mit den Zähnen festhielt, in die Zirkuskuppel zu ihrem akrobatischen Auftritt hochziehen zu lassen (Abb. 210). Degas zeigt die Artistin, die polygonalen Wände und das kuppelförmige Dach des Zirkusses in nahezu abenteuerlicher Untersicht, wie sie sich dem staunenden Publikum bot, jedoch in den achsialen Korrespondenzen eines künstlerischen Kalküls: Das Fehlen des räumlichen Zusammenhangs macht aus der filigranen Architektur ohne Boden die ureigene und unnahbare Sphäre der aus der Schwerkraft – und damit über die Menschheit – entrückten Frau.

Neben Manet und Degas erwies sich Claude Monet (Paris 1840 – Giverny 1926) als der konsequenteste Vertreter des Impressionismus, der mit *Impression, Aufgehende Sonne* von 1872 jenes Hauptwerk schuf, das der gesamten Stilrichtung den Namen gab. In seinem Jugendwerk aus den 60er Jahren finden sich großformatige Figurenbilder, die selbstbewußt vor allem Personen und alltägliche Szenen aus seiner unmittelbaren Lebensumgebung festhalten. Der Einfluß Manets, der zur gleichen Zeit ähnliche Werke schuf, ist dabei unverkennbar, auch wenn Monet nicht dessen formal strengen Kompositionsprinzipien folgt.

1868 war ein schwieriges Jahr für den jungen Künstler, bestimmt von der Ablehnung seiner Bilder durch das Publikum, ersten Anzeichen einer kommenden Augenkrankheit und Geldnot. Die Wohnung in Paris war ihm gekündigt und die kleine Familie des Künstlers wurde vom Reeder Louis Gaudibert für einige Monate in Etretat aufgenommen. *Das Frühstück* in diesem großbürgerlichen gastlichen Ambiente zeigt die Familie Monets am Tisch versammelt, in der Mitte des Bildes seine Lebensgefährtin Camille, die er 1870 heiraten sollte, und ihr gemeinsamer Sohn Jean (Abb. 211). Am Fenster lehnt eine Besucherin, während im Hintergrund ein Dienstmädchen einen Schrank öffnet. Monet hatte das Bild für den Salon von 1869 gemalt, reichte es aber aus Furcht vor seinen Gläubigern erst 1870 ein, wo es jedoch zurückgewiesen wurde, vielleicht nicht zuletzt aufgrund der neuen, kühnen Maltechnik mit breiten unverbundenen Pinselstrichen und hellen leuchtenden Farben. Alles ist von hellem Sonnenlicht erfüllt, das durch das Fenster links einfällt, von dem nur ein schmaler, von Vorhängen verdeckter Streifen zu sehen ist. Die große Fläche des weißen Tischtuchs mit dem Stilleben aus Tellern, Gläsern und Flaschen reflektiert am meisten Licht, Tisch und Stühle werfen Schlagschatten auf den gestreiften Teppich. Erst 1874 wurde das Bild im Atelier von Nadar bei der später als erste Ausstellung der Impressionisten berühmt gewordenen Schau öffentlich gezeigt.

Gustave Caillebotte (Paris 1848 – Gennevilliers 1894), aus einer wohlhabenden Pariser Familie stammend, blieb nicht nur als Maler, sondern auch als Sammler der Bilder seiner impressionistischen Malerkollegen der Nachwelt in Erinnerung. Er war mit den meisten der Impressionisten befreundet und nahm an fünf ihrer Ausstellungen nicht nur mit eigenen Werken teil, sondern erwarb dort auch Bilder. Besonders unterstützte er den stets in Geldnöten steckenden Monet, mit dem ihn außer der Malerei die Begeisterung für Gärten und Schiffe verband. Als Maler verfolgte er mehrere Themenbereiche: neben Pariser Straßenszenen und Stilleben konzentrierte er sich auf Interieurdarstellungen bzw. Portraits, die er in Interieurs einfügte. Zu seinen bekanntesten Bildern gehören *Die Fußbodenschleifer*, ein Werk, das nicht nur einen ungewöhnlich fragmentierten Einblick in einen Innenraum gewährt, sondern darüber hinaus Menschen bei ihrer schweren Arbeit zeigt (Abb. 212). Der größte Teil der Bildfläche gehört dem Fußboden des leergeräumten Zimmers mit dem thematischen Zentrum der Darstellung, während die Raumsituation durch die weiß gestrichene Wandvertäfelung mit vergoldeten Leisten sowie das verzierte Gitter vor dem französischen Fenster geklärt ist. Drei Arbeiter knien mit nacktem Oberkörper auf dem Boden, den sie mit ihren Werkzeugen abziehen. Das eigentliche malerische Thema des Bildes aber sind der unterschiedliche Glanz der bereits bearbeiteten und der unbehandelten Holzoberfläche im Gegenlicht und das bis an die Grenzen zur Blendung gesteigerte Experiment mit der Reflektion.

Hatte schon Edgar Degas das Leben der Boheme bildwürdig gemacht, so kannte die Kunst Henri de Toulouse-Lautrecs (Albi 1864 – Malromé 1901) als einziges Thema die Beobachtung von

213 Henri de Toulouse-Lautrec, **Im Salon der Rue de Moulins**, 1894
Öl auf Leinwand, 110 x 120 cm
Albi, Musée Toulouse-Lautrec

Menschen in den Vergnügungslokalen, Theatern, Kabaretts, Tanzcafés, im Zirkus und in den Bordellen von Paris im Fin de siécle (Abb. 213). Hier lebte Lautrec, ein Graf aus dem Süden Frankreichs und seit seiner Jugend durch mehrere Unfälle kleinwüchsig geblieben, seit 1882 als Künstler. Er wurde so sehr zum Darsteller der Demimonde, daß die Nachwelt ihn mit diesem Milieu identifizierte. Die meisten seiner Bilder und Zeichnungen stellen Szenen und Einzelfiguren in Innenräumen, zumeist bei künstlicher Beleuchtung dar, die skizzenhaft geschilderten Räume sind aber nur wichtig als Umgebung ihrer Bewohner: der Charakter seiner Interieurs teilt sich dem Betrachter als Stimmungsgehalt in den Beziehungen der Menschen zueinander und den Valeurs der Farben mit. In mehreren Bildern, die vom Künstler selbst gegebene Titel wie *Ces dames au réfectoire* führen, hielt er die Atmosphäre eines Bordells in der Rue des Moulins fest, in dem er den Salon mit seiner angedeuteten Wanddekoration und den Sofas darstellte, vor allem aber die gelangweilten Frauen schilderte, die untätig und wartend herumsitzen und sich die Zeit mit Kartenspielen und Tratsch vertreiben.

Impressionismus und Naturalismus in Deutschland, Max Liebermann und seine Zeit

Von den Impressionisten und ihren Vorläufern Courbet, Corot und Millet in Paris malerisch geschult und von der holländischen Malerei des 17. Jahrhunderts angeregt, verstanden die deutschen Maler des letzten Jahrhundertviertels das Interieur als ein malerisches Ereignis, erzeugt durch das Spiel von Licht und Schatten und gestaltet aus farbigen Flecken in offener, flüchtiger Pinselschrift. Einen Studien- oder längerer Arbeitsaufenthalt in Paris und Reisen nach Holland absolvierten die meisten. Max Liebermann (Berlin 1847 – 1935) arbeitete von 1872 bis 1876 in Paris und unternahm von hier aus alljährliche

214 Max Liebermann, **Nähschule im Amsterdamer Waisenhaus**, 1876/77
Öl auf Holz, 64,5 x 81 cm
Wuppertal, Von der Heydt-Museum

215 Max Liebermann, **Flachsscheuer in Laren**, 1887
Öl auf Leinwand, 135 x 232 cm
Berlin, Staatliche Museen, Nationalgalerie

Studienreisen nach Holland. Hier zog ihn nicht nur die Tradition der Malerei, sondern auch die Atmosphäre der Städte an, die er in seinen Bildern festhielt. Besonders faszinierte ihn die freie, offene Malweise der Spätwerke von Frans Hals und ihre lebendige unmittelbare Naturbeobachtung. 1901 berichtet Liebermann im Rückblick: »Vor etwa dreißig Jahren traten die Holländer zum ersten Mal geschlossen im Münchner Glaspalast auf [Liebermann bezieht sich hier auf die 1. Internationale Kunstausstellung in München von 1869, bei der Werke von Frans Hals, aber auch Bilder der modernen Haager Schule zu sehen waren] und erregten bei den Künstlern ... ungeheures Aufsehen. Was uns frappierte, war die malerische Kultur. Ein jeder strebsame junge Mann pilgerte nach Holland. Er brachte den Holzschuh und die weiße Haube und die lange Tonpfeife von dort mit. Das holländische Fenster mit den kleinen Scheiben im Lot wurde Mode. Der Aufschwung, den die deutsche Malerei in den achtziger Jahren des vorigen Jahrhunderts erlebte, beruhte nicht zum mindesten auf dem Einfluß der Holländer«.

1876 malte Liebermann in Amsterdam mehrere Bilder mit Motiven aus dem Bürgerwaisenhaus, so auch *Die Nähschule* in zwei Fassungen. Die spätere Version, heute in Wuppertal, entstand nach seiner Rückkehr im Pariser Atelier (Abb. 214). Die Darstellung ist damit vom Vorbild gelöst und in der künstlerischen Intention präzisiert. Liebermann macht den disziplinierten wohl nicht ganz freiwilligen Eifer der Kinder zum Thema. Wie in einer Schulklasse in Reihen sitzen die uniformierten Mädchen, den Blick auf ihre Arbeit gerichtet. Die gedämpfte Farbigkeit konzentriert sich auf die schwarzen Kleider, das Weiß der Hauben, das Braun der Bänke und das gebrochene Grau der Wand. Das einfallende Licht setzt einzelne Akzente, die über die weißen Hauben und Krägen springen und die stille Szene lebendig erscheinen lassen.

216 Fritz von Uhde, **Das Tischgebet**, 1885
Öl auf Leinwand, 130 x 165 cm
Berlin, Staatliche Museen, Nationalgalerie

217 Hans Herrmann, **Fleischhalle in Middelburg**, 1887
Öl auf Leinwand, 89,4 x 124 cm
Berlin, Staatliche Museen, Nationalgalerie

218 Gotthardt Kuehl, **Lübecker Diele (Waisenhaus)**, 1895/1900
Öl auf Leinwand, 84 x 61 cm
Dresden, Galerie Neue Meister

1887 schuf Liebermann das große Bild einer *Flachsscheuer* mit Spinnerinnen, ein Hauptwerk in einer Serie von Bildern mit Figurengruppen, die Menschen bei manueller Arbeit zeigen (Abb. 215). In einer niedrigen, aber weiträumigen, von einer Balkendecke überspannten hölzernen Scheune mit großen Fenstern an der Längs- und Schmalwand sind mehrere Frauen mit dem Flachsspinnen beschäftigt, während an der Wand aufgereiht Kinder die großen Schwungräder in Gang halten, um die Fäden zu drehen und auf Spindeln zu wickeln. Liebermann, der sich der Bedeutung dieses Bildes im Rahmen seines Werks wohl bewußt war, gab dieses Bild 1888 als Geschenk an die Nationalgalerie in Berlin. Es war das erste Werk des Künstlers, das in ein öffentliches Museum gelangte.

Ebenfalls von der alten Kunst und Atmosphäre Hollands fasziniert war Max Liebermanns Malerfreund Fritz von Uhde (Wolkenburg 1848 – München 1911), der nach einer kurzen militärischen Laufbahn sich ab 1878 ganz der Malerei widmete. 1882 war Uhde zum ersten Mal in Holland, ab 1884 begann er christliche Themen in alltägliche gegenwärtige Interieurs zu versetzen.

Diese großformatigen Kompositionen, die regelmäßig Jahr für Jahr entstanden, wurden kontrovers aufgenommen, erregten aber erhebliche Aufmerksamkeit (Abb. 216). Malerisch weniger brillant als Liebermann, versenkte sich Uhde in naturalistisch wiedergegebene Details einer Bauernstube, ihrer Einrichtung, dem Aussehen und der Kleidung ihrer einfachen Bewohner. Besondere Aufmerksamkeit wandte er der Darstellung des Lichts und der vielfältigen Reflexe des Gegenlichts zu. Der Künstler erklärte die Wahl der christlichen Themen mit einer Suche nach Verinnerlichung in der ihm äußerlich erscheinenden Malerei des Impressionismus: »Die Impressionisten wollen nur eine neue malerische Formel. Ich suche so was wie eine Seele. Ich wollte außer dem Licht noch Innerlichkeit, und so kam ich darauf: ich griff die Verkörperung des Lichtes auf, Christus«. Vincent van Gogh hingegen äußerte sich mit spöttischer Distanz über Uhdes religiöse Bilder, er unterstellte dem Künstler, er male diese »weil die braven Bürger in dem Land, wo er wohnt, einen ›Gegenstand‹ und ›etwas Besinnliches‹ verlangen und weil er sonst Hunger leiden müßte«. Nach anfänglicher Ablehnung wurde das Bild bereits 1886, noch vor der *Flachsscheuer* Liebermanns, als erstes naturalistisches Bild überhaupt von der Nationalgalerie angekauft.

Ebenso wie Liebermann und Uhde vertrat der Berliner Maler Hans Herrmann (Berlin 1858 – Berlin 1942) einen neuen Naturalismus in der Darstellung, die sich impressionistischer Technik bediente. In der sachlich genauen Darstellung der *Fleischhalle in Middelburg* steht die Wiedergabe der breitgelagerten, mit flachen spätgotischen Gewölben versehenen Zweckarchitektur (Abb. 217). Für die Belichtung sorgen große Fenster an der linken Seitenwand, zum Teil durch Vorhänge verdeckt. Eine massive Eisenkonstruktion ist in die Halle eingestellt, an ihren schweren Haken hängen große Fleischstücke. Die rote Farbe bildet zugleich ein festes optisches Gerüst, das den Raum erfaßbar macht. Künstlerische Freiheit und Brillanz der malerischen Durchführung treten gegenüber der sachlich genauen Wiedergabe völlig zurück.

Eine völlig andere Tendenz in der deutschen Malerei gegen Ende des 19. Jahrhunderts vertritt Gotthardt Kuehl (Lübeck 1850 – Dresden 1915), der von 1878 bis 1889 in Paris arbeitete und von hier aus öfter nach Holland reiste. Neben dem tiefen Eindruck, den die Malerei Manets auf ihn machte, erwiesen sich vor allem die Interieurs Vermeers und Pieter de Hoochs als einflußreich. Die *Lübecker Diele* erinnert mit ihren Durchblicken und Ausblicken ins Freie an Kompositionen Pieter de Hoochs (Abb. 218). Im Sinne des Impressionismus sind aber die Details des Bildes in Lichtgeflimmer aufgelöst, an die Stelle der räumlichen Ordnung tritt eine Flächenmuster schillernder Farben, wie es gleichzeitig die französischen Nachimpressionisten Vuillard und Bonnard mit nachhaltiger Konsequenz für die Malerei des 20. Jahrhunderts handhabten.

Vincent van Gogh

Vincent van Gogh (Groot-Zundert 1853 – Auvers-sur-Oise 1890) ist kein Künstler, der mit früher Begabung beeindruckt. Ganz im Gegenteil gelangt er durch eine lange und mühevolle Entwicklung zur Künstlerschaft, sich seiner Rolle als Außenseiter der Gesellschaft von Anfang an bewußt, in den künstlerischen Anfängen ungelenk, von Zweifeln begleitet und dauernd vom Scheitern bedroht. Van Gogh wurde 1853 als Sohn eines Pfarrers der reformierten Kirche in einem kleinen Dorf im niederländischen Breda geboren. Auf Wunsch der Familie sollte er wie drei seiner Onkel Kunsthändler werden. Mit sechzehn kam er daher zur Ausbildung in eine renommierte Kunsthandlung in Den Haag, die vor allem mit Reproduktionsstichen nach Alten Meistern und zeitgenössischer Salonmalerei handelte. Nach vier Jahren in Den Haag arbeitete er je ein Jahr in den Niederlassungen der Firma in London und Paris. Religiöser Eifer und soziales Engagement ließen ihn der Stellung überdrüssig werden, er ging als unbezahlter Hilfslehrer und schließlich Prediger

219 Vincent van Gogh, **Kartoffelesser**, 1885
Öl auf Leinwand, 81,5 x 114,5 cm
Amsterdam, Van Gogh Museum

nach England. Nach kurzer Tätigkeit als Buchhändler und erfolgloser Vorbereitung auf ein Theologiestudium in Amsterdam besuchte van Gogh eine Missionarschule in Brüssel und ging in das von trostloser Armut geprägte Kohlenrevier des Borinage im südlichen Belgien, um dort Bibelstunden zu halten und Kranke zu besuchen. Als 26-Jähriger ohne abgeschlossene Ausbildung erkannte er hier die Bedeutung der Kunst für sein Leben. Im Oktober 1880 entstanden in Brüssel die ersten Werke; mühevoll eignet er sich in Kursen an der Kunstakademie und als Autodidakt die Technik des Zeichnens und Malens an; im darauffolgenden Jahr orientierte er sich in Den Haag an den Künstlern der Haager Schule mit ihrer realistischen und zuweilen sozialkritischen Genre- und Landschaftsmalerei in dunklen und erdigen Farben. 1883 übersiedelte van Gogh in die entlegene holländische Provinz Drenthe, in der Hoffnung, sich einer hier entstehenden Künstlerkolonie anschließen zu können, aber auch um sich dem Studium der Landschaft und des einfachen ländlichen Lebens zu widmen. Finanzielle Nöte zwangen ihn bald, ins elterliche Pfarrhaus, nunmehr in Nuenen bei Eindhoven, zurückzukehren. Hier entstand sein erstes malerisches Hauptwerk, die *Kartoffelesser* von 1885 (Abb. 219).

Fünf Menschen, zwei Männer und drei Frauen sind in einem düsteren Raum beim Schein einer Petroleumlampe um einen Tisch zum Essen versammelt. »Das ist ein Motiv, das ich zu malen versuchte, hingerissen durch die eigenartige Beleuchtung der gruseligen Hütte. Es steht in einem so düsteren Licht, daß die lichten Farben, z.B. auf weißes Papier geschmiert, geradezu wie Tintenflecke aussehen würden, und – auf der Leinwand wirken sie als Lichter, wegen der starken Wirkungen, die ihnen gegenüberstehen, z.B. Preußischblau, gleich so unvermengt aufgetragen. Daß ich vor lauter Konzentration darauf die Form der Torsen aus dem Auge verloren habe, das kritisiere ich selbst. Die Köpfe und Hände habe ich mit großer Sorgfalt gemacht, und da die das wichtigste waren, und der Rest fast ganz dunkel.«

Van Gogh hatte die Figuren und vor allem die Gesichter zuerst in hellen Inkarnattönen ausgeführt. Mit der Bildwirkung unzufrieden, übermalte er sie später: »... ich habe sie kurz entschlossen erbarmungslos übermalt, und die Farbe, in der sie jetzt gemalt sind, ist ungefähr die Farbe einer guten staubigen Kartoffel, ungeschält natürlich« (Brief Nr. 405). Die rohe und grobe Malweise der dunklen Figuren war beabsichtigt, sie sollte die Naturhaftigkeit der Bauern darstellen, denn er wollte jede süßliche Sentimentalität in der Darstellung vermeiden und war überzeugt, wie er weiter schrieb: »daß es auf die Dauer bessere Ergebnisse gibt, wenn man sie in ihrer Grobheit malt, als wenn man konventionelle Gefälligkeit hineinbringt.« (Brief 404, 30. April 1885)

Van Gogh greift den Bildtypus des Halbfigurenbildes auf, wie er im frühen 16. Jahrhundert entwickelt wurde, und holt damit die Figuren nah an den Betrachter heran und erfaßt sie ganz unmittelbar. Die Köpfe hatte er an Ort und Stelle studiert und in zahlreichen Zeichnungen festgehalten, das Bild entstand allerdings im Atelier, denn er hatte weder »genaue Zeichnung« noch »lokale Farbe« im Sinn.

Im November des gleichen Jahres und immerhin mit bereits 33 Jahren beschloß van Gogh, mit einem Kunststudium an der Akademie in Antwerpen Versäumtes nachzuholen. Bald wurde ihm klar, daß sein eigentliches Ziel Paris war, die Metropole der Kunst. Sein jüngerer Bruder Theo, der dort Kunsthändler war, nahm ihn in seiner Wohnung auf. Es war kein größerer Gegensatz denkbar als der zwischen dem abgelegenen Nuenen, wo er Motive aus dem Leben der Bauern in schweren düsteren Farben gemalt hatte, und dem großstädtischen Paris mit seinen vielfältigen Anregungen, die sowohl der Louvre mit den Werken der alten Meister bereithielt als auch die Bilder der vielen jungen Künstler boten, die in einem neuen und aufregenden Stil malten. Der Impressionismus hatte seinen Zenith bereits überschritten, die Maler der ersten Generation wie Monet, Renoir oder Sisley nahmen an der kurze Zeit nach van Goghs Ankunft in Paris eröffneten 8. (und zugleich letzten) Impressionisten-Ausstellung von 1886 nicht mehr teil. Neben Camille Pissarro und Edgar Degas, den Organisatoren der Schau, stellten hier Paul Gauguin und die jungen Maler Seurat und Signac aus. In der Nachfolge des berühmten 1863 gegründeten »Salon des Refusés«, in dem die Impressionisten regelmäßig ihre Bilder der Öffentlichkeit präsentierten, wurde 1884 der »Salon des Indépendants« gegründet, der auch van Gogh die Möglichkeit zur Ausstellung gab.

Van Gogh tauchte in diese für ihn völlig neue Welt ein, lernte Künstler wie Toulouse-Lautrec, Gauguin, Pissarro, Seurat und Signac kennen und damit eine ganz andere Art mit Farben umzugehen, als er sie von den Künstlern der Haager Schule gesehen hatte. Zugleich änderten sich die Sujets seiner Bilder, er malte nun Motive aus der Stadt und ihrer Umgebung. Charakteristisch für seinen neuen Stil wurde die Steigerung der Gegenstandserscheinung durch leuchtende Komplementärfarben, die er nebeneinander setzte, rot gegen grün, orange gegen blau, »was man heute in der Kunst will, muß sehr lebendig, stark in der Farbe, überhaupt stark und eindringlich sein«. Die leuchtenden Farben gelb und orange, die sein Werk mehr und mehr dominieren, künden bereits von der kräftigen Sonne und dem harten und klaren Licht des Südens. »Ich habe vor«, hatte van Gogh im Winter 1887 geschrieben, »so bald wie möglich in den Süden zu gehen, dort gibt es noch mehr Farbe und noch mehr Sonne«. Am 19. Februar 1888 brach er von Paris nach Arles in Südfrankreich auf. Hier verbrachte er fast eineinhalb Jahre, hier entstanden in kurzer, von intensiver Tätigkeit geprägter Zeit Bilder, die in ihrer radikalen Subjektivität und der bedingungslosen Verwendung von Farbe als erste Werke der modernen Kunst gelten und eine völlig neue Entwicklung der Malerei einleiten, die bis heute nachwirkt.

Wenige Wochen nach seiner Ankunft in Arles mietete van Gogh den Flügel eines Hauses mit zwei Zimmern im Erdgeschoß und zwei Zimmern im Stockwerk darüber, außen gelb gestrichen, innen mit roten Ziegelböden und weißen Wänden. Begeistert äußerte er sich über die leuchtenden klaren Farben des Hauses, das nach seiner Renovierung erst im Herbst 1888 bezogen werden konnte. Die Farben, im besonderen aber das Gelb, spielten für van Gogh in Arles eine entscheidende Rolle. Gelb repräsentierte für ihn die Sonne, die Hitze und das Licht des Südens. Durch den vermehrten Einsatz von Gelb in seinen Bildern konnte er die Farbskala dem Licht annähern. Zugleich verwendete er die Farbe zur Steigerung des Ausdrucks; in seinen Briefen sprach er davon »den hohen gelben Ton zu erreichen«.

Gleichzeitig träumte van Gogh von einer Künstlergemeinschaft, die gemeinsam ihre Bilder verkaufen und den Erlös teilen sollte; für den Anfang war an eine Zusammenarbeit mit Paul Gauguin gedacht, den er zu sich nach Arles in das Gelbe Haus einlud und dafür eines der größeren Zimmer herrichten ließ. Er besorgte einen Ofen und Möbel, ließ Gas einleiten, um auch am Abend arbeiten zu können, und begann selbst den Wandschmuck (*décoration*) vorzubereiten. Zuerst wollte er lauter Bilder mit Sonnenblumen aufhängen, von denen er vier anfertigte, dann entschied er sich für verschiedene Motive aus Arles und seinem unmittelbaren Lebensbereich, die innerhalb weniger Wochen entstanden. Van Gogh plante einen umfangreichen Zyklus von Bildern in einheitlichem französischem Standardformat von »Leinwänden zu 30«, das sind etwa 70 x 90 cm, die im Jahreszeitenrhythmus zu wechseln waren. Zugleich waren die Motive paarweise aufeinander bezogen und sollten Gegensätze darstellen, wie sich aus den Kommentaren des Künstlers in seinen Briefen erschließen läßt. Am Ende ging sein Konzept, das sich nach und nach entwickelte, über die Dekoration des Hauses

220 Van Gogh, **Schlafzimmer in Arles**, 1888
Öl auf Leinwand, 72 x 90 cm
Amsterdam, Van Gogh Museum

221 Vincent van Gogh, **Nachtcafé**, 1888
Öl auf Leinwand, 69,8 x 89 cm
New Haven, Yale University Art Gallery

222 Paul Gauguin, **Im Café in Arles,**
Öl auf Leinwand, 72 x 92 cm
Moskau, Puschkin-Museum

in Arles hinaus und er stellte sich vor, eine Auswahl der besten Bilder zur Jahrhundertausstellung französischer Malerei nach Paris zu schicken.

So waren zwei ganz unterschiedliche Interieurbilder aufeinander bezogen, einmal ein nächtliches Café als öffentlichen Ort, der zugleich Einsamkeit und Verzweiflung repräsentierte, das andere das eigene Schlafzimmer darstellend, ein höchst privater Ort der völligen Ruhe und des Rückzugs in sich selbst (Abb. 220, 221). Mit den Bildern sind symbolische Bezüge verbunden, was sie von Werken der Impressionisten und ihrer Nachfolger grundlegend unterscheidet. Den zweiten Bruch mit der Tradition vollzog van Gogh in der Art seiner Raumdarstellung. Er dramatisierte die Perspektive in effektvollen Steigerungen, wellenförmig pulsierend wird sie zu einer aktiven Kraft. Den Raum stürzte er in Verkürzungen wie in einen rasenden Wirbel, der die Wirklichkeit verkrümmt und bricht und Schwindelgefühle hervorruft.

Anfang September 1888 berichtete van Gogh von einem neuen Bild, das er innerhalb von drei Nächten im »Café de la Gare« in Arles gemalt hatte. »... es ist eins der krassesten, die ich je gemacht habe ... Ich habe versucht, mit Rot und Grün die schrecklichen menschlichen Leidenschaften auszudrücken. Der Raum ist blutrot und mattgelb, ein grünes Billard in der Mitte, vier zitronengelbe Lampen mit orangefarbenen und grünen Strahlenkreisen. Überall ist Kampf und Antithese: in den verschiedensten Grüns und Rots, in den kleinen Figuren der schlafenden Nachtbummler, in dem leeren, trübseligen Raum, im Violett und Blau. Das Blutrot und Gelbgrün des Billards kontrastieren mit dem zarten Louis-XV-Grün der Theke, auf der ein rosa Blumenstrauß steht. Die weiße Kleidung des Wirts, der in einer Ecke des Backofens wacht, wird zitronengelb, blaßgrün und leuchtend.« (8. September 1888) Nach dieser ausführlichen Schilderung der farblichen Kontraste äußert er sich einen Tag später zur Bedeutung seines Bildes: »In meinem Bild vom Nachtcafé habe ich auszudrücken versucht, daß das Café ein Ort ist, wo man sich ruinieren, wo man verrückt werden und Verbrechen begehen kann ... – das alles in einer Atmosphäre von höllischer Backofenglut und blassem Schwefelgelb«. Das Café war aber zugleich der Ort, an dem van Gogh selbst lebte, er hatte sich im »Café de la Gare« ein Zimmer gemietet, bis er im Herbst das Gelbe Haus beziehen konnte. Er beschrieb also seine eigene Verfassung in den einsamen nächtlichen Besuchern an den Cafétischen.

Das Gegenstück zum *Nachtcafé* stellt einen Ort der Ruhe dar. »Diesmal«, schreibt Vincent an seinen Bruder Theo, »ist es ganz einfach mein Schlafzimmer, hier muß es nur die Farbe machen: indem ich durch Vereinfachung den Dingen einen größeren Stil gebe, soll einem der Gedanke an Ruhe oder ganz allgemein an Schlaf kommen. Kurz, der Anblick des Bildes soll den Kopf oder richtiger die Phantasie beruhigen. Die Wände sind blassviolett. Der Fußboden hat tote Ziegel. Das Holz des Bettes und die Stühle sind frisches Buttergelb, das Laken und die Kopfkissen sehr helles Zitronengrün. Die Bettdecke ist scharlachrot ... Der Waschtisch orange, das Waschbecken blau ... Und das ist alles – sonst ist nichts in diesem Zimmer mit den geschlossenen Fensterläden. Die feste Derbheit der Möbel muß nur noch die unerschütterliche Ruhe ausdrücken. An der Wand Bildnisse und ein Spiegel und ein Handtuch und ein paar Kleider ... Schatten und Schlagschatten sind weggelassen, und die Farben sind flach und einfach aufgetragen, wie bei Japandrucken.« (Brief 554, 17. Oktober 1888)

Die Räume in beiden Bildern weisen eine forcierte Perspektive auf. Die Fußböden fallen stark nach vorne ab, so daß der vordere Teil des Raums in Aufsicht, wie in Vogelperspektive erscheint. Die Verkürzung ist zum Teil ebenso übertrieben, wie etwa der freistehende Billardtisch im *Nachtcafé* zeigt. Dadurch ergibt sich ein starker Sog in die Tiefe. Van Gogh verwendet die Mittel der beschleunigten Perspektive mit einem nahen Fluchtpunkt als symbolische Form, um damit eine ganz persönliche Sicht seiner Umgebung zum Ausdruck zu bringen, in der alles schwankt und aus den Fugen gerät. »Wir leben in einer Zeit, da alles zu wanken scheint«, schrieb er in einem Brief.

Ende Oktober 1888 traf endlich Paul Gauguin als Gast van Goghs in Arles ein, es begann eine Zeit intensiver Gespräche und höchster Produktivität. Einige Motive wurden von beiden Malern dargestellt und zeigen den großen Unterschied der künstlerischen Auffassung der beiden.

Als Gauguin zwei Monate nach van Gogh das Nachtcafé in Arles malt, entsteht ein völlig anderes Bild, in einem fest strukturierten Raum erhalten die Figuren ihre festen Plätze, die bei van Gogh isoliert und auf sich bezogen erscheinen (Abb. 222). Gauguin sucht in flächiger Komposition eine ruhige Klassizität zu erreichen, die auf einem abstrakten Flächenmuster beruht, während van Gogh in spontaner Malweise vor dem Naturvorbild die gesteigerte Farbigkeit betont. Gauguin stellt die gemeinsamen Bekannten dar, so den Briefträger Roulin, den Zuaven, den er in seiner exotischen Tracht gemalt hatte, Monsieur Ginoux, den Besitzer des Lokals, schließlich Madame Ginoux groß im Vordergrund.

Die künstlerischen, aber auch menschlichen Gegensätze zwischen den beiden wurden immer deutlicher, am 23. Dezember 1888 kam es zu dem bekannten Eklat: van Gogh bedrohte Gauguin mit dem Rasiermesser, richtete es aber gegen sich selbst und schnitt sich ein Ohrläppchen ab. Gauguin reiste am nächsten Tag ab. Anfang Januar 1889 wurde van Gogh aus dem Krankenhaus entlassen und arbeitet sofort an seinen Bildern weiter. Wegen einer neuen Krise kam er in den ersten Februartagen wieder ins Spital und wurde schließlich Ende Februar nach einer Eingabe von achtzig Bürgern von Arles beim Bürgermeister in einer geschlossenen Anstalt interniert.

Ein Bildpaar dokumentiert den Krankenhausaufenthalt des Künstlers, ein Bild den Innenhof des Hospitals darstellend, das andere einen Krankensaal (Abb. 223). Van Gogh betont die Tiefe des Gebäudetraktes durch den symmetrischen Aufbau des Bildes mit den beiden langen Reihen der durch Vorhänge abgetrennten Betten und den hohen Wände mit vereinzelten Fenstern und durch den Rhythmus der Deckenbalken. Aus der statischen Szene des Vordergrundes heraus gewinnt der Raum auch durch die malerische Struktur rasant an Dynamik, um in der blauen Tür mit dem darüberhängenden Kreuz seinen Zielpunkt zu finden. Der Todes-Metapher in diesem Interieur entsprach ein gedanklicher Prozeß: Zehn Monate nach der ersten Arbeit an dem Bild, schon während seines Aufenthalts in Saint-Rémy, befaßte sich van Gogh unter dem Eindruck seiner Lektüre damit noch einmal neu: »Ich hatte einen Artikel über Dostojewski gelesen, der ein Buch ›Erinnerungen aus einem Totenhause‹ geschrieben hat«, berichtet er seiner Schwester Wilhelmine, »das hat mich veranlaßt, eine große Studie wieder vorzunehmen, die ich in Arles, im Saal der Fieberkranken, gemacht hatte.« Er fügte dem Bild die im Vordergrund um den Ofen sitzenden Figuren hinzu. Ebenso wie im *Nachtcafé* ist auch hier die Isolierung und Vereinzelung der Gestalten, die zum tristen und depressiven Gesamteindruck der Komposition beitragen, das Hauptmotiv.

Ende März 1889 besuchte van Goghs Malerfreund Paul Signac den Internierten und erwirkte seine endgültige Entlassung, er habe den Künstler »im Zustand vollkommenster Gesundheit und Geistesklarheit gefunden», doch sei »die Nachbarschaft feindselig gegen ihn eingestellt«, »er hat nur einen Wunsch, ruhig arbeiten zu können«. Doch van Gogh selbst fühlte sich nicht gesund, ein Grund war wohl die Heirat seines Bruders Theo und die Angst, von ihm nicht mehr länger die lebensnotwendige wirtschaftliche Unterstützung zu erhalten. Man riet ihm, sich in die bei Saint-Rémy-de-Provence gelegene Heilanstalt aufnehmen zu lassen. Er blieb dort ein Jahr, um sich im Mai 1890 in die Behandlung von Dr. Gachet nach Auvers-sur-Oise, eine kleine Stadt nordwestlich von Paris zu begeben. Am 27. Juli 1890 schoß sich van Gogh in den Leib und starb zwei Tage später im Alter von 37 Jahren.

»In den Zimmern wohnt das Grauen.« – Das Unheimliche in der Interieurmalerei des 19. Jahrhunderts

Kaum etwas eignet sich so sehr, das Unheimliche heraufzubeschwören, das nicht durch äußere Reize, sondern aus inneren Zuständen, Erlebnissen und Ängsten des Betrachters entsteht, wie die Darstellung von Innenräumen. Düsternis und künstliche Beleuchtung, die einzelnes grell hervorhebt und bedrohliche Schatten entstehen läßt, Leere einerseits und beängstigende Nähe, drangvolle Enge andererseits schaffen beunruhigende Stimmungen, die lustvolle Schauer einjagen oder klaustrophobische Alpträume hervorrufen.

Heim ist dort, wo wir uns heimisch und vertraut fühlen, wenn uns heimelig zumute ist, fühlen wir uns besonders wohl. Das Unvertraute, Fremde ist das Gegenteil, nämlich unheimlich. Das Unheimliche kann sich aber auch als psychische Erfahrung ins alltägliche Leben und ins vertraute Heim einschleichen. Dann gewinnt es seinen besonderen Schrecken, weil wir es dort nicht erwarten, weil es uns überrascht und unvermutet überfällt. Im Heim, dem privaten, der Öffentlichkeit verborgenen Bereich ist aber auch das Geheime und das Heimliche zu Haus. Das Heimliche wird in seiner semantischen Bedeutung ambivalent, indem

223 Vincent van Gogh, **Krankensaal im Hospital zu Arles**, 1889
Öl auf Leinwand, 72 x 91 cm
Winterthur, Sammlung Oskar Reinhart

224 Johann Heinrich Wilhelm Tischbein, **Der lange Schatten**, um 1805
Aquarell über Federzeichnung, 36,7 x 23,4 cm
Landesmuseum Oldenburg

es uns zugleich als das Unheimliche begegnen kann. Das Unheimliche aber, das im Betrachter ein Gefühl der Irritation an der Realität erweckt, das ihn verstört und abstößt, zugleich aber ästhetischen Reiz ausübt und damit anziehend wirkt, wird in der Kunst des 18. Jahrhunderts zur absichtsvollen Form. Besonders mit den Darstellungen von Schlaf und Traum, der das Unbewußte visualisiert, etwa bei Johann Heinrich Füssli oder Goya, zieht das Bedrohlich-Phantastische in die Interieurs ein.

Zum Unheimlichen gehört das Nächtliche und das Schattenreich. Das späte 18. Jahrhundert war vom Schatten, seiner Darstellung und seiner Bedeutung fasziniert. Mit der erkenntnistheoretischen Bedeutung von Platons »Höhlengleichnis« im Hintergrund wurde die auf die Antike zurückgehende Legende von der Erfindung der Portraitmalerei aus der an die Wand projizierten Silhouette und damit der dem Schattenumriß nachgeführten Hand immer wieder im Bild dargestellt. »Peter Schlemihls wundersame Geschichte« von Adelbert von Chamisso und ihre Verwendung in »Hoffmanns Erzählungen« von Jacques Offenbach machte das Schattenmotiv und seinen unheimlichen Aspekt vollends populär.

Im Zusammenhang mit der Literatur steht auch das Blatt *Der lange Schatten* von Johann Heinrich Wilhelm Tischbein (Haina 1751 – Eutin 1829). Tischbein wurde durch seine Bekanntschaft mit Goethe zum bekanntesten Mitglied der Künstlerfamilie. Schon während seines Aufenthalts in Italien und seiner Tätigkeit als Akademiedirektor in Neapel (1782 – 1799) arbeitete er mühevoll an dem Malerroman »Die Eselsgeschichte«, deren eigentlicher, umständlicher Titel »Der Schwachmatikus und seine vier Brüder, der Sanguinikus, Cholerikus, Melancholikus, Phlegmatikus, nebst zwölf Vorstellungen vom Esel« lautet und der aus einer Vielzahl einzelner Episoden und damit verbundener Illustrationen besteht. Erst 1812 konnte er das Ganze zum Druck anbieten.

Das Blatt *Der lange Schatten* zeigt einen völlig leeren fensterlosen Raum (Abb. 224). Keine Tür bietet einen Weg nach außen, keine Möbelstücke, nur einige Bildrahmen proportionieren den Raum. Vor einem Kamin mit hell brennendem Feuer, nicht nur Wärme- sondern zugleich einzige Lichtquelle, steht die Hauptfigur, der Icherzähler des Romans, in nachdenklicher Pose und wirft einen langen Schatten, der über den Fußboden, die gegenüberliegende Wand und über die Decke den Raum gespenstisch in ein Diesseits und ein Jenseits trennt. Der entsprechenden Szene im Roman, die dem Schatten als Mittel zur Selbsterkenntnis eine durchaus positive Rolle zuerkennt, entspricht die Illustration insofern nicht, als hier durch die weite Leere des Raums der geisterhafte Aspekt des Schattens in den Vordergrund tritt.

Edgar Degas brachte 1905 in der Galerie Durand Ruel in Paris ein großes nächtliches Interieur zum Verkauf, das er in den späten 60er Jahren gemalt und in den 90er Jahren überarbeitet hatte und das bis dahin in seinem Atelier verborgen nur einer kleinen Zahl von Freunden bekannt war. Das Bild gelangte nach Amerika und wurde wenige Jahre später zum ersten Mal öffentlich gezeigt. Es erregte vor allem wegen der rätselhaften und beunruhigenden Darstellung Aufsehen, gleichzeitig begann die Suche nach einer literarischen Vorlage, die man den künstlerischen Gepflogenheiten und Denkgewohnheiten der Zeit entsprechend einfach voraussetzte. Erst damals entstand der melodramatische Titel *Le viol* (Die Vergewaltigung), der den vieldeutigen Charakter des Bildes in eine bestimmte Richtung festlegt. Degas selbst nannte die Szene nur »mein Genre-Bild« (Abb. 225).

Der zwielichtige Charakter der dargestellten Personen und die unheimliche Stimmung in dem einfach und unpersönlich möblierten Raum mit gemusterter Tapete sind unverkennbar. Ein Eisenbett steht in der Ecke, beleuchtet von einer brennenden Lampe auf einem kleinen Tisch in der Mitte des Zimmers; daneben eine geöffnete Schatulle, die unter anderem Nähzeug enthält, während der übrige Raum im Dämmerlicht bleibt. Am rechten Bildrand lehnt ein Mann breitbeinig mit den Händen in den Hosentaschen an der Tür, Ausgang und Ausweg versperrend. Seine dunkle Figur verschmilzt mit ihrem vergrößernden Schatten in seinem Rücken, der ihm dämonische Bedrohlichkeit verleiht. Hoch aufgerichtet fixiert er eine von ihm abgewandte, auf einem Stuhl zusammengekauerte Frau. Ihr halb von der Schulter gerutschtes weißes Unterkleid, der Lampenschirm, die offene Kassette und die im Hintergrund weniger beleuchtete Bettdecke bilden die hellsten Stellen des Bildes. Ihr Korsett liegt auf dem Boden, die restliche Kleidung ist über das Bett geworfen, direkt daneben verläuft über die Bettdecke ein schmaler Streifen, der wie eine Blutspur aussieht.

Zumeist wurde versucht, das Bild mit dem Roman *Thérèse Raquin* von Emile Zola in Verbindung zu bringen, zu widersprüchlich sind allerdings die Abweichungen von der literarischen Vorlage. Degas illustriert nicht eine Erzählung, sondern er sucht die psychologische Bildwirkung einer hochemotionalen Konfrontation zu erzielen, nicht zuletzt durch leichte Abweichungen in der perspektivischen Konstruktion des Raums. Er folgt damit der »Perspektive des Gefühls«, die der einflußreiche

225 Edgar Degas, **Interieur (»Le viol«)**, 1868/69
Öl auf Leinwand, 81 x 114 cm
Philadelphia Museum of Art

Horace Lecoq de Boisbaudran in seinen Schriften propagierte, nach der gerade Abweichungen von der geometrisch exakten Konstruktion dazu führen, die Atmosphäre eines Bildes dichter und die Darstellung authentisch erscheinen zu lassen.

Um die Verbildlichung von Emotionen geht es auch in den meisten Bildern von Edvard Munch (Hiten 1863 – Oslo 1944), der die Schilderung der Psychologie seiner Figuren, im besonderen die Darstellung von Melancholie, Einsamkeit, Angst und Verzweiflung zu einem beherrschenden Thema seiner Kunst gemacht hatte. Oft wird dabei die seelische Verfassung des Künstlers selbst zur Rechtfertigung und Erklärung seiner Werke herangezogen, ein im Prinzip problematisches Verfahren, denn künstlerische Schöpfungen lassen sich nur bedingt mit der Biographie des Künstlers zur Deckung bringen. Was etwa im Fall von Vincent van Gogh als ein übliches, wenngleich an der Bedeutung seiner Malerei vorbeisehendes Verfahren ist, nämlich seine Werke als direkten Ausdruck seiner aktuellen seelischen Zustände zu verstehen, wurde bei Rembrandt immer wieder versucht, jedoch zu Recht als Simplifizierung abgelehnt und methodisch in Frage gestellt.

Edvard Munch hatte im Sommer 1889 seine erste Einzelausstellung in Kristiania, dem späteren Oslo, die sowohl vom Publikum wie von der Kunstkritik mit großer Zustimmung aufgenommen wurde und Bekanntheit und Erfolg des Künstlers in seiner Heimat begründete. Auf Anregung des führenden norwegischen Kunstkritikers Andreas Aubert erhielt Munch ein Auslandsstipendium, um mit einem sechsmonatigen Aufenthalt in Paris von Oktober 1889 bis zum darauffolgenden März seine in Norwegen abgeschlossene künstlerische Ausbildung zu vervollkommnen. Er studierte bei Léon Bonnat, besuchte Museen und Ausstellungen, um die aktuelle Kunst der Metropole aufzunehmen, vor allem die aktuelle Weltausstellung, bei der er selbst im norwegischen Pavillon mit dem Gemälde *Morgen* von 1884 vertreten war, das noch völlig in der realistischen Tradition der 60er und 70er Jahre stand.

Trotz seines frühen künstlerischen Erfolgs war Munch melancholisch und fühlte sich in keiner seiner Pariser Behausungen wohl, bis er in St. Cloud eine ruhige, einfach ausgestattete Wohnung fand. Mit einer Zeichnung (Munch Museet) ist das kleine, aber heimelig erscheinende Zimmer dokumentiert, das er in seinem Gemälde *Nacht* zu einem hohen Raum umformte (Abb. 226). Das fahle Mondlicht fällt durch das hohe Fenster und zeichnet das Muster des Fensterkreuzes auf den Fußboden. Das Flächen-

226 Edvard Munch, **Nacht in St. Cloud**, 1890
Öl auf Leinwand, 65 x 54 cm
Oslo, Nasjonalmuseet

muster der hellen Elemente, Fenster, Fußboden und der Widerschein an der Seitenwand dominieren gegenüber der nächtlich undeutlichen Raumstruktur. Als Repoussoirmotiv hat der Künstler in den Vordergrund einen ausschwingenden Vorhang gesetzt, der von der räumlichen Anordnung kaum motiviert ist, der jedoch Raumtiefe erzeugt und zugleich etwas zu verbergen scheint. Erst bei näherem Zusehen wird am Fenster die Silhouette eines Mannes mit Zylinder sichtbar, der bewegungslos am Ende einer langen Polsterbank sitzt und in die Mondnacht blickt.

Bereits die zeitgenössische Kritik zeigte sich von der dichten und intensiven Stimmung des Bildes fasziniert. Julius Meier-Graefe schrieb 1895 über die Radierung nach dem Bild: »Am Fenster sitzt ein Mann, grau in grau, ein Stückchen Dämmerung, völlig eins geworden mit dem Schatten, mit der Melancholie des Raumes, ein zitternder Hauch. Sitzt und denkt. Und das körperliche verschwindet, es wird eins mit den Gedanken, mit den ganz leisen Blicken. Er könnte jetzt auseinander fließen; der Mond hat ihn angesteckt, zu dem er hinaussieht. Wenn er sich jetzt plötzlich umdrehte, würde ihn der Schreck lähmen vor diesen Riesengardinen, dem ungeheuren Spiegel des Fensters, vor der dunklen Größe der Wände. Sie sehen das nicht, Herr Professor? – Nun, so sehen Sie hoffentlich etwas anderes; wenn sie nur überhaupt etwas sehen.« Der letzte ironische Satz bezieht sich auf den von der konservativen Kunstkritik wiederholt vorgebrachten Vorwurf gegen die unruhige Malweise Munchs, bei der pastose Partien mit dünnem Farbauftrag und durchscheinender Grundierung abwechseln.

Obwohl der mit Munch in Paris eng befreundete dänische Dichter Emanuel Goldstein Modell saß, sah man in dem Bild den Ausdruck Munchs eigener bedrückter Seelenlage nach dem Tod seines Vaters. Nächtliches Dunkel und Kreuzform des Fensters verweisen auf Tod, Trauer und Einsamkeit; das Fenster ist dabei wichtigstes Motiv, als Grenze zwischen Innenraum und damit innerem Seelenzustand und Außenwelt, die zugleich die äußere Wirklichkeit repräsentiert. Wichtiger aber ist die mit diesem Werk vollzogene Abkehr von jeglicher naturalistischer Darstellung, der Munch in seinem gleichzeitig verfaßten »Manifest von St. Cloud« auch schriftlichen Ausdruck verlieh: »Man sollte keine Interieurs mehr malen, keine Leute, die lesen, keine Frauen die stricken. Es sollten lebendige Menschen sein, die atmen und fühlen, leiden und lieben ... Das Fleisch muß Formen annehmen, und die Farben müssen lebendig werden«.

Eine Vorliebe für das Beunruhigende, Rätselhafte und Unheimliche vereint Odilon Redon und seine jüngeren belgischen Zeitgenossen Fernand Khnopff und James Ensor (Oostende 1860–1949). Ensor wurde an der Kunstakademie in Brüssel ausgebildet und stellte 1881 zum ersten Mal seine Werke aus. Die generelle Ablehnung der Sujets seiner Bilder – Stilleben, Interieurs und Landschaften – wie auch seines Malstils mit fleckenhaft aufgelöstem Duktus durch das konservative Brüsseler Publikum traf den Künstler empfindlich: er zog sich in seine Heimatstadt Oostende zurück, wo er fortan in selbstgewählter Isolation lebte und arbeitete.

Um 1881 entstand eine Reihe von Interieurs, die den Salon seines Elternhauses in Oostende, in dem er sein Atelier eingerichtet hatte, darstellen, ein mit Kunstgegenständen und Dekorationsstücken, wie sie seine Mutter in ihrem Antiquitätenladen verkaufte, überladener düsterer Raum mit schweren Vorhängen, dickem Teppich und dunklen Wandbespannungen im Einrichtungsstil des »seconde empire« (Abb. 227). Eine elegant gekleidete junge Besucherin ist gekommen und unterhält sich mit der Hausfrau beim Nachmittagstee. Die Isolierung der Figuren, die Düsternis des Raums lassen eine seltsam beklemmende Atmosphäre entstehen, der man als Betrachter gerne ins offene Freie entfliehen möchte.

In den folgenden Jahren fand Ensor zu einem sehr individuellen, von den Entwicklungen seiner Zeit abgelösten Stil, der einerseits karikaturhafte Elemente birgt, andererseits bewußt primitiv gehalten ist. Die Farbpalette hellt sich mehr und mehr auf, oft dominiert das Zeichnerische. Ensor scheut auch groteske Häßlichkeit nicht. Zugleich beginnen phantastische Elemente zu dominieren, die wie eine Vorwegnahme des Surrealismus wirken, verfremdete Figuren und puppenhafte Masken, Skelette und groteske Bühnenszenen beherrschen die Bilder. So machte er aus dem tradierten Sujet des Kunstliebhabers im Kabinett seiner Schätze eine Interieurszene, wie sie der phantastischen Literatur des 19. Jahrhunderts entnommen sein könnte (Abb. 228): In einer Dachkammer, deren Wände mit ostasiatischen Rollbildern und anderen Darstellungen behängt sind, hat es sich ein bekleidetes Skelett mit der Betrachtung von Kunstwerken bequem gemacht. Oder ist hier ein Kunstfreund vor Zeiten über seiner Liebhaberei verblichen? Schließlich sucht die Satire wohl auch nach einem adäquaten Ausdruck für das geistige Potential des Kunstpublikums ihrer Zeit.

Auch Leon Spilliaert (Oostende 1881–1946), wie Ensor in der Stadt an der Nordsee zu Hause, schuf mit der Darstellung des kleinen blonden Mädchens in einem kahlen, unwirtlichen Dachboden eine unheimliche und beängstigende Szene, deren

227 James Ensor, **Nachmittag in Oostende**, 1881
Öl auf Leinwand, 108 x 133 cm
Antwerpen, Koninklijk Museum voor Schone Kunsten

228 James Ensor, **Skelett in Betrachtung von Chinoiserien**, 1885, gegen 1890 überarbeitet
Öl auf Leinwand, 100 x 60 cm
Gent, Museum voor Schone Kunsten

Deutung nach mehreren Richtungen offen ist, vor allem aber an Einsamkeit, Eingeschlossensein, Ausweglosigkeit, schließlich an die Rolle eines Opfers von Gewalt und Mißbrauch denken läßt (Abb. 229). Spilliaert verwendete unterschiedliche Techniken wie Bleistiftzeichnung, Tuschemalerei, Pastellkreiden und Aquarell nebeneinander oder in Mischung, um ein durchsichtiges, schwebendes Ergebnis zu erhalten, daß sowohl skizzenhaft, wie inhaltlich mehrdeutig bleiben konnte. Mit der Darstellung eines menschenleeren einsamen Speisesaals beschwört der Künstler die Stimmung einsamer Hotels ohne Gäste, eines verlassenen, für viele Menschen bestimmten Raums, der immer nur kurz von fröhlichen Gesellschaften oder für etwas steife und förmliche Feiern benützt wird (Abb. 230). Die längste Zeit zwischen den Festen aber präsentiert er sich verlassen und einsam, ein in der Melancholie langer Nachmittage erstarrter Ort.

In seiner künstlerischen Aktivität isoliert und der Wahl seiner Themen eindimensional, wenn auch damit international erfolgreich, war Vilhelm Hammershøi (Kopenhagen 1864 – 1916). Der Künstler bezog 1898 mit seiner Frau ein aus dem 17. Jahrhundert stammendes Haus in Kopenhagen, das er elf Jahre bewohnte und dessen Räume er zum Zentrum seiner malerischen Tätigkeit machte. Nach einer farbigen Durchgestaltung der Räume, bei der die Wände und Decken grau, Türen, Fenster und Wandvertäfelungen weiß gestrichen und die Fußböden dunkel gebeizt wurden, sowie einer sparsamen Möblierung mit wenigen ausgewählten einfachen klassizistisch eleganten Möbelstücken des frühen 19. Jahrhunderts machte er die Zimmer zum Gegenstand von mehr als der Hälfte seines insgesamt 370 Bilder umfassenden Œuvres. Hammershøi kultivierte eine völlig glatte, die Farben ganz vertreibende Malweise, die homogene Flächen ohne sichtbare Pinselstriche erzeugt. Er stand damit in scharfem Gegensatz zu der um 1900 vor allem in Frankreich überwiegenden fleckigen nachimpressionistischen Malweise. In den *Offenen Türen* dient Hammershøi ein Motiv der niederländischen Interieurmalerei mit dem durch geöffnete Türen in mehrere Räume gleitenden Blick zu einer melancholischen Etüde (Abb. 231). Mit der Leere sowohl von Einrichtungsgegenständen wie Menschen wird das Bild in ein Muster heller und dunkler Flächen aufgeteilt. Die Türen sind das beherrschenden Bildmotiv, sie stehen einladend offen, lassen aber zugleich Ängste des unentrinnbaren Eingeschlossenseins in einem labyrinthischen System entstehen.

Eine Tür wurde auch zum zentralen Motiv eines Bildes der jungen finnischen Malerin Helene Schjerfbeck (Helsinki 1862 – Stockholm 1946), das sie während ihres Studienaufenthalts in Frankreich 1884 malte (Abb. 232). Das frühe Meisterwerk der vor allem in ihrer Heimat bekannten Malerin entstand in Pont-Aven, wo sie die Wintermonate verbrachte. Sie stellt einen leeren Raum mit einer gotischen Arkade dar, den Blick zieht allerdings die verschlossene schwarze Tür auf sich: nur ein schmaler heller Lichtsaum über der Schwelle deutet an, daß sie ins helle Freie führt. Der versperrten Raumsituation korrespondiert die Sichtbarkeit des Leinwandgrundes genau an der Stelle, wo räumliche

229 Léon Spilliaert, **Toute seule**, 1909
Aquarell und Pastell auf Papier, 65 x 50 cm
Deurle, Museum Dhondt-Dhaenens

230 Léon Spilliaert, **Speisesaal**, 1904
Mischtechnik auf Papier, 49,9 x 49,7 cm
Brüssel, Musées Royaux des Baux-Arts

231 Vilhelm Hammershøi, **Offene Türen**, 1905
Öl auf Leinwand, 52 x 60 cm
Kopenhagen, Davids Samling

232 Helene Schjerfbeck, **Die Tür (Alte Klosterhalle)**, 1884
Öl auf Leinwand, 40,5 x 32,5 cm
Helsinki, Ateneumin Taidemuseum

HS
1884

Illusion entstehen könnte, nämlich im Übergang vom Boden zur Wand. Mit dieser Demonstration des Malgrundes hinter der Suggestion der Farben wird das Wesen des Bildes als erst einmal nichts als nur Malerei preisgegeben. Die Magie der Darstellung aber steigert die Künstlerin, indem sie noch in unmittelbarer Nachbarschaft zu dieser kritischen Stelle durch das Licht jenseits der Tür das Räumliche einer unermeßlichen Tiefe öffnet.

Neoimpressionisten und Nabis – Auflösung der traditionellen Form, Entstehung der neuen Formen der Moderne

Eine ganze Reihe von Malern, die in den 80er Jahren des 19. Jahrhunderts vor allem in Frankreich tätig waren, begannen sich auf verschiedenen Wegen von der traditionellen Form der räumlichen Illusion zu lösen, die vor allem durch ausdrucksstarke farbige Flächenmuster ersetzt wird. Den Anfang einer Enträumlichung machte bereits Edouard Manet mit Bildern wie der *Bar in den Folies-Bergère* (Abb. 206) und ihrer verwirrenden räumlichen Situation. Einen anderen Weg schlugen die Neoimpressionisten mit ihrer pointillistischen Methode ein. Die ursprüngliche Idee von Georges Seurat (Paris 1859 – 1891) bestand in einem Versuch der wissenschaftlichen Rationalisierung des Malprozesses, indem in Analogie zur Spektralanalyse der Farbauftrag auf der Leinwand sich vom Gegenstand löst und ihn in winzigen Farbpunkten der reinen Spektralfarben zusammensetzt, die damit einen reinen Seheindruck wiedergeben. Seurat suchte mit dieser Methode den Weg zur klassischen Monumentalität strenger, erstarrter Formen, die er in seinem Hauptwerk, dem *Sonntagnachmittag auf der Ile de la Grand Jatte* (1884/86, Chicago) fand.

Paul Signac (Paris 1863 – 1935) erwies sich als größter Bewunderer und Nachahmer Seurats. Er stammte aus großbürgerlichen Verhältnissen, die ihm ein sorgenfreies Leben ermöglichten. Seurat hatte er 1884 beim »Salon des Artistes Indépendants« kennengelernt und die *Grand Jatte* machte ihm einen so nachhaltigen Eindruck, daß er von nun an nicht nur die neoimpressionistische Malmethode übernahm, sondern auch die Art der Figurendarstellung mit monumentalen, unbeweglichen, kaum gegliederten und wenig individualisierten Körpern, die entweder in reiner Frontal- oder in Profilansicht wiedergegeben werden. Das allerdings entsprach auch Signacs eigenem Menschenbild aus der Sicht der Kunst. Er sympathisierte mit den Anarchisten, die den politischen Idealen der Pariser Kommune von 1871 anhingen und verkehrte in den literarischen Zirkeln der anarchistischen Intellektuellen, von denen viele wie er selbst großbürgerlicher Herkunft waren.

Im »Salon des Indépendants« von 1887 zeigte Signac ein großes Interieur, das alle Charakteristika seiner neoimpressionistischen Malerei aufweist (Abb. 233). Ein bürgerliches Speisezimmer, rot tapeziert mit einem von Gardinen verdeckten Fenster im Hintergrund, das linke untere Drittel wird von einem weiß gedeckten großen runden Eßzimmertisch eingenommen, der sich als glatt umgrenzte Form scharf vom Rest der Komposition abhebt. Das Wichtigste sind die Figuren: rechts vorne an der Seite des Tisches die schwere massige Gestalt des Hausherrn, im Profil mit steinerner Miene sitzend und schweigend, die Linke zur Faust geballt, in der Rechten eine Zigarre, vor sich die Kaffeetasse. Ihm zur Seite, mit weitem Abstand getrennt, die Hausfrau, als Silhouette vor dem Fenster, zusammen mit einer Schusterpalme auf einem Blumentischchen dahinter einen bewegten Umriß bildend. Ebenfalls statuarisch schweigend führt sie die Kaffeetasse zum Mund. Zwischen den beiden im strengen Profil der aus glatten geraden Umgrenzungen gebildete Umriß der servierenden *bonne*. Eine gespannte und drückende Atmosphäre lastet im Raum, die saturierte bürgerliche Selbstzufriedenheit löst sich nicht in entspannter heiterer Gelassenheit, wie wir sie beim *Frühstück* der Familie Monet (Abb. 211) wiederfinden, sondern in Isolierung und aggressivem Schweigen.

Im Gegensatz zur radikalen Reduktion der Formen und der damit verbundenen Gesellschaftskritik ging Edouard Vuillard (Cuiseaux 1868 – La Baule 1940) einen konventionelleren Weg zu einer antinaturalistischen Kunst, der zu lockeren Farbarrangements führte und die gemusterten Flächen zu teppichhaften und oft verwirrenden Bildern zusammenfügte. Die Themen der Bilder entwickeln sich aus nichtssagenden Anlässen, Szenen des täglichen Lebens auf der Straße und in Häusern. Interieurs nehmen dabei eine dominante Stellung ein, die soweit geht, daß Vuillard und auch Pierre Bonnard (Fontenay-aux-Roses 1867 – Le Cannet 1947), die beide der Künstlergruppe »Les Nabis« (Die Propheten) angehörten, schon von der zeitgenössischen Kunstkritik als »Intimisten« charakterisiert wurden. Darunter wurde nicht nur die Schilderung des Privaten, das sich naturgemäß in der häuslichen Abgeschiedenheit abspielt, verstanden, sondern auch das Erfassen innere Zuständlichkeit in der dargestellten Lebenswelt.

Die meisten Interieurdarstellungen Vuillards zeigen entweder die Wohnung der Familie, die er gemeinsam mit seiner Großmutter, Mutter und Schwester in Paris bewohnte, später auch den Salon von Thadée Natanson und seiner Frau Misia. Natanson gab zusammen mit seinen Brüdern die einflußreiche Pariser

233 Paul Signac, **Opus 152: Das Speisezimmer**, 1886/87
Öl auf Leinwand, 89 x 115 cm
Otterlo, Rijksmuseum Kröller-Müller

234 Edouard Vuillard, Mutter mit Kind, um 1899
Öl auf Karton, 48,6 x 56,5 cm
Glasgow, Art Gallery

235 Edouard Vuillard, **Das Brettspiel**, um 1905/10
Öl (und Tempera?) auf Holz, 68 x 58 cm
Frankfurt, Städelmuseum

Zeitschrift »La Revue blanche« heraus, zu deren Kreis neben Vuillard auch Bonnard und Vallotton zählten; er vermittelte den jungen Künstlern Aufträge und stellte seine Räume für Ausstellungen zur Verfügung. 1891 hatte Vuillard in der Redaktion seine erste Einzelausstellung. Die von ihm verehrte Misia, Pianistin und »Muse der *Revue blanche*«, wurde in den 90er Jahren zu einer zentralen Figur seiner Kunst. *Mutter mit Kind* in Glasgow stellt den Salon der Natansons in Paris dar, wie ein Vergleich mit Fotos erkennen läßt, auf dem die Möbel wie etwa der hohe Blumentisch, der Paravent und die stark gemusterte Blumentapete leicht auszumachen sind (Abb. 234).

Verschieden gemusterte Flächen treffen unmittelbar aufeinander oder sind durch schmale Einfassungen wie Holzrahmen voneinander getrennt, so daß die Struktur des dargestellten Raums dahinter zurücktritt. Erst bei genauem Hinsehen löst sich die auf dem Diwan sitzende Misia, die ihr kleines Kind mit beiden Armen vor sich hält, aus ihrer Umgebung. Für die völlige Ornamentalisierung der Bildfläche wurde seit je in der Literatur zu Vuillard ein höchst banaler und damit bezweifelbarer Grund angeführt: durch den Schneiderberuf seiner Mutter sei der Künstler bereits in seiner Jugend auf die dekorative Wirkung teilweise übereinander liegender verschieden gemusterter Stoffe aufmerksam geworden. In der Tat entsprachen aber diese Muster, wie der Vergleich mit zeitgenössischen Arbeiten des Kunstgewerbes, der Malerei aber auch dokumentarischen Fotos zeigt, einer stilistischen Tendenz der Zeit um 1900. Die Malerei der Nabis, im besonderen die Vuillards bildet damit eine malerische Parallele zur linearen Dekorationskunst des Jugendstils.

In seinen späteren, nach 1900 entstandenen Interieurs wendet sich Vuillard von den teppichartigen Farbmustern ab und kehrt zu einer zentralperspektivischen Darstellung der Räume zurück, wobei er die perspektivische Konstruktion ins Extreme übersteigert. Die Farben werden heller, die Malweise zugleich skizzenhafter, indem der dünne Farbauftrag Lücken freiläßt und die nicht grundierte Malunterlage in die Bildwirkung einbezogen wird. Im *Brettspiel* des Städel ist wieder, wie fast immer bei Vuillard, ein bestimmter Raum dargestellt; hier handelt es sich um ein Zimmer in Amfreville, einem beliebten Ferienort der Pariser in der Normandie, wo Vuillard mit seinen Freunden die Sommermonate verbrachte (Abb. 235).

Die etwa gleichaltrigen Maler Vuillard, Vallotton und Bonnard waren nicht nur eng miteinander befreundet, sie malten auch überwiegend Interieurdarstellungen, bürgerliche Wohnräume mit alltäglichen Szenen, die manchmal den Charakter des traditionellen Genrebildes annehmen, in vielen Fällen die Bewohner der Räume in ihren privaten Tätigkeiten überraschen und damit den Betrachter in die Rolle des unfreiwilligen Beobachters oder Voyeurs versetzen, oft aber auch rätselhaft bleiben und von gespannter Stimmung erfüllt sind. Während Vuillard und auch

236 Felix Vallotton, **Das rote Zimmer**, 1898
Tempera auf Karton, 58,5 x 79,5 cm
Lausanne, Musée Cantonal des Beaux-Arts

Bonnard ihre Bilder aus einzelnen Farbflecken bilden, die sich zu unruhigen flächenhaften Mustern zusammenfügen, konstruiert Felix Vallotton (Lausanne 1865 – Paris 1925) seine Kompositionen aus großen, exakt begrenzten farbigen Flächen. Die dabei entstehenden Räume bleiben unpersönlich; Vuillard hingegen stellt immer genau lokalisierbare Orte dar.

Das Rote Zimmer ist eines der bekanntesten Bilder Vallottons (Abb. 236). Die Farbe rot dominiert, die Wände, der Fußboden, Vorhang, Polstersessel, Tischdecke und Lampenschirme leuchten in verschieden abgestuften Rottönen. Sparsame Grünakzente bilden eine komplementäre farbige Ergänzung. Zentrum des Bildes ist der Kamin mit seiner mehrfach gerahmten blockartigen Form und dem kleinteilig detaillierten Ensemble darüber. Auf dem Kaminsims steht ein Büste, die von zwei Blumenvasen und zwei Kerzenleuchtern gerahmt wird; sie ist ein Portrait des Künstlers. Darüber befindet sich ein Spiegel, der durch seitliche Vorhänge wie eine kleine Bühne erscheint. Was wir im Spiegel sehen, wird nicht deutlich, es müßte aber der Rest des Raums sein, der unseren Blicken verborgen bleibt. Zugleich entspricht das Spiegelbild aber einem Gemälde Vuillards, das dieser seinem Freund Vallotton geschenkt hatte, so daß das Spiegelbild auch als Ausschnitt des an der gegenüberliegenden Wand hängenden Bildes gedeutet wurde. Büste und Bild sind damit die einzigen individuellen Gegenstände in dem Raum, die darauf hindeuten, daß die Wohnung des Künstlers selbst dargestellt ist.

Erst bei näherem Zusehen entdeckt man in der dunklen Türöffnung zwei Menschen, ein großer bärtiger Mann, der auf eine dicht vor ihm stehende Frau einredet, die halb im dunklen Nebenraum verschwindet. Der Kontrast der dunklen Figuren zu dem aggressiven Rot des Raums läßt eine bedrohliche Stimmung entstehen, die von Spannung erfüllt ist. Dazu tragen auch die demonstrativ isoliert am Tisch abgelegten Gegenstände, Spazier-

237 Felix Vallotton, **Der Besuch**, 1899
Tempera auf Karton, 55 x 87 cm,
Zürich, Kunsthaus

stock, Handschuhe, Geldbeutel und Taschentuch bei, die vexierbildhaft den Umriß einer Gliederpuppe ergeben.

Ohne daß eine bestimmte Geschichte erzählt oder eine Vorlage illustriert wird, ist der literarische Charakter des Bildes unverkennbar. Nicht nur daß Vallotton selbst schriftstellerisch tätig war – er verfaßte neben Zeitschriftenartikeln als Pariser Korrespondent der »Gazette de Lausanne« auch mehrere Romane und Theaterstücke – für die Titelgebung des Bildes wurde auf den 1879 verfaßten gleichnamigen Roman *Das rote Zimmer* von Strindberg verwiesen, in dessen Handlungszentrum ein rotes Zimmer steht, in dem verschiedene Personen mit niederen Absichten aufeinandertreffen.

Das *Rote Zimmer* reiht sich zusammen mit dem *Besuch* und vier weiteren Bildern in eine Folge von insgesamt sechs, formal wie inhaltlich zusammengehörigen Interieurs (Abb. 237). Große Flächen aus kräftigen unvermischten leuchtenden Farben beherrschen auch hier das Bildmuster, das dunkle Grün der Wand, das tiefe Blau des Sofas und das hellere Blau des Mantels der Dame, das leuchtende Rot des Teppichs und des Polstersessels. Senkrechte und Waagerechte dominieren, die einzigen Schrägen werden von den beiden Türen, der geschlossenen rechts und der geöffneten links, gebildet, die damit den Weg des Paares durch den Raum beschreiben. Die Wendung des Mannes zu seiner Dame, deren Hand er führt, und ihre aufrechte Haltung verrät ihre eben erfolgte Ankunft. Die durch Licht, Farbkonstellation und Gegenstandsverfremdung anschauliche Spannung und Verrätseltheit dieser Szene findet wie die der anderen Bilder der Folge in den *Intimités,* einer Reihe von 10 Holzschnitten des Künstlers, die 1899 als Album erschienen, ihre erzählerische Vorbereitung. Der Szene des *Besuchs* entspricht dabei ein Holzschnitt mit dem Titel *L'argent*. Das Thema der Bedrängnis wird hier durch eine große schwarze Fläche, aus der sich die Figur des Mannes löst, zum Ausdruck gebracht.

Die Malerei Pierre Bonnards schließt mit Werken wie dem *Akt im Gegenlicht* an der Kunst von Degas an, der dem Thema der sich Waschenden in einer Vielzahl von Bildern, Zeichnungen und Skulpturen nachgegangen war. Bonnard bleibt mit seiner Auflösung der Bildfläche in einzelne, unverbunden nebeneinander

Bonnard

238 Pierre Bonnard, Nu à contre-jour (Akt im Gegenlicht), 1908
Öl auf Leinwand, 125 x 109 cm
Brüssel, Musées Royaux des Beaux-Arts

239 Pierre Bonnard, **Nu dans le bain (Akt im Bade)**, 1937
Öl auf Leinwand, 93 x 147 cm
Paris, Musée du Petit Palais

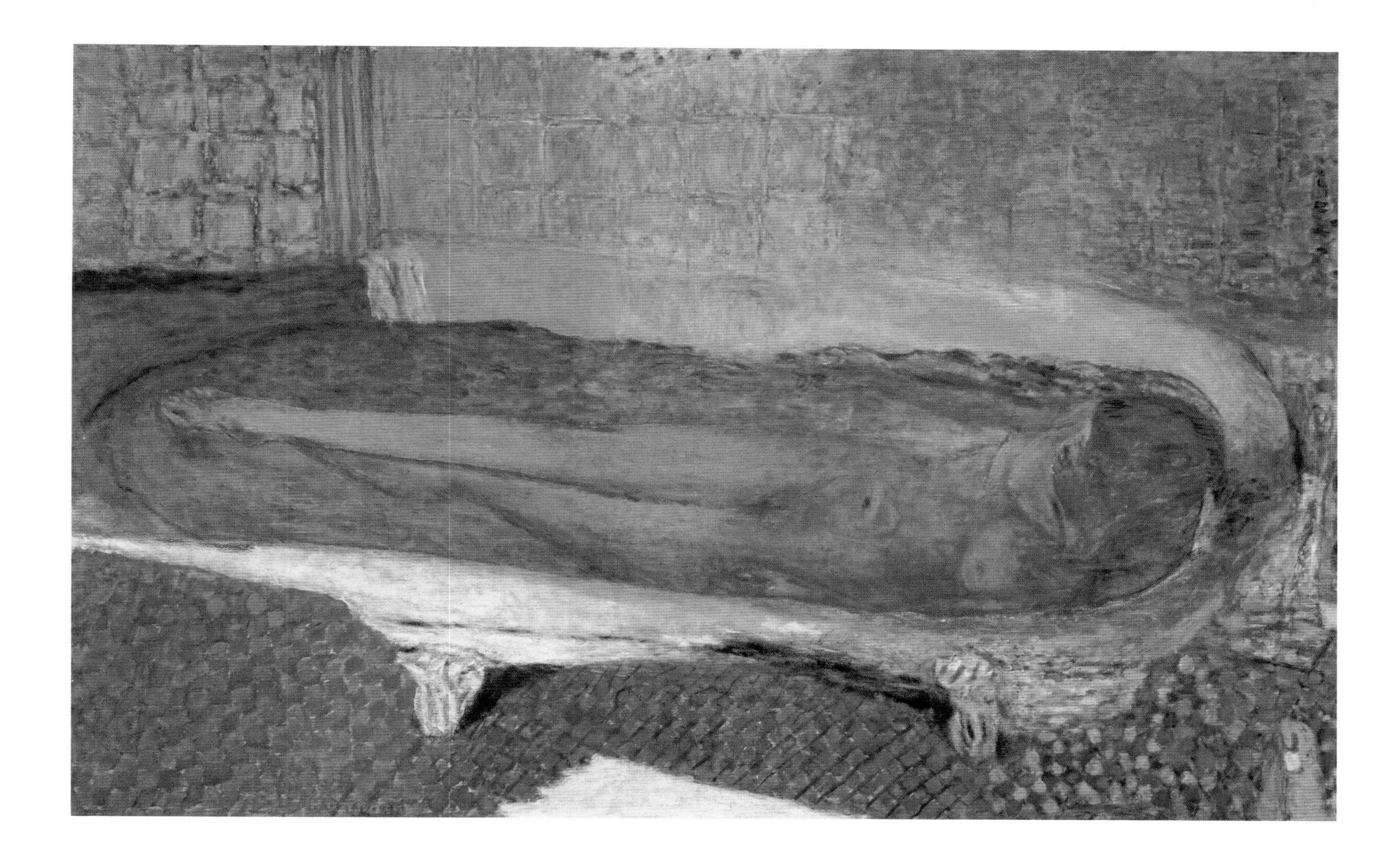

gesetzte Farbflecken ganz in der Tradition des Impressionismus. Von einem erhöhten Standpunkt zeigt er den Raum in starker Aufsicht (Abb. 238). Helles Morgenlicht dringt durch den Vorhang, Lichtkringel fallen auf das mit groß gemustertem Stoff bezogene Bett und die Wand darüber, während der Waschtisch links und das mit Wasser gefüllte Becken am Boden im grün grundierten Schatten bleiben. Eine junge Frau, eben aufgestanden und nur mit Hausschuhen bekleidet, streckt ihren nackten Körper dem Licht – und dem Spiegel – entgegen und wendet uns dabei den Rücken zu. Der mit Reflexen und aufgehellten Schatten modellierter Leib kontrastiert in seiner physischen Präsenz ganz entschieden mit der ornamental aufgefaßten Materialität des Interieurs selbst. Bonnard hat hier wie in vielen anderen seiner Bilder, die alltägliche Szenen aus seiner eigenen Umgebung abbilden, seine Lebensgefährtin Marthe de Méligny als Modell benutzt. Das mit diesem Bild repräsentierte malerische Konzept erwies sich als wegweisend für das 20. Jahrhundert.

Seine Thematik verfolgt Bonnard unverändert durch viele Jahre. Der *Akt im Bade* entfaltet als letzter Ausläufer nachimpressionistischer Malerei den farbigen Reichtum einer persönlich-subjektiven Traumwelt, die aber doch immer aus der Realität des Sichtbaren entwickelt wird und mit ihr verbunden bleibt. Die dem Impressionismus eigene Tendenz, mit Licht und Farbe als ausschließlichen Konstruktionselementen auszukommen und alle linearen Elemente zu vernachlässigen, ist hier mit größter Konsequenz zu Ende geführt. Die verschiedenen Farben grenzen nicht als Flächen aneinander, sondern verschwimmen, gehen ineinander über, haben keine feste zeichnerische Form, sondern entstehen als reine Farbeindrücke. Die mit Wasser gefüllte Badewanne mit der Figur der Badenden erscheint als amorphe, wie Perlmutter einer Muschel schillernde Form, die Fliesen der Wand und der Mosaikboden verschwimmen in Farbschleiern aus Gelb-, Blau- und Lilatönen ohne klare räumliche Struktur (Abb. 239).

Das Interieur im 20. Jahrhundert

Die Anfänge der Moderne

Henri Matisse

Im ersten Jahrzehnt des neuen Jahrhunderts kamen mehrere Künstler an verschiedenen Orten von unterschiedlichen Voraussetzungen ausgehend zu einem grundlegenden Paradigmenwechsel der malerischen Darstellung, den wir als schrittweise Abkehr vom räumlichen Illusionismus hin zu reiner Farbe, Fläche und Ausdruck bis zur ungegenständlichen Malerei charakterisieren können. In Paris, seit vielen Jahrzehnten führendes Zentrum der Kunstentwicklung, wohin alle Künstler blickten und sich orientierten, waren um die Jahrhundertwende der Neoimpressionismus Signacs und die dem Art Noveau verpflichteten Nabis wie Bonnard (siehe S. 337) und Vuillard (siehe S. 333) stilbildend. Gegen diese – wenn auch bereits in Farbflecken aufgelöste und teppichhaft gemusterte, aber letztlich doch immer eine Raumillusion aufrechterhaltende – Malerei traten zuerst im großen Herbstsalon von 1905 mehrere junge bis dahin unbekannte Künstler auf, die sich um Henri Matisse (Le Cateau 1869 – Nizza 1954) gruppierten. Zum Juristen ausgebildet, begann sich Matisse als 20-Jähriger ab 1890 für Malerei zu interessieren. Nach einer konservativ-akademischen Ausbildung entdeckte er den Impressionismus, aber auch die von ihm sehr bewunderte Kunst Cézannes. Für wenige Jahre ab 1898 steht Matisse unter dem intensiven Einfluß von Signac und malt neoimpressionistisch in aufgehellten Farben. Gegen 1905 löst er sich von diesem Einfluß, seine Malerei wird bunt, flächig und konturbetont, gleichzeitig erwacht sein Interesse für die primitive Kunst der Naturvölker. Ein Kritiker schmähte die Künstler um Matisse als *fauves* (Wilde), woraus schnell die Bezeichnung »Fauvismus« als Stilbegriff für die ganze Zeit entstand.

In seinen 1908 verfaßten »Bemerkungen eines Malers« bezeichnet Matisse sein künstlerisches Ziel als die Erfassung des »essentiellen Charakters« der Dinge, um damit zu einer Kunst des Gleichgewichts, der Reinheit und der Heiterkeit zu gelangen. Starke Farben und dekorative arabeske Formen, die den Einfluß der orientalischen Ornamentik zeigen, kennzeichnen die Malerei dieser Jahre. Farbe ist wichtiger als Form, die Formen verändern sich dem Verhältnis benachbarter Farben entsprechend, wie Matisse selbst feststellte.

Das Interieur *Harmonie in Rot* mit einem gedeckten Tisch und einem Ausblick durch eine Fensteröffnung ins Freie von 1908 ist ein Schlüsselwerk der europäischen Malerei des 20. Jahrhunderts (Abb. 240). Kräftige flächenhafte Farben dominieren das Bild, das auf jegliche Räumlichkeit verzichtet und damit den von Matisse selbst formulierten Kunstprinzipien entspricht. Ursprünglich in blau oder grün angelegt, übermalte er das Bild, das für den Pariser Herbstsalon 1908 bestimmt war. Noch vor der Ausstellung erwarb es der russische Sammler Schtschukin für sein Haus in Moskau. Die Rückwand des Raums und der Tisch sind ohne Andeutung der Perspektive in der gleichen kräftigen Farbe gehalten und von einem durchgehenden großformigen Arabeskenmuster überzogen. Die Figur des den Tisch deckenden Mädchens ist wie die Frühlingslandschaft vor dem Fenster Teil des Musters geworden, der Maler bindet ihre Gegenstandserscheinung in einen dekorativen Linienschwung ein.

Matisse war 1910 bei einer Ausstellung in München auf das Formenrepertoire der islamischen Kunst gestoßen und vertiefte seine Faszination ab 1912 durch zwei Reisen nach Marokko, wo die Attraktionen des Lichtes wie auch die arabische Kultur, ihre Kunstwerke und ornamentalen Dekorationen eine ganze Reihe von Bildern mit orientalischen Motiven entstehen ließen. Die reinen Farben und die melodische Eleganz in der zum wesentlichen ja ungegenständlichen Formensprache des islamischen Kunsthandwerks kamen seinen Intentionen einer Rückführung der Bildgestaltung auf ihre Ursprünge entgegen. Zeitweilig ging nun in der Malerei von Matisse alle Räumlichkeit in der ornamentalen Figuration der Bildfläche auf (Abb. 241).

Ab 1917 verbrachte der Künstler einen großen Teil des Jahres in Nizza. Die hier in großer Zahl entstehenden Bilder zehren nicht nur vom mediterranen Licht, sondern auch von den marokkanischen Reminiszenzen, wenngleich sie, einem allgemeinen stilistischen Trend entsprechend, dem in den 20er Jahren auch Pablo Picasso folgte, wieder mehr zur traditionellen Gegenständlichkeit zurückkehren, in ihrer Farbigkeit aber reicher und differenzierter gehalten sind.

Diesem Trend folgte auch Georges Braque (Argenteuil 1882 – Paris 1963), der zu Beginn des Jahrhunderts gemeinsam mit Picasso den Kubismus entwickelt hatte, in dem die Gegenstände mehransichtig auf ihre Grundformen zerlegt und der Raum in splittrige Farb- und Formstrukturen aufgelöst wurde. Nach 1920 jedoch führte er dann, der allgemeinen Stilentwicklung folgend, wieder naturalistische Formen in seine Bilder ein und fand mit sehr ausgewogenen und strukturell verfestigten Figurationen zu einer Bildharmonie, die von Schönlinigkeit und koloristischem Reiz bestimmt ist. In seinen Stilleben und Interieurs spielt er mit Flächenmustern und farbigen Zonen, die sich als komplexe Schichten mit Durchblicken und dunklen Silhouetten wie bei der Profilgestalt der *Frau mit Mandoline* (Abb. 242) übereinander-

240 Henri Matisse, **Harmonie in Rot**, 1908
Öl auf Leinwand, 62 x 50,8 cm
St. Petersburg, Eremitage

241 Henri Matisse, **Kashbah**, 1912/13
Öl auf Leinwand, 116 x 80 cm
Moskau, Puschkin-Museum

242 Georges Braque, **Frau mit Mandoline**, 1937
Öl auf Leinwand, 130,2 x 97,2 cm
New York, Museum of Modern Art

legen. Obwohl die zarte Frauenfigur zu bildbeherrschender Größe aufgerichtet ist, kommt der Gegenstandswelt des Interieurs trotz der statischen Tapetenmuster eine voluminöser und belebter wirkende Präsenz zu als der musizierenden Person mit ihrer graphisch veredelten Physiognomie. In dieser kontrapunktischen Ausgeglichenheit gewinnt die Moderne eine Klassizität der Form von hoher ästhetischer Qualität, deren subtile Farbigkeit an die großen französischen Meister des 19. Jahrhunderts anknüpft.

Expressionismus in Deutschland – Die Maler der »Brücke« und Max Beckmann

Ein ähnliches Streben nach Ausdruck, nach dem eigentlichen Sinn und der Bedeutung der Dinge hinter der Oberfläche ihrer äußeren Erscheinung wie bei Matisse trieb gleichzeitig eine Gruppe junger Künstler in Deutschland. Vier Architekturstudenten, Ernst Ludwig Kirchner, Erich Heckel, Karl Schmidt-Rottluff und Fritz Bleyl gründeten 1905 in Dresden eine Künstlergemeinschaft, die sie »Brücke« nannten und die bis 1913 bestand. Ihre Suche nach dem Unverfälschten und Unmittelbaren brachte sie in Opposition zur akademischen Kunstauffassung und zur herrschenden traditionellen Malerei – aber auch zur Ablehnung einer bürgerlichen Lebensauffassung – und führte zur Entstehung des Expressionismus.

Ernst Ludwig Kirchners (Aschaffenburg 1880 – Frauenkirch-Wildboden 1938) künstlerische Ausbildung bestand im Wesentlichen im Zeichenunterricht, den er im Rahmen seines Architekturstudiums an der Hochschule in Dresden bei Fritz Schumacher erhielt, der dem vorherrschenden Jugendstil kritisch gegenüberstand. Als einziger der späteren »Brücke«-Künstler absolvierte er 1903/4 ein Semester lang eine grundlegende Ausbildung an der Kunstschule von Debschitz und Obrist in München.

Im Jahr der Gründung der Künstlergemeinschaft der Brücke stellte Kirchner seinen Malerfreund Erich Heckel (Döbeln 1883 – Radolfzell 1970), der 1904 zum Architekturstudium nach Dresden gekommen war, im Atelier dar (Abb. 243). Mit der offenen, schnellen und flüchtigen Malweise wie der bewußt kunstlosen und wie zufällig wirkenden Komposition bekundete Kirchner seine Mißachtung traditioneller akademischer Regeln. Die Tiefenerstreckung des Raums ist lediglich durch die divergierende Größe des rechts als dunkle Silhouette im Profil angeschnitten dargestellten Malers und des auf einem Schemel stehenden Modells im Hintergrund angedeutet. Sonst enthält der Raum nur eine Staffelei, einen Klapphocker und eine an der Decke aufgehängte Petroleumlampe. Farblich jedoch wird das Atelier in eine temperamentvolle Dynamik versetzt, die der Idee des Malerischen bei der Anverwandlung der sichtbaren Welt die Dimension des Emotionalen eröffnet.

Bis in die 20er Jahre hinein forcierte Kirchner diese Tendenz zu gestischer und pointierender Aufladung des Sichtbaren in seinen Ausdrucksformen (Abb. 244). Die in der Davoser Abgeschiedenheit entstandene *Atelierecke* verweigert dem Betrachter die Einordnung in die visuelle Banalität des Alltags und konfrontiert ihn dafür mit einem Farbencrescendo, aus dessen chaotischer Struktur sich das Wesentliche der künstlerischen Sinnlichkeit Kirchners herausschält: Das dreidimensionale Raumgefüge und die Illusion von Tiefenerstreckung sind zugunsten der Verdichtung des Ausdrucks aufgegeben, kräftige und leuchtende Farben dominieren das Bild, das aus spitzen und splittrigen Formen aufgebaut wird.

Die anaturalistische Perspektive dient auch Max Beckmann (Leipzig 1884 – New York 1950) zur inhaltlichen Zuspitzung seiner Themen. Er entwickelte nach secessionistischen Anfängen unabhängig von Künstlergruppen nicht zuletzt unter dem Eindruck seines Kriegsdienstes einen persönlichen expressionistischen Ausdrucksstil, der die bedrohte Existenz des Menschen in den Mittelpunkt stellte. Beckmann zog von Berlin nach Frankfurt, wo er ab 1925 an der Städel-Schule lehrte. 1933 verlor er seine Professur als »entarteter Künstler«, lebte ab 1937 in Paris und Amsterdam und schließlich ab 1947 in den USA in St. Louis und New York. Zeit seines Lebens war die menschliche Figur Zentrum seiner Malerei, die vom Bildnis bis zu symbolschweren mythologischen Szenen reicht, die oft in Triptychonform gestaltet sind und damit in der Tradition der spätgotischen Tafelmalerei gründen. Theaterszenen oder bühnenhafte Arrangements kommen immer wieder in Beckmanns Werk vor. Sein letztes Bild, an dem er noch bis am Tag vor seinem Tod arbeitete und das unvollendet geblieben ist, vereinigt Raumdarstellung, Theatermotiv und Stilleben, Elemente, die den Künstler immer wieder beschäftigten (Abb. 245). Die hier im Fundus hinter einer Bühne abgestellten Gegenstände sind ihm Zeichen einer Weltbeschreibung. Obwohl dem unendlich konnotierten Reichtum der hergebrachten Ikonographie, der eigenen komplexen Symbolsprache und der Freudschen Metaphorik entlehnt, erklärt Beckmann sie und das ganze Spektrum ihrer Bedeutungen zu Theatergerümpel. Zugleich ist der Raum wie im perspektivischen Sturz gegen sein Ende geführt, an dem – wie ähnlich schon bei

G Braque
37

243 Ernst Ludwig Kirchner, **Heckel und Modell im Atelier**, 1905
Öl auf Pappe, 50 x 33,6 cm
Berlin, Brücke-Museum

244 Ernst Ludwig Kirchner, **Atelierecke**, 1920
Öl auf Leinwand, 126 x 121 cm
Berlin, Staatliche Museen, Nationalgalerie

245 Max Beckmann, **Hinter der Bühne (Backstage)**, 1950
Öl auf Leinwand, 101,5 x 127 cm
Frankfurt, Städelmuseum

246 Francis Bacon, **Triptych – In Memory of George Dyer**
(Triptychon – In Erinnerung an George Dyer), 1971
Mitteltafel, Öl auf Leinwand, 198 x 147,5 cm
Riehen/Basel, Fondation Beyeler

246 Francis Bacon, **Triptych – In Memory of George Dyer (Triptychon – In Erinnerung an George Dyer)**, 1971
Mitteltafel, Öl auf Leinwand, 198 x 147,5 cm
Riehen/Basel, Fondation Beyeler

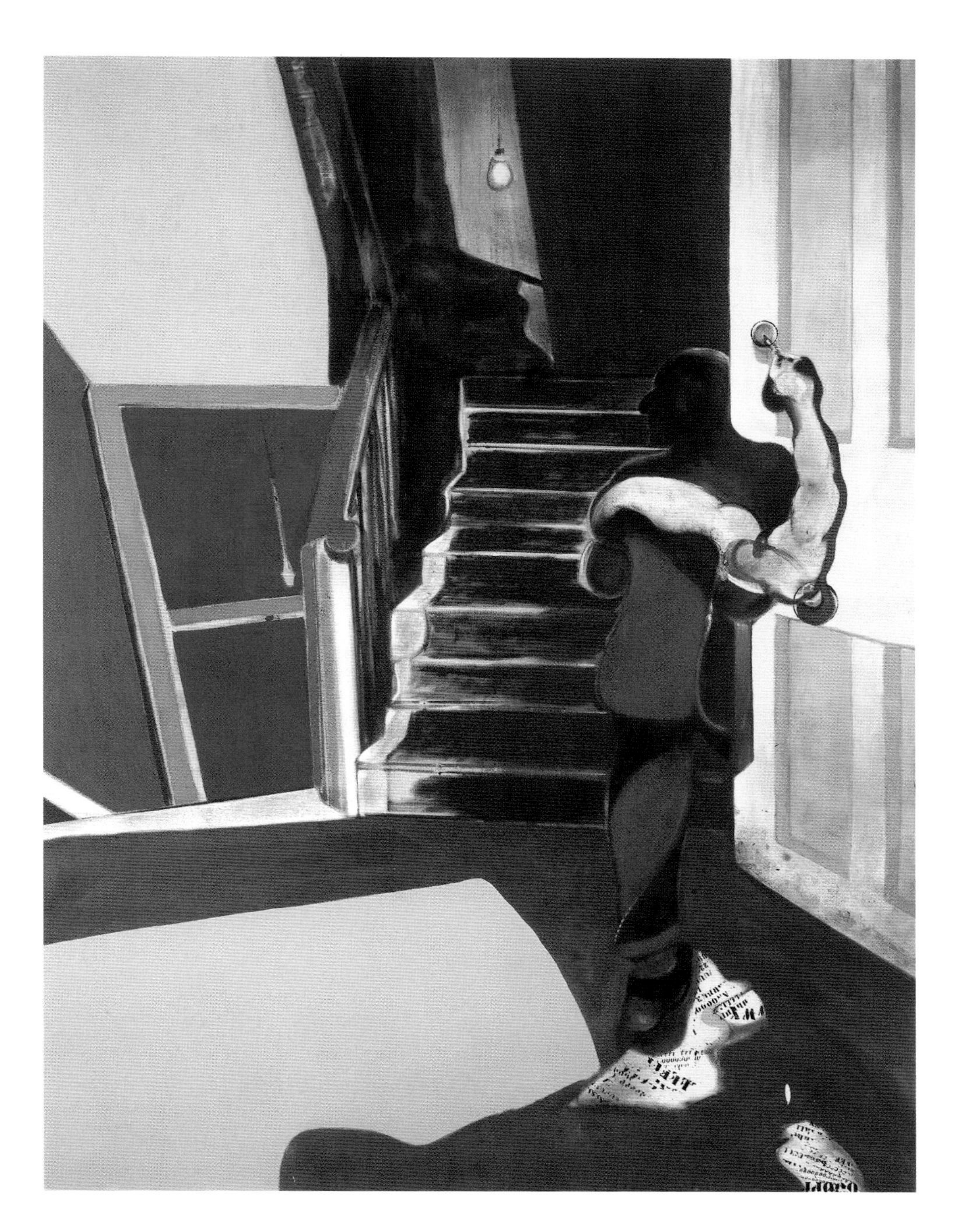

247 Giacomo Balla, **Elisa sulla porta**, 1904
Pastell, 174 x 115 cm
Privatbesitz

van Gogh (Abb. 223) – sich hinter dem in Fetzen hängenden Bühnenvorhang das Nichts als schwarzer Spalt auftut.

Francis Bacon (Dublin 1909 – Madrid 1992) nimmt unter den Malern, die expressive Traditionen des Figuralen bis in die Gegenwart weitertrugen, eine überragende Stellung ein. In immer neuen Variationen thematisiert er die existenzielle Krise des Menschseins in fragmentierten und zerstörten Körpern, die abstrahierten Räumen ausgesetzt sind. Immer wieder wählte auch Bacon für seine Arbeiten die Form des Triptychons, im Unterschied zum klassischen Flügelaltar jedoch aus drei gleich großen und nebeneinander angeordneten, in Form, Farbe und Inhalt aufeinander bezogenen Tafeln bestehend.

Das *Triptychon – In Erinnerung an George Dyer* (Abb. 246) entstand nach dem Selbstmord von Bacons Freund und Lebensgefährten und wird damit von der sehr persönlichen emotionellen Betroffenheit des Künstlers geprägt. Flankiert von zwei Darstellungen, in denen Dyer einmal als gestürzter Ringkämpfer, einmal als Spiegelbild auf einem Glastisch erscheint, zeigt die Mitteltafel einen für Bacon erstaunlich konkreten, perspektivisch konstruierten Innenraum, der der Szene dokumentarischen Charakter verleiht. Wir blicken in ein enges Treppenhaus, das an den Aufgang zu Bacons Atelier in den Reece Mews in London erinnert, zugleich aber die Erinnerung an das Treppenhaus des Hotels evoziert, in dem Bacon und Dyer wohnten, als der Künstler seine Retrospektive im Grand Palais in Paris vorbereitete und in dem George Dyer am 24. Oktober 1971 mutmaßlich Selbstmord verübte. Die Treppe führt ins dunkle Obergeschoß, das durch eine schwache Glühbirne erhellt wird, Dyer erscheint als dunkler Schatten, nur sein überdimensionierter nackter Arm, mit dem er die Tür aufschließt, ist hell beleuchtet. Im nächsten Augenblick wird er über die Schwelle treten, von hier in ein fremdes Jenseits.

Italien

Die künstlerische Entwicklung Italiens am Beginn des 20. Jahrhunderts wurde einerseits von der Künstlergruppe der Futuristen, deren Manifest von 1909 ihr Programm auf die Themen der technischen Moderne, ihre Geschwindigkeit und die Dynamik ihrer Bewegungsabläufe festlegte, andererseits von der isolierten Figur de Chiricos und seiner »pittura metafisica« dominiert.

Noch in seiner prä-futuristischen Zeit im ersten Jahrzehnt des 20. Jahrhunderts malte Giacomo Balla (Turin 1871 – Rom 1958) unter dem Einfluß des Neoimpressionismus, den er während eines Aufenthalts in Paris kennenlernte, und einer von der Fotografie geprägten Sichtweise ein Interieur mit der im Türrahmen postierten Gestalt seiner Frau Elisa (Abb. 247). Die Technik des Farbauftrags mit kurzen unregelmäßigen Pinselstrichen, die vibrierende und leuchtende Farbflächen entstehen lassen, ist in ihrer Struktur divisionistisch. Mit ihr spielt Balla die starre Flächenparallelität rechts gegen die durch das von schräg hinten zudringende Licht nur partiell modellierte Frauenfigur aus. Ihre verdunkelte Frontstellung verunklärt die scheinbar so präzise vorgeführte räumliche Situation. Elisa konterkariert durch die leichte Neigung des Kopfes die architektonische Strenge des Flächengefüges.

Im Gegensatz zu der von Balla so reizvoll inszenierten Lichtdynamik steht die geheimnisvolle Ruhe der metaphysischen Bilder de Chiricos, die gleichzeitig mit den Werken der Futuristen entstandenen. Kaum ein anderer Künstler hatte auf die gegenständliche Malerei des 20. Jahrhunderts und alle Kunstrichtungen, die das Unbewußte und die innere Traumwelt darstellen, im besonderen den Surrealismus, einen solch großen Einfluß wie Giorgio de Chirico (Volos 1888 – Rom 1978) mit seinen innerhalb weniger Jahre zwischen 1911 und 1920 entstandenen Werken der »pittura metafisica«. Aus einer in Griechenland lebenden italienischen Familie stammend, fühlte er sich den antiken Mythen und der Philosophie Nietzsches besonders verbunden. Während seiner Ausbildung an der Kunstakademie in München lernte er die Bilder Arnold Böcklins kennen, unter ihrem Einfluß und dem der Dichtungen Nietzsches entwickelte er seine Bildwelt, die das Rätselhafte der Erscheinungen nicht jenseits, sondern innerhalb des Zusammenhangs der Dinge sucht. Es entstand eine Reihe von Architekturbildern, für die Chirico berühmt wurde, menschenleere Plätze in hartem Licht mit tiefen Schatten und einer verzerrten Perspektive mit immer wiederkehrenden Motiven wie Arkaden, rätselhaften Türmen (von der Mole Antonelliana in Turin beeinflußt, wo Chirico einige Jahre lebte), an die Antike gemahnenden Skulpturen und vereinzelten winzigen Figuren (Abb. 248). Neben Turin war es das Stadtbild Ferraras, das Chirico besonders inspirierte.

Alberto Giacometti (Borgonovo im Bergell 1901 – Chur 1966), in der Schweiz als Sohn des Malers Giovanni Giacometti geboren und in Genf ausgebildet, schloß sich als Bildhauer und Maler den Surrealisten an und wurde vor allem durch seine Plastiken gelängter dünner »existenzialistisch«-asketischer Figuren bekannt. Die für die Kunst des 20. Jahrhunderts so charakteristische Individualität der Wahrnehmung durch den Künstler hat

248 Giorgio de Chirico, **Metaphysisches Interieur**, 1917
Öl auf Leinwand, 73 x 60 cm
Wuppertal, Von-der-Heydt-Museum

249 Alberto Giacometti, **Äpfel im Atelier**, 1953
Öl auf Leinwand, 72,5 x 60 cm
Hannover, Sprengel Museum

250 Edward Hopper, **Das Hotelzimmer**, 1931
Öl auf Leinwand, 152,4 x 165,7 cm
Madrid, Museo Thyssen-Bornemisza

Giacometti nicht nur in seinen Werken und vor allem in seinen Skulpturen ausgedrückt, sondern darüber auch reflektiert.

Die Umsetzung von Wahrnehmung der Dinge im Raum war für Giacometti zeitlebens ein zentrales künstlerisches Problem. Die Malerei bot ihm zu seiner Lösung das Mittel der Linien (Abb. 249). Auf den grau-braun nuancierten Flächen seiner ab 1946 entstehenden Bilder umschreiben sie nicht nur die Gegenstandserscheinung, sondern konstituieren in den vielen Interieurs auch das orthogonale Achsgerüst. Das beschreibende Liniengefüge bleibt stets durchlässig, so daß Form und Raum ineinanderfließen können. In dieser Fluktuation findet Giacometti seine Ausdrucksform für die Gleichzeitigkeit verschiedener Wahrnehmungsaspekte und die Energie des Sehens als steten Prozeß der Ergänzung zu räumlicher Totalität. So offenbart in dem kleinen Bild der *Äpfel im Atelier* eine Vielzahl konkret gar nicht notwendiger Linien die für die Anschauung gültigen Kräftefelder, etwa bei der Anbindung des Skulpturenschemels an die achsialen Koordinaten des Raums. Die bindende Macht der drei Äpfel, durch die Bild und Raum ihr Zentrum finden, wird so noch einmal gesteigert. Mit Werken wie diesem stillen Atelierbild, das bei gleichen Mitteln eine Unzahl anderer Möglichkeiten birgt, zeigt Giacometti, daß die Kunst eine auf immer zum Scheitern verurteilte Annäherung an die Realität ist.

Die Tradition des Gegenständlichen im 20. Jahrhundert

Edward Hopper

Abseits aller Stilrichtungen des 20. Jahrhunderts hielt Edward Hopper (Nyack, New York 1882 – New York 1967) konsequent an der gegenständlichen Malerei und einer begrenzten, traditionell gebundenen Themenwahl fest; er stellte die Lebenswelt seiner amerikanischen Heimat dar. Hopper wurde in einem kleinen Ort am Hudson River geboren und erhielt seine Ausbildung zum Illustrationsgraphiker und Maler in New York City. 1906, nach Abschluß seiner Ausbildung, unternahm Hopper so etwas wie ein Grand Tour durch Europa, hielt sich ein ganzes Jahr in Paris auf und besuchte anschließend London und die Museen in den Niederlanden und in Berlin. In den Jahren darauf folgten zwei weitere Europareisen, der Aufenthalt im Jahr 1910 in Paris und in Spanien war zugleich sein letzter in der Alten Welt, von nun an verließ der Künstler Amerika nicht mehr.

Neben seinem Brotberuf als Illustrationsgraphiker, der für verschiedene amerikanische Zeitschriften, aber auch für die Werbung tätig war, malte Hopper seine Bilder mit Motiven aus seiner Umgebung, die vor allem Landschaften und Häuser mit ihren Bewohnern darstellen. Die beiden Bereiche seiner künstlerischen Tätigkeit stehen in einer engen Wechselbeziehung, in seinen Illustrationen zuerst vorkommende Bildmotive finden sich oft viel später in seinen Bildern wieder. Der Künstler selbst spielte in seinen spärlichen Äußerungen zu seinem Werk die Bedeutung seiner Illustrationstätigkeit herunter und betonte vielmehr die Wichtigkeit seiner »künstlerischen« Bilder. Die Ausarbeitung von Details, der naturalistische Charakter der Darstellung ist in den Illustrationen, wie es die Aufträge erforderten, größer als in den freien Kompositionen, in denen die Figuren nie miteinander kommunizieren. Schon früh im Leben Hoppers machen sich sowohl in seinen äußeren Lebensumständen wie in seinen Werken eine gewisse Statik und wenig Veränderung bemerkbar. Er mietete 1913 eine Atelierwohnung in New York, die er auch nach seiner Heirat mit der Malerin Jo Nivison 1924 bis zu seinem Tod beibehielt. 1934 baute er ein Atelierhaus im ländlichen Massachusetts, in dem die Familie regelmäßig die Sommer verbrachte und dessen Umgebung ihm die Motive seiner Bilder lieferte. Die Entwicklung seines persönlichen Stils war um die Mitte der 20er Jahre im wesentlichen abgeschlossen, in den nächsten vierzig Jahren ändern sich seine Motive und seine Malweise nur geringfügig. Der Realismus Hoppers erinnert an Fotografien, tatsächlich benutzte er eine Zeitlang Fotos zur Vorbereitung seiner Illustrationen und seiner Bilder; der wesentliche Unterschied besteht aber in der weitgehenden Abstraktion der Details, die große, wenig differenzierte Farbflächen gegeneinandersetzt. Der Realismus allein macht aber nicht den besonderen Reiz der Bilder Hoppers aus, es ist vielmehr die rätselhaft aufgeladene Atmosphäre ihrer Stimmung, die es erlaubt, von einem »magischen Realismus« seiner Werke zu sprechen.

Das Interieur nimmt von Anfang an eine wichtige Stelle in Hoppers Werk ein, gerade hier gelingt dem Künstler in der Verbindung von einfachen kahlen, von hellem Licht erfüllten Räumen, die tiefe Schatten werfen und einsamen, unbewegten Figuren eine dichte Stimmung von schwermütigem Reiz. Im *Hotelzimmer* von 1931 schildert Hopper eine typische, in seinen Bildern immer wiederkehrende Situation (Abb. 250): ein nur durch wenige sehr helle und farbig kontrastierende dunkle Flächen angedeuteter Raum, der mit wenigen Orthogonalen streng strukturiert wird; die Raumecke ist durch die weiße Rückwand und die nur minimal in der Helligkeit abgestufte hellgraue Seitenwand angedeutet, der Blick durch ein Fenster im Hintergrund ist durch einen gelben Rolladen fast ganz verdeckt, unten gibt eine Lücke den Blick in die schwarze Nacht frei. Der Raum

251 Edward Hopper, **New York Movie**, 1939
Öl auf Leinwand, 81,9 x 101,9 cm
New York, Museum of Modern Art

252 Edward Hopper, **Rooms by the Sea**, 1951
Öl auf Leinwand, 74,3 x 101,6 cm
Yale University Art Gallery

253 Balthus, **Lady Abdy**, 1935
Öl auf Leinwand, 186 x 140 cm
Privatsammlung

erhält sein Licht von einer Deckenlampe, das von oben einfällt und das Hotelzimmer gleichmäßig hell beleuchtet und damit eine kalte, nüchterne und unpersönliche Atmosphäre erzeugt. Auf dem weiß bezogenen Bett sitzt eine fast nackte Frau unbeweglich und unschlüssig. Sie ist eben im Hotel angekommen, Reisetasche und Koffer sind noch nicht ausgepackt und stehen am Boden, sie hat ihre Kleider abgelegt und über den Polstersessel im Hintergrund deponiert. Ihr Oberkörper und ihr Kopf zeichnen sich als dunkle Silhouette gegen die große weiße undifferenzierte Fläche des Hintergrunds ab. Ihre Aufmerksamkeit ist auf ein mehrfach gefaltetes Papier gerichtet, das sie in Händen hält, vielleicht ein Brief oder ein Prospekt. Die Zeit scheint angehalten, plötzlich tritt nach der Bewegung und Hektik einer Reise Ruhe ein. Mit sparsamen Mitteln ruft der Künstler eine starke Empfindung hervor, die Geschichte des einsamen Reisens, des Ankommens an unpersönlichen Orten und des Verlassenseins.

Hopper und seine Frau Jo waren fasziniert von Theater und Kino. In einigen Bildern stellt er Bühnen und Veranstaltungsräume dar. In der Darstellung eines New Yorker Kinos ist die Aufmerksamkeit aber nicht auf den Zuschauerraum, sondern auf den Eingangsbereich und die uniformierte Platzanweiserin gerichtet, die während der Vorstellung gelangweilt neben der Tür steht (Abb. 251). Das Bild ist in erster Linie eine Beleuchtungsstudie, das fahle schwarz-weiß projizierte Bild auf der Filmleinwand steht unmittelbar neben den warmen gedämpften Deckenleuchten im Seitengang des Kinos und der Wandlampe mit roten Schirmen an der Tür, deren roter Vorhang die Treppe nach oben verdeckt. Neben dem genauen Studium der Lichtsituation steht wie in vielen anderen Bildern Hoppers eine isolierte und untätig dargestellte Person, die dem Bild Atmosphäre verleiht und wie immer eine kleine Geschichte erzählt.

Das Anekdotische verliert sich in den späten Bildern Hoppers zugunsten eines großflächigen Bildbaus. Mit dem lichtintensiven Ausschnitt der *Rooms by the Sea* erreicht er einen bis dahin in seinem Werk nicht gekannten Grad der Abstraktion (Abb. 252). Sowohl die räumliche Situation als auch ihr bauliches Verhältnis zu dem vor der geöffneten Schiebetür wogenden Ozean bleiben ungeklärt. Die von strengen Geraden begrenzten Licht- und Schattenflächen des menschenleeren Innenraums erzeugen ein Flächenmuster, das in seiner Wirkung an Werke des amerikanischen abstrakten Expressionismus erinnert.

Balthus

Bereits mit seiner ersten großen Einzelausstellung 1934 in Paris hatte Balthus (Paris 1908 – Rossinière 2001) Aufsehen erregt, weil die Bilder des jungen Malers figurativ waren, ohne dabei dem Surrealismus zu folgen, und zugleich unverhüllt erotisch. Er wurde damit zu einer isolierten Randfigur des Kunstgeschehens, dessen künstlerische Bedeutung erst durch eine Reihe monographischer Ausstellungen der letzten Jahre volle Würdigung erfuhr. Comte Balthazar Klossowski de Rola, genannt Balthus, entstammte einer Künstlerfamilie polnischer aristokratischer Herkunft, die ein bewegtes Leben zwischen Paris, Berlin und der Schweiz führte. 1917 zog die Mutter, Baladine Klossowska, mit ihren beiden Söhnen nach Genf, wo sie Rainer Maria Rilke kennenlernte, mit dem sie eine enge Freundschaft pflegte. Balthus trat 1921 mit der Publikation von 40 Bildern, für die Rilke ein Vorwort verfaßte, zum ersten Mal als Künstler an die Öffentlichkeit. Die frühen bedeutenden Bilder von Balthus aus den Jahren 1933 bis 1935 legen bereits die zentralen Themen seines Œuvres fest, die mit wenigen Variationen in den späteren Jahrzehnten seiner künstlerischen Tätigkeit immer wiederkehren. Interieurs spielen eine wichtige Rolle als Schauplätze der Heimlichkeit mit

254 Balthus, **Das Zimmer**, 1952/54
Öl auf Leinwand, 270,5 x 335 cm
Privatsammlung

255 René Magritte, **La Condition humaine**, 1933
Öl auf Leinwand, 100 x 81 cm
Washington, National Gallery of Art

erotisch aufgeladenen Darstellungen halbwüchsiger Mädchen oder junger Frauen. Balthus arbeitet mit einem Repertoire von Zitaten aus der Frührenaissance, wobei er sowohl der Figurenbildung als auch dem Zitatzusammenhang völlig veränderte Bedeutungen unterstellt. Im Bild der *Lady Abdy* stellt er die Schauspielerin in aufsichtiger Perspektive in der Haltung einer Figur aus der spätgotischen Tafelmalerei dar, wie sie gegen das Fenster gelehnt den Vorhang beiseite schiebt (Abb. 253). Das unnatürliche Verhältnis zwischen dem Licht draußen und der Verdunkeltheit drinnen gibt dem Interieur zusammen mit der surreal überzeichneten Frauenfigur etwas psychotisch Exaltiertes. Lady Abdy war im gleichen Jahr in dem Theaterstück »Les Cenci« nach Shelley und Stendhal aufgetreten, wobei Balthus Bühnenbild und Kostüme entwarf.

Das Thema der in einem Raum eingeschlossenen jungen Frau, die halb oder ganz entkleidet in einer intimen Pose überrascht von einer Dienerfigur oder einem Kind begleitet wird, hat Balthus mehrfach aufgegriffen und variiert (Abb. 254). Eine Serie dieser Interieurbilder entstand zwischen 1948 und 1954, die immer eine sich streckende und räkelnde junge Frau in Begleitung eines kleines Mädchens am Fenster darstellen. Die jüngste, von 1952 bis 1954 entstandene Version in monumentalem Format, die einfach den Titel *Das Zimmer* trägt, zeigt ein Mädchen auf einem Lehnstuhl in einem dunklen Raum. Ihre kleine Begleiterin, die hier gnomenartige Züge angenommen hat, zieht mit einer raschen Bewegung den schweren Vorhang vom Fenster, so daß helles Tageslicht auf den nackten Mädchenkörper fällt, der damit in seiner exponierten Haltung und das Licht empfangend zur Schau gestellt wird. Mehrfach wurde die formale Ähnlichkeit – und wahrscheinlich Abhängigkeit – mit der hingestreckten Frauenfigur in Heinrich Füsslis *Alptraum* (1781, Detroit Institute of Arts) betont. Der übrige fast leere Raum liegt im Dunkel, sparsame Möblierung wird erkennbar, ein Waschtisch im Hintergrund mit Becken und Krug, ein kleiner Abstelltisch an der Seitenwand mit einer Katze, die als dämonischer Beobachter in fast allen Bildern des Künstlers auftaucht.

Der Surrealismus. Salvadore Dali und René Magritte

Der Ausdruck »surréalisme« wurde zum ersten Mal 1917 von dem Schriftsteller Guillaume Apollinaire, der mit vielen zeitgenössischen Künstlern in engem Kontakt stand und die Entwicklung der modernen Kunst literarisch und essayistisch kommentierend verfolgte, im Zusammenhang mit einer neuen künstlerischen Tendenz verwendet. Der Surrealismus entstand als ursprünglich literarische Bewegung nach dem Ersten Weltkrieg in den Werken André Bretons und anderer, die sich in der »automatischen Poesie« gegen überkommene Konventionen wandten und die verborgenen Quellen der Kreativität freilegen wollten. Die Parallelität zum Dadaismus und seiner offenkundigen Unsinnigkeit ist in der Frühzeit des Surrealismus unverkennbar. Die Blitzzeichnungen von André Masson, die in der Zeitschrift »La Révolution Surréaliste« ab 1924 erschienen, sind Beispiele für Versuche mit dem Automatismus in der bildenden Kunst. Das surrealistische Manifest des Dichters André Breton von 1924 wurde zum Gründungsdokument der neuen künstlerischen Strömung. Die irrationalen Kräfte des Unbewußten werden darin für den schöpferischen künstlerischen Akt nutzbar gemacht, an die Stelle der rationalen Form und intellektuellen Konstruktion sollten die Tiefen der Seele und die Welten des Traums treten. Zugleich wollen die so entstandenen Kunstwerke nicht nur den Verstand des Betrachters, sondern die tiefer und verborgen liegenden unbewußten Gefühle und Ängste ansprechen. Paris war das Zentrum des neuen Stils, hierher kamen die Künstler, wie 1921 Max Ernst aus Köln. Giorgio de Chirico blieb in Rom, aber übte durch seine rätselhaften, von Melancholie erfüllten Bilder einen erheblichen Einfluß auf die Bewegung aus.

René Magritte (Lessines 1898 – Brüssel 1967) arbeitete als Gebrauchsgraphiker und gehörte gleichzeitig von Jugend an zu avantgardistischen Gruppierungen. Als er 1923 eine Reproduktion von Chiricos Gemälde *Der Gesang der Liebe* sah, war er davon tief beeindruckt und schloß sich dem Surrealismus an, wobei ihn neben Chirico vor allem Max Ernst beeinflußte. Die eindringlichen und unvergeßlichen Bilderfindungen Magrittes aus den folgenden Jahrzehnten gehören heute zum kollektiven und allgemein bekannten Bilderschatz der Moderne. Manche Kompositionen waren von Anfang an so erfolgreich, daß Magritte auf Drängen seines Galeristen zahlreiche, oft geringfügig veränderte Repliken seiner Gemälde anfertigte.

Magritte malte seine Bilder mit präziser Genauigkeit in einer glatten Malweise. Seine kalkulierte und aus der Reflektion entstehende Kunst unterscheidet sich damit in einem wesentlichen Punkt von einem der Prinzipien des Surrealismus, dem spontanen und intuitiven oder automatisierten Schöpfungsprozeß. Das Surreale seiner Malerei entsteht durch die rätselhafte und zugleich faszinierende Kombination unterschiedlicher, nicht zusammengehöriger oder widersprüchlicher Dinge, die für sich kühl und nüchtern realistisch dargestellt sind. Dazu kommen die vom Künstler selbst erfundenen Bildtitel, die in keinem

256 René Magritte, **L'Eloge de la Dialectique**, 1937
Deckfarben auf Papier, 38 x 32 cm
Brüssel, Musée d'Ixelles

Zusammenhang mit dem Dargestellten stehen und eine besondere Lust an der Kombination und Gegenüberstellung von Sprache und Malerei zeigen. Die »Herstellung plastisch geformter Gedichte« (»fabricant de poèmes plastiques«) nannte Magritte selbst seine Bilder. Sie führen den Betrachter damit in die Irre oder geben Raum für freie Assoziationen, indem sie bewußt vermeiden, Hinweise zur Entschlüsselung der vieldeutigen Bildwelt zu geben. Der Künstler stützt sich dabei insofern auf die Tradition, als er von den Werken der belgischen Symbolisten wie Fernand Khnopff (1858–1921) ausgeht und eine neue Gegenständlichkeit erfindet, mit der er die konventionelle Abbildfunktion ad absurdum führt. Ausblicke aus geschlossenen Räumen ins Freie oder Fensterdurchblicke sind dabei häufig verwendete Darstellungsmittel, die herkömmliche Interieurs vortäuschen.

Das Bild *La Condition humaine* (So lebt der Mensch – Der Titel entspricht dem gleichnamigen Roman von André Malraux, der im selben Jahr erschien,) stellt eine Staffelei in einem Zimmer dar, die vor einem Fenster steht, das links und rechts von Vorhängen begrenzt wird (Abb. 255). Auf der Staffelei befindet sich

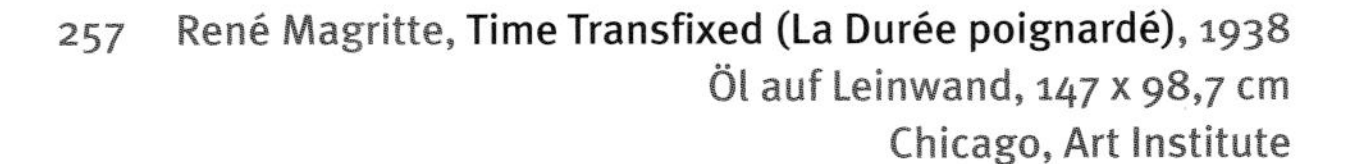

257 René Magritte, **Time Transfixed (La Durée poignardé)**, 1938
Öl auf Leinwand, 147 x 98,7 cm
Chicago, Art Institute

ein ungerahmtes naturalistisches Landschaftsbild, das in allen Einzelheiten der tatsächlich vor dem Fenster befindlichen Landschaft entsprechen könnte. Als Betrachter nehmen wir an, daß das Bild auf der Staffelei jenen Teil der Landschaft draußen vor dem Fenster darstellt, den es vor unseren Blicken verdeckt. Wir sehen die obere Halterung der Staffelei und die unbemalte Seitenkante des Bildes jenseits derer sich die Landschaft fortsetzt. Diese Lesart beruht auf der Annahme, Magritte würde im Sinn der traditionellen Malerei an der geschlossenen Einheit des gemalten Illusionsraums festhalten und wir sähen tatsächlich ein Bild. Wir sehen aber nicht nur ein gemaltes Bild, sondern wir sehen gleichzeitig gleichsam durch das Bild hindurch einen tatsächlichen Ausblick in die Landschaft, unsere Wahrnehmung springt zwischen der einfachen Illusion des Ausblicks ins Freie durch ein Fenster und der doppelten Illusion, der Ausblick sei auf einem Bild dargestellt, hin und her: Die Malerei offenbart ihre Mittel und wird selbst in der naturalistischen Täuschung noch als Kunst entlarvt.

Zwei im Werk Magrittes immer wiederkehrende Motive, der Blick durch ein Fenster und das gemalte Bild innerhalb der Malerei sind in diesem frühen Gemälde des Künstlers miteinander verbunden. Vor allem das Fenstermotiv variiert der Künstler in seinen Bildern immer wieder aufs Neue, etwa in dem wenige Jahre später entstandenen Bild, dem er den Titel *L'Eloge de la Dialectique* (Lob der Dialektik) gab (Abb. 256). Es zeigt die Kante einer Hausfassade mit offenem Fenster, durch das wir ins Innere eines Zimmers blicken können. Ein Haus steht an der Rückwand des Zimmers und täuscht mit seiner klassischen dreiachsigen Fassade, den hohen, säuberlich mit Gardinen verhängten Fenstern eine Spiegelung der gegenüberliegenden Straßenseite vor, die den Betrachter zwischen den beiden Straßenseiten in einer unwirklichen Traumwelt ausweglos festhält: Das Interieur birgt Einsicht und Aussicht zugleich. Immer wieder stellt Magritte in seinen Bildern die scheinbar selbstverständliche Realität in Frage, mit seiner Malerei provoziert er Widersprüchliches, worauf hier durch den Titel des Bildes noch besonders hingewiesen wird.

1937 reiste Magritte auf Einladung des englischen Bankiers und Kunstsammlers Edward James nach London und hielt sich hier mehrere Wochen auf, um in seinem Auftrag drei großformatige Bilder für den Salon seines Haus zu malen. Es war einer der seltenen Auslandsaufenthalte Magrittes, der seit seiner Rückkehr aus Paris, wo er von 1927 bis 1930 gelebt hatte, sein ganzes Leben in Brüssel verbrachte. Magritte malte im darauf folgenden

Künstler arbeitet, bleibt unsichtbar, das in der dargestellten Aktion intendierte Doppelportrait des Malers mit Gala erscheint allein im Spiegel und wird für den Betrachter nur als Reflex sichtbar. Voraussetzung für diese in die Fläche gebannte Zweisamkeit aber ist der Raum vor dem Spiegel mit seinen Distanzen, in dem sich die Volumina der Gegenstände und Körper entfalten können. Unabhängig von dem geistvollen Spiel mit der Frage, wer was und wen wie und wo sieht, wird das Interieur mitsamt seinen Eigenschaften von Dalí zu einer Bedingung für den künstlerischen Prozeß gemacht.

Pop Art und Installationen

Mit der Pop Art kam ab etwa 1960 ein neues Thema in die Interieurmalerei, indem sich die Kunst der modernen Konsumwelt, der Massenartikel, der Werbung und der Medien zuwandte und ihre Wirkung auf unser gegenwärtiges Leben untersuchte. Die Collage des britischen Künstlers Richard Hamilton (* London 1922) mit der umständlichen Titelfrage *Just what is it that makes today's homes so different, so appealing?* gilt dabei als frühes Schlüsselwerk (Abb. 260). Daß sie nur nebenbei entstand und aufgrund ihres kleinen Formats besonders anspruchslos wirkt, entspricht durchaus im Sinn der Pop-Kultur ihrer Bedeutung. Sie war zunächst nur die Vorlage für ein schwarz-weißes Plakat gewesen, das für die Ausstellung mit dem programmatischen Titel »This is Tomorrow« der jungen britischen Künstlergruppe »Independent Group« warb, und wurde in der Ausstellung selbst gar nicht gezeigt. Richard Hamilton, in London als Maler und Graphiker ausgebildet und als Designer tätig, gründete 1951/52 zusammen mit Eduardo Paolozzi die »Independent Group« am Institute for Contemporary Arts (ICA), um künstlerische Antworten auf die Phänomene der Massenkultur zu finden, die sich aus dem steigenden Wohlstand nach dem Ende der unmittelbaren Nachkriegszeit ergab, und veranstaltete dafür Ausstellungen unter dem Titel »Parallel of Life and Art und Man, Machine and Motion« und schließlich »This is Tomorrow«, die verschiedene Environments und Installationen präsentierte.

So als spiele er mit den Möglichkeiten einer Replik auf van Eycks *Arnolfini-Hochzeit* (vgl. Abb. 37), bedient sich Hamilton des Zeugnischarakters in den Gegenständen eines Interieurs, um die Errungenschaften und Konsequenzen der Moderne durch die Darstellung eines Paars im Ensemble seiner Statussymbole vorzuführen (Gramaccini). Aus der Kombination verschiedener Vorlagen, vor allem Anzeigen aus amerikanischen Zeitschriften, die John McHale, ebenfalls Mitglied der »Independent Group«, von einem Studienaufenthalt in den USA mitgebracht hatte, fügte Hamilton ein modernes, aus den hedonistischen Ansprüchen an Technik und Komfort rekrutiertes Raumbild zusammen. Durch das Fenster sehen wir ein Filmplakat für den ersten Tonfilm von 1927; Tonbandgerät im Vordergrund und laufender Fernseher thematisieren die Massenmedien. Die Fleischkonserve auf dem Couchtisch und der Staubsauger verweisen auf die Bequemlichkeiten in den Haushalten und ihre Abhängigkeit von der Industrieproduktion. Die Decke des Raums wird von einem Foto der Erde aus dem Weltraum, ein Ausschnitt aus der Illustrierten »Look« mit dem Titel *A 100 Mile High Portrait of Earth* gebildet. Maßstäbliche und perspektivische Brechungen machen als optische Phänomene den Versatzcharakter und die Austauschbarkeit all dieser modischen Unerläßlichkeiten im Leben des modernen Menschen kenntlich. Die Figuren der beiden Bewohner des Raums, Bodybuilder und Pin-up-Girl, ergeben einen weiteren ironischen Kommentar zu den »anziehenden« Wohnungen von heute, die der Titel nennt, und selbst das Muster des Teppichs, das aus einer Fotografie vieler Menschen an einem Badestrand entsteht, muß noch lässigen Lebensstil dokumentieren.

Die Wirklichkeit der anonymen Gebrauchsgegenstände wurde bereits vom Dadaismus zum Gegenstand der Kunst gemacht. In der Umkehrung der These aller rückwärtsgewandten und an Idealen der Vergangenheit orientierten Kunst, daß nicht schön sein könne, was nützlich ist, wird der nutzlose Gebrauchsgegenstand zum Kunstwerk, wie es Marcel Duchamp als erster mit Aplomb vorführte. Tom Wesselmann (1931 Cincinnati – New York 2004) vertritt durch seine Materialbilder, in denen er Malerei mit Alltagsobjekten kombiniert, die in die Bilder montiert werden, die amerikanische Popkunst, die unter der ursprünglichen Bezeichnung *Neue Realisten* zum ersten Mal 1962 mit der bahnbrechenden Ausstellung »The New Realists« in der Sidney Janis Gallery, New York (1962) auftraten. Bekannt wurde Wesselmann vor allem durch seine ab 1962 entstandenen durchnumerierten Serien der *Great American Nudes* und der *Bathtubes*, die als Assemblagen großflächige Malerei mit alltäglichen Gebrauchsgegenständen kombiniert und damit die Welt der Werbung und des Konsums ironisch kommentiert (Abb. 261). Der weibliche Akt ist das zentrale Thema der Malerei, Zitat der klassischen Kunsttradition, die aber »illusionslos« als reine Flächenkunst ohne Versuch einer räumlichen Modellierung wiedergegeben wird. Die Innenräume öffnen sich nicht, sondern bleiben flache Schauwände ohne Tiefenräumlichkeit: Die Fläche als ureigenes Medium der Malerei konkurriert in der Wirklichkeit mit

259 Salvador Dalí, **Dalí von hinten, Gala von hinten malend, die von sechs virtuellen, sich vorübergehend in sechs echten Spiegeln widerspiegelnden Hornhäuten verewigt wird,** um 1972–73 (unvollendet)
Öl auf Leinwand, 60,5 x 60,5 cm
Figueras, Fundació Gala-Salvador Dalí

258 Paul Delvaux, **La voix publique**, 1948
Öl auf Holz, 152,2 x 254 cm
Brüssel, Musées Royaux des Beaux-Arts

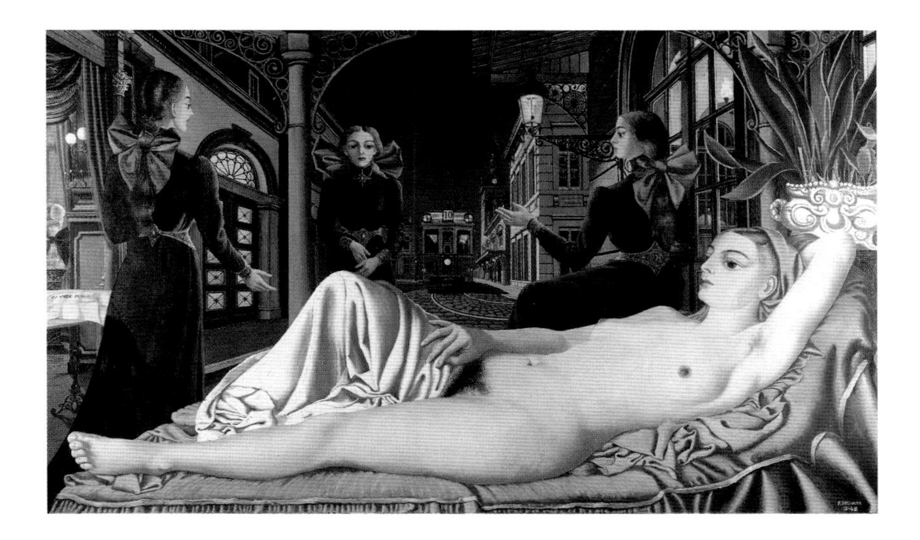

Jahr ein weiteres Bild für James, das einen Kamin mit einem Spiegel darüber und einer Uhr auf dem Kaminsims in einem sonst leeren Zimmer darstellt (Abb. 257). Das irritierende Element ist eine kleine Dampflokomotive, die in voller Fahrt mit einer Rauchwolke aus der Kaminrückwand in den Raum schießt. Als Magritte das Bild nach London sandte, drückte er den Wunsch aus, der Sammler möge das Bild ins Treppenhaus hängen, wo der auf sie zufahrende Zug Gäste auf ihrem Weg in den Salon gleichsam aufspießen sollte. Magritte zeigte sich später mit der englischen Übersetzung des ursprünglich von ihm gewählten prägnanteren Bildtitels *La Durée poignardé,* der aufgespießte Zeitraum, nicht glücklich.

Neben René Magritte ist Paul Delvaux (Antheit/Wanze 1897 – Veurne 1994) der bekannteste Vertreter des Surrealismus in Belgien, das durch die hervorragende Stellung, die der Symbolismus des späten 19. und frühen 20. Jahrhunderts in diesem Land einnahm, für diese Kunstrichtung prädestiniert erscheint. Delvaux gehörte zwar der surrealistischen Gruppe nicht an, nahm aber eine Zeitlang an ihren Ausstellungen teil. Wie bei vielen Malern des Unbewußten – etwa auch bei de Chirico oder Salvador Dalí – werden Elemente der Kunst aus der Biographie und persönlichen Erlebnissen zu erklären versucht. Der Künstler der bis über sein dreißigstes Lebensjahr in finanzieller Abhängigkeit von seinen Eltern lebte, die dominante Mutter und die am Widerstand der Eltern gescheiterte Liebesbeziehung wurden zur Erklärung seiner Bildwelt herangezogen, in der sich charakteristische bewegungslose oder traumwandlerisch unnahbare weibliche Aktfiguren in verlassen erscheinenden klassischen Architekturen bewegen. Die Malerei von Delvaux kombiniert konservative und rezipierende Züge, indem sie sich am Klassizismus und am akademischen Ideal des 19. Jahrhunderts, aber auch an Motiven der Antike und der Renaissancemalerei orientiert, mit modernen, wie dem Spiel mit der Perspektive, dem Einsatz mehrerer, nicht auf einer Horizontlinie liegender Fluchtpunkte, den Möglichkeiten der Beleuchtung und theatralischer Effekte (Abb. 258).

Die Interieurdarstellung spielt in der surrealistischen Malerei dort eine besondere Rolle, wo es um die Illusion des Raums und deren Negation geht und damit um die Täuschung oder Irritation des Betrachters. Im besonderen Maß ist dies bei einem Spätwerk des bekanntesten Künstlers des Surrealismus, Salvador Dalí (1904 Figueras – 1989 Figueras), der Fall. Dalí war zeit seine Lebens an optischen Phänomenen und optischen Geräten, aber auch an Fotografie und Film interessiert. 1971 kam er über die Beschäftigung mit den Bildern von Gerard Dou (vgl. Abb. 103, 105), der mehrfach leicht abweichende Variationen seiner Kompositionen gemalt hatte, zur Stereofotografie, die am Ende des 19. Jahrhunderts eine Blütezeit erlebte und zu deren Betrachtung man besondere Apparate oder Spezialbrillen benötigte. Dalí meinte durch den genauen Vergleich von zwei Fassungen des Gemäldes *Die Mausefalle* von Dou (heute in Montpellier bzw. in Breslau) entdeckt zu haben, daß Dou mit der Stereoskopie experimentiert und mit zwei gleich großen, aber geringfügig abweichenden Gemälden versucht hatte, dreidimensionale Bilder zu schaffen. Dalí beschloß daraufhin, seinen Bildern die dritte Dimension hinzuzufügen: »Ich lebe im 20. Jahrhundert und ich werde die seit dem Ende des vorigen Jahrhunderts vergessenen Techniken wieder aufleben lassen in Erwartung des ›Hologramms‹.« Dalí experimentierte seit 1972 einerseits als erster Künstler überhaupt mit Hologrammen, andererseits ließ er durch den Physiker Roger de Montebello ein Spiegelstereoskop konstruieren, das räumliches Sehen von Bildern ohne Rücksicht auf ihr Format ermöglichte. Auf diese Weise entstanden mehrere Bildpaare, die mit einem Stereoskop betrachtet, einen räumlichen Effekt erzielen.

Marc Lacroix, der von Dalí immer wieder beschäftigte Fotograf, nahm Dalí beim Malen eines Portraits von Gala, der langjährigen Gefährtin des Künstlers seit 1929, in seinem Atelier in Figueras auf und Dalí fertigte nach dem Foto ein Gemälde (Abb. 259). Allerdings blieb das für eine stereoskopische Wirkung notwendige zweite Bild ungemalt. Der Künstler griff das alte Motiv des Malers im Atelier auf, das den Künstler als Rückenfigur zeigt. Das Modell wendet ihm hier ebenfalls den Rücken zu und er malt ihr Spiegelbild. Das Bild auf der Staffelei, an dem der

der haptischen Ausdehnung des Gegenständlichen in der Darstellung.

Auch David Hockney (* 1937 Bradford), der 1961 mit seiner Teilnahme an der Ausstellung »Young Contemporaries« als wichtiger Vertreter der englischen Pop Art in Erscheinung trat, wandte sich mit den während der 60er Jahre in Kalifornien entstandenen Werken einer realistischen Darstellungsweise zu, die durch die glatten Oberflächen der hellen Acrylfarben gebrochen wird. Bei ihm jedoch ist der Realismus malerische Tendenz, während etwa Wesselmann, Warhol und Hamilton tatsächlich mit gegenständlichen Entnahmen aus der Wirklichkeit hantieren. Das große Interieur *The Room, Tarzana* von 1967 bietet einerseits eine persönliche autobiographische Komponente Hockneys in der Darstellung seines Partners, andererseits handelt es sich, wie der Künstler selbst in seiner Autobiographie von 1977 angibt, um die formale Studie eines perspektivisch konstruierten dreidimensionalen Raums, deren bildhafter Charakter durch den rundum freigelassenen Streifen unbemalter Leinwand noch betont wird (Abb. 262). Trotz seiner lichthaltigen Farbigkeit wirken Raum und Bild kühl und introvertiert. Die Intimität der beobachteten Szene ist in dem fast einrichtungslosen Interieur, das ohne Anzeichen persönlicher Lebenssphäre bleibt, aufgehoben. Der Versachlichung des Lichtes in den großen Flächensegmenten, die schon Edward Hopper gereizt hatte (vgl. Abb. 252), entspricht bei Hockney eine zu strenger, karger Proportionierung des Bildraums neigende Distanz bei der Erfassung des an sich sinnlichen Sujets.

Nachmoderne Gedankenkunst

Die Kunst der gegenwärtigen Nachmoderne spaltet sich in viele verschiedene Richtungen auf, die dem Subjektivismus der jeweiligen Künstler entsprechen, von denen jeder nicht nur einen eigenen Stil entwickelt, sondern zugleich eine Welt, die sich aus der Innenschau der Biographie, aber auch der schmerzhaften Auseinandersetzung mit der jüngeren Geschichte oder traumatisierenden Ereignissen unserer eigenen Gegenwart erklären läßt. Einige deutsche Künstler der Nachkriegsgeneration wie Gerhard Richter, Jörg Immendorff oder Anselm Kiefer begannen sich ab den späten 60er Jahren von der vorherrschenden Richtung der abstrakten Kunst zu lösen und gegenständliche Bilder mit politischen oder gesellschaftskritischen Inhalten zu malen. Die großen Themen der öffentlichen Diskussion in Deutschland, des Umgangs mit der Schuld am Holocaust und der damit verbundenen Erinnerungskultur, der deutschen Teilung und des Terrors der RAF lieferten die Bildvorwürfe und gaben den Anstoß für einen Kommentar mit den Mitteln der Malerei.

Jörg Immendorff (1945 Bleckede, Niedersachsen – Düsseldorf 2007) wandte sich nach anfänglicher Zugehörigkeit zu außerparlamentarischen linken und maoistischen Gruppierungen 1976 gegen das politische System der DDR. In der Folge seiner freundschaftlichen Unterstützung des dort unterdrückten und später ausgebürgerten Künstlers A. R. Penck begann er ab 1978 die 19-teilige Bilderserie *Café Deutschland*, in der er sich kritisch mit den Spannungen zwischen und in den politischen Systemen Deutschlands auseinandersetzte (Abb. 263). Persönlichkeiten des öffentlichen Lebens der beiden deutschen Staaten bevölkern als fiktive Gäste das Innere dieses Cafés, zu dem Immendorff durch die Darstellung des *Caffé Greco* des italienischen Malers Renato Guttuso angeregt worden sein mag, in dem sich Lebende und Verstorbene zusammenfinden, für das es aber auch im Repertoire des deutschen Expressionismus eine Vielzahl von Interieurs mit geschichtlicher Symptomatik für ihre Zeit gibt. Bei Immendorff jedoch gewinnen der Raum und die in ihm agierenden Charaktere die Anschauung einer Bühne zu einem symbolisch befrachteten Lehrstück: Während im Parlament am Ende des Raums die listigen Füchse durcheinanderreden, zieht der Dissident Robert Havemann einsame Runden hinter dem Stacheldrahtverhau seines Gefängnisses. Die metaphorische Erzählfreudigkeit kulminiert in der Vordergrundszene, die Immendorff als den Künstler West in trauter Zweisamkeit mit A. R. Penck als dem Künstler Ost zeigt, wie sie gemeinsam das Bild eines leeren Schubkastens übermalen: »Deutschland in Ordnung bringen« ist ein Bildthema, mit dem Immendorff seine künstlerische Sendung verschiedentlich apostrophierte.

Die Dimension des Geschichtlichen hält damit explizit Einzug in die Interieurs der deutschen Nachkriegszeit. Während Gerhard Richter mit seinem Bild *Zelle* aus dem Jahr 1988, dessen Rang zu würdigen uns hier untersagt ist, für die psychotische Erfahrung des »Deutschen Herbstes« eine stupende Bildform findet, macht Anselm Kiefer (* 1945 Donaueschingen) Raumansichten für die visuelle Vermittlung der historischen Ursachen dieses gesellschaftlichen Konfliktes nutzbar. Sein Werk steht zudem exemplarisch für die Auslotung der Möglichkeiten, die Malerei heute durch die Einbeziehung anderer Medien bietet. Eine Serie von Bildern geht auf Fotos monumentaler Architekturen des Faschismus zurück, deren schweres Pathos den Künstler zu einer Brechung in der malerischen Umsetzung und inhaltlichen Deutung herausforderte. Eines dieser Bilder basiert

262 David Hockney, **The Room, Tarzana**, 1967
Acryl auf Leinwand, 244 x 244 cm
Privatsammlung

Umschlag
Vorderseite: Adolph Menzel,
Das Balkonzimmer
Berlin, Staatliche Museen, Nationalgalerie
Rückseite: Edward Hopper,
Das Hotelzimmer
Madrid, Museo Thyssen-Bornemisza
Seite 2
Helene Schjerfbeck,
Die Tür (Alte Klosterhalle)
Helsinki, Ateneumin Taidemuseum
Seite 3
Samuel van Hoogstraten, *Guckkasten*
London, The National Gallery
Seite 4
Hubert Robert, *Gefängnis von Saint-Lazare*
Paris, Musée Carnavalet
Seite 6/7
David Teniers d.J., *Erzherzog Leopold Wilhelm in seiner Galerie*
Wien, Kunsthistorisches Museum

© 2009 Hirmer Verlag GmbH, München
und der Autor

Bibliographische Informationen der Deutschen Nationalbibliothek
Die Deutsche Nationalbibliothek verzeichnet diese Publikation
in der Deutschen Nationalbibliographie; detaillierte bibliographische Daten sind im Internet über »http://dnb.d-nb.de« abrufbar.

Lektorat
Markus Kersting
Gestaltung, Satz und Produktion
Katja Durchholz
Bildredaktion
Nicole Berndt
Lithographie
Repromayer GmbH, Medienproduktion, Reutlingen
Papier LuxoArtSilk, 150 g
Druck und Bindung
Printer Trento Srl, Trento

Printed in Italy
ISBN 978-3-7774-4405-5
www.hirmerverlag.de

Bildnachweis (nach Abbildungsnummern)

Museen / Archive

Adagp, Paris: 256
akg-images, Berlin: 6, 16, 17, 20, 21, 25, 29, 44, 46, 65, 123, 126, 140, 149, 151, 155, 160, 163, 186, 187, 188, 201, 203, 204, 206, 207, 208, 209, 210, 212, 213, 220, 221, 228, 231, 236, 237, 241, 249, 250, 251, 254, 260–262
Amsterdam
Stichting Het Rijksmuseum: 79, 82, 91, 101, 104, 118, 121, 129, 134, 137
Van Gogh Museum Enterprises B.V.: 219
Antwerpen
© Collectiebeleid, Rubenshuis: 80
Koninklijk Musea voor Schone Kunsten – copyright Lukas-Art Flandern: 89, 227
Art Resource / National Trust, New York: 68, 252
Artothek, Weilheim: 4, 18, 30, 38, 39, 43, 45, 60, 61, 62, 66, 77, 86, 87, 88, 92, 96, 103, 111, 114, 132, 136, 138, 141, 142, 143, 144, 145, 158, 164, 177, 178, 182, 185, 192, 193, 199, 205, 211, 214, 222, 223, 235, 238, 240, 245, 248, 258
Berlin
· Staatliche Museen, Nationalgalerie: 183, 196
· Brücke Museum: 243
Biberach, Braith-Mali-Museum: 184
Birmingham Museums & Art Gallery: 150
bpk (Bildarchiv Preußischer Kulturbesitz), Berlin: 2, 9, 12, 26, 27, 33, 40, 71, 73, 78, 94, 98, 128, 131, 157, 161, 162, 168, 179, 191, 194, 198, 215, 216, 217, 226, 244
Bridgeman Art Library, Berlin: 5, 90, 110, 113, 125, 148, 169, 173, 253, 255, 257
Brüssel, Koninklijke Musea voor Schone Kunsten van België: 230
Cameraphoto, Piero Codato, Venedig: 69, 159
Cambridge, Master and Fellows Corpus Christi College: 8
Darmstadt, Universitäts- und Landesbibliothek: 14
Den Haag, Königliche Gemäldegalerie Mauritshuis: 83, 122, 152, 153, 154
Detroit, The Detroit Institute of Arts: 41, 48
Deurle, MDD (Museum Dhondt-Dhaenens): 229
Dordrecht, Dordrechts Museum: 106
Dresden, Staatliche Kunstsammlungen Dresden, Gemäldegalerie Alte Meister: 100
Galerie Neue Meister: 218
Dublin, The National Gallery of Ireland: 107
Essen, Folkwang Museum: 197
Florence, Photo SCALA: 15, 19, 22, 23, 34, 47, 97, 242
Glasgow, Culture and Sport Glasgow (Museum): 234
Graz, Landesmuseum Joanneum, Alte Galerie: 3
Hamburg, Hamburger Kunsthalle: 181
Helsinki, Ateneumin Taidemuseum: 232
Hirmer Fotoarchiv, München: 7, 24 (Antonio Quattrone), 50 (Achim Bunz), 54 (Ghigo Roli), 55 (Antonio Quattrone), 56 (Città del Vaticano, Monumenti Musei e Gallerie Pontificie), 57 (Città del Vaticano, Monumenti Musei e Gallerie Pontificie), 58 (Città del Vaticano, Monumenti Musei e Gallerie Pontificie), 76, 95, 99, 175 (Archiv privat), 247 (Archiv privat)
Karlsruhe, Staatliche Kunsthalle Karlsruhe: 127
Leipzig, Universitätsbibliothek Leipzig: 53 (oben)
Erich Lessing, Culture & Fine Arts Archives, Wien: 64
London
· The British Museum © The Trustees of the British Museum: 174
· The National Gallery, National Gallery Picture Library: 37, 49, 63, 112, 124
· The Royal Collection © 2008, Her Majesty Queen Elizabeth II: 109, 139, 176
Los Angeles, Los Angeles County Museum of Art, Gift of Mr. and Mrs. Edward W. Carter: 119
München, Staatliche Gemäldesammlung, Neue Pinakothek: 195
New York, The Metropolitan Museum of Art: 31, 32 (Detail), 42, 130
Nürnberg, Germanisches National Museum: 35
Ohio, Allen Memorial Art Museum, Oberlin College: 116
Oldenburg, Landesmuseum für Kunst und Kulturgeschichte: 224
Otterlo, Collection Kröller-Müller Museum: 233
Oxford, Christ Church Picture Gallery: 75
Paris
· Bibliothèque Nationale, Manuscrits occidentaux : 10, 11
· Bibliothèque Nationale, Bibliothèque de l'Arsenal: 53 (unten)
Philadelphia, Philadelphia Museum of Art: 84, 225
Reihen / Basel, Fondation Beyeler: 246
rmn (Réunion des Musées Nationaux), Paris / Berlin: 93, 146, 156, 172, 202, 239
Rotterdam, Museum Boijmans Van Beuningen: 105, 108, 120, 133, 171
St. Louis, Saint Louis Art Museum, Museum Purchase: 170
Stockholm, The National Museum of Fine Arts: 147
Stuttgart, Staatsgalerie Stuttgart: 167
Turin, Fondazione Torino Musei: 36
Trier, Stadtbibliothek / Stadtarchiv Trier: 13
Utrecht, Collection Centraal Museum: 102
Vaduz / Wien, Sammlungen S.D. des regierenden Fürsten von Liechtenstein: 189
Washington, Board of Trustees, National Gallery of Art: 28, 67, 165
Wien
· Akademie der bildenden Künste, Gemäldegalerie: 115
· Albertina: 190, 200
· Belvedere: 180
· Kunsthistorisches Museum: 59, 70, 72, 74, 81, 85, 117, 135
· Österreichische Nationalbibliothek, Bildarchiv: 51, 52
Würzburg, Martin von Wagner Museum der Universität Würzburg: 1

Courtesy:
· Fundació Gala-Salvador Dalí, Figueres (Salvador Dalí): 259
· Galerie Michael Werner, Köln (Jörg Immendorff): 263
· GALERIE THADDAEUS ROPAC, Salzburg (Anselm Kiefer): 264
· The Estate of Juan Muñoz, Madrid (Juan Muñoz): 265

© VG Bild Kunst 2009: Francis Bacon (The Estate of Francis Bacon), Giacomo Balla, Max Beckmann, Pierre Bonnard, Georges Braque, Giorgio de Chirico, Salvador Dalí, Paul Delvaux, James Ensor, Alberto Giacometti, Richard Hamilton, René Magritte (ADAGP), Pierre Matisse (Succession H. Matisse), Edvard Munch, Pablo Picasso (Succession Pablo Picasso), Helene Schjerfbeck (KUVASTO Helsinki), Leon Spilliaert, Edouard Vuillard, Tom Wesselmann
© Edward Hopper: © The Whitney Museum of American Art, 2009

Nicht in allen Fällen war es möglich, Rechtsinhaber der Abbildungen ausfindig zu machen. Berechtigte Ansprüche werden selbstverständlich im Rahmen der üblichen Vereinbarungen abgegolten.

Literatur (in Auswahl)

Das Thema des Interieurs in der Malerei ist grundlegend wenig bearbeitet. Zu nennen sind an dieser Stelle:

Ausst.-Kat. Innenleben. Die Kunst des Interieurs von Vermeer bis Kabakov (hrsg. v. Sabine Schulze), Städelsches Kunstinstitut und Städtische Galerie, Ostfildern-Ruit 1998 (mit Bibliographie)

Bachelard, Gaston: Poetik des Raums, München 1960

Becker, Claudia: Zimmer-Kopf-Welten. Motivgeschichte des Interieurs im 19. und 20. Jahrhundert, München 1990

Krämer, Felix: Das unheimliche Heim. Zur Interieurmalerei um 1900, Köln/Weimar/Wien 2007

Praz, Mario: Die Inneneinrichtung von der Antike bis zum Jugendstil, München 1965

Rohlfs-von Wittich, Anna: Das Innenraumbild als Kriterium für die Bildwelt, in: Zeitschrift für Kunstgeschichte 18, 1955, S. 109–135

14. und 15. Jahrhundert

Ausst.-Kat. Andrea Mantegna (hrsg. v. Jane Martineau), The Metropolitan Museum, New York, Royal Academy of Arts, London 1992

Ausst.-Kat. Petrus Christus, Renaissance Master of Bruges (Maryan Ainsworth mit Beitr. v. Maximiliaan P. J. Martens), The Metropolitan Museum of Art, New York 1994

Ausst.-Kat. Antonello da Messina. L'opera completa (hrsg. v. Mauro Lucco), Scuderie del Quirinale, Roma 2006

Aiken, Jane Andrews: The Perspective Construction of Masaccio's Trinity Fresco and Medieval Astronomical Graphics, in: Rona Goffen (Hrsg.), Masaccio's Trinity, Cambridge 1998

Battisti, Eugenio: Giotto, biographisch-kritische Studie, Genf 1960

Belting, Hans und Christiane **Kruse**: Die Erfindung des Gemäldes. Das erste Jahrhundert der niederländischen Malerei, München 1994

Belting, Hans: Florenz und Bagdad. Eine west-östliche Geschichte des Blicks, München 2008

Châtelet, Albert: Robert Campin. Le Maître de Flémalle, Antwerpen 1996

Gosebruch, Martin: Giotto und die Entwicklung des neuzeitlichen Kunstbewußtseins, Köln 1962

Holmes, Megan: Fra Filippo Lippi, The Carmelite Painter, New Haven/London 1999

Joannides, Paul: Masaccio and Masolino. A Complete Catalogue, London 1993

Kecks, Ronald G.: Domenico Ghirlandaio und die Malerei der Florentiner Renaissance (Italienische Forschungen des Kunsthistorischen Institutes in Florenz, hrsg. v. M. Seidel, Vierte Folge, Bd. II), München/Berlin 2000

Kemp, Martin: The Science of Art. Optical themes in Western Art from Brunelleschi to Seurat, New Haven/ London 1990

Kemp, Wolfgang: Die Räume der Maler, Zur Bilderzählung seit Giotto, München 1996

Kemperdick, Stephan: Der Meister von Flémalle. Die Werkstatt Robert Campins und Rogier van der Weyden, Turnhout 1997

Pächt, Otto: The Master of Mary of Burgundy, London 1947

Pächt, Otto: René d'Anjou – Studien I. Teil, Jahrbuch der kunsthistorischen Sammlungen in Wien, 69, 1973, S. 85–125

Pächt, Otto und Dagmar **Thoss**: Französische Schule I (Die Illuminierten Handschriften und Inkunabeln der Österreichischen Nationalbibliothek I), Wien 1974

Pächt, Otto: René d'Anjou, in: Studien II, Jahrbuch der kunsthistorischen Sammlungen in Wien, 73, 1977, S. 7–106

Pächt, Otto: Van Eyck, Die Begründer der altniederländischen Malerei, München 1989 (3. Aufl. 2002)

Panhans-Bühler, Ursula: Eklektizismus und Originalität im Werk des Petrus Christus (Wiener Kunstgeschichtliche Forschungen V), Wien 1978

Panofsky, Erwin: Early Netherlandish Painting, Cambridge 1953 (dt.: Die altniederländische Malerei. Ihr Ursprung und Wesen, übers. und hrsg. von Jochen Sander und Stephan Kemperdick, Köln 2001)

Preimesberger, Rudolf: Geburt der Stimme und Schweigen des Gesetzes: Beobachtungen an der Johannes-Seite des Turin-Mailänder Stundenbuches, in: Zeitschrift für Kunstgeschichte 57, 1994, S. 307–318

Rasmo, Nicolò: Michael Pacher, München 1969

Ruda, Jeffrey: Fra Filippo Lippi. Life and Work with a Complete Catalogue, New York/London 1993

Schwarz, Michael Viktor und Pia **Theis**: Giottus Pictor. Bd.1. Giottos Leben, Wien 2004

Silver, Larry: The Paintings of Quinten Massys, Montclair 1984

Silver, Larry: Hieronymus Bosch, München 2006

De Vos, Dirk: Rogier van der Weyden. Das Gesamtwerk, München 1999

Wedekind, Gregor: Wie in einem Spiegel. Porträt und Wirklichkeit in Jan van Eycks »Arnolfinihochzeit«, in: Zeitschrift für Kunstgeschichte 70, 2007, S. 325–346

16. Jahrhundert

Ausst.-Kat. Lorenzo Lotto. Il genio inquieto del Rinascimento (hrsg. v. David Alan Brown u.a., National Gallery of Art, Washington, Accademia Carrara di Belle Arti, Bergamo, Galeries nationales du Grand Palais, Paris 1997

Ausst.-Kat. Pieter Bruegel d.Ä. im Kunsthistorischen Museum (hrsg. v. Wilfried Seipel),

Kunsthistorisches Museum, Wien 1997
Ausst.-Kat. Holbein's Ambassadors. Making & Meaning (Susan Foister, Ashok Roy und Martin Wyld), The National Gallery, London 1997
Ausst.-Kat. Das Flämische Stillleben. 1550–1680 (hrsg. v. Wilfried Seipel), Kunsthistorisches Museum, Wien, Villa Hügel, Essen, Lingen 2002
Best.-Kat. Flämische Malerei von Jan van Eyck bis Pieter Bruegel d.Ä. (bearb. v. Klaus Demus, Friderike Klauner und Karl Schütz), Kunsthistorisches Museum, Wien 1981

Eisler, Colin: Paintings from the Samuel H. Kress Collection. European Schools excluding Italian, Oxford 1977
Friedländer, Max J.: J Gossaert and Bernart van Orley (Early Netherlandish Painting, Bd. VIII.), Leiden/Brüssel 1972
Luchinat, Cristina Acidini: Taddeo e Federico Zuccari, fratelli pittori del Cinquecento, Milano/Roma 1999
Natali, Antonio: Andrea del Sarto, New York/London/Paris 1999
Nichols, Tom: Tintoretto. Tradition and Identity, London 1999
North, John: The Ambassador's Secret. Holbein and the World of the Renaissance, London/New York 2002
Oberhuber, Konrad: Raffael, Das malerische Werk, München u.a., 1999
von der Osten, Gert: Hans Baldung Grien. Gemälde und Dokumente, Berlin 1983
Raupp, Hans Joachim: Bauernsatiren. Entstehung und Entwicklung des bäuerlichen Genres in der deutschen und niederländischen Kunst ca. 1470–1570, Niederzier 1986
Roberts-Jones, Philippe und Francoise
Roberts-Jones: Pieter Bruegel d. Ältere, München 1997
Schubert, Dietrich: Die Gemälde des Braunschweiger Monogrammisten, Köln 1970
Winzinger, Franz: Albrecht Altdorfer. Die Gemälde, Tafelbilder, Miniaturen, Wandbilder, Bildhauerarbeiten. Werkstatt und Umkreis, München 1975
Zöllner, Frank: Leonardo da Vinci 1452–1519. Sämtliche Gemälde und Zeichnungen, Köln 2003

17. Jahrhundert

Quellenschriften:

van Mander, Karel und Arnold **Houbraken**, De groote Schouburgh der Nederlantsche konstschilders en schilderessen, Bd. 1–3, Amsterdam 1718–21

Kataloge:

Ausst.-Kat. Domenico Fetti 1588/89–1623 (hrsg. v. Eduard A. Safarik), Centro Internazionale d'Arte e di Cultura di Palazzo Te, Mantua 1996
Best.-Kat. The Dutch School 1600–1900 (Neil Mac Laren, überarb. und erw. v. Christopher Brown), The National Gallery, London 1991
Best.-Kat. Die holländischen Gemälde des 17. Jahrhunderts in der Gemäldegalerie der Akademie der bildenden Künste in Wien (Renate Trnek), Wien u.a. 1992
Best.-Kat. Flämische Malerei des Barock in der Alten Pinakothek (Konrad Renger mit Claudia Denk), München/Köln 2002

Allgemeine Literatur:

Ausst.-Kat. Tot Lering en Vermaak. Betekenissen van Hollandse genrevorstellingen uit de zeventiende eeuw, Rijksmuseum, Amsterdam 1976
Ausst.-Kat. Great Dutch Paintings from America (Ben Broos), Mauritshuis, Den Haag, The Fine Arts Museum of San Francisco 1990
Ausst.-Kat. Von Bruegel bis Rubens. Das goldene Jahrhundert der flämischen Malerei (hrsg. v. Ekkehard Mai und Hans Vlieghe), Wallraf-Richartz Museum, Köln, Kunsthistorisches Museum, Wien, Koninklijk Museum voor Schone Kunsten, Antwerpen, Köln 1992
Ausst.-Kat. Dawn of the Golden Age. Northern Netherlandish Art. 1580–1620 (hrsg. v. Ger Luijten und Ariane van Suchtelen), Rijksmuseum, Amsterdam 1993
Ausst.-Kat. Art & Home. Dutch Interiors in the Age of Rembrandt (Mariet Westermann), Denver Art Museum, Denver, The Newark Museum, Newark 2001
Ausst.-Kat. Der Zauber des Alltäglichen. Holländische Malerei von Adriaen Brouwer bis Johannes Vermeer, Museum Boijmans Van Beuningen, Rotterdam, Städelsches Kunstinstitut, Frankfurt a.M. 2005

Borchhardt-Birbaumer, Brigitte: Imago Noctis. Die Nacht in der Kunst des Abendlandes vom Alten Orient bis ins Zeitalter des Barock, Wien/Köln/Weimar 2003
Haak, Bob: Das Goldene Zeitalter der holländischen Malerei, Köln 1984
Jantzen, Hans: Das niederländische Architekturbild, 1911, 2. Aufl. Braunschweig 1979
de Jongh, Eddie: The Broom as Signifier: an iconological hunch, in: Questions of Meaning, Theme and motif in Dutch seventeenth-century painting, Leiden 2000, S. 193–214
Liedtke, Walter A.: Architectural Painting in Delft, Dornspijk 1982
Plietzsch, Eduard: Randbemerkungen zur holländischen Interieurmalerei am Beginn des 17. Jahrhunderts, in: Wallraf-Richartz Jahrbuch 18, 1956, S.174–196
Schama, Simon: The Embarassment of Riches. An Interpretation of Dutch Culture in the Golden Age, London 1987 (dt. Übers.: Überfluß und schöner Schein. Zur Kultur der Niederlande im Goldenen Zeitalter, München 1988)

Slive, Seymour: Dutch Painting 1600–1800, New Haven/London 1995

Literatur zu einzelnen Künstlern:

Ausst.-Kat. Adriaen Brouwer und das niederländische Bauerngenre 1600–1660 (Konrad Renger), Bayerische Staatsgemäldesammlungen, München 1986

Ausst.-Kat. Pieter de Hooch, 1629–1684 (Peter C. Sutton), Dulwich Picture Gallery, London, Wadsworth Atheneum, Hartford 1998

Ausst.-Kat. Hans Vredeman de Vries und die Renaissance des Nordens, Weserrenaissance Museum Schloß Brake, München 2002

Ausst.-Kat. Gerard ter Borch (Arthur Kingsland Wheelock), National Gallery of Art, Washington, The Detroit Institute of Arts, Detroit 2005

Ausst.-Kat. Adam Elsheimer 1578–1610, National Gallery of Scotland, Edinburgh, Dulwich Picture Gallery, London, Städelsches Kunstinstitut, Frankfurt a.M., Wolfratshausen 2006

Ausst.-Kat. Gemaltes Licht. Die Stilleben von Willem Kalf 1619–1673, Museum Boijmans Van Beuningen, Rotterdam, Suermondt-Ludwig Museum, Aachen, Berlin 2006

Adler, Wolfgang: Landscapes (Corpus Rubenianum Ludwig Burchard. An illustrated catalogue raisonné of the work of Peter Paul Rubens, Teil XVIII), London/Oxford/New York 1982

Brusati, Celeste: Artifice and Illusion. The Art and Writing of Samuel van Hoogstraten, Chicago/London 1995

Glück, Gustav: Die Landschaften von Peter Paul Rubens, Wien 1940

Lasius, Angelika: Quringh van Brekelenkam (Ars Picturae, 3), Doornspijk 1992

Mai, Ekkehard: Wer war Jacobus Vrel? Hypothesen zum sogenannten »Vermeer der Armen«, in: Kölner Museums-Bulletin 4/2003, S. 42–71

Morsbach, Christiane: Die Genrebilder von Wolfgang Heimbach (um 1613–nach 1678) (Oldenburger Forschungen, N.F. Bd. 9), Oldenburg 1999

Sutton, Peter C.: Pieter de Hooch. Complete edition, Oxford 1980

Literatur zu Rembrandt:

Ausst.-Kat. Rembrandt. Der Meister und seine Werkstatt, (Christopher Brown, Jan Kelch und Pieter van Thiel), Staatliche Museen, Gemäldegalerie, Berlin 1991

Ausst.-Kat. Der junge Rembrandt. Rätsel um seine Anfänge (Ernst van de Wetering und Bernhard Schnackenburg), Gemäldegalerie Alte Meister, Staatliche Museen Kassel, Museum het Rembrandthuis, Amsterdam 2001

Ausst.-Kat. Rembrandt Rembrandt, Städelsches Kunstinstitut, Frankfurt a.M. 2003

Ausst.-Kat. Rembrandt? The Master and his Workshop, Statens Museum for Kunst, Kopenhagen 2006

Ausst.-Kat. Rembrandt. Genie auf der Suche, Staatliche Museen zu Berlin, Gemäldegalerie 2006

Bruyn, J., B. **Haak**, S. H. **Levie**, P. J. J. **van Thiel**, E. **van de Wetering**: A Corpus of Rembrandt Paintings, 4 Bände erschienen, Dordrecht/Boston/Lancaster 1982–2005

Kemp, Wolfgang: Rembrandt. Die Heilige Familie oder die Kunst, einen Vorhang zu lüften, Frankfurt a.M. 1986

Schama, Simon: Rembrandt's Eyes, New York 1999

Sumowski, Werner: Gemälde der Rembrandt-Schüler, 6 Bände, Landau i.d. Pfalz 1983–1994

Literatur zu Vermeer:

Ausst.-Kat. Johannes Vermeer (hrsg. v. Arthur Kingsland Wheelock), National Gallery of Art, Washington, Royal Cabinet of Paintings Mauritshuis, Den Haag 1995

Ausst.-Kat. Vermeer and the Delft School (Walter Liedtke), The Metropolitan Museum of Art, New York, The National Gallery, London 2001

Ausst.-Kat. Vermeer y el interior holandés, Museo Nacional del Prado, Madrid 2003

Montias, John Michael: Vermeer and his Milieu. A Web of Social History, Princeton 1989

Westermann, Mariët: Johannes Vermeer (1632–1675) (Rijksmuseum Dossiers), Amsterdam 2004

Wheelock, Arthur: Vermeer and the Art of Painting, New Haven/London 1995

Wheelock, Arthur: Johannes Vermeer. The Art of Painting, Washington 1999

Literatur zu den Architekturmalern:

Ausst.-Kat. Perspectives. Saenredam and the architectural painters of the 17th century, Museum Boijmans Van Beuningen, Rotterdam 1991

Ausst.-Kat. Pieter Saenredam. The Utrecht Work, The J. Paul Getty Museum, Los Angeles 2002

Manke, Ilse: Emanuel de Witte 1617–1692, Amsterdam 1963

Schwartz, Gary und Marten Jan **Bok**: Pieter Saenredam. The Painter and His Time, Maarssen/Den Haag 1990

de Vries, Lyckle: Gerard Houckgeest, in: Jahrbuch der Hamburger Kunstsammlungen 20, 1975

Wheelock, Arthur: Gerard Houckgeest and Emanuel de Witte. Architectural painting in Delft around 1650, in: Simiolus 8, 1975/76, S. 167–185

18. Jahrhundert

Ausst.-Kat. Hogarth (Lawrence Gowing), The Tate Gallery, London 1972

Ausst.-Kat. De David à Delacroix. La peinture française de 1774 à 1830, Grand Palais, Paris 1974

Ausst.-Kat. Jean-Baptiste Greuze 1725–1805 (Edgar Munhall), Palais des États de Bourgogne, Musée de Dijon 1977
Ausst.-Kat. Chardin 1699–1779 (Pierre Rosenberg und Sylvie Savina), Grand Palais, Paris, Cleveland Museum of Art, Cleveland, Museum of Fine Arts, Boston 1979
Ausst.-Kat. Le Louvre d'Hubert Robert (Les dossiers du département des peintures 18) (Marie-Catherine Sahut), Musée du Louvre, Paris 1979
Ausst.-Kat. Francois Boucher. 1703–1770, The Metropolitan Museum, New York, The Detroit Institute of Arts, Detroit, Galeries nationales du Grand Palais, Paris 1986
Ausst.-Kat. Giuseppe Maria Crespi and the Emergence of Genre Painting in Italy (John T. Spike), Kimbell Art Museum, Fort Worth 1986
Ausst.-Kat. Joseph Wright of Derby 1734–1797 (hrsg. v. J. Egerton), Tate Gallery, London, Grand Palais, Paris, The Metropolitan Museum of Art, New York 1990
Ausst.-Kat. Giovanni Paolo Panini 1691–1765 (hrsg. v. Ferdinando Arisi), Palazzo Gotico, Piacenza 1993
Ausst.-Kat. Pietro Longhi (hrsg. v. Adriano Mariuz, Giuseppe Pavanello und Giandomenico Romanelli), Museo Correr, Venedig 1993
Ausst.-Kat. Das Capriccio als Kunstprinzip. Zur Vorgeschichte der Moderne von Arcimboldo und Callot bis Tiepolo und Goya. Malerei – Zeichnung – Graphik (hrsg. v. Ekkehard Mai), Wallraf Richartz Museum, Köln, Kunsthaus Zürich, Kunsthistorisches Museum, Wien 1996
Ausst.-Kat. Francisco de Goya 1746–1828. Prophet der Moderne (hrsg. v. Wilfried Seipel und Klaus Peter Schuster gem. mit Manuela B. Mena Marqués), Staatliche Museen zu Berlin, Nationalgalerie, Kunsthistorisches Museum, Wien, Köln 2005
Arisi, Ferdinando: Gian Paolo Panini e i fast idella Roma del '700, 2. Aufl. Rom 1986
Börsch-Supan, Helmut: Antoine Watteau 1684–1721, Köln 2000
Busch, Werner: Piranesis »carceri« und der Capriccio-Begriff im 18. Jahrhundert, in: Wallraf-Richartz-Jahrbuch 39, 1977, S. 209–224
Cuzin, Jean-Pierre: Fragonard, Vie et Œuvre, Fribourg 1988
Grijzenhout, Frans: Cornelis Troost, NELRI, Bloemendaal 1993
Millar, Oliver: Zoffany and his Tribuna (Studies in British Art, The Paul Mellon Foundation for British Art 1966), London 1967
Morassi, Antonio: Guardi. I dipinti, Venedig 1993
Paulson, Ronald: The Art of Hogarth, London 1975
Pée, Herbert: Johann Heinrich Schönfeld. Die Gemälde, Berlin 1971
Pignatti, Terisio: L'opera completa di Pietro Longhi, Mailand 1974
Rees, Joachim: »Glücklich, sich vom gewohnten Weg zu entfernen«? Le caprice und die Kunst der Abweichung in der französischen Malerei des 18. Jahrhunderts, in: Ausst.-Kat. Das Capriccio als Kunstprinzip, 1996, S. 111–131
Rosenberg, Pierre und Renaud **Temperini**: Chardin suivi du Catalogue des œuvres, Paris 1999

19. Jahrhundert

Ausst.-Kat. De David à Delacroix. La peinture francaise de 1774 à 1830, Paris 1974
Ausst.-Kat. Manet 1832–1883. Galeries nationales de Grand Palais, Paris, Metropolitan Museum of Art, New York 1983
Ausst.-Kat. Décoration. Vincent van Goghs Werkreihe für das Gelbe Haus in Arles, hrsg. v. Roland Dorn, Hildesheim-Zürich-New York 1990
Ausst.-Kat. Die Nabis. Propheten der Moderne, hrsg. v. Claire Frèches-Thory u. Ursula Perucchi-Petri, Kunsthaus Zürich, München 1993
Ausst.-Kat. Mein blauer Salon. Zimmerbilder der Biedermeierzeit, bearb. v. Christiane Lukatis, Nürnberg, Germanisches Nationalmuseum 1995
Ausst.-Kat. Gustave Caillebotte. Urban Impressionist, Musée d'Orsay, Paris, The Art Institute of Chicago 1995
Ausst.-Kat. Fritz von Uhde. Vom Realismus zum Impressionismus, hrsg. v. Dorothee Hansen, Kunsthalle Bremen, Museum der bildenden Künste Leipzig, Ostfildern-Ruit 1998
Ausst.-Kat. Intime Welten. Das Interieur bei den Nabis – Bonnard, Vuillard, Vallotton, hrsg. v. Ursula Perucchi-Petri, Winterthur, Villa Flora, Bern 1999
Ausst.-Kat. Vilhelm Hammershøi, Hamburger Kunsthalle 2003
Ausst.-Kat. Signac, 1863–1935, The Metropolitan Museum of Art, New York, 2001
Ausst.-Kat. Edouard Vuillard, National Gallery of Art, Washington 2003
Ausst.-Kat. Rudolf von Alt, 1812–1905, hrsg. v. Klaus Albrecht Schröder und Maria Luise Sternath, Albertina Wien 2005
Ausst.-Kat. Brise d'Ostende. Léon Spilliaert & Oostende, Oostende, Venetiaanse Gaanderijen 2006
Ausst.-Kat. Blicke auf Europa. Europa und die deutsche Malerei des 19. Jahrhunderts, Brüssel, Palais des Beaux-Arts, Ostfildern-Ruit 2007
Ausst.-Kat. Helene Schjerfbeck, 1862–1946, hrsg. v. Annabelle Görgen u. Hubertus Gaßner, Hamburger Kunsthalle, München 2007
Ausst.-Kat. Ensor. Schrecken ohne Ende, Wuppertal, von der Heydt Museum, 2008

Börsch-Supan, Helmut und Karl Wilhelm **Jähnig**: Caspar David Friedrich. Gemälde, Druckgraphik und bildmäßige Zeichnungen, München 1973

Busch, Werner: Adolph Menzel. Leben und Werk, München 2004

Cogeval, Guy u. Antoine **Salomon**: Vuillard, The Inexhaustible Glance, Critical Catalogue of Paintings and Pastels, Paris 2003

Eberle, Matthias: Max Liebermann 1847-1935, Werkverzeichnis der Gemälde und Ölstudien, 2 Bde., München 1995/96

Faille, J. B. de la: The Works of Vincent van Gogh. His Paintings and Drawings, Amsterdam 1970

Gogh, Vincent van: Sämtliche Briefe, hrsg. von Fritz Erpel, 6 Bde, Bornheim-Merten 1985

Heller, Reinhold: Edvard Munch, Leben und Werk, München 1993

Herding, Klaus (Hrsg.), Realismus als Widerspruch. Die Wirklichkeit in Courbets Malerei, Frankfurt 1978

Jensen, Jens Christian: Adolph Menzel, Köln 2003

Nochlin, Linda: Courbet's Real Allegory: Rereading »The Painter's Studio«, in: Ausst.-Kat. Courbet Reconsidered, The Brooklyn Museum New York 1988, 17-42

Reed, Christopher: Not at Home, The Suppression of Domesticity in Modern Art and Architecture, London 1996

Schneede, Uwe M.: Vincent van Gogh. Leben und Werk, München 2003

Schnell, Werner: Georg Friedrich Kersting (1785–1847). Das zeichnerische und malerische Werk mit Œuvrekatalog, Berlin 1994

Sidlauskas, Susan: A »Perspective of Feeling«: The Expressive Interior in Nineteenth-Century Realist Painting, Ph.D. diss. University of Pennsylvania, 1989

Sidlauskas, Susan: Resisting Narrative, The Problem of Edgar Degas's Interior, in: The Art Bulletin, 75, 1993, 671-696

Stein, Laurie A.: Zimmerbilder, in: Ausst.-Kat. Biedermeier. Die Erfindung der Einfachheit, hrsg. v. H. Ottomeyer, K. A. Schröder und L. Winters, Milwaukee Art Museum, Albertina Wien, Deutsches Historisches Museum Berlin, Ostfildern 2007

Steinhauser, Monika: Der inszenierte Blick des Flaneurs. Manet und Baudelaire, in: Im Blickfeld, Jahrbuch der Hamburger Kunsthalle, 1, 1994, 9-40

Weber, Werner: Eden und Elend. Félix Vallotton – Maler, Dichter, Kritiker, Zürich 1998

Wichmann, Siegfried: Carl Spitzweg. Verzeichnis der Werke. Gemälde und Aquarelle, Stuttgart 2002

20. Jahrhundert

Ausst.-Kat. Salvador Dali 1904–1989 (Karin v. Maur), Staatsgalerie Stuttgart, Kunsthaus Zürich 1989

Ausst.-Kat. Henri Matisse. A Retrospective (hrsg. v. John Elderfield), The Museum of Modern Art, New York 1992

Ausst.-Kat. Wege des Expressionismus – die »Brücke« (hrsg. v. Magdalena M. Moeller), München 1995

Ausst.-Kat. Alberto Giacometti (bearb. v. Rudolf Koella, mit Beiträgen von Rudolf Koella, Wieland Schmied und Jean-Louis Prat), München 1997

Ausst.-Kat. Die andere Moderne – de Chirico/Savinio (hrsg. v. Paolo Baldacci und Wieland Schmied), Kunstsammlung Nordrhein-Westfalen, Düsseldorf 2001

Ausst.-Kat. Balthus (hrsg. v. Jean Clair), Palazzo Grassi, Venedig 2002

Ausst.-Kat. Max Beckmann (hrsg. v. Sean Rainbird), Tate Modern, London 2003

Ausst.-Kat. René Magritte. Der Schlüssel der Träume, Kunstforum, Wien, Fondation Beyeler, Riehen/Basel 2005

Ausst.-Kat. Jörg Immendorf. Male Lago, Staatliche Museen, Nationalgalerie Berlin, Köln 2005

Ausst.-Kat. Henri Matisse. Figur, Farbe, Raum (hrsg. v. Pia Müller-Tamm), Kunstsammlung Nordrhein-Westfalen, Düsseldorf, Fondation Beyeler, Riehen/Basel, Ostfildern 2006

Ausst.-Kat. Paul Delvaux. Das Geheimnis der Frau (hrsg. v. Thomas Kellein und Björn Egging), Kunsthalle Bielefeld 2006

Ausst.-Kat. Balthus – Aufgehobene Zeit. Gemälde und Zeichnungen 1932–1960 (sabine Rewald), Museum Ludwig, Köln 2007

Ausst.-Kat. Edward Hopper, Museum of Fine Arts, Boston, National Gallery of Art Washington, The Art Institute, Chicago 2007

Ausst.-Kat. Olvidando a Velázquez. Las Meninas, Museu Picasso, Barcelona 2008

Ausst.-Kat. Juan Muñoz. A Retrospective (hrsg. v. Sheena Wagstaff), Tate Modern, London 2008

Ausst.-Kat. Giacomo Balla. La modernità futurista, Palazzo Reale, Mailand 2008

Hamilton, Richard: Virtuelle Räume, Köln 2008

Hamilton, Richard: Introspective, Museum Ludwig, Köln 2003

Kranzfelder, Ivo: Edward Hopper 1882–1967. Vision der Wirklichkeit, Köln 1994

Monnier, Virginie und Jean **Clair**: Balthus. Catalogue raisonné de l'œuvre complet, Paris 1999

Personenregister

(Fett gesetzte Ziffern bezeichnen als Abbildungsnummern Werke der Künstler.)

263 Jörg Immendorff, **Café Deutschland IV**
Öl auf Leinwand, 282 x 330
Karlsruhe, Städtische Galerie, Leihgabe Sammlung Garnatz

Sulamith

264 Anselm Kiefer, **Sulamith**, 1983
Mischtechnik auf Leinwand, 290 x 370 cm
Privatsammlung

auf der Abbildung eines NS-Soldatenehrenmals, das als Staffel von gedrückten Kreuzgratgewölben in zentraler Abfolge angelegt ist (Abb. 264). Die regelmäßige Sequenz schwarzer Öffnungen in den Seitenwänden der finsteren Kaverne ruft unmittelbar die Assoziation der Öfen von Auschwitz hervor. In dem auf so eindrückliche Weise umgedachten Entwurf flackert am Ende des Raums ein Feuer, das von einem siebenarmigen Leuchter ausgeht. Kiefer nennt das Bild *Sulamith* und bezieht sich damit weniger auf die Figur aus dem biblischen Hohenlied als auf das literarische Denkmal, das Paul Celan mit seiner »Todesfuge« den ermordeten Juden Europas setzte: Das »aschene« Haar der Sulamith steht dort für den millionenfachen Tod in den Konzentrationslagern eben derselben Mörder, die auch zahllose Soldatenehrenmale notwendig werden ließen.

Zeitgenössische Künstler überwinden in ihren Werken immer wieder die Grenzen der klassischen Kunstgattungen und kombinieren etwa dreidimensionale Objekte und Installationen mit Malerei oder anderen flächenhaften Darstellungen. Das Werk *Ventriloquist. Looking at a Double Interior* des spanischen Bildhauers Juan Muñoz (Madrid 1953 – Ibiza 2001) wirkt wie ein zeitgenössischer Kommentar zur historischen Entwicklung der Bildgattung des Interieurs (Abb. 265). Muñoz plaziert eine Figur, die auf einer Kiste sitzt und die der Künstler als die Puppe eines Bauchredners verstanden wissen will, vor zwei monochrome Zeichnungen von menschenleeren Interieurs auf schwarzem Grund. Die Zeichnungen nehmen mit ihren Raumfolgen und Türdurchblicken Motive der klassischen holländischen Interieurmalerei in abstrahierter Form auf, die kleine dreidimensionale Figur davor bringt uns selbst als den Betrachter ins Bild. Die veränderliche Position des Betrachters ist eine der Konstanten der Interieurdarstellung insgesamt, er wanderte im Lauf der Jahrhunderte von außen nach innen, nahm einen starren Platz ein, wurde zum heimlichen Beobachter oder zum einsamen Gast leerer Zimmer. Hier blickt er als rätselhafte Figur zurück in die Geschichte der Malerei – oder vielmehr in ihre unbekannte Zukunft?

265 Juan Muñoz, **Ventriloquist. Looking at a Double Interior**, 1988–2001 Kunstharz, Motor, Silikon und Mixed media auf Textil, Zeichnungen je 146,5 x 100 cm, Objekt 63 x 25 x 25 cm, Sockel 107 x 150 x 30 cm
Privatsammlung

260 Richard Hamilton, **Just what is it that makes today's homes so different, so appealing? (Was macht unsere heutigen Wohnungen eigentlich so anders, so anziehend?)**, 1956
Collage, 26 x 25 cm
Kunsthalle Tübingen

261 Tom Wesselmann, **Bathtub Collage # 1**, 1963
Ölfarbe, Lack auf Spanplatte mit montierten Gegenständen und Materialien,
122,5 x 152,8 x 17,6 cm
Frankfurt, Museum für Moderne Kunst